ANNA KARÉNINE
Tome II

LÉON TOLSTOÏ

Anna Karénine

Tome II

LE LIVRE DE POCHE

CINQUIÈME PARTIE

I

La princesse Stcherbatski croyait impossible de célébrer le mariage avant le carême, à cause du trousseau dont la moitié à peine pouvait être terminée d'ici-là, c'est-à-dire en cinq semaines. Elle convenait d'ailleurs avec Levine qu'en remettant la cérémonie après Pâques, on risquait de la voir encore reculée par un deuil, une vieille tante du prince étant fort malade. Elle prit donc un moyen terme en décidant que la noce se ferait avant le carême, mais que seul le « petit » trousseau serait livré à cette date, le « grand » devant suivre plus tard. Et comme Levine, mis en demeure de donner son assentiment à cette proposition, répondait par des plaisanteries, la princesse s'indigna d'autant plus que les jeunes gens comptaient passer leur lune de miel à la campagne, où certaines pièces du grand trousseau pouvaient leur faire défaut.

Toujours à moitié fou, il continuait à croire que son bonheur et sa personne constituaient le centre, l'unique but de la création; abandonnant aux autres les soucis matériels, il leur laissait même tracer pour lui des plans d'avenir, convaincu qu'ils arrangeraient tout pour le mieux. Son frère Serge, Stépane Arcadiévitch et la princesse le dirigeaient complètement. Son frère emprunta l'argent dont il avait besoin; la princesse lui conseilla de quitter Moscou après la

noce, Oblonski de faire un voyage à l'étranger; il
consentit à tout. « Ordonnez ce qu'il vous plaira et
faites ce que bon vous semble, puisque cela vous
amuse; je suis heureux et, quoi que vous décidiez,
mon bonheur n'en sera ni plus ni moins grand. »
Quand il soumit à Kitty le conseil de Stépane Arcadiévitch, il fut tout surpris de voir que, loin de l'approuver, elle avait ses vues particulières et bien tran-
chées sur leur vie future. Elle savait que Levine se
passionnait pour une entreprise qu'elle jugeait très
importante, sans d'ailleurs faire effort pour la comprendre; et comme cette entreprise exigerait leur présence à la campagne, elle tenait à s'établir sans plus
tarder dans leur véritable résidence. Cette décision
très arrêtée étonna Levine, mais, indifférent à tout, il
s'y rangea aussitôt et pria Stépane Arcadiévitch de
veiller avec le goût qui le caractérisait aux embellissements de sa maison des champs. Cette corvée lui
parut rentrer de plein droit dans les attributions de
son futur beau-frère.

« A propos, lui demanda celui-ci quand il eut tout
organisé à la campagne, as-tu un billet de confession?

— Non, pourquoi?

— On ne se marie pas sans cela.

— Aïe, aïe, aïe! s'écria Levine. Voilà, je crois, neuf
ans que je ne me suis confessé! Et je n'y ai seulement
pas songé!

— C'est joli, dit en riant Oblonski, et tu me traites
de nihiliste! Mais cela ne peut se passer ainsi : il faut
que tu fasses tes dévotions.

— Quand? Nous n'avons plus que quatre jours! »
Stépane Arcadiévitch arrangea cette affaire comme
les autres et Levine commença ses dévotions. Respectueux des convictions d'autrui, mais incrédule pour
son propre compte, il trouvait dur d'assister et de
participer sans y croire à des cérémonies religieuses.
Dans sa disposition d'esprit attendrie et sentimentale,
l'obligation de dissimuler lui semblait particulièrement
odieuse. Mentir, railler des choses saintes quand son
cœur s'épanouissait, quand il se sentait en pleine

gloire! Etait-ce possible? Mais il eut beau supplier
Stépane Arcadiévitch de lui obtenir un billet sans qu'il
fût contraint de se confesser, celui-ci demeura inflexible.

« Crois-moi, deux jours sont vite passés, et tu auras
affaire à un petit vieux pas bête qui t'arrachera cette
dent sans que tu t'en aperçoives. »

Pendant la première messe à laquelle il assista, Levine voulut faire revivre les impressions religieuses
de sa jeunesse qui, entre seize et dix-sept ans, avaient
été fort vives : il n'y réussit pas. Il entreprit alors de
considérer cette cérémonie comme un usage ancien,
aussi vide de sens que la coutume de faire des visites :
il n'y parvint pas davantage; semblable à la plupart
de ses contemporains, il se sentait en effet aussi incapable de croire que de nier. Cette confusion de sentiments lui causa, pendant tout le temps qu'il dut consacrer à ses dévotions, une gêne et une honte extrêmes :
la voix de la conscience lui criait qu'agir sans comprendre, c'était commettre une mauvaise action.

Pendant les offices, il tâchait d'abord d'attribuer
aux prières un sens qui ne heurtât point trop ses
convictions, mais s'apercevant bientôt qu'il critiquait
au lieu de comprendre, il s'abandonnait au tourbillon
de ses souvenirs et de ses pensées intimes. Il entendit
de la sorte et la messe et les vêpres et les instructions
du soir pour la communion. Le lendemain il se leva
plus tôt que de coutume et vint à jeun vers huit heures
pour les instructions du matin et la confession. L'église
était déserte : il n'y vit qu'un soldat qui mendiait,
deux vieilles femmes et les ministres du culte. Un
jeune diacre, dont le dos long et maigre se dessinait
en deux parties bien nettes sous sa mince soutane,
vint à la rencontre de Levine; s'approchant aussitôt
d'une petite table disposée près du mur, il commença
la lecture des instructions. En l'écoutant bredouiller
comme un refrain les mots : « Seigneur, ayez pitié
de nous », Levine debout derrière lui aima mieux laisser ses pensées suivre leur cours que les contraindre
à une attention dont il n'eût sans doute point été

capable. « Quelle expression elle a dans les mains »,
songea-t-il, se rappelant la soirée de la veille qu'il
avait passée avec Kitty dans un coin du salon : tandis que leur entretien roulait, comme presque toujours
d'ailleurs, sur des choses insignifiantes, elle s'amusait,
tout en riant de cet enfantillage, à ouvrir et à refermer
sa main appuyée sur un guéridon; il se souvint d'avoir
baisé cette menotte rose et d'en avoir examiné les
lignes. « Encore : ayez pitié de nous! » se dit-il; et
il lui fallut se signer, s'incliner tout en considérant
le dos souple du diacre qui s'inclinait lui aussi. « Ensuite elle a pris ma main et l'a examinée à son tour.
— Tu as une fameuse main, m'a-t-elle dit. » Il regarda
sa main, puis celle du diacre, aux doigts écourtés.
« Allons, je crois que la fin approche... Non, il recom-
mence... Si fait, il se prosterne, c'est bien la fin. »

Sa longue manche au revers de peluche permit au
diacre de faire disparaître le plus discrètement du
monde le billet de trois roubles que lui glissait Levine;
après lui avoir promis de l'inscrire pour la confession,
il s'éloigna en faisant résonner ses bottes neuves sur
les dalles de l'église déserte. Il se perdit derrière l'iconostase, mais revint bientôt faire signe à Levine, dont
la pensée parut vouloir se réveiller. « Non, se dit-il,
mieux vaut n'y pas songer; tout s'arrangera. » Il se
dirigea vers l'ambon, monta quelques marches, tourna
à droite et aperçut le prêtre, un petit vieillard à la
barbe grise clairsemée, aux bons yeux fatigués, qui
debout près du lutrin, feuilletait son rituel. Après un
léger salut à Levine, il lut d'une voix monotone les
prières préparatoires, se prosterna vers son pénitent
et lui dit en désignant le crucifix :

« Le Christ assiste, invisible, à votre confession...
Croyez-vous à tout ce qu'enseigne la sainte Eglise
apostolique? continua-t-il en détournant son regard
et en croisant les mains sous son étole.

— J'ai douté, je doute encore de tout », dit Levine
d'une voix qui résonna désagréablement à son oreille.
Puis il se tut.

Le prêtre attendit quelques secondes; puis, fermant

les yeux, il proféra avec le débit rapide des gens de Vladimir :

« Douter est le propre de la faiblesse humaine, mais nous devons prier le Seigneur tout-puissant de nous venir en aide. Quels sont vos principaux péchés? ajouta-t-il sans la moindre interruption, comme s'il craignait de perdre du temps.

— Mon péché principal est le doute. Je doute de tout et presque toujours.

— Douter est le propre de la faiblesse humaine, répéta le prêtre. De quoi doutez-vous principalement?

— De tout. Je doute parfois même de l'existence de Dieu », dit Levine presque malgré lui.

L'inconvenance de ces paroles l'effraya; mais elles ne semblèrent pas produire sur le prêtre l'impression qu'il redoutait.

« Quels doutes pouvez-vous donc avoir sur l'existence de Dieu? » demanda-t-il avec un sourire presque imperceptible.

Levine se tut.

« Quels doutes pouvez-vous avoir sur le Créateur, quand vous contemplez ses œuvres? Qui a décoré la voûte céleste de toutes ses étoiles, orné la terre de toutes ses beautés? Comment ces choses existeraient-elles sans le Créateur?

Il interrogea Levine du regard. Mais celui-ci sentant l'impossibilité d'une discussion philosophique avec un prêtre, répondit simplement :

« Je ne sais pas.

— Vous ne savez pas? Mais alors pourquoi doutez-vous que Dieu ait tout créé?

— Je n'y comprends rien », répliqua Levine en rougissant. Il sentait l'absurdité de réponses qui, dans le cas présent, ne pouvaient être qu'absurdes.

« Priez Dieu, implorez-le. Les pères de l'Eglise eux-mêmes ont douté et demandé à Dieu de les affermir dans leur foi. Le démon est puissant, mais nous ne devons pas lui céder. Priez Dieu, implorez-le. Priez Dieu », répéta-t-il très vite.

Puis il garda un instant le silence et parut réfléchir.

« Vous avez, m'a-t-on dit, l'intention de contracter mariage avec la fille de mon paroissien et fils spirituel le prince Stcherbatski? reprit-il en souriant. C'est une charmante personne.

— Oui », répondit Levine, rougissant pour le prêtre. « Quel besoin a-t-il de faire de semblables questions en confession? » se demanda-t-il.

Alors, comme s'il répondait à cette pensée, le prêtre déclara :

« Vous songez au mariage et peut-être Dieu vous accordera-t-il une postérité. Quelle éducation donnerez-vous à vos enfants si vous ne parvenez pas à vaincre les tentations du démon qui vous suggère le doute? Si vous aimez vos enfants, vous leur souhaiterez non seulement la richesse et les honneurs, mais encore, en bon père, le salut de leur âme et les lumières de la vérité, n'est-il pas vrai? Que répondrez-vous donc à cet innocent qui vous demandera : « Père, « qui donc a créé tout ce qui m'enchante sur la terre, « l'eau, le soleil, les fleurs, les plantes? » Lui répondrez-vous : « Je n'en sais rien? » Pouvez-vous ignorer ce que Dieu, dans sa bonté infinie, vous dévoile? Et si l'enfant vous demande : « Qu'est-ce qui m'attend « au-delà de la tombe? » que lui direz-vous si vous ne savez rien? L'abandonnerez-vous aux sortilèges du démon et du monde? Ce n'est pas bien! » conclut-il en penchant la tête pour regarder Levine de ses bons yeux doux et modestes.

Levine ne répondit rien, non qu'il craignît cette fois une discussion malséante, mais parce que personne ne lui avait encore posé de pareilles questions; si jamais ses enfants les lui posaient un jour, il verrait quelle réponse leur faire.

« Vous abordez, reprit le prêtre, une phase de la vie où il faut choisir sa route et s'y tenir. Priez Dieu qu'il vous vienne en aide et vous absolve en sa miséricorde. »

Et après avoir prononcé la formule d'absolution, le prêtre le bénit et le congédia.

Levine rentra chez lui très content. Tout d'abord il

se sentait délivré d'une position fausse, sans avoir été contraint de mentir. Par ailleurs l'exhortation du bon vieillard ne lui semblait plus du tout si niaise qu'il l'avait cru tout d'abord; il avait l'impression vague d'avoir entendu des choses qui valaient la peine d'être un jour ou l'autre approfondies. Il sentit plus vivement que jamais qu'il avait dans l'âme des régions troubles et obscures; en ce qui concernait notamment la religion, il se trouvait exactement dans le même cas que Sviajski et quelques autres, dont il blâmait les incohérences d'opinions.

Levine passa la soirée chez Dolly en compagnie de sa fiancée; et comme sa joyeuse surexcitation surprenait Stépane Arcadiévitch, il se compara à un chien qu'on dresserait à sauter au travers d'un cerceau et qui, tout joyeux d'avoir enfin compris sa leçon, sauterait sur les tables et les fenêtres en agitant la queue.

II

La princesse et Dolly observaient strictement les vieux us, aussi ne permirent-elles pas à Levine de voir sa fiancée le jour du mariage; il dîna à l'hôtel avec trois célibataires que le hasard avait réunis chez lui. C'étaient d'abord son frère; puis Katavassov, un camarade d'université devenu professeur de sciences naturelles, qu'il avait rencontré et emmené presque de force; enfin son garçon d'honneur Tchirikov, un compagnon de chasse à l'ours qui exerçait à Moscou les fonctions de juge de paix. Le dîner fut très animé. Serge Ivanovitch, de fière humeur, goûta beaucoup l'originalité de Katavassov; celui-ci, se voyant apprécié, fit des frais; quant à l'excellent Tchirikov, il était toujours prêt à soutenir n'importe quelle conversation.

« Quel garçon bien doué était jadis notre ami Constantin Dmitritch, disait Katavassov avec la diction lente de l'homme habitué à pérorer du haut d'une

chaire. Je parle de lui au passé, car il n'existe plus.
Il aimait la science autrefois, au sortir de l'université,
il avait des passions dignes d'un homme; tandis que
maintenant il emploie une moitié de ses facultés à se
faire illusion, et l'autre moitié à donner à ses chimères
une apparence de raison.

— Je n'ai jamais rencontré d'ennemi du mariage
plus convaincu que vous, dit Serge Ivanovitch.

— Non pas, je suis simplement partisan de la divi-
sion du travail. Aux propres à rien incombe le devoir
de propager l'espèce; aux autres, celui de contribuer
au développement intellectuel, au bonheur de leurs
semblables. Telle est mon opinion. Il y a, je ne l'ignore
point, une foule de gens disposés à confondre ces
deux branches de travail, mais je ne suis pas du
nombre.

— Je ne me tiendrai pas de joie le jour où j'appren-
drai que vous êtes amoureux! s'écria Levine. Je vous
en prie, invitez-moi à votre noce.

— Mais je suis déjà amoureux.

— Oui, d'une seiche. Tu sais, dit Levine en se tournant vers son frère, Michel Sémionovitch écrit un
ouvrage sur la nutrition et...

— N'embrouillez pas les choses, s'il vous plaît! Peu
importe ce que j'écris, mais il est de fait que j'aime
les seiches.

— Cela ne vous empêcherait pas d'aimer une
femme.

— Non, c'est ma femme qui s'opposerait à mon
amour pour les seiches.

— Pourquoi cela?

— Vous le verrez bien. Vous aimez en ce moment
la chasse, l'agronomie; eh bien, attendez un peu, vous
m'en direz des nouvelles.

— A propos, dit Tchirikov, Archippe est venu me
voir tantôt; il prétend qu'il y a à Proudnoié deux
ours et quantité d'élans.

— Vous les chasserez sans moi.

— Tu vois, dit Serge Ivanovitch. Dis adieu à la
chasse à l'ours, ta femme ne te la permettra plus. »

Levine sourit. L'idée que sa femme lui défendrait la chasse lui parut si charmante qu'il aurait volontiers renoncé pour toujours au plaisir de rencontrer un ours.

« Vous aurez tout de même le cœur gros, reprit Tchirikov, quand vous apprendrez que nous avons tué ces deux ours sans vous. Rappelez-vous la belle chasse de l'autre jour à Khapilovo. »

Levine préféra se taire : cet homme s'imaginait qu'on pouvait prendre quelque plaisir en dehors de la présence de Kitty; à quoi bon lui enlever ses illusions?

« C'est à bon droit, déclara Serge Ivanovitch, que s'est établi l'usage de dire adieu à la vie de garçon. Si heureux qu'on se sente, on regrette toujours sa liberté.

— Avouez que, semblable au fiancé de Gogol, on éprouve l'envie de sauter par la fenêtre (1)?

— Il doit ressentir quelque chose comme ça, mais soyez sûr qu'il ne l'avouera pas, dit Katavassov avec un gros rire.

— Le vasistas est ouvert; partons pour Tver, insista Tchirikov en souriant. On peut trouver l'ourse dans sa tanière. Nous avons encore le temps de prendre le train de cinq heures.

— Non franchement, la main sur la conscience, répondit Levine, souriant aussi, la perte de la liberté me laisse froid. Je n'arrive pas à découvrir en moi la moindre trace de regret.

— C'est qu'il y a en vous un tel chaos que vous n'y reconnaissez rien pour le quart d'heure, dit Katavassov. Attendez qu'il y fasse plus clair, vous verrez alors!

— Non, il me semble qu'outre mon... sentiment (il se gênait d'employer le mot : amour) et mon bonheur, je devrais ressentir l'aiguillon du regret. Mais non, je vous l'affirme, la perte de ma liberté ne me cause que de la joie.

— Le cas est désespéré! s'exclama Katavassov. Bu-

(1) GOGOL, *Le Mariage*, 11, 21. (N. d. T.)

vons pourtant à sa guérison ou souhaitons-lui de voir
se réaliser ne fût-ce qu'un de ses rêves sur cent :
il connaîtra même alors un bonheur inouï. »

Presque aussitôt après le dîner, les convives se reti-
rèrent pour passer leur habit.

Resté seul, Levine se demanda encore s'il regrettait
réellement la liberté que prisaient tant ces célibataires
endurcis. Cette idée le fit sourire. « La liberté! pourquoi la liberté? Le bonheur pour moi consiste à aimer,
à vivre de ses pensées, de ses désirs à elle, sans aucune
liberté. Voilà le bonheur... Mais, lui souffla tout à coup
une voix intérieure, puis-je vraiment connaître ses
pensées, ses désirs, ses sentiments? » Le sourire disparut de ses lèvres; il tomba dans une profonde rêverie et se sentit bientôt en proie à la crainte et au
doute. « Et si elle ne m'aimait pas? si elle ne m'épou-
sait, même sans en avoir conscience, que pour se
marier? Peut-être reconnaîtra-t-elle son erreur et com-
prendra-t-elle, après m'avoir épousé, qu'elle ne m'aime
pas et ne peut pas m'aimer. » Et les pensées les plus
blessantes pour Kitty lui vinrent à l'esprit : il se remit,
comme un an auparavant, à éprouver une violente
jalousie contre Vronski; il se reporta, comme à un
souvenir de la veille, à cette soirée où il les avait vus
ensemble et la soupçonna de ne pas lui avoir tout
avoué.

« Non, décida-t-il dans un sursaut de désespoir, je
ne puis laisser les choses en cet état; je vais aller la
trouver, lui dire pour la dernière fois : nous sommes
libres, ne vaut-il pas mieux en rester là? tout est préférable au malheur de la vie entière, à la honte, à
l'infidélité! » Et, hors de lui, plein de haine contre
l'humanité, contre lui-même, contre Kitty, il courut
chez elle.

Il la trouva dans la garde-robe, assise sur un grand
coffre, occupée à trier avec sa femme de chambre des
robes de toutes les couleurs étalées par terre et sur
les dossiers des chaises.

« Comment! s'écria-t-elle, rayonnante de joie à sa
vue. C'est toi, c'est vous? (Jusqu'à ce dernier jour

elle lui disait tantôt « toi » tantôt « vous ».) Je ne m'y attendais pas. Je suis en train de faire le partage de mes robes de jeune fille.

— Ah! c'est très bien! répondit-il d'un ton lugubre avec un regard peu amène pour la femme de chambre.

— Tu peux te retirer, Douniacha, je te ferai signe. »

Et passant résolument au « tu », dès que la camériste fut sortie :

« Qu'as-tu? demanda-t-elle à Levine dont les traits bouleversés lui inspirèrent une terreur subite.

— Kitty, je souffre et ne puis supporter seul cette torture », lui redit-il avec l'accent du désespoir en l'implorant d'un regard scrutateur. Il eut tôt fait de lire, sur ce visage loyal et aimant, la vanité de ses craintes; mais il tenait à ce qu'elle les dissipât elle-même. « Je suis venu te dire qu'il n'est pas encore trop tard, que tout peut encore être réparé.

— Quoi? Je ne comprends pas. Qu'as-tu?

— J'ai... ce que j'ai cent fois dit et pensé... Je ne suis pas digne de toi. Tu n'as pu consentir à m'épouser. Penses-y. Tu te trompes peut-être. Penses-y bien. Tu ne peux pas m'aimer... Mieux vaut l'avouer, continua-t-il sans la regarder. Je serai malheureux, n'importe; qu'on dise ce que l'on voudra, tout vaut mieux que le malheur! N'attendons pas qu'il soit trop tard.

— Je ne comprends pas, répondit-elle toute anxieuse. Que veux-tu? Te dédire, rompre?

— Oui, si tu ne m'aimes pas.

— Tu deviens fou! » s'écria-t-elle, rouge de dépit. Mais la vue du visage désolé de Levine arrêta sa colère et, débarrassant un fauteuil des robes qui le recouvraient, elle s'assit près de lui. « A quoi penses-tu? lui demanda-t-elle. Voyons, dis-moi tout.

— Je pense que tu ne saurais m'aimer. Pourquoi m'aimerais-tu?

— Mon Dieu, qu'y puis-je?... dit-elle; et elle fondit en larmes.

— Qu'ai-je fait! » s'écria-t-il aussitôt, et se jetant à ses genoux il lui couvrit les mains de baisers.

Quand la princesse, au bout de cinq minutes, entra

dans la chambre, la réconciliation était complète,
Kitty avait convaincu son fiancé de son amour. Elle
lui avait expliqué qu'elle l'aimait parce qu'elle le
comprenait à fond, parce qu'elle savait ce qu'il devait
aimer et que tout ce qu'il aimait était bon et bien;
et cette explication parut fort claire à Levine. La
princesse les trouva assis côte à côte sur le grand
coffre en train d'examiner les robes : Kitty voulait
donner à Douniacha la robe brune qu'elle portait le
jour où Levine l'avait demandée en mariage, et celui-ci
insistait pour qu'elle ne fût donnée à personne et
que Douniacha reçût la bleue.

« Mais comprends donc qu'étant brune, le bleu ne
lui sied pas... J'ai pensé à tout cela... »

En apprenant pourquoi Levine était venu, la princesse se fâcha tout en riant et le renvoya s'habiller,
car M. Charles allait venir coiffer Kitty.

« Elle est assez agitée comme cela, dit-elle; elle ne
mange rien ces jours-ci, aussi enlaidit-elle à vue d'œil.
Et tu viens encore la troubler de tes folies! Allons,
sauve-toi, mon garçon. »

Confus mais rassuré, Levine rentra à l'hôtel, où
son frère, Darie Alexandrovna et Stépane Arcadiévitch, tous en grande toilette, l'attendaient déjà pour
le bénir avec l'image sainte. Il n'y avait pas de temps
à perdre. Darie Alexandrovna devait rentrer chez elle,
y prendre son fils qui, pommadé et frisé pour la cir-
constance, porterait l'icône devant la mariée. Ensuite
il fallait envoyer une voiture au garçon d'honneur,
tandis que l'autre, après avoir conduit Serge Ivanovitch à l'église, retournerait à l'hôtel.

La cérémonie de la bénédiction manqua de sérieux.
Stépane Arcadiévitch prit une pose solennelle et
comique à côté de sa femme, souleva l'icône et, obligeant Levine à se prosterner, le bénit avec un sourire
affectueux et malin; puis il l'embrassa trois fois. Darie
Alexandrovna fit exactement la même chose; elle avait
hâte de partir et s'embrouillait dans ses arrangements
de voiture.

« Voilà ce que nous allons faire, dit Oblonski : **tu**

iras prendre le garçon d'honneur avec notre voiture, tandis que Serge Ivanovitch aura la bonté de se rendre tout de suite à l'église et de renvoyer la sienne.

— Entendu, avec plaisir.

— Alors moi, j'accompagnerai Kostia. Les bagages sont-ils expédiés?

— Oui », répondit Levine et il appela Kouzma pour s'habiller.

III

UNE foule où dominait l'élément féminin encombrait l'église brillamment illuminée. Les personnes qui n'avaient pu pénétrer à l'intérieur se bousculaient aux fenêtres pour occuper les meilleures places.

Plus de vingt voitures se rangèrent à la file dans la rue, sous l'inspection des gendarmes. Indifférent au froid, un officier de police en grande tenue se tenait sous le péristyle où, les uns après les autres, des équipages déposaient tantôt des femmes, un bouquet au corsage et relevant les traînes de leurs robes, tantôt des hommes qui enlevaient képis ou hauts-de-forme pour pénétrer dans l'église. Les deux lustres et les cierges allumés devant les icônes inondaient de lumière les dorures sur fond rouge de l'iconostase, les ciselures des images, les grands chandeliers d'argent, les carreaux du plancher, les tapis, les bannières, les degrés de l'ambon, les vieux rituels noircis et les vêtements sacerdotaux. A droite de l'église se groupaient les habits noirs et les cravates blanches, les uniformes et les étoffes précieuses, le velours et le satin, les cheveux frisés et les fleurs rares, les épaules nues et les gants glacés; il montait de cette foule un murmure contenu mais animé qui résonnait étrangement sous la haute coupole de l'église. Chaque fois que la porte s'ouvrait avec un bruit plaintif, le murmure s'arrêtait, et l'on se retournait dans l'espoir de voir paraître les mariés. Mais la porte s'était déjà ouverte plus de dix fois pour livrer passage soit à un invité retardataire qui allait se joindre au groupe de droite, soit à une spectatrice qui, ayant su tromper ou attendrir l'officier de police, augmentait le groupe de gauche, uniquement composé de curieux. Parents et amis avaient passé par toutes les phases de l'attente : on n'avait d'abord attaché aucune importance au retard des fiancés; puis on s'était retourné de plus en plus souvent, se demandant ce qui pouvait être survenu; enfin, comme pour dissiper le malaise qui les gagnait, les invités prirent l'air indifférent de gens absorbés par leurs conversations.

Afin de prouver sans doute qu'il perdait un temps précieux, l'archidiacre faisait de temps en temps trembler les vitres en toussant avec impatience; les chantres ennuyés essayaient leurs voix ou se mouchaient bruyamment; le prêtre envoyait en reconnaissance tantôt le diacre, tantôt le sacriste, et montrait de plus en plus fréquemment sa soutane violette et sa ceinture brodée à une des portes latérales du chœur. Enfin une dame, ayant consulté sa montre, dit à haute voix : « Cela devient étrange! » Et aussitôt tous les invités exprimèrent leur surprise et leur mécontentement. Un des garçons d'honneur partit aux nouvelles.

Pendant ce temps Kitty en robe blanche, long voile et couronne de fleurs d'oranger, attendait vainement au salon, en compagnie de sa sœur Lvov, que son garçon d'honneur vînt l'avertir de l'arrivée de son fiancé à l'église.

De son côté Levine, en pantalon noir, mais sans gilet ni habit, se promenait de long en large dans sa chambre d'hôtel, ouvrant la porte à chaque instant pour regarder dans le corridor, et, ne voyant rien venir, s'adressait avec des gestes désespérés à Stépane Arcadiévitch qui fumait tranquillement.

« A-t-on jamais vu homme dans une situation plus absurde?

— C'est vrai, confirmait Stépane Arcadiévitch avec un sourire apaisant. Mais sois tranquille, on l'apportera tout de suite.

— Comptes-y! disait Levine contenant sa rage à grand-peine. Et dire qu'il n'y a rien à faire avec ces absurdes gilets ouverts. Impossible! ajoutait-il en regardant le plastron de sa chemise tout froissé. Et si mes malles sont déjà au chemin de fer? criait-il hors de lui.

— Tu mettras la mienne.

— J'aurais dû commencer par là.

— Ne te rends pas ridicule... Patiente, tout « se tassera ».

Quand Levine s'était mis en devoir de s'habiller, Kouzma, son vieux domestique, lui apporta son habit et son gilet.

« Mais la chemise? demanda Levine.

— La chemise? vous l'avez sur vous », répondit le bonhomme avec un sourire flegmatique.

Lorsque, sur l'ordre de Levine, il avait emballé et fait porter chez les Stcherbatski, d'où les jeunes mariés devaient partir le soir même, tous les effets de son maître, Kouzma n'avait pas songé à mettre de côté une chemise qui allât avec l'habit. Celle que Levine portait depuis le matin n'était pas mettable; envoyer chez les Stcherbatski parut trop long; pas de magasins ouverts, c'était dimanche; on fit prendre une chemise chez Stépane Arcadiévitch, elle se trouva ridiculement large et courte. En désespoir de cause, il fallut envoyer ouvrir les malles chez les Stcherbatski. Ainsi, tandis qu'on l'attendait à l'église, le malheureux fiancé se débattait dans sa chambre comme un fauve en cage : que pouvait bien s'imaginer Kitty après les sornettes qu'il lui avait débitées quelques heures auparavant?

Enfin le coupable Kouzma se précipita hors d'haleine dans la chambre, une chemise à la main.

« Je suis arrivé juste à temps, déclara-t-il; on emportait les malles. »

Trois minutes plus tard, Levine courait à toutes jambes dans le corridor, en se gardant bien de regarder l'heure pour ne pas augmenter son tourment.

« Tu n'y changeras rien, lui cria Stépane Arcadié-

vitch. qui le suivait bien tranquillement. Quand je te
dis que tout « se tassera ».

IV

« CE sont eux. — Le voilà. — Lequel? — Est-ce le
plus jeune? — Et elle, vois donc, elle a l'air plus
morte que vive! » Ces exclamations montèrent de la
foule quand Levine, après avoir accueilli sa fiancée
sur le parvis, pénétra avec elle dans l'intérieur de
l'église.

Stépane Arcadiévitch raconta à sa femme la cause
du retard, ce qui provoqua sourires et chuchotements
parmi les invités. Mais Levine ne remarquait rien ni
personne : il n'avait d'yeux que pour sa fiancée. Sous
sa couronne de mariée Kitty était beaucoup moins
jolie que d'habitude, et on la trouva généralement en-
laidie. Tel n'était pas l'avis de Levine. Il regardait sa
coiffure élevée, son long voile blanc, ses fleurs blanches, sa taille fine, la haute ruche plissée qui enca-
drait virginalement son long cou mince et le découvrait un peu par-devant — et elle lui parut plus belle
que jamais. Au reste, bien loin de trouver que cette
parure venue de Paris ajoutât quelque chose à la beauté
de Kitty, il admirait qu'en dépit d'elle le visage de la
jeune fille conservât son exquise expression d'innocence et de loyauté.

« Je me demandais si tu n'avais pas pris la fuite,
dit-elle en souriant.

— Ce qui m'est arrivé est si absurde que j'ai honte
d'en parler », répondit-il tout confus. Et pour ne pas
perdre contenance, il se tourna vers son frère qui
s'approchait d'eux.

« Eh bien, elle est jolie ton histoire de chemise!
dit celui-ci avec un hochement de tête.

— Oui, oui, répondit Levine, sans comprendre un
mot de ce qu'on lui disait.

— Kostia, voici le moment de prendre une décision suprême, vint lui dire Stépane Arcadiévietch feignant un grand embarras; la question est grave et tu me parais en état d'en apprécier toute l'importance. On me demande si les cierges doivent être neufs ou entamés? La différence est de dix roubles, ajouta-t-il se préparant à sourire. J'ai pris une décision, mais je ne sais si tu l'approuveras. »

Levine comprit qu'Oblonski plaisantait, mais ne se dérida pas pour autant.

« Eh bien, que décides-tu? neufs ou entamés? voilà la question.

— Neufs, neufs!

— La question est tranchée », dit Stépane Arcadiévitch toujours souriant. Il faut avouer que cette cérémonie rend les gens bien niais, murmura-t-il à Tchirikov, tandis que Levine, après lui avoir jeté un regard éperdu, retournait à sa fiancée.

« Attention, Kitty, pose la première le pied sur le tapis, dit en s'approchant la comtesse Nordston... Vous en faites de belles, ajouta-t-elle à l'adresse de Levine.

— Tu n'as pas peur? demanda Marie Dmitrievna, une vieille tante.

— N'as-tu pas un peu froid? Tu es pâle... Baisse-toi un moment », dit Mme Lvov, levant ses beaux bras pour rajuster la couronne de sa sœur.

Dolly s'approcha à son tour et voulut parler; mais l'émotion lui coupa la parole et elle partit d'un rire nerveux.

Cependant le prêtre et le diacre, qui avaient revêtu leurs habits sacerdotaux, prirent place près du lutrin disposé dans le parvis. Le prêtre adressa à Levine quelques mots que celui-ci n'entendit point.

« Prenez votre fiancée par la main et conduisez-la au lutrin », lui souffla son garçon d'honneur.

Incapable de saisir ce qu'on réclamait de lui, Levine faisait le contraire de ce qu'on lui disait. Enfin, au moment où, découragés, les uns et les autres voulaient l'abandonner à sa propre inspiration, il comprit que de sa main droite il devait prendre sans changer de position la main droite de sa fiancée. Ils firent alors, précédés par le prêtre, quelques pas en avant et s'arrêtèrent devant le lutrin. Parents et invités suivirent le jeune couple dans un murmure de voix et un froufrou de robes. Quelqu'un se baissa pour arranger la traîne de la mariée, puis un silence si profond régna dans l'église qu'on entendait les gouttes de cire tomber des cierges.

Le vieux prêtre, en barrette, ses cheveux argentés retenus derrière les oreilles, retira ses petites mains noueuses de dessous sa lourde chasuble à croix dorée et chercha quelque chose sur le lutrin. Stépane Arcadiévitch vint doucement lui parler à l'oreille, fit un signe à Levine et se retira.

Le prêtre — c'était ce même vieillard qui avait confessé Levine — alluma deux cierges ornés de fleurs et, les tenant inclinés de la main gauche sans s'inquiéter de la cire qui en dégouttait, il se tourna vers les fiancés. Après les avoir enveloppés en soupirant d'un regard triste et las, il bénit de la main droite Levine puis Kitty, cette dernière avec une nuance particulière de douceur en posant ses doigts joints sur la tête inclinée de la jeune fille. Puis il leur remit les cierges, prit l'encensoir et s'éloigna lentement.

« Tout cela est-il bien réel? » se demanda Levine en coulant de biais un regard à sa fiancée. Au mouvement des lèvres et des cils de Kitty il remarqua qu'elle sentait ce regard. Elle ne leva pas la tête, mais il comprit, à l'agitation de la ruche remontant jusqu'à sa petite oreille rose, qu'elle étouffait un soupir et vit sa main, emprisonnée dans un long gant, trembler en tenant le cierge.

Tout s'effaça aussitôt de son souvenir, son retard, le mécontentement de ses amis, sa sotte histoire de chemise, et il ne sentit plus qu'une émotion faite de terreur et de joie.

L'archidiacre, un bel homme, aux cheveux frisés, en dalmatique de drap d'argent, s'avança d'un pas ferme vers le prêtre et, soulevant à deux doigts son étole d'un geste familier, entonna un solennel « Mon père, veuillez me bénir », qui retentit longuement sous la voûte.

« Que béni soit le Seigneur notre Dieu, et maintenant et toujours et dans les siècles des siècles », répondit d'une voix harmonieuse et résignée le vieux prêtre qui continuait à mettre de l'ordre sur son lutrin.

Et le répons, chanté par le chœur invisible, emplit l'église d'un son large et plein qui grandit pour s'arrêter une seconde et mourir doucement. On pria comme toujours pour la paix suprême et le salut des âmes, pour le synode et l'empereur, mais aussi pour le serviteur de Dieu Constantin et la servante de Dieu Catherine.

« Pour qu'Il leur accorde l'amour parfait, sa paix et son assistance, prions le Seigneur », chanta le diacre, et toute l'église sembla lancer vers le ciel cette imploration, dont les paroles frappèrent Levine. « Comment ont-ils deviné que c'était d'assistance que j'avais précisément besoin? Que sais-je, que puis-je sans assistance? » songea-t-il en se rappelant ses doutes et ses récentes terreurs.

Quand le diacre eut terminé sa litanie, le prêtre, rituel en main, se tourna vers les fiancés, et lut de sa voix douce:

« Dieu éternel, qui réunissez par le lien indissoluble de l'amour ceux qui étaient séparés, qui avez béni Isaac et Rébecca, les instituant les héritiers de votre promesse, bénissez aussi votre serviteur Constantin et votre servante Catherine, et maintenez-les dans la voie du bien. Car vous êtes le Dieu de miséricorde, à qui convient la gloire, l'honneur et l'adoration, au Père, au Fils et au Saint-Esprit, maintenant et toujours et dans les siècles des siècles.

— Amen! chanta de nouveau le chœur invisible.

— Qui réunissez par le lien indissoluble de l'amour ceux qui étaient séparés. »

« Combien ces paroles profondes répondent à ce

que l'on éprouve en ce moment! Le comprend-elle
comme moi? » se dit Levine.

A l'expression du regard de Kitty, qui à cet instant
rencontra le sien, il crut saisir qu'elle comprenait
comme lui, mais il se trompait : absorbée par le sentiment qui envahissait de plus en plus son cœur, elle
avait à peine prêté attention à la cérémonie. Elle
éprouvait la joie profonde de voir enfin s'accomplir
ce qui, pendant six semaines, l'avait tour à tour rendue heureuse et inquiète. Depuis le moment où, vêtue
de sa petite robe brune, elle s'était approchée de Levine pour se donner silencieusement tout entière, le
passé avait été arraché de son âme, cédant la place
à une existence nouvelle, inconnue, sans que sa vie
extérieure en fût pour autant modifiée. Ces six
semaines avaient été une époque de délices et de tourments. Espérances et désirs, tout se concentrait sur
cet homme qu'elle ne comprenait pas bien, vers qui
la poussait un sentiment qu'elle comprenait moins
encore et qui, l'attirant et l'éloignant tour à tour, lui
inspirait pour son passé à elle une indifférence absolue. Ses habitudes d'autrefois, les gens et les choses
qu'elle avait aimés, sa mère que son insensibilité affligeait, son père que naguère encore elle adorait, rien
ne lui était plus; et, tout en s'effrayant de ce détache-
ment, elle se réjouissait du sentiment qui en était
cause. Elle n'aspirait plus qu'à inaugurer en compagnie de cet homme une vie nouvelle dont elle ne se
faisait d'ailleurs aucune idée précise : elle attendait
tout bonnement l'inconnu. Et voici que cette attente,
douce et terrible à la fois, voici que le remords de ne
rien regretter du passé, allaient avoir une fin. Elle
avait peur, cela se conçoit; mais la minute présente
n'était que la consécration de l'heure décisive, qui
avait sonné six semaines plus tôt.

Se retournant vers le lutrin, le prêtre saisit non sans
difficulté le petit anneau de Kitty, pour le passer à
la première jointure de l'annulaire de Levine.

« Je t'unis, Constantin, serviteur de Dieu, à Catherine, servante de Dieu. »

Il répéta la même formule en passant au petit doigt délicat de Kitty le grand anneau de Levine, et murmura quelques mots. Les fiancés crurent comprendre ce qu'il attendait d'eux, mais ils se trompèrent, et le prêtre dut les corriger à voix basse. Ce manège se renouvela plus d'une fois avant qu'il fût enfin à même de les bénir avec les anneaux. Il rendit alors le grand anneau à Kitty et le petit à Levine; mais ils s'embrouillèrent de nouveau et se repassèrent deux fois les anneaux sans parvenir à deviner ce qu'ils devaient faire. Dolly, Tchirikov et Oblonski voulurent leur venir en aide; il s'ensuivit une certaine confusion, des rires, des chuchotements; mais loin de se déconcerter, les mariés conservèrent une attitude si grave, si solennelle, qu'en leur expliquant que chacun d'eux devait maintenant se passer au doigt son propre anneau, Oblonski retint comme malséant le sourire prêt à flotter sur ses lèvres.

« Seigneur notre Dieu, reprit le prêtre après l'échange des anneaux, vous qui avez créé l'homme dès le commencement du monde et lui avez donné la femme pour lui venir en aide et perpétuer le genre humain, vous qui avez révélé la vérité à vos serviteurs, nos pères, élus par vous de génération en génération, daignez regarder d'un œil favorable votre serviteur Constantin et votre servante Catherine et confirmer leur union dans la foi et la concorde, dans la vérité et l'amour... »

Levine voyait maintenant que toutes ses idées sur le mariage, que tous ses projets d'avenir n'étaient que de l'enfantillage. Ce qui s'accomplissait avait une portée qui lui avait échappé jusqu'alors et qu'il comprenait moins que jamais. Sa poitrine se gonflait de plus en plus fort et il ne parvenait pas à refouler ses larmes.

V

TOUT Moscou assistait au mariage. Pendant l'office, cette foule de femmes parées et d'hommes en habits noirs ou en grande tenue ne cessa de chuchoter discrètement, les hommes surtout, car les femmes préféraient observer, avec l'intérêt qu'elles prennent d'ordinaire à ces sortes de choses, les mille détails de la cérémonie.

Dans le groupe d'intimes qui entourait la mariée se trouvaient ses deux sœurs Dolly et Mme Lvov, beauté calme qui arrivait tout droit de l'étranger.

« Pourquoi donc Marie porte-t-elle du mauve à un mariage? c'est presque du deuil, fit observer Mme Korsounski.

— Que voulez-vous, c'est la seule couleur qui convienne à son teint, répondit Mme Troubetskoï. Mais pourquoi ont-ils choisi le soir pour la cérémonie? cela sent son bourgeois.

— Mais non, c'est plus beau. Moi aussi, je me suis mariée le soir, répliqua Mme Korsounski, qui poussa un soupir en se rappelant qu'elle était bien belle ce jour-là et que son mari poussait l'adoration jusqu'au ridicule. Comme les choses avaient changé depuis lors!

— Qui a été garçon d'honneur dix fois dans sa vie ne se marie point, à ce qu'on prétend; j'ai voulu m'assurer de cette façon contre le mariage, mais la place était prise », dit le comte Siniavine à la charmante Mlle Tcharski, qui avait des vues sur lui.

Celle-ci ne répondit que par un sourire. Elle regardait Kitty et pensait que, le jour où elle serait avec Siniavine dans cette situation, elle le ferait souvenir de cette méchante plaisanterie.

Le jeune Stcherbatski confiait à Mlle Nicolaïev, une vieille demoiselle d'honneur de l'impératrice, son intention de poser la couronne sur le chignon de Kitty pour lui porter bonheur.

« Pourquoi ce chignon? Je n'aime pas ce faste », répliqua la vieille fille, bien résolue à se marier très simplement, si un certain veuf, qui ne lui déplaisait point, se décidait à lui offrir sa main.

Serge Ivanovitch plaisantait avec sa voisine : à l'en croire la coutume des voyages de noce tenait à ce que les mariés semblaient généralement honteux de leur choix.

« Votre frère peut être fier, lui. Elle est ravissante Vous devez lui porter envie.

— J'ai passé ce temps-là, Darie Dmitrievna », répondit-il, s'abandonnant à une tristesse subite.

Stépane Arcadiévitch racontait à sa belle-sœur son calembour sur le divorce.

« Il faudrait lui arranger sa couronne, répondit celle-ci sans l'écouter.

— Quel dommage qu'elle ait enlaidi, disait à Mme Lvov la comtesse Nordston. Malgré tout, il ne vaut pas son petit doigt, n'est-ce pas?

— Je ne suis pas de votre avis; il me plaît beaucoup et pas seulement en qualité de beau-frère. Comme il a bonne tenue! C'est si difficile d'éviter le ridicule en pareil cas. Lui n'a ni ridicule ni raideur; on sent qu'il est touché.

— Vous vous attendiez à ce mariage, je crois?

— Presque. Elle l'a toujours aimé.

— Eh bien, nous allons voir qui des deux mettra le premier le pied sur le tapis. J'ai chapitré Kitty à ce sujet.

— Peine inutile; dans notre famille nous sommes toutes soumises à nos maris.

— Et moi, j'ai fait exprès de prendre le pas sur le mien. Et vous, Dolly? »

Dolly les entendait sans répondre : elle était très émue, des larmes remplissaient ses yeux et elle n'aurait pu prononcer une parole sans pleurer. Heureuse pour Kitty et pour Levine, elle faisait des retours sur son propre mariage, et jetant des regards sur l'éblouis-

sant Stépane Arcadiévitch, elle oubliait la réalité et ne
se souvenait plus que de son premier et innocent
amour. Elle songeait aussi à d'autres femmes, ses
amies; elle les revoyait à cette heure unique et solennelle de leur vie, où elles avaient renoncé au passé
pour aborder, l'espoir et la crainte dans le cœur, un
mystérieux avenir. Au nombre de ces mariées figurait
sa chère Anna, dont elle venait d'apprendre les projets
de divorce; elle l'avait vue aussi, couverte d'un voile
blanc, pure comme Kitty sous sa couronne de fleurs
d'oranger. Et maintenant. « Que c'est étrange! » murmura-t-elle.

Les sœurs et les amies n'étaient pas seules à suivre
avec intérêt les moindres incidents de la cérémonie;
les spectatrices étrangères retenaient leur haleine dans
la crainte de perdre un seul mouvement des mariés;
elles répondaient avec ennui aux plaisanteries et aux
propos oiseux des hommes et souvent même ne les
entendaient pas.

« Pourquoi pleure-t-elle? Est-ce qu'on la marie
contre son gré?

— Contre son gré? Un si bel homme! Est-il prince?
— La dame en satin blanc, c'est sa sœur? Ecoute
le diacre hurler : « Qu'elle craigne et respecte son
« mari. »
— Les chantres viennent sans doute du Couvent
des Miracles?
— Non, du Synode.
— J'ai interrogé un domestique. Il paraît que le
mari l'emmène tout de suite dans ses terres. Il est
riche à millions. C'est pour cela qu'on l'a mariée.
— Mais non, vous voyez bien que ça fait un couple
assorti.
— Et vous qui prétendiez, Marie Vassilievna, qu'on
ne portait plus de « carnalines ». Regardez-moi donc
celle-là en robe puce, une ambassadrice, qu'on dit,
regardez-moi ce qu'elle en a par-derrière.
— Quel petit agneau sans tache que la mariée! On
dira ce qu'on voudra, une mariée, ça fait toujours
pitié. »

Ainsi parlaient les spectatrices qui avaient eu l'adresse de se faufiler dans l'église.

VI

APRÈS l'échange des anneaux, le sacristain vint étendre devant le lutrin au milieu de l'église un grand morceau d'étoffe de soie rose, tandis que le chœur entonnait un psaume d'une exécution difficile et compliquée, où la basse et le ténor se répondaient. Le prêtre fit un signe aux mariés en leur indiquant le tapis. Un préjugé populaire veut que celui des époux dont le pied se pose le premier sur le tapis devienne le vrai chef de la famille; et, bien entendu, on en avait tous ces temps rebattu les oreilles de nos fiancés. Cependant, au moment décisif, ni l'un ni l'autre ne se le rappelèrent et ne prêtèrent attention aux remarques qui s'échangeaient à voix haute autour d'eux. « C'est lui qui a posé le pied le premier, disaient les uns. — Non, répliquaient les autres, tous deux l'ont posé en même temps. »

Le prêtre leur posa alors les questions rituelles sur le consentement mutuel des contractants et l'assurance qu'ils n'avaient point fait promesse de mariage à d'autres personnes; ils y répondirent par des formules non moins rituelles dont le sens leur parut étrange. Une nouvelle partie de l'office commença. Kitty écoutait les prières sans parvenir à les comprendre. Plus la cérémonie avançait, plus son cœur débordait d'une joie triomphante qui empêchait son attention de se fixer.

On pria « pour que le Seigneur accordât aux nouveaux époux la chasteté et la fécondité, pour qu'ils se réjouissent ensemble dans la vue de leurs fils et de leurs filles. » On rappela que « Dieu ayant tiré la première femme d'une côte d'Adam, l'homme laissera son père et sa mère, pour s'attacher à son épouse et ils seront deux dans une même chair » et que « cela était un grand sacrement ». On demanda à Dieu de les bénir comme il avait béni Isaac et Rébecca, Joseph, Moïse et Séphora, de permettre « qu'ils voient tous deux les fils de leurs fils, jusqu'à la troisième et à la quatrième génération ».

« Tout cela est parfait, songeait Kitty en écoutant ces implorations, et il n'en saurait être autrement. » Un sourire de félicité illuminait son visage et se communiquait involontairement à tous ceux qui l'observaient.

Quand le prêtre présenta les couronnes et que Stcherbatski, avec ses gants à trois boutons, soutint en tremblant celle de la mariée, on lui conseilla à mi-voix de la poser complètement sur la tête de Kitty.

« Mettez-la-moi », murmura celle-ci en souriant. Levine se tourna de son côté, et frappé du rayonnement de son visage, il se sentit comme elle, joyeux et rasséréné.

Ils écoutèrent, la joie au cœur, la lecture de l'épître et le roulement de la voix du diacre au dernier verset, si impatiemment attendu par l'assistance (1). Ils burent avec joie dans la coupe l'eau et le vin tièdes et suivirent avec plus de joie encore le prêtre lorsqu'il leur fit faire le tour du lutrin en tenant leurs mains dans les siennes, cependant que le diacre hurlait le « Réjouis-toi, Isaïe ». Stcherbatski et Tchirikov, soutenant les couronnes, suivaient les mariés et souriaient aussi, tout en trébuchant dans la traîne de Kitty. L'éclair de joie allumé par Kitty semblait faire le tour de l'assistance, Levine était convaincu que le prêtre et le diacre en subissaient comme lui la contagion.

Après leur avoir enlevé les couronnes et dit une dernière prière, le prêtre félicita le jeune couple. Levine regarda Kitty et crut ne l'avoir jamais vue aussi belle, tant son rayonnement intérieur la transformait. Il voulut parler mais se retint, craignant que la céré-

---

(1) « Que la femme craigne et respecte son mari. » (N. d. T.)

monie ne fût pas terminée Le prêtre le tira d'embarras en lui disant doucement avec un bon sourire :

« Embrassez votre femme, et vous, embrassez votre mari. »

Et il leur reprit les cierges. Levine embrassa avec précaution les lèvres souriantes de Kitty, lui offrit son bras et sortit de l'église en se sentant soudain — impression aussi nouvelle qu'étrange — rapproché d'elle. Lorsque leurs regards intimidés se rencontrèrent, il commença à croire que tout cela n'était point un rêve et que, bien réellement, ils ne faisaient plus qu'un.

Le même soir, après le souper, les jeunes mariés partirent pour la campagne (1).

VII

DEPUIS trois mois, Anna et Vronski voyageaient ensemble; ils avaient visité Venise, Rome et Naples et venaient d'arriver dans une petite ville d'Italie où ils comptaient séjourner un certain temps.

Un imposant maître d'hôtel, aux cheveux bien pom-

(1) Citons au passage quelques critiques de l'époque :

« ... Vous avez fait quelques erreurs dans la description du mariage. Il est vrai que cela a peu d'importance... mais la fiancée doit arriver après le fiancé, après le rite des couronnes ils doivent baiser les images, etc... Malgré tout, c'est la première fois que la description d'un mariage avec toute son atmosphère et sa couleur paraît dans notre littérature. Je vais vous faire la critique de votre roman. Le principal défaut en est la froideur des descriptions, la froideur de ton du récit. Ce qu'on appelle proprement le ton ne se trouve pas chez vous, mais tout le long du récit je sens la froideur... Et puis... la description des scènes puissantes est un peu sèche. Malgré vous, il vous vient sur la langue quelques mots d'explication ou de commentaire, alors que vous coupez court... » (Lettre de Strakhov, avril 1876.)

C'était là une réponse à une lettre de Tolstoï qui contenait ceci :

« Montrez-moi que vous êtes véritablement mon ami : ou ne me parlez pas de mon roman ou dites-moi tout ce qui s'y trouve de mauvais. S'il est vrai, comme je le soupçonne, que je faiblis, je vous en prie, dites-le-moi... »

madés et séparés par une raie qui partait du cou, en habit noir, large plastron de batiste et breloques se balançant sur un ventre rondelet, répondait de haut et les mains dans les poches aux questions que lui adressait un monsieur. Des pas sur le perron l'ayant fait se retourner, il se trouva en face du comte russe qui occupait le plus bel appartement de l'hôtel : retirant aussitôt les mains de ses poches, il prévint le comte, après un salut respectueux, que le régisseur du *palazzo*, pour lequel on était en négociations, consentait à signer le bail.

« Très bien, dit Vronski. Madame est-elle à la maison?

— Madame vient de rentrer. »

Vronski ôta son chapeau mou à larges bords, essuya son front en sueur et ses cheveux rejetés en arrière pour dissimuler sa calvitie, puis voulut passer outre, tout en jetant un regard rapide sur le monsieur qui paraissait l'observer.

« Monsieur est Russe et vous a demandé », dit le maître d'hôtel.

Fâché de ne pouvoir se soustraire aux rencontres, mais heureux quand même de trouver une distraction quelconque, Vronski se retourna et son regard rencontra celui de l'étranger : aussitôt leurs yeux à tous deux s'illuminèrent.

« Golénistchev!

— Vronski! »

C'était effectivement Golénistchev, un camarade de Vronski au Corps des pages : il y appartenait au clan libéral et en était sorti avec un grade civil sans aucune intention de prendre du service. Depuis leur sortie de l'Ecole, ils ne s'étaient revus qu'une seule fois. Lors de cette unique rencontre, Vronski avait cru comprendre que Golénistchev entiché de ses opinions libérales méprisait la carrière militaire; il l'avait donc traité avec cette froideur hautaine par laquelle il entendait signifier à certaines personnes : « Peu me chaut que vous approuviez ou non ma façon de vivre; néanmoins si vous désirez maintenir des relations

avec moi, j'exige que vous me marquiez des égards. »
Ce ton avait d'ailleurs laissé Golénistchev indifférent;
mais depuis lors aucun des deux anciens camarades
n'avait éprouvé le désir de revoir l'autre. Et cependant ce fut avec un cri de joie qu'ils se reconnurent.
Vronski ne se douta sans doute point que cette allégresse inattendue avait pour cause le profond ennui
qui le rongeait. Oubliant le passé, il tendit la main à
Golénistchev dont les traits, jusqu'alors un peu inquiets, se détendirent.

« Enchanté de te revoir, dit Vronski avec un sourire amical qui découvrit ses belles dents.

— J'ai entendu prononcer le nom de Vronski, mais
je n'étais pas sûr que ce fût toi. Très, très heureux...

— Mais entre donc. Que fais-tu ici?

— J'y suis depuis plus d'un an. Je travaille.

— Vraiment? dit Vronski avec intérêt. Entrons
donc. »

Et désireux de ne pas être compris du maître d'hôtel, il dit par vieille habitude en français, alors qu'ici
le russe eût été de mise :

« Tu connais Mme Karénine? Nous voyageons
ensemble. J'allais chez elle. »

Tout en parlant, il scrutait la physionomie de Golénistchev. Bien que celui-ci fût au courant :

« Ah! je ne savais pas, répondit-il en jouant l'indifférence. Y a-t-il longtemps que tu es ici?

— Depuis trois jours », dit Vronski qui ne le quittait pas des yeux. « C'est un homme bien élevé qui
voit les choses sous leur véritable jour; on peut le
présenter à Anna », décida-t-il en appréciant comme
elle devait l'être la façon dont Golénistchev venait de
détourner la conversation.

Depuis trois mois qu'il voyageait en compagnie
d'Anna, Vronski avait éprouvé à chaque rencontre
nouvelle le même sentiment d'hésitation. En général
les hommes avaient compris la situation « comme elle
devait l'être ». Il eût été — tout comme eux — bien
embarrassé de dire ce qu'il entendait par là. Au fond
ces personnes ne cherchaient pas à comprendre et se

contentaient d'observer cette réserve discrète, exempte
d'allusions et de questions, sur laquelle se tiennent
les gens bien élevés lorsqu'ils se trouvent en face d'une
question délicate et compliquée. Golénistchev était
certainement de ceux-là, et lorsqu'il l'eut présenté à
Anna, Vronski fut doublement satisfait de l'avoir rencontré, son attitude étant, sans qu'il lui en coûtât le
moindre effort, aussi correcte qu'on pouvait le désirer...

Golénistchev ne connaissait pas Anna, dont la beauté
et la simplicité le frappèrent. Elle rougit en voyant
entrer les deux hommes et cette rougeur plut infiniment au nouveau venu. Il fut surtout charmé de la
façon naturelle dont elle acceptait sa situation : en
effet comme si elle eût voulu épargner tout malentendu
à cet étranger, elle appela Vronski par son petit nom
et déclara dès l'abord qu'ils allaient s'installer dans
une maison décorée du nom de *palazzo*. Golénistchev,
à qui Karénine n'était pas inconnu, ne put se défendre
de donner raison à cette femme jeune, vivante, pleine
d'énergie; il admit, ce qu'Anna ne comprenait guère
elle-même, qu'elle pût être gaie et heureuse tout en
ayant abandonné son mari, son fils, et perdu sa
bonne renommée.

« Ce *palazzo* est dans le guide, dit-il. Il y a là un
magnifique Tintoret de sa dernière manière.

— Eh bien, faisons une chose, proposa Vronski
s'adressant à Anna : retournons le voir, puisque aussi
bien le temps est superbe.

— Très volontiers, je vais mettre mon chapeau.
Vous dites qu'il fait chaud? » dit-elle sur le pas de
la porte en interrogeant Vronski du regard. Et de nouveau elle rougit.

Vronski comprit qu'Anna, ne sachant pas au juste
sur quel pied il voulait être avec Golénistchev, se
demandait si elle avait bien eu avec cet inconnu le
ton qu'il fallait. Il la regarda longuement, tendrement
et dit :

« Non, pas trop chaud. »

Anna crut deviner qu'il était satisfait d'elle et, lui

répondant par un sourire, sortit de son pas vif et
gracieux.

Les deux amis se regardèrent avec un certain embarras, Golénistchev comme un homme qui ne trouve
pas de mots pour exprimer son admiration, Vronski
comme quelqu'un qui désire un compliment, mais le
redoute.

« Ainsi tu t'es fixé ici? demanda Vronski pour enta-
mer une conversation quelconque. Tu t'occupes toujours des mêmes études? ajouta-t-il, se rappelant soudain avoir entendu dire que Golénistchev composait
un ouvrage.

— Oui, j'écris la seconde partie des « Deux Principes », répondit Golénistchev que cette question
combla d'aise... Ou pour être plus exact, je ne fais
encore que mettre en ordre mes documents. Ce sera
beaucoup plus vaste que la première partie. On ne
veut pas comprendre chez nous que nous sommes les
successeurs de Byzance... »

Et il se lança dans une longue dissertation. Vronski
fut confus de ne rien savoir de cet article, dont l'auteur parlait comme d'une chose bien connue; puis, à
mesure que Golénistchev développait ses idées, il y
prit intérêt, bien qu'il remarquât avec peine l'agitation nerveuse qui s'emparait de son ami : en réfutant
les arguments de ses adversaires, ses yeux s'animaient,
son débit se précipitait, son visage prenait une
expression irritée, tourmentée. Vronski se rappela Golénistchev au Corps des pages : c'était alors un garçon
chétif, vif, bon enfant et rempli de sentiments élevés,
et toujours le premier de sa classe. Pourquoi était-il
devenu si irritable? Pourquoi surtout, lui un homme
du meilleur monde, se mettait-il sur la même ligne que
des écrivailleurs de profession, pourquoi leur faisait-il
l'honneur de s'emporter contre eux? Vronski se prenait
presque de compassion pour cet infortuné : il crut
lire sur ce beau visage mobile les signes précurseurs
de la folie.

Golénistchev, plein de son sujet, ne remarqua même
pas l'entrée d'Anna. Quand celle-ci, en toilette de pro-

menade et jouant avec son ombrelle, s'arrêta près
des causeurs, Vronski fut heureux de s'arracher au
regard fixe et fébrile de son interlocuteur pour porter
avec amour les yeux sur sa charmante amie, statue
vivante de la joie de vivre. Golénistchev eut quelque
peine à reprendre possession de lui-même. Mais Anna,
qui tous ces temps se sentait bien disposée envers tout
le monde, sut vite le distraire par ses façons simples
et enjouées. Elle le mit peu à peu sur le chapitre de
la peinture, dont il parla en connaisseur. Ils arrivèrent
ainsi jusqu'au palazzo et le visitèrent.

« Une chose m'enchante particulièrement dans
notre nouvelle demeure, dit Anna à Golénistchev
comme ils rentraient, c'est qu'Alexis aura un bel atelier. Tu t'installeras dans cette pièce, n'est-ce pas ? »

Elle tutoyait Vronski en russe devant Golénistchev,
qu'elle considérait déjà comme devant faire partie de
leur intimité dans la solitude où ils allaient vivre.

« Est-ce que tu t'occupes de peinture ? demanda
celui-ci en se tournant avec vivacité vers Vronski.

— J'en ai beaucoup fait autrefois, et je m'y suis
un peu remis maintenant, répondit Vronski en rougissant.

— Il a un véritable talent, s'écria Anna radieuse ;
je ne suis pas bon juge, mais c'est l'opinion de
connaisseurs sérieux. »

VIII

CETTE première période de délivrance morale et de
retour à la santé fut pour Anna une époque de joie
exubérante. L'idée du mal qu'elle avait causé ne parvenait pas à empoisonner son ivresse : ces souvenirs
étaient trop douloureux pour qu'elle y arrêtât sa pensée, et d'ailleurs ne devait-elle pas à l'infortune de
son mari un bonheur assez grand pour effacer tout
remords ? Les événements qui avaient suivi sa maladie,

la réconciliation puis la nouvelle rupture avec Alexis
Alexandrovitch, la nouvelle du suicide manqué de
Vronski, son apparition inattendue, les préparatifs de
divorce, les adieux à son fils, le départ de la maison
conjugale, tout cela lui semblait un cauchemar dont
son voyage à l'étranger, seule avec Vronski, l'avait
délivrée. Elle n'éprouvait plus envers son mari que la
répulsion du bon nageur à l'égard du noyé qui s'accroche à lui et dont il se débarrasse pour ne point
couler. « Après tout, s'était-elle dit dès le premier
moment de rupture, — et ce raisonnement était la
seule chose dont elle voulût se souvenir, car il lui
donnait un certain calme de conscience — après tout,
le tort que j'ai causé à cet homme était inévitable,
mais du moins je ne profiterai pas de son malheur.
Puisque je le fais souffrir, je souffrirai aussi; je
renonce à tout ce qui m'était le plus cher au monde,
à mon fils, à ma réputation. Puisque j'ai péché, je ne
veux ni bonheur, ni divorce, j'accepte la honte et la
douleur de la séparation. » Anna était sincère en rai-
sonnant de la sorte, mais jusqu'ici elle n'avait connu
ni la douleur, ni la honte qu'elle se croyait prête à
subir comme une expiation. Vronski et elle avaient
trop de tact pour ne point éviter les rencontres —
surtout celles des dames russes — qui auraient pu les
placer dans une situation fausse; les quelques personnes avec lesquelles ils étaient entrés en relations
avaient feint de comprendre leur position mieux qu'ils
ne la comprenaient eux-mêmes. Quant à la séparation
d'avec son fils, Anna n'en souffrait pas encore beaucoup : passionnément attachée à sa petite fille, une
enfant délicieuse, elle ne pensait que rarement à
Serge. Grâce à sa guérison et au changement d'atmosphère, elle se reprenait à vivre avec une ardeur nouvelle et jouissait d'un bonheur vraiment insolent.
Vronski lui devenait plus cher de jour en jour; sa
présence était un enchantement continuel. Elle jugeait
exquis tous les traits de son caractère; elle trouvait
un cachet de noblesse et de grandeur à chacune de
ses paroles, de ses pensées, de ses actions; son change-

ment de costume lui-même la ravissait comme une
gamine amoureuse. Elle s'efforçait en vain de lui trouver quelque défaut, et, justement effrayée de cette
admiration excessive, elle se gardait bien de la lui
avouer, dans la crainte qu'en soulignant ainsi son
propre néant elle ne l'amenât à se détacher d'elle. En
effet l'idée de perdre son amour lui semblait intolérable. Cette terreur, du reste, n'était nullement justi-
fiée par la conduite de Vronski : jamais il ne témoignait le moindre regret d'avoir sacrifié à sa passion
une carrière où elle ne doutait point que l'attendît un
brillant avenir ; jamais, non plus, il ne s'était montré
aussi respectueux, aussi préoccupé de la crainte
qu'Anna souffrît de sa position. Cet homme si absolu
abdiquait sa volonté devant la sienne et ne cherchait
qu'à prévenir ses moindres désirs. Comment n'aurait-
elle pas senti le prix de cette abnégation ? Parfois
cependant elle éprouvait une certaine lassitude à se
trouver l'objet d'attentions aussi constantes.

Quant à Vronski, malgré la réalisation de ses plus
chers désirs, il n'était pas pleinement heureux. Éternelle erreur de ceux qui croient trouver le bonheur
dans l'accomplissement de tous leurs vœux, il ne possédait que quelques parcelles de cette immense félicité
rêvée par lui. Les premiers temps qui suivirent sa
démission, il savoura comme il sied le charme de la
liberté conquise. Mais cet enchantement fut de courte
durée et céda bientôt la place à l'ennui. Il chercha
presque à son insu un nouveau but à ses désirs et prit
des caprices passagers pour des aspirations sérieuses.
Employer seize heures de la journée à l'étranger, hors
du cercle de devoirs sociaux qui remplissait sa vie à
Pétersbourg, cela n'était certes pas une tâche aisée. Il
ne fallait plus penser aux distractions qu'il avait pra-
tiquées dans ses précédents voyages, un souper avec
des amis ayant provoqué chez Anna un accès de
désespoir plutôt intempestif. Leur situation ne lui
permettait guère de nouer des relations avec la colonie
russe ou la société indigène. Quant aux curiosités du
pays, outre qu'il les connaissait déjà, il n'y attachait

pas, en qualité de Russe et d'homme d'esprit, l'importance exagérée que les Anglais accordent à ces sortes de choses. Comme un animal affamé se précipite sur le premier objet qui lui tombe sous la dent, Vronski se jetait donc inconsciemment sur tout ce qui pouvait lui servir de pâture, politique, peinture, livres nouveaux.

Il avait dans sa jeunesse montré des dispositions pour la peinture et, ne sachant que faire de son argent, s'était composé une collection de gravures. Ce fut donc à l'idée de peindre qu'il s'arrêta afin de donner un aliment à son activité. Le goût ne lui manquait pas, et il y joignait un don d'imitation qu'il confondait avec des facultés artistiques. Il se croyait capable d'aborder tous les genres, peinture historique, religieuse, réaliste, mais ne soupçonnait point qu'on puisse uniquement obéir à l'inspiration sans se préoccuper le moins du monde des genres. Au lieu donc d'observer la vie réelle, il ne voyait celle-ci qu'à travers les incarnations de l'art; il ne pouvait donc produire que des pastiches d'ailleurs agréables et facilement enlevés. Il prisait surtout les œuvres gracieuses et à effet de l'école française et commença dans ce goût un portrait d'Anna en costume italien. Tous ceux qui virent ce portrait en parurent aussi contents que l'auteur lui-même.

IX

AVEC ses hauts plafonds à moulures, ses murs couverts de fresques, ses parquets de mosaïque, ses épais rideaux jaunes aux fenêtres, ses grands vases sur les cheminées et les consoles, ses portes sculptées, ses pièces obscures ornées de tableaux, le vieux palazzo un peu délabré dans lequel ils vinrent s'établir entretint Vronski dans une agréable illusion : il se crut moins un propriétaire russe, colonel en retraite, qu'un amateur d'art, s'occupant modestement de peinture après avoir sacrifié le monde et son ambition à l'amour d'une femme.

Son nouveau rôle satisfit un certain temps Vronski, d'autant plus que Golénistchev le mit en relation avec quelques personnes intéressantes. Sous la direction d'un professeur italien il entreprit des études d'après nature, et s'enflamma d'un si beau zèle pour le moyen âge italien qu'il finit par porter un chapeau et un manteau à la mode de cette époque, ce qui du reste lui allait fort bien.

Un matin que Golénistchev entrait chez lui :

« Eh bien, lui dit-il à brûle-pourpoint, nous ne savons même pas ce qui se passe autour de nous. Voyons, connais-tu un certain Mikhaïlov? »

Et il lui tendit un journal russe qu'il venait de recevoir. On y menait grand bruit autour d'un artiste russe de ce nom établi dans cette même ville, où il venait de mettre la dernière main à une toile déjà célèbre et vendue avant d'être terminée. En termes sévères, l'auteur de l'article blâmait le gouvernement et l'Académie des Beaux-Arts de laisser sans secours ni encouragements un artiste de cette valeur.

« Je le connais, répondit Golénistchev. Il ne manque pas de mérite, mais ses tendances sont radicalement fausses : il envisage la figure du Christ et la peinture religieuse d'après les idées d'Ivanov, de Strauss, de Renan.

— Quel est le sujet du tableau? demanda Anna.

— Le Christ devant Pilate. Mikhaïlov fait du Christ un Juif conçu suivant les préceptes les plus absolus de la nouvelle école réaliste. »

Et comme c'était là un de ses dadas, Golénistchev l'enfourcha aussitôt :

« Je ne comprends pas qu'ils puissent se tromper si lourdement. Le type du Christ a été bien défini dans l'art par les maîtres anciens. S'ils éprouvent le besoin de représenter un sage ou un révolutionnaire, qu'ils prennent Socrate, Franklin, Charlotte Corday, tous ceux qu'ils voudront, mais pas le Christ. C'est le

seul personnage auquel l'art ne devrait pas toucher,
et...

— Est-il vrai que ce Mikhaïlov soit dénué de ressources? demanda Vronski, qui, en vrai mécène russe,
croyait de son devoir de venir en aide à l'artiste sans
se préoccuper de la valeur du tableau.

— J'en doute, car c'est un portraitiste de grand
talent. Avez-vous vu son portrait de Mme Vassiltchi-
kov?... Après tout il peut se faire qu'il soit gêné, car
j'ai entendu dire qu'il ne voulait plus peindre de portraits. Je disais donc que...

— Ne pourrait-on pas lui demander de faire celui
d'Anna Arcadiévna?

— Pourquoi le mien? dit Anna. Après le tien je
n'en veux pas d'autre. Faisons plutôt celui d'Annie
(c'est ainsi qu'elle nommait sa fille.) La voici justement », ajouta-t-elle en montrant à travers la fenêtre,
la belle nourrice qui venait de descendre l'enfant au
jardin et jetait un regard furtif du côté de Vronski.
Cette Italienne, dont Vronski admirait la beauté et le
type moyen âge et dont il avait peint la tête, était le
seul point noir dans la vie d'Anna : craignant d'en
être jalouse et n'osant se l'avouer, elle comblait cette
femme et son fils de prévenances et d'attentions.

Vronski regarda aussi par la fenêtre, puis, rencontrant les yeux d'Anna, il se tourna vers Golénistchev.

« Tu connais ce Mikhaïlov?

— Je l'ai rencontré une fois ou deux. C'est un original sans aucune éducation, un de ces nouveaux sauvages comme on en voit souvent maintenant, vous
savez, ces libres penseurs qui versent *d'emblée* dans
l'athéisme, le matérialisme, la négation de tout. Autrefois, continua Golénistchev sans laisser Anna ni
Vronski placer un mot, le libre penseur était un
homme élevé dans le respect de la religion, de la loi,
de la morale, qui n'en arrivait là qu'après bien des
luttes intérieures; mais nous possédons maintenant un
nouveau type, les libres penseurs qui grandissent
sans avoir jamais entendu parler des lois morales et
religieuses, qui ignorent l'existence de certaines auto-

rités et ne possèdent que le sentiment de la négation, bref, des sauvages. Mikhaïlov est de ceux-là. Fils, je crois, d'un majordome moscovite, il n'a reçu aucune éducation. Après avoir passé par l'Ecole des Beaux-Arts et acquis une certaine réputation, il a voulu s'instruire, car il n'est pas sot; pour cela il a eu recours à ce qui lui semblait la source de toute science, j'entends les journaux et les revues. Au temps jadis, si quelqu'un, disons un Français, voulait s'instruire, que faisait-il? il étudiait les classiques, théologiens, dramaturges, historiens, philosophes; vous voyez d'ici l'énorme besogne qui l'attendait. Mais chez nous c'est bien plus simple : on se jette sur la littérature subversive et l'on s'assimile très rapidement un extrait de cette science-là. Il y a une vingtaine d'années, cette littérature portait encore des traces de la lutte contre les traditions séculaires et enseignait par là même l'existence de ces choses-là; tandis que maintenant on ne se donne même plus la peine de combattre le passé, on se contente de nier franchement : tout n'est qu'*évolution,* sélection, lutte pour la vie. Dans mon article... »

Depuis quelque temps, Anna échangeait des regards furtifs avec Vronski; elle devinait que celui-ci s'intéressait beaucoup moins au tour d'esprit de Mikhaïlov qu'au rôle de mécène qu'il comptait jouer auprès de lui.

« Savez-vous ce qu'il faut faire? dit-elle, coupant court résolument au verbiage de Golénistchev, allons voir votre peintre. »

Golénistchev y consentit volontiers et, l'atelier de l'artiste se trouvant dans un quartier éloigné, ils s'y firent conduire en voiture. Au bout d'une heure ils arrivaient devant une maison neuve et laide. La femme du gardien les ayant prévenus que Mikhaïlov se trouvait pour le moment chez lui à deux pas de là, ils lui envoyèrent leurs cartes avec prière d'être admis à voir son tableau.

X

MIKHAILOV était, comme toujours, au travail quand on lui remit les cartes du comte Vronski et de Golénistchev. Après avoir passé la matinée à peindre dans son atelier, il s'était en rentrant pris de querelle avec sa femme, qui n'avait pas su faire entendre raison à leur logeuse.

« Je t'ai dit vingt fois de ne pas discuter avec elle. Tu es une sotte achevée, mais tu l'es triplement quand tu te lances dans des explications italiennes, déclara-t-il par manière de conclusion.

— Mais aussi pourquoi ne règles-tu pas en temps voulu? Ce n'est pas ma faute à moi. Si j'avais de l'argent...

— Laisse-moi tranquille, au nom du Ciel », cria Mikhaïlov, la voix pleine de larmes, et il se retira dans son cabinet de travail, qu'une cloison séparait de la pièce commune, en ferma la porte à clef et se boucha les oreilles. « Elle n'a pas le sens commun! » se dit-il en prenant place à sa table. Et il se remit au travail avec une ardeur toute particulière.

Jamais il ne faisait de meilleure besogne que lorsque l'argent manquait et surtout lorsqu'il se querellait avec sa femme. « Ah! que le diable m'emporte! » bougonnait-il en dessinant. Il avait commencé l'esquisse d'un homme en proie à un accès de colère, mais s'en montrait mécontent. « Non, décidément, se dit-il, mon premier jet était meilleur... Où l'ai-je fourré? » Il rentra chez sa femme et, sans lui accorder un regard, demanda à l'aînée de ses filles où était le dessin qu'il leur avait donné. On le retrouva, mais tout sali, couvert de taches de bougie. Il l'emporta tel quel, le posa sur sa table et l'examina à distance en fermant à demi les yeux. Et brusquement il sourit avec un grand geste de satisfaction.

« C'est ça, c'est ça! » s'écria-t-il. Et sautant sur un crayon, il se mit à dessiner fiévreusement. Une des taches de bougie donnait au corps de l'homme en colère une attitude nouvelle.

Tout en la notant, il se rappela les traits énergiques et le menton proéminent de son marchand de cigares; il les prêta aussitôt à son personnage, et l'esquisse cessa d'être une chose vague, morte, pour devenir vivante, définitive : on pourrait bien y apporter quelques changements de détail, écarter davantage les jambes, modifier la position du bras gauche, rejeter les cheveux en arrière, ces retouches accentueraient simplement la robustesse de la forme humaine que la tache de bougie lui avait fait concevoir. Il en rit de plaisir.

Comme il achevait soigneusement son dessin, on lui apporta les deux cartes.

« J'y vais, j'y vais! » répondit-il.

Puis il passa chez sa femme.

« Voyons, Sacha, ne sois plus fâchée, lui dit-il avec un sourire tendre et timide. Nous avons eu tort tous les deux. J'arrangerai les choses. »

Réconcilié avec sa femme, il endossa un paletot olive à col de velours, prit son chapeau et se rendit à l'atelier. L'esquisse était oubliée; il ne songeait plus qu'à la visite de ces grands personnages russes venus en calèche pour voir son tableau, ce tableau qu'en son for intérieur il estimait unique en son genre. Ce n'est pas qu'il le jugeât supérieur aux Raphaël, mais l'impression qui s'en dégageait lui paraissait absolument nouvelle. Cependant, malgré cette conviction qui datait pour lui du jour où l'œuvre avait été commencée, il attachait une importance extrême au jugement du public, et l'attente de ce jugement l'émouvait jusqu'au fond de l'âme. La plus insignifiante remarque venant à l'appui de sa thèse le plongeait dans des transports de joie. Il attribuait à ses critiques une profondeur de vues qu'il ne possédait pas lui-même et s'attendait à leur voir découvrir dans son tableau des côtés qu'il n'y avait pas encore remarqués.

Tout en avançant à grands pas, il fut frappé, malgré son émoi, de l'apparition d'Anna qui, debout dans la pénombre du portail, causait avec Golénistchev et examinait de loin l'artiste. Celui-ci, sans même en avoir conscience, enfouit aussitôt cette impression dans quelque coin de son cerveau, d'où il l'exhumerait quelque jour comme le menton de son marchand de cigares.

Les récits de Golénistchev avaient mal disposé les visiteurs à l'égard du peintre, et son extérieur confirma encore leurs préventions. Avec sa démarche agitée et sa grosse face vulgaire où l'arrogance le disputait à la timidité, ce gaillard trapu en chapeau marron, paletot olive et pantalon étroit démodé, leur déplut souverainement.

« Faites-moi l'honneur d'entrer », dit-il en se donnant un air indifférent, tandis qu'il ouvrait à ses visiteurs la porte de l'atelier.

XI

A PEINE entré, Mikhaïlov jeta un nouveau coup d'œil sur ses hôtes : la tête de Vronski, aux pommettes légèrement saillantes, se grava instantanément dans son imagination, car le sens artistique de cet homme travaillait en dépit de son trouble et amassait sans cesse des matériaux. Ses observations fines et justes s'appuyaient sur d'imperceptibles indices. Celui-ci (Golénistchev) était un Russe fixé en Italie. Mikhaïlov se rappelait non point son nom, ni l'endroit où il il l'avait rencontré, ni les paroles qu'ils avaient échangées, mais tout simplement son visage comme tous ceux d'ailleurs qu'il rencontrait; et il se souvenait de l'avoir déjà classé dans l'immense catégorie des physionomies dénuées de caractère, malgré leur faux air d'originalité. Des cheveux longs et un front très découvert donnaient à cette tête une individualité purement apparente, tandis qu'un semblant d'expression, une agitation puérile se concentraient dans l'étroit espace qui séparait les deux yeux. Quant à Vronski et Anna, Mikhaïlov vit aussitôt en eux des Russes de distinction, qui, sans rien comprendre aux choses de l'art, jouaient, comme tous les Russes riches, à l'amateur et au connaisseur. « Ils ont certainement parcouru tous les musées et, après avoir fait visite à quelque charlatan d'Allemand, à quelque serin de préraphaélite anglais, ils daignent venir me voir pour compléter leur tournée. » Mikhaïlov savait très bien qu'en visitant les ateliers des artistes contemporains, les dilettantes — à commencer par les plus intelligents d'entre eux — n'ont pour but que de proclamer en connaissance de cause la supériorité de l'art ancien sur l'art moderne. Il s'attendait à tout cela et le lisait dans l'indifférence avec laquelle ses visiteurs causaient entre eux en se promenant dans l'atelier et regardaient à loisir les bustes et les mannequins. Néanmoins, malgré cette prévention et l'intime conviction que des Russes riches et de haute naissance ne sauraient être que des imbéciles et des brutes, il retournait des études, levait les stores et dévoilait son tableau d'une main troublée, car il ne pouvait se dissimuler que Vronski et surtout Anna lui plaisaient.

« S'il vous plaît, dit-il en faisant de sa démarche dégingandée quelques pas en arrière et en désignant son tableau aux spectateurs. C'est le Christ devant Pilate ; Matthieu, chapitre XXVII. »

Il sentit ses lèvres trembler d'émotion et se recula pour se placer derrière ses hôtes. Pendant les quelques secondes de silence qui suivirent, Mikhaïlov regarda son tableau d'un œil indifférent comme s'il eût été l'un d'entre eux. De ces trois personnes, que l'instant d'avant il méprisait, il attendait maintenant une sentence infaillible. Oubliant sa propre opinion, les mérites incontestables qu'il reconnaissait à son œuvre depuis trois ans, il la voyait du regard froid et critique de ces étrangers et n'y trouvait plus rien de bon. Il considérait au premier plan le visage rechigné de

Pilate et la face sereine du Christ, au second plan les soldats du proconsul et le visage de Jean à l'écoute. Chacune de ces figures avait été pour lui une source de tourments et de joies : que d'études, que de retouches pour en approfondir le caractère particulier, pour les mettre en harmonie avec l'impression d'ensemble! Et toutes maintenant sans exception, aussi bien d'ailleurs que les nuances de ton, de coloris, lui semblaient banales, vulgaires sans originalité aucune. Le visage du Christ lui-même, point central du tableau, naguère encore l'objet de son enthousiasme, lui paraissait une bonne copie — ou plutôt non, une mauvaise, car voici qu'il y découvrait une masse de défauts — des innombrables Christs du Titien, de Raphaël, de Rubens. Pastiche aussi Pilate, pastiche également les soldats. Décidément tout cela n'était que vieillerie, pauvreté, barbouillage et bric-à-brac. Combien les phrases poliment hypocrites qu'il allait entendre seraient méritées, combien ses visiteurs auraient raison de le plaindre et de se moquer de lui, une fois sortis!

Ce silence, qui ne dura guère qu'une minute, l'angoissa si fort que pour dissimuler son trouble il prit le parti d'adresser la parole à Golénistchev.

« Je crois avoir eu l'honneur de vous rencontrer, dit-il, cependant que ses regards inquiets erraient d'Anna à Vronski et qu'il ne perdait rien du jeu de leurs physionomies.

— Mais bien sûr, nous nous sommes rencontrés chez Rossi, le soir où cette demoiselle italienne, la nouvelle Rachel, a déclamé; vous en souvient-il? » répondit d'un ton léger Golénistchev, en détournant ses yeux du tableau sans le moindre regret apparent. Mais comme il vit que Mikhaïlov attendait une appréciation, il ajouta : « Votre œuvre a beaucoup progressé depuis la dernière fois que je l'ai vue, et maintenant, comme alors, je suis très frappé de votre Pilate. C'est bien le type du brave homme, fonctionnaire jusqu'au fond de l'âme, qui ignore absolument la portée de ses actes. Mais il me semble... »

Le visage mobile de Mikhaïlov s'illumina tout entier, ses yeux brillèrent; il voulut répondre, mais l'émotion l'en empêcha et il feignit un accès de toux. Cette observation de détail, juste, mais plutôt blessante, puisqu'elle négligeait le principal, et de nulle valeur pour lui, puisqu'il tenait en mince estime l'instinct artistique de Golénistchev, le remplissait de joie. Du coup il se prit d'affection pour son critique et passa soudain de l'abattement à l'enthousiasme. Son tableau retrouva pour lui sa vie si complexe et si profonde. Il essaya de confirmer à Golénistchev que c'était bien ainsi qu'il comprenait Pilate, mais de nouveau ses lèvres tremblantes l'empêchèrent de parler. De leur côté Vronski et Anna conversaient à voix basse, comme on le fait aux expositions de peinture, en partie pour ne pas risquer de froisser l'auteur, en partie pour ne pas laisser entendre une de ces remarques absurdes qui vous échappent si facilement lorsqu'on parle d'art. Mikhaïlov crut s'apercevoir que son tableau leur plaisait; il se rapprocha d'eux.

« Quelle admirable expression a ce Christ », dit Anna sur un ton de sincérité. La figure du Sauveur l'attirait en effet plus que tout autre; elle sentait que c'était là le morceau capital et qu'en le louant on ferait plaisir à l'artiste. Elle ajouta : « On sent qu'il a pitié de Pilate. »

C'était encore une des mille remarques justes et banales qu'on pouvait faire. Les traits du Christ devaient exprimer la résignation à la mort, le renoncement à toute parole vaine, la paix surnaturelle, le suprême amour, par conséquent aussi la pitié pour ses ennemis. Pilate devait forcément représenter la vie charnelle par opposition à Jésus, type de la vie spirituelle, et par conséquent avoir l'aspect d'un vulgaire fonctionnaire. Néanmoins le visage de Mikhaïlov s'épanouit.

« Et comme c'est peint! quel air autour de cette figure! on en pourrait faire le tour, dit Golénistchev, voulant sans doute montrer par cette observation qu'il n'approuvait pas le côté réaliste du Christ.

— Oui, il y a là un métier étonnant, dit Vronski. Quel relief dans ces figures de second plan! Voilà ce que j'appelle de la technique, ajouta-t-il à l'intention de Golénistchev auquel il avait récemment avoué son impuissance à acquérir cette technique.

— Oui, oui, c'est étonnant! » confirmèrent Anna et Golénistchev. Mais l'observation de Vronski piqua au vif Mikhaïlov, qui le regarda d'un air mécontent.

Il ne comprenait pas bien le sens du mot « technique », mais il avait souvent remarqué, même dans les éloges qu'on lui adressait, qu'on opposait l'habileté technique au mérite intrinsèque de l'œuvre, comme s'il eût été possible de peindre avec talent une mauvaise composition. Il n'ignorait pas qu'il fallait beaucoup de doigté pour dégager, sans nuire à l'impression générale, les voiles, les apparences qui cachent la véritable figure des objets; mais, selon lui, cela ne rentrait pas dans le domaine de la technique. Qu'il soit donné à un enfant, à une cuisinière de voir ce que lui voyait, ils sauraient faire prendre corps à leur vision, tandis que le praticien le plus faible ne saurait rien peindre mécaniquement sans avoir eu d'abord la vision très nette de son œuvre. D'autre part, il estimait que la technique, puisque technique il y avait, constituait précisément son point faible : dans tous ses ouvrages, certains défauts lui sautaient aux yeux, qui provenaient précisément du manque de prudence avec laquelle il avait dégagé les objets des voiles qui les dissimulaient.

« La seule remarque que j'oserai faire, si vous me le permettez... dit Golénistchev.

— Faites-la, de grâce, répondit Mikhaïlov avec un sourire contraint.

— C'est que vous avez peint l'homme-dieu et non le Dieu fait homme. Du reste je sais que telle était votre intention.

— Je ne puis peindre le Christ que tel que je le comprends, dit Mikhaïlov d'un ton sombre.

— Dans ce cas, excusez un point de vue qui m'est particulier; votre tableau est si remarquable que mon observation ne saurait lui faire du tort... Au reste, votre sujet est spécial. Mais, prenons par exemple Ivanov (1). Pourquoi a-t-il ramené le Christ aux proportions d'une figure historique? Mieux eût valu choisir un thème nouveau, moins rebattu.

— Mais si ce thème-là est le plus grand de tous?

— En cherchant on en trouverait d'autres. L'art, selon moi, ne souffre pas la discussion; or devant le tableau d'Ivanov, tout le monde, croyant ou incrédule, se pose cette question : est-ce, oui ou non, un Dieu? Et l'unité d'impression se trouve ainsi détruite.

— Pourquoi cela? Il me semble que pour les gens éclairés le doute n'est plus possible. »

Golénistchev n'était pas de son avis et, fort de son idée, il battit le peintre dans une discussion où celui-ci ne sut pas se défendre.

XII

Depuis longtemps Anna et Vronski, agacés par le verbiage savant de leur ami, échangeaient des regards d'ennui; ils prirent enfin le parti de continuer seuls la visite de l'atelier et s'arrêtèrent devant un petit tableau.

« Quel bijou! C'est charmant, c'est délicieux! » s'écrièrent-ils d'une même voix.

« Qu'est-ce qui leur plaît tant? » pensa Mikhaïlov. Durant des mois ce tableau l'avait absorbé tout entier, le jetant nuit et jour dans des alternatives de désespoir et d'enthousiasme; mais depuis trois ans qu'il l'avait terminé, il n'y songeait plus guère et ne tenait pas à le voir. Un même sort attendait d'ailleurs toutes ses toiles et il n'avait exposé celle-ci qu'à la demande d'un Anglais qui désirait s'en rendre acquéreur.

(1) Il s'agit de la fameuse *Apparition du Christ au peuple*, le monument le plus important de la peinture russe, peint de 1833 à 1855 par Alexandre Ivanov (1806-1858) et conservé au musée Roumiantsev de Moscou. (N. d. T.)

« Ce n'est rien, une ancienne étude, dit-il.

— Mais c'est ravissant! » reprit Golénistchev qui semblait conquis par le charme du tableau.

Deux jeunes garçons pêchaient à l'ombre d'un buisson de saules. L'aîné venait de jeter sa ligne à l'eau et dégageait le flotteur pris dans une souche ; on le sentait absorbé par cette grave affaire. L'autre, couché dans l'herbe, appuyait sur son bras sa tête blonde ébouriffée en regardant l'eau de ses yeux bleus pensifs : à quoi songeait-il?

L'enthousiasme soulevé par cette étude ramena un peu Mikhaïlov à sa première émotion; mais, comme il redoutait les vaines réminiscences du passé, il passa outre à ces éloges flatteurs et voulut conduire ses hôtes vers un troisième tableau. Vronski lui ayant demandé si l'étude était à vendre, cette question d'argent lui parut inopportune et il répondit en fronçant les sourcils :

« Elle est exposée pour la vente. »

Les visiteurs partis, Mikhaïlov s'assit devant son tableau du Christ et de Pilate et repassa dans son esprit tout ce qui avait été dit et sous-entendu par eux. Chose étrange, les observations qui lui semblaient avoir tant de poids en leur présence et quand lui-même se mettait à leur point de vue, perdaient maintenant toute signification. En considérant son œuvre avec son regard d'artiste, il rentra dans la pleine conviction de sa haute valeur et revint par conséquent à la disposition d'esprit qui lui était nécessaire pour continuer son travail.

La jambe du Christ en raccourci n'était pourtant pas au point; il saisit sa palette et, tout en corrigeant cette jambe, regarda sur l'arrière-plan le personnage de Jean, qu'il considérait comme le dernier mot de la perfection et que les visiteurs n'avaient même pas remarqué. Il essaya d'y toucher aussi, mais pour bien travailler il devait être moins ému et trouver un juste milieu entre la froideur et l'exaltation. Pour le moment l'agitation l'emportait; il voulut couvrir son tableau, s'arrêta, soulevant la draperie d'une main et sourit avec extase, à son saint Jean. Enfin, s'arrachant à grand-peine à sa contemplation, il laissa retomber le rideau et retourna chez lui, fatigué mais heureux.

En rentrant au palazzo Vronski, Anna et Golénistchev devisèrent avec animation de Mikhaïlov et de ses tableaux. Le mot « talent » revenait souvent dans leurs phrases; ils entendaient par là non seulement un don inné, presque physique, indépendant de l'esprit et du cœur, mais quelque chose de plus étendu dont le sens vrai leur échappait complètement. Sans donc lui refuser ce don, ils trouvaient que son manque d'éducation ne lui avait pas permis de le développer, défaut commun à tous nos artistes russes. Mais ils ne pouvaient oublier les petits pêcheurs à la ligne.

« Quelle jolie chose dans sa simplicité, dit Vronski. Et dire qu'il n'en comprend pas la valeur! Ne laissons pas échapper l'occasion. »

XIII

Vronski acheta le petit tableau et décida même Mikhaïlov à faire le portrait d'Anna. L'artiste vint au jour indiqué et commença une esquisse qui, dès la cinquième séance, frappa tout le monde et en particulier Vronski par sa ressemblance et par un sentiment très fin de la beauté du modèle. « Il faut aimer Anna comme je l'aime, se dit Vronski, pour découvrir sur cette toile le charme immatériel qui la rend si séduisante. » En réalité c'était le portrait qui lui révélait cette note exquise; mais elle était rendue avec tant de justesse que d'autres avec lui s'imaginèrent la connaître de longue date.

« Je lutte depuis si longtemps sans parvenir à rien, disait Vronski en parlant de son portrait d'Anna, tandis qu'il n'a eu qu'à la regarder pour la bien rendre; voilà ce que j'appelle avoir de la technique.

— Cela viendra », disait Golénistchev pour le consoler; car à ses yeux Vronski avait du talent et son éducation devait lui permettre une haute conception de l'art. Au reste, ce jugement favorable s'appuyait surtout sur le besoin qu'il avait des éloges et de la sympathie de Vronski pour ses propres travaux; c'était un échange de bons procédés.

Hors de son atelier, Mikhaïlov paraissait un autre homme; au palazzo surtout il se montra respectueux avec affectation et évita toute intimité avec des gens qu'au fond il n'estimait pas. Il appelait Vronski « Votre Excellence », et malgré les invitations réitérées n'accepta jamais à dîner; on ne le voyait qu'aux heures des séances. Anna lui voua, à cause de son portrait, une grande reconnaissance et lui témoigna plus d'affabilité qu'à bien d'autres; Vronski le traita avec beaucoup d'égards et parut prendre un vif intérêt à sa manière de peindre; Golénistchev ne négligea aucune occasion de lui inculquer des idées saines sur l'art. Peine perdue : Mikhaïlov demeurait sur une froide réserve. Anna sentait cependant qu'il posait volontiers ses regards sur elle, tout en évitant de lui adresser la parole; aux efforts de Vronski pour le faire parler de sa peinture il opposa un silence obstiné et ne s'en départit pas davantage lorsqu'on soumit à son approbation le tableau de Vronski; quant aux discours de Golénistchev il les écoutait avec ennui et ne daignait point les contredire.

Cette sourde hostilité produisit sur tous trois une pénible impression et ils éprouvèrent un véritable soulagement lorsque les séances de pose terminées, Mikhaïlov cessa de venir au palazzo, laissant en souvenir de lui un admirable portrait. Golénistchev exprima le premier l'idée que le peintre portait envie à Vronski.

« Envie, c'est sans doute trop dire, car il a du talent; en tout cas, il ne peut pas digérer qu'un homme de qualité, riche, comte par-dessus le marché (toutes choses que ces gens-là détestent) arrive sans se donner grand-peine à faire aussi bien, sinon mieux que lui,

qui a consacré toute sa vie à la peinture. Et puis,
n'est-ce pas, il y a la question d'éducation. »

Vronski, tout en prenant la défense du peintre, donnait au fond raison à son ami : dans sa conviction
intime il estimait qu'un homme d'une situation infé-
rieure devait fatalement céder à l'envie.

Les deux portraits d'Anna auraient dû l'éclairer et
lui montrer la différence qui existait entre Mikhaïlov
et lui : il n'en fut rien. Il renonça pourtant au sien,
mais tout simplement parce qu'il le trouva superflu et
pour s'adonner à loisir à son tableau médiéval dont
il était aussi satisfait que Golénistchev et Anna :
cette toile en effet leur rappelait, beaucoup plus que
tous les travaux de Mikhaïlov, les chefs-d'œuvre d'autrefois.

De son côté, Mikhaïlov, malgré l'attrait que le portrait d'Anna avait eu pour lui, était heureux d'être délivré du verbiage de Golénistchev et des œuvres de
Vronski. On ne pouvait certes pas empêcher celui-ci
de se divertir comme bon lui semblait, mais l'artiste
souffrait de ce passe-temps d'amateur. Nul ne peut
défendre à un homme de se pétrir une poupée de cire
et de l'embrasser, mais qu'il n'aille pas la caresser
devant un amoureux, il le blesserait à mort! La peinture de Vronski produisait sur Mikhaïlov un effet analogue : il la trouvait ridicule, insuffisante, pitoyable.

L'engouement de Vronski pour la peinture et le
Moyen Age fut du reste de courte durée. Il eut assez
d'instinct artistique pour ne pas achever son tableau,
pour reconnaître que les défauts, peu apparents au
début, devenaient criants à mesure qu'il avançait. Il
était dans le cas de Golénistchev qui, tout en sentant
le vide de son esprit, s'imaginait mûrir ses idées et
assembler des matériaux. Mais alors que celui-ci s'irritait, Vronski restait parfaitement calme : incapable de
se duper lui-même et encore moins de s'aigrir, il abandonna simplement la peinture avec sa décision de
caractère habituelle, sans chercher la moindre justification à son échec.

Mais la vie sans occupation lui devint vite intolé

rable dans cette petite ville; Anna, surprise de son
désenchantement, pensa bientôt comme lui; le palazzo
leur parut soudain vieux et sale; les taches des rideaux, les fentes dans les mosaïques, les écaillures des
corniches prirent un aspect sordide; l'éternel Golénistchev, le professeur italien et le voyageur allemand
devinrent tous intolérablement ennuyeux. Ils sentirent
l'impérieux besoin de changer d'existence et décidè-
rent de rentrer en Russie. Vronski voulait s'arrêter
quelque temps à Pétersbourg pour y conclure un acte
de partage avec son frère, et Anna pour y voir son fils.
Ils passeraient l'été dans le superbe domaine patri-
monial de Vronski.

XIV

LEVINE était marié depuis près de trois mois. Il était
heureux, mais autrement qu'il ne l'avait pensé : certains enchantements imprévus compensaient de nombreuses désillusions. La vie conjugale se révélait très
différente de ce qu'il avait rêvé. Semblable à un
homme qui, ayant admiré la marche calme et régulière
d'un bateau sur un lac, voudrait le diriger lui-même,
il sentait la différence qui existe entre la simple
contemplation et l'action: il ne suffisait pas de rester
assis sans faux mouvements, il fallait encore songer
à l'eau sous ses pieds, manœuvrer sans la moindre
distraction le gouvernail, soulever d'une main novice
les lourdes rames, toutes choses sans doute fort intéressantes, mais en tout cas fort difficiles.

Quand il était encore célibataire, les petites misères
de la vie conjugale, querelles, jalousies, mesquines
préoccupations, avaient bien souvent provoqué *in petto*
ses sarcasmes : jamais rien de semblable ne se produi-
rait dans son ménage, jamais son existence intime ne
ressemblerait, même dans ses formes extérieures, à
celle des autres. Et voilà que ces mêmes petitesses se

reproduisaient toutes et prenaient, quoi qu'il fît, une
importance indiscutable. Bien qu'il s'imaginât possé-
der des idées bien à lui sur le mariage, il avait cru
tout bonnement comme la plupart des hommes, y rencontrer les satisfactions de l'amour sans y admettre
aucun détail prosaïque. L'amour devait lui donner le
repos après le travail, et sa femme se contenter d'être
adorée; il oubliait complètement qu'elle aussi avait
droit à une certaine activité personnelle. Grande fut
sa surprise de voir cette exquise, cette poétique Kitty
songer dès les premiers jours de leur vie commune au
mobilier, à la literie, au linge, au service de la table,
au cuisinier. Dès leurs fiançailles le refus péremptoire
qu'elle avait opposé à l'offre d'un voyage de noces
pour venir s'installer à la campagne avait froissé Levine : savait-elle donc mieux que lui ce qui leur convenait et comment pouvait-elle songer à autre chose qu'à
leur amour? Maintenant encore il ne pouvait se faire
à ce souci des détails matériels qui paraissait inhérent
à la nature de Kitty. Néanmoins, tout en la taquinant
à ce sujet, il prenait plaisir à la voir surveiller la
mise en place des nouveaux meubles arrivés de Moscou, donner à leurs deux chambres un arrangement
selon son goût, poser des rideaux, réserver telle pièce
pour Dolly, telle autre pour les amis, installer sa
camériste, commander les repas au vieux cuisinier,
entrer en discussion avec Agathe Mikhaïlovna et lui
retirer la garde des provisions. Le cuisinier souriait
doucement en recevant des ordres fantaisistes, impossibles à exécuter, tandis que la vieille femme de
charge secouait la tête d'un air pensif devant les nouvelles mesures décrétées par sa jeune maîtresse. Et
celle-ci, moitié riant, moitié pleurant, venait se
plaindre à son mari que Macha, sa camériste, ne
pouvant perdre l'habitude de l'appeler « Mademoi-
selle », personne à cause de cela ne voulait la prendre
au sérieux. Levine souriait, mais tout en trouvant sa
femme charmante, il eût préféré qu'elle ne se mêlât
de rien. Il ne devinait pas qu'habituée chez ses parents
à restreindre ses fantaisies, elle éprouvait une sorte de

vertige en se voyant maîtresse d'acheter des montagnes de bonbons, de commander les entremets qui lui plaisaient, de dépenser son argent à sa guise.

Si elle attendait impatiemment l'arrivée de Dolly, c'était surtout pour lui faire admirer son installation, et commander à l'intention des enfants les desserts que chacun d'eux préférait. Les détails du ménage l'attiraient invinciblement, et, comme en prévision des mauvais jours, elle faisait son nid à l'approche du printemps. Ce zèle pour des bagatelles, très contraire à l'idéal de bonheur rêvé par Levine, fut par certains côtés une désillusion, tandis que cette même activité, dont le but lui échappait mais qu'il ne pouvait voir sans plaisir, lui semblait sous d'autres aspects un enchantement inattendu.

Les querelles furent aussi des surprises. Jamais Levine ne se serait imaginé qu'il pût exister entre sa femme et lui d'autres rapports que ceux de la douceur, du respect, de la tendresse. Cependant ils se disputèrent dès les premiers jours : Kitty le traita d'égoïste, fondit en larmes, eut des gestes de désespoir.

La première de ces querelles survint à la suite d'une course que Levine fit à la nouvelle ferme : ayant voulu prendre par le plus court, il s'égara et resta absent une demi-heure de plus qu'il n'avait dit. Tout en cheminant il ne songeait qu'à Kitty, s'enflammait à l'idée de son bonheur. Il accourut au salon dans un état d'esprit voisin de l'exaltation qui s'était emparée de lui le jour de sa demande en mariage. Un visage sombre, qu'il ne connaissait pas, l'accueillit; il voulut embrasser sa femme, elle le repoussa.

« Qu'as-tu?

— Ah! cela t'amuse, toi... », commença-t-elle, d'un ton froidement amer.

Mais à peine eut-elle ouvert la bouche que l'absurde jalousie qui l'avait tourmentée pendant qu'elle attendait, assise sur le rebord de la fenêtre, éclata en paroles de reproche. Il comprit alors clairement pour la première fois ce qu'il n'avait pas bien saisi après la bénédiction nuptiale, à savoir que la limite qui les

séparait était insaisissable, et qu'il ne savait plus où
commençait et où finissait sa propre personnalité. Ce
fut un douloureux sentiment de scission intérieure.
Sur le point de s'offusquer il comprit aussitôt que
Kitty ne pouvait lui porter injure en aucune manière
puisqu'elle était une partie de son « moi ». Ainsi parfois il vous arrive de ressentir dans le dos une vive
douleur; vous vous retournez croyant à un coup et
avide d'en tirer vengeance; mais il vous faut reconnaître qu'il s'agit d'un simple heurt et supporter en
silence le mal que vous vous êtes fait à vous-même.

Jamais par la suite Levine ne devait éprouver si
nettement cette impression. Il fut quelque temps à
retrouver son équilibre. Il voulait démontrer à Kitty
son injustice, mais en rejetant les torts sur elle il l'eût
irritée davantage. Un sentiment bien naturel lui com-
mandait de se disculper; un autre, plus violent, de ne
point aggraver le désaccord. Rester sous le coup d'une
injustice était cruel, la froisser sous prétexte de justification, plus fâcheux encore. Souvent un homme
assoupi lutte avec un mal douloureux dont il voudrait
se délivrer et constate au réveil que ce mal est au
fond de lui-même; ainsi Levine devait reconnaître
que la patience était l'unique remède.

La réconciliation fut prompte. Kitty, sans l'avouer,
se sentait dans son tort; elle se montra plus tendre et
leur bonheur s'accrut. Pourtant ces difficultés ne se
renouvelèrent que trop souvent, pour des raisons
futiles, imprévues, parce que leurs mauvaises humeurs
étaient fréquentes et parce qu'ils ignoraient encore
mutuellement ce qui pour l'un et l'autre avait de l'importance. Ces premiers mois furent difficiles à passer:
le sujet le plus puéril provoquait parfois des mésin
telligences dont la cause leur échappait ensuite. Chacun d'eux tiraillait de son côté la chaîne qui les liait,
et cette lune de miel dont Levine attendait des mer
veilles ne leur laissa que des souvenirs affreusement
pénibles. Tous deux cherchèrent par la suite à effacer
de leur mémoire les mille incidents ridicules et hon
eux de cette période pendant laquelle ils se trou

vèrent si rarement dans un état d'esprit normal. La
vie ne devint plus régulière qu'au cours du troisième
mois, après un séjour de quelques jours à Moscou.

XV

Ils étaient rentrés chez eux et jouissaient de leur
solitude. Levine, installé à son bureau, écrivait;
assise sur le grand divan de cuir qui de temps immé-
morial meublait le cabinet de travail, Kitty, vêtue
d'une robe violette chère à son mari parce qu'elle
l'avait portée dans les premiers jours de leur mariage, faisait de la *broderie anglaise.* Tout en écrivant
et en réfléchissant, Levine jouissait de la présence de
sa femme; il n'avait abandonné ni la conduite de son
exploitation, ni la mise au point de son ouvrage sur
la réforme agronomique; mais, si naguère, comparées
à la tristesse qui assombrissait sa vie, ces occupations lui avaient semblé misérables, combien plus
insignifiantes lui apparaissaient-elles dans le rayonnement de son bonheur! Il sentait son attention détournée vers d'autres objets et envisageait les choses sous
un jour différent. L'étude, naguère encore le seul
point lumineux de son existence enténébrée, mettait
maintenant quelques touches sombres sur le fond par
trop éblouissant de sa nouvelle vie. Une revision de
son travail lui permit d'en constater la valeur, d'atté-
nuer certaines assertions trop catégoriques, de com-
bler plus d'une lacune. Il y ajouta un chapitre sur les
conditions défavorables qui étaient faites en Russie
à l'agriculture : à l'en croire la pauvreté du pays ne
tenait pas uniquement au partage inégal de la propriété foncière et à de fausses doctrines économiques,
mais surtout à une introduction mal comprise et prématurée de la civilisation européenne; les chemins de
fer, œuvre politique et non économique, provoquaient

un excès de centralisation, des besoins de luxe et par
conséquent le développement de l'industrie au détriment de l'agriculture, l'extension exagérée du crédit
et la spéculation. L'accroissement normal de la
richesse d'un pays n'admettait ces signes de civilisation extérieure qu'autant que l'agriculture y avait
atteint un degré de développement proportionnel.

Tandis que Levine écrivait, Kitty songeait à l'attitude étrange qu'avait eue son mari envers le jeune
prince Tcharski, lequel lui avait fait une cour un peu
trop poussée la veille de leur départ de Moscou. « Il
est jaloux, pensait-elle. Quel bêta! S'il savait que tous
les hommes me sont aussi indifférents que Pierre le
cuisinier! » Elle jetait cependant un regard de propriétaire sur la nuque et le cou vigoureux de son
mari. « C'est dommage de l'interrompre, mais après
tout, tant pis! Je veux voir son visage; sentira-t-il que
je le regarde? Je veux qu'il se retourne, je le veux,
je le veux... » Et elle ouvrit les yeux tout grands,
comme pour donner plus de force à son regard.

« Oui, ils attirent à eux toute la sève et donnent
un faux-semblant de richesse », marmonna Levine en
posant sa plume, car il sentait les yeux de sa femme
fixés sur lui. Il se retourna.

« Qu'y a-t-il? » demanda-t-il en se levant.

« Il s'est retourné », pensa-t-elle. « Rien, je voulais
te faire retourner, répondit-elle en tâchant de deviner
si ce dérangement le contrariait.

— Quelle joie d'être enfin seuls! Pour moi du
moins, dit-il en s'approchant d'elle, radieux de bonheur.

— Et pour moi aussi! Je me sens si bien ici que je
n'irai plus nulle part, surtout pas à Moscou.

— A quoi pensais-tu?

— Moi! je pensais... Non, non, retourne à tes travaux, ne te laisse pas distraire, répondit-elle avec une
petite moue; j'ai besoin de couper maintenant tous ces
œillets-là, tu vois. »

Elle prit ses ciseaux à broder.

« Non, dis-moi à quoi tu songeais? répéta-t-il en

s'asseyant près d'elle et en suivant les mouvements de ses petits ciseaux.

— A quoi je pensais? A Moscou et à ta nuque.

— Comment ai-je fait pour mériter ce bonheur? Ce n'est pas naturel, c'est trop beau, dit-il en lui baisant la main.

— Mais non, plus c'est beau, plus c'est naturel.

— Tiens, tu t'es fait une natte? dit-il en lui tournant la tête avec précaution.

— Mais oui, regarde... Non, non, nous nous occupons de choses sérieuses. »

Mais les choses sérieuses étaient interrompues, et lorsque Kouzma vint annoncer le thé, ils se séparèrent brusquement comme des coupables.

« Est-on revenu de la ville? demanda Levine au domestique.

— A l'instant; on trie les paquets.

— Ne tarde pas, dit Kitty en se retirant. Sans cela, je lis les lettres sans toi. Ensuite nous jouerons à quatre mains. »

Resté seul, Levine rangea ses cahiers dans un nouveau portefeuille, cadeau de sa femme, se lava les mains à un lavabo garni d'un élégant nécessaire, autre cadeau de sa femme, et, tout en souriant à ses pensées, il hochait la tête avec un sentiment qui ressemblait à un remords. Sa vie était devenue trop molle, trop douillette, il en éprouvait quelque honte. « Ces délices de Capoue ne me valent rien, songeait-il. Voilà tantôt trois mois que je flâne. Pour une fois que je me remets sérieusement au travail, je dois y renoncer. Je néglige même mes occupations ordinaires, je ne surveille plus rien, je ne vais nulle part : tantôt j'ai du regret de la quitter, tantôt je crains qu'elle ne s'ennuie. Et moi qui croyais que jusqu'au mariage l'existence ne comptait pas, qu'elle ne commençait réellement qu'après! Je n'ai jamais passé trois mois dans une pareille oisiveté Il faut que cela cesse. Bien entendu, ce n'est pas sa faute à elle et on ne saurait lui faire le moindre reproche. J'aurais dû montrer de la fermeté, défendre mon indépendance d'homme. En continuant de la

sorte, je finirais par prendre et par lui faire prendre
de mauvaises habitudes... »

Un homme mécontent ne peut guère se défendre de
rejeter sur quelqu'un et surtout sur ses proches la
cause de ce mécontentement. Levine se prit donc à
songer qu'à défaut de sa femme, il pouvait à bon droit
accuser la frivole éducation qu'elle avait reçue. « Cet
imbécile de Tcharski, elle n'a pas même su le tenir
en respect. En dehors de ses petits intérêts de ménage, de sa toilette, de sa *broderie anglaise,* rien ne
l'occupe. Aucune sympathie pour mes occupations,
pour nos paysans, aucun goût pour la lecture ni même
pour la musique, bien qu'elle soit bonne musicienne.
Elle ne fait absolument rien et se trouve néanmoins
très satisfaite. » En la jugeant ainsi, Levine ne comprenait pas que sa femme se préparait à une période
d'activité qui l'obligerait à être tout à la fois femme,
mère, maîtresse de maison, nourrice, éducatrice; il ne
devinait pas qu'avertie de cette tâche future par un
instinct secret elle s'accordait ces heures d'insouciance et d'amour, qu'elle apprêtait son nid dans
l'allégresse.

XVI

Levine monta au premier où il retrouva, devant un
samovar en argent flambant neuf et un service à thé
non moins nouveau, sa femme occupée à lire une
lettre de Dolly, avec qui elle entretenait une correspondance suivie. Assise non loin d'elle à une petite
table, Agathe Mikhaïlovna prenait aussi le thé.

« Vous voyez, notre dame m'a fait asseoir auprès
d'elle », dit la vieille femme avec un gentil sourire à
l'adresse de Kitty.

Ces mots prouvèrent à Levine la fin d'un drame
domestique : malgré le chagrin qu'elle avait causé à
la gouvernante en s'emparant des rênes du gouverne-

ment, Kitty, victorieuse, était parvenue à se faire pardonner.

« Tiens, voici une lettre pour toi, dit Kitty en tendant à son mari une missive dépourvue d'orthographe. C'est, je crois, de cette femme, tu sais... de ton frère. Je l'ai ouverte, mais je ne l'ai pas lue... En voici une autre de mes parents et de Dolly : figure-toi que Dolly a mené Gricha et Tania à un bal d'enfants chez les Sarmatski; Tania était en marquise. »

Mais Levine ne l'écoutait pas; il prit en rougissant la lettre de Marie Nicolaïevna, l'ancienne maîtresse de Nicolas, et la parcourut. Cette femme lui avait déjà écrit une première fois pour le prévenir que Nicolas l'avait chassée sans qu'elle eût rien à se reprocher : elle ajoutait avec une naïveté touchante qu'elle ne demandait aucun secours, bien que réduite à la misère, mais que la pensée de Nicolas Dmitriévitch la tuait; que deviendrait-il, faible et malade comme il était? elle suppliait son frère de ne pas le perdre de vue. Et voici qu'elle annonçait de plus graves nouvelles. Ayant retrouvé Nicolas Dmitriévitch à Moscou, elle en était partie avec lui pour un chef-lieu où il avait obtenu une place; là, s'étant querellé avec un de ses chefs, il avait repris le chemin de Moscou, mais, tombé malade en route, il ne se relèverait probablement plus. « Il vous demande constamment, et d'ailleurs nous n'avons plus d'argent. »

« Lis donc ce que Dolly écrit de toi », commença Kitty, mais, remarquant soudain la figure bouleversée de son mari :

« Qu'as-tu? qu'est-il arrivé? s'écria-t-elle.

— Cette femme m'écrit que Nicolas, mon frère, se meurt; je vais partir. »

Kitty changea de visage : Dolly, Tania en marquise, tout était oublié.

« Quand comptes-tu partir? demanda-t-elle.

— Demain.

— Puis-je t'accompagner?

— Kitty, quelle idée! répondit-il sur un ton de reproche.

— Comment quelle idée? dit-elle froissée de voir sa proposition reçue de si mauvaise grâce. Pourquoi donc ne t'accompagnerais-je pas? Je ne te gênerai en rien. Je...

— Je pars parce que mon frère se meurt. Qu'as-tu à faire là-bas?

— Ce que tu y feras toi-même. »

« Dans un moment si grave pour moi, elle ne songe qu'à l'ennui de rester seule », se dit Levine, et cette insistance, qu'il jugeait hypocrite, le courrouça.

« C'est impossible », répondit-il sèchement.

Agathe Mikhaïlovna, voyant les choses se gâter, déposa sa tasse et sortit, sans que Kitty le remarquât. Le ton de son mari l'avait blessée : évidemment il n'ajoutait pas foi à ses paroles.

« Je te dis, moi, que si tu pars, je pars aussi, proclama-t-elle avec colère. Je voudrais bien savoir pourquoi ce serait impossible! Voyons, pourquoi dis-tu cela?

— Parce que Dieu sait par quelles routes j'arriverai jusqu'à lui, dans quelle auberge je le trouverai. Tu ne ferais que me gêner, dit Levine cherchant à garder son sang-froid.

— Aucunement; je n'ai besoin de rien. Où tu peux aller, je puis aller aussi...

— Quand ce ne serait qu'à cause de cette femme, avec laquelle tu ne saurais te trouver en contact.

— Eh, peu m'importe qui je rencontrerai! Je ne veux rien savoir de toutes ces histoires. Je sais seulement que le frère de mon mari se meurt, que mon mari va le voir, et que je l'accompagne pour...

— Kitty, ne te fâche pas, et songe que dans un cas aussi grave il m'est douloureux de te voir mêler à mon chagrin une véritable faiblesse, la crainte de rester seule. Si tu t'ennuies pendant mon absence, va à Moscou.

— Voilà comme tu es! Tu me supposes « toujours » des sentiments mesquins, s'écria-t-elle étouffée par des larmes de colère. Il s'agit bien de faiblesse!... Je sens qu'il est de mon devoir de ne pas abandonner mon mari dans un moment pareil, mais toi tu te méprends volontairement sur mon compte, tu tiens à me blesser coûte que coûte.

— Mais c'est de l'esclavage! » s'écria en se levant Levine, incapable de contenir plus longtemps son courroux. Mais au même instant il comprit qu'il se fustigeait lui-même.

« Pourquoi n'es-tu pas resté garçon? tu serais libre. Oui, pourquoi t'es-tu marié si tu te repens déjà? »

Et elle se taisait au salon.

Quand il vint la rejoindre, elle sanglotait. Il cherchait des paroles susceptibles, sinon de la persuader, du moins de la calmer : mais elle ne l'écoutait pas, résistait à tous ses arguments. Alors il se pencha sur elle, prit une de ses mains récalcitrantes, la baisa, baisa ses cheveux et encore sa main; elle se taisait toujours. Mais quand enfin il lui prit la tête entre ses deux mains en lui disant : « Kitty! » — elle s'adoucit, pleura, et la réconciliation se fit aussitôt.

On décida de partir ensemble dès le lendemain. Le vine se déclara convaincu qu'elle tenait uniquement à se rendre utile, et qu'il n'y avait rien d'inconvenant à la présence de Marie Nicolaievna auprès de son frère; mais au fond du cœur il s'en voulait et il en voulait à sa femme : chose étrange, lui qui n'avait pu croire au bonheur d'être aimé d'elle, se sentait presque malheureux de l'être trop. Mécontent de sa propre faiblesse, il s'effrayait à l'avance du rapprochement inévitable entre sa femme et la maîtresse de son frère. L'idée de voir sa Kitty en contact avec une fille le remplissait d'horreur et de dégoût.

XVII

L'HOTEL du chef-lieu où se mourait Nicolas Levine était un de ces nouveaux établissements qui ont la prétention d'offrir à un public peu habitué à ces

raffinements la propreté, le confort et l'élégance, mais
que ce même public a vite transformés en de sinistres
gargotes qui font regretter les malpropres auberges
d'autrefois. Tout produisit à Levine une fâcheuse impression : le soldat en uniforme sordide qui servait
de suisse et fumait une cigarette dans le vestibule,
l'escalier de fonte ajourée sombre et lugubre, le garçon aux allures crânes et à l'habit souillé de taches,
la table d'hôte ornée d'un hideux bouquet de fleurs en
cire grises de poussière, l'état général de désordre et
de malpropreté, et jusqu'à une activité pleine de suffisance qui lui parut tenir du ton à la mode introduit
par les chemins de fer. Cet ensemble, bien fait pour
rebuter de jeunes mariés, ne cadrait guère avec ce qui
les attendait.

Comme il est de règle en pareil cas, les meilleurs
appartements se trouvèrent occupés par un inspec-
teur des chemins de fer, par un avocat de Moscou,
par une princesse Astafiev. On leur offrit une chambre
malpropre en les assurant que la pièce contiguë
serait libre pour le soir. Les prévisions de Levine
se réalisaient : au lieu de courir vers son frère, il
lui fallait installer sa femme. Il ne cacha point son
dépit.

« Va, va vite », dit-elle d'un air contrit dès qu'il
l'eut menée à sa chambre.

Il sortit sans mot dire et se heurta près de la porte
à Marie Nicolaievna qui venait d'apprendre son arrivée et n'osait point pénétrer dans la pièce. Elle n'avait
pas changé depuis Moscou : la même robe de laine
laissait à découvert son cou et ses bras, la même
expression de bonhomie se lisait sur sa grosse face
niaise et grêlée.

« Eh bien, comment va-t-il?

— Très mal. Il ne se lève plus et demande toujours
après vous. Vous... vous êtes avec votre épouse? »

Levine ne devina pas tout d'abord ce qui la rendait
confuse, mais elle s'expliqua aussitôt :

« Je m'en irai à la cuisine. Il sera content, il se sou-
vient de l'avoir vue à l'étranger. »

Levine comprit qu'il s'agissait de sa femme et ne sut que répondre.

« Allons, allons », dit-il.

Mais à peine avait-il fait un pas que la porte de sa chambre s'ouvrit, et Kitty parut sur le seuil. Levine rougit de contrariété en voyant sa femme les mettre tous deux dans une fausse position; Marie Nicolaievna rougit bien plus encore : prête à pleurer, elle se serra contre le mur, enveloppant pour se donner une contenance ses doigts rouges dans son fichu.

Kitty ne pouvait comprendre cette femme, qui lui faisait presque peur; dans le regard qu'elle lui jeta, Levine lut une expression de curiosité avide; ce fut d'ailleurs l'affaire d'une seconde.

« Eh bien, comment va-t-il? demanda-t-elle en s'adressant d'abord à son mari, puis à cette femme.

— Ce n'est vraiment pas ici un endroit où causer, répondit Levine en jetant des regards furibonds sur un monsieur qui arpentait lentement le corridor.

— Eh bien, entrez, dit Kitty à Marie Nicolaievna qui se remettait peu à peu. Ou plutôt non, allez, allez et faites-moi chercher », ajouta-t-elle en voyant l'air atterré de son mari.

Elle regagna sa chambre et Levine se rendit chez son frère. Il croyait le trouver dans cet état d'illusion propre aux phtisiques, qui l'avait frappé lors de la dernière visite de Nicolas, plus faible et plus maigre aussi avec des indices d'une fin prochaine, mais ayant encore figure humaine. Il pensait bien être ému de pitié pour ce frère chéri et retrouver, plus fortes encore, les terreurs que lui avait naguère inspirées l'idée de la mort. Il s'était préparé à toutes ces choses, mais ce qu'il vit fut très différent de ce qu'il attendait.

Dans une chambrette sordide, sur les murs de laquelle bien des voyageurs avaient dûment craché et qu'une mince cloison séparait mal d'une autre pièce où l'on causait, dans une atmosphère écœurante, il aperçut sur un lit légèrement écarté du mur un corps abrité sous une couverture. Une main énorme comme

un râteau, bizarrement rattachée à une sorte de long
fuseau, s'allongeait sur cette couverture. La tête, penchée sur l'oreiller, laissait apercevoir des cheveux
rares que la sueur collait aux tempes, et un front
presque transparent.

« Est-il possible que ce cadavre soit mon frère Nicolas? » pensa Levine. Mais, quand il fut près du lit,
son doute cessa : il lui suffit de jeter un regard sur les
yeux qui accueillirent son entrée, sur les lèvres qui
s'entrouvrirent à son approche, pour reconnaître
l'affreuse vérité.

Nicolas considéra son frère avec des yeux sévères.
Ce regard rétablit les rapports entre eux : Constantin
y sentit comme un reproche et eut des remords de son
bonheur. Il prit la main du mourant; celui-ci sourit,
mais ce sourire imperceptible n'atténua pas la dureté
de son regard.

« Tu ne t'attendais pas à me trouver ainsi, parvint-il
à prononcer avec peine.

— Oui... non, répondit Levine s'embrouillant. Comment ne m'as-tu pas averti plus tôt, avant mon mariage? Je t'ai fait rechercher en vain partout. »

Il voulait parler pour éviter un silence pénible,
mais son frère ne répondait pas et le regardait sans
baisser les yeux, comme s'il eût pesé chacune de ses
paroles. Levine se sentait mal à l'aise! Il annonça que
sa femme était avec lui et Nicolas en témoigna sa satisfaction, ajoutant toutefois qu'il craignait de lui faire
peur. Un silence suivit, puis tout à coup Nicolas se
mit à parler et, à l'expression de son visage, Levine
crut qu'il allait lui faire une communication importante; mais Nicolas se plaignit simplement du médecin et regretta de ne pouvoir consulter une célébrité
de Moscou. Levine comprit qu'il espérait toujours.

Au bout d'un moment, Levine se leva, prétextant le
désir d'amener sa femme, mais en réalité pour se
soustraire, ne fût-ce que quelques minutes, à l'angoisse
qui l'oppressait.

« C'est bon, je vais faire un peu nettoyer ici, ça ne
doit pas sentir bon. Macha, viens mettre de l'ordre, dit

le malade avec effort... Et puis tu t'en iras », ajouta-t-il en interrogeant son frère du regard.

Levine sortit sans répondre, mais à peine dans le corridor il se repentit d'avoir promis d'amener sa femme. En songeant à ce qu'il venait d'éprouver, il résolut de lui faire comprendre que cette visite était superflue. « Qu'a-t-elle besoin de souffrir comme moi! » se dit-il.

« Eh bien? demanda Kitty, effrayée.

— C'est horrible, horrible. Pourquoi es-tu venue? »

Kitty regarda son mari en silence, puis, le prenant par le bras, elle lui dit timidement :

« Kostia, mène-moi là-bas, ce sera moins dur pour nous deux. Conduis-moi et laisse-moi avec lui. Comprends donc que d'être témoin de ta douleur et de n'en pas voir la cause m'est plus cruel que tout. Peut-être lui serai-je utile et à toi aussi. Je t'en prie, permets-le-moi. »

Elle suppliait comme s'il se fût agi du bonheur de sa vie. Levine, revenu de son émoi et oubliant l'existence de Marie Nicolaïevna, consentit à l'accompagner.

Ce fut d'un pas léger et en montrant à son mari un visage courageux et aimant que Kitty pénétra dans la chambre de Nicolas. Après avoir refermé la porte sans le moindre bruit, elle s'approcha doucement du lit, se plaça de manière que le malade n'eût pas à détourner la tête, prit dans sa jeune main fraîche l'énorme main de son beau-frère, et se mit à lui parler avec ce don, propre aux femmes, de manifester une sympathie qui ne blesse point.

« Nous nous sommes rencontrés à Soden sans nous connaître, dit-elle. Vous ne vous doutiez guère que je deviendrais votre sœur.

— Vous ne m'auriez pas reconnu, n'est-ce pas? demanda-t-il. Son visage s'était éclairé d'un sourire en la voyant entrer.

— Oh! que si! Comme vous avez eu raison de nous appeler! Il ne se passait pas de jour que Kostia ne se souvînt de vous et ne s'inquiétât d'être sans nouvelles. »

L'animation de Nicolas dura peu. Kitty n'avait pas fini de parler que l'expression de reproche sévère du mourant pour celui qui se porte bien reparut sur ses traits.

« Je crains que vous ne soyez pas très bien ici, continua la jeune femme, se dérobant, pour examiner la pièce, au regard fixé sur elle. Il faudra demander une autre chambre et nous rapprocher de lui », dit-elle à son mari.

XVIII

Levine ne pouvant rester calme en présence de son frère, les détails de l'affreuse situation du mourant échappaient à sa vue et à son attention troublées. La saleté, le désordre, la puanteur de la chambre le frappaient sans qu'il crût possible d'y remédier. Il prêtait l'oreille aux gémissements de Nicolas, mais l'idée ne lui venait pas de regarder comment ce dos, ces reins, ces jambes décharnées, tous ces pauvres membres reposaient sous la couverture, de leur faire prendre une position moins douloureuse. La seule pensée de ces détails lui donnait le frisson, et le malade, devinant cette conviction d'impuissance, s'en irritait. Aussi Levine ne faisait-il qu'entrer et sortir sous divers prétextes, malheureux auprès de son frère, plus malheureux encore loin de lui, et incapable de rester seul.

Kitty comprit les choses tout autrement : dès qu'elle fut près du malade, elle le prit en pitié, mais, loin de provoquer comme chez son mari le dégoût ou l'effroi, cette compassion la porta à s'informer de tout ce qui pouvait adoucir ce triste état. Convaincue qu'elle devait apporter quelque soulagement à son beau-frère, elle n'en mit pas en doute la possibilité. Les détails qui répugnaient à son mari furent précisément ceux qui retinrent son attention. Elle fit quérir un médecin, envoya à la pharmacie, occupa sa femme de chambre et Marie Nicolaievna à balayer, épousseter, laver, leur prêta elle-même la main, haussa l'oreiller du malade, fit apporter et emporter différentes choses. Sans se préoccuper de ceux qu'elle rencontrait sur son chemin, elle allait et venait de sa chambre à celle du malade, apportant draps, serviettes, chemises, taies d'oreillers.

Le garçon, qui servait à la table d'hôte le dîner de messieurs les ingénieurs, répondit plusieurs fois d'assez mauvaise grâce à son appel, mais elle donnait ses ordres avec une si douce autorité qu'il les exécutait quand même. Levine n'approuvait pas ce mouvement : il le jugeait inutile et craignait qu'il n'irritât son frère; mais celui-ci restait calme bien qu'un peu confus et semblait suivre avec intérêt les gestes de la jeune femme. Lorsque Levine rentra de chez le médecin où Kitty l'avait envoyé, il vit en ouvrant la porte qu'on changeait le linge du malade. L'énorme dos aux épaules proéminentes, les côtes et les vertèbres saillantes se trouvaient découverts, tandis que Marie Nicolaievna et le garçon s'embrouillaient dans les manches de la chemise et ne parvenaient pas à y faire entrer les longs bras décharnés de Nicolas. Kitty ferma vivement la porte sans regarder du côté de son beau-frère, mais celui-ci poussa un gémissement, et elle se hâta d'approcher.

« Faites vite, dit-elle...

— N'approchez pas, murmura avec colère le malade, je m'arrangerai seul.

— Que dites-vous? » demanda Marie Nicolaievna.

Mais Kitty, qui avait entendu, comprit qu'il avait honte de se montrer à elle dans cet état.

« Je ne regarde pas, dit-elle en l'aidant à introduire son bras dans la manche. Marie Nicolaievna, passez de l'autre côté du lit et aidez-nous. Et toi, dit-elle à son mari, va vite dans ma chambre, tu trouveras un petit flacon dans la poche de côté de mon nécessaire, prends-le et apporte-le-moi; pendant ce temps-là, nous achèverons de ranger. »

Quand Levine revint avec le flacon, le malade était

de nouveau couché, et tout, autour de lui, avait changé
d'aspect. L'air naguère vicié, exhalait maintenant une
bonne odeur de vinaigre aromatisé qu'y avait répandu
Kitty en soufflant dans un petit tube. La poussière
avait disparu, un tapis s'étendait sous le lit; sur un
guéridon étaient rangés les fioles de médecine, une
carafe, le linge nécessaire et la *broderie anglaise* de
Kitty; sur une autre table, près du lit, une bougie,
des poudres, un verre d'eau. Le malade, lavé, peigné,
étendu dans des draps propres et soutenu par plusieurs oreillers, était revêtu d'une chemise neuve dont
le col blanc faisait ressortir l'extraordinaire maigreur
de son cou. Une expression d'espérance se lisait dans
ses yeux, qui ne quittaient pas Kitty.

Le médecin trouvé au club par Levine n'était pas
celui qui avait mécontenté Nicolas. Il ausculta soigneusement le malade, hocha la tête, écrivit une ordonnance, et donna des explications détaillées sur les
remèdes à prendre et la diète à observer. Il conseilla
des œufs frais presque crus et de l'eau de Seltz avec
du lait chaud à une certaine température. Quand il
fut parti, le malade dit à son frère quelques mots dont
celui-ci ne comprit que les derniers : « ta Katia » ;
mais à son regard Levine devina qu'il faisait l'éloge
de la jeune femme. Il appela ensuite Katia, comme il
la nommait.

« Je me sens déjà beaucoup mieux, dit-il. Si je vous
avais eue auprès de moi, il y a longtemps que je serais
guéri. Ah! que je me sens bien! »

Il chercha à porter jusqu'à ses lèvres la main de sa
belle-sœur, mais craignant de lui déplaire, il se
contenta de la caresser. Kitty serra affectueusement
cette main entre les siennes.

« Tournez-moi du côté gauche maintenant et allez
tous dormir », murmura-t-il.

Seule Kitty comprit ce qu'il disait, parce qu'elle pensait sans cesse à ce qui pouvait lui être utile.

« Tourne-le sur le côté gauche, c'est celui sur lequel
il a coutume de dormir. Tourne-le toi-même, je ne suis
pas assez forte et je ne voudrais pas charger le garçon

de ce soin. Pouvez-vous le soulever? demanda-t-elle à
Marie Nicolaievna.

— J'ai peur », répondit celle-ci.

Quelque terrifié qu'il fût de soulever ce corps
effrayant sous sa couverture, Levine céda à la volonté
de sa femme et, prenant cet air résolu qu'elle lui
connaissait bien, passa ses bras autour du malade, en
l'invitant à passer les siens autour de son cou;
l'étrange pesanteur de ces membres épuisés le frappa.
Tandis qu'à grand-peine il changeait son frère
de place, Kitty retourna et battit vivement l'oreiller,
et remit de l'ordre dans la chevelure plutôt rare de
Nicolas, dont quelques mèches s'étaient de nouveau
collées aux tempes.

Nicolas retint une main de son frère dans la sienne
et l'attira vers lui. Le cœur manqua à Levine quand il
le sentit la porter à ses lèvres pour la baiser. Il le
laissa faire cependant, puis, secoué par les sanglots,
sortit de la chambre sans pouvoir proférer un mot.

XIX

« IL a révélé aux petits ce qu'il a caché aux sages et
aux prudents (1) », pensait Levine en s'entretenant ce
soir-là avec sa femme.

Ce n'est pas qu'il se crût un sage en citant ainsi
l'Evangile, mais d'une part force lui était de se reconnaître plus intelligent que sa femme et qu'Agathe Mikhaïlovna, et d'autre part il savait pertinemment que,
s'il lui arrivait de songer à la mort, cette pensée le
prenait tout entier. Ce mystère terrible, de grands
esprits l'avaient sondé comme lui de toutes les forces
de leur âme; il avait lu leurs écrits, mais eux non plus
n'en savaient pas aussi long sur ce chapitre que sa

(1) MATTHIEU, XI, 25. (N. d. T.)

vieille bonne et sa Katia, comme l'appelait maintenant
Levine, suivant avec un plaisir manifeste l'exemple de
Nicolas. Ces deux personnes, si dissemblables par ailleurs, offraient sous ce rapport une ressemblance parfaite. Toutes deux connaissaient sans éprouver le
moindre doute le sens de la vie et de la mort et, bien
que certainement incapables de répondre aux questions qui se posaient à l'esprit de Levine — incapables même de les comprendre —, elles devaient
s'expliquer de la même façon le problème de la destinée et partager leur croyance à ce sujet avec des
millions d'êtres humains. Pour preuve de leur familiarité avec la mort, elles savaient approcher les mou-
rants et ne les craignaient point, tandis que Levine et
ceux qui pouvaient, comme lui, longuement discourir
sur le thème de la mort, la redoutaient sans savoir
pourquoi et ne se sentaient pas capables de secourir
un moribond. Seul auprès de son frère, Constantin se
fût contenté d'attendre sa fin avec épouvante. Il ne
savait même pas où fixer ses regards, de quelle manière marcher, ni quelles paroles prononcer. Parler
de choses indifférentes lui semblait blessant; parler de
choses tristes, impossible; se taire ne valait pas mieux.
« Si je le regarde, il va croire que je l'observe; si je
ne le regarde pas, il croira que mes pensées sont ailleurs. Marcher sur la pointe des pieds l'agacera, et je
me gêne de marcher librement. »

Kitty au contraire n'avait pas le temps de songer à
elle-même; uniquement occupée de son malade, elle
semblait avoir le sens très net de la conduite à tenir,
et réussissait parfaitement dans tout ce qu'elle tentait.
Elle racontait des détails sur son mariage, sur elle-
même, lui souriait, le plaignait, le caressait, lui citait
des cas de guérison. Son activité n'était d'ailleurs ni
instinctive, ni irréfléchie; tout comme Agathe Mikhaïlovna elle se préoccupait d'une question plus haute
que les soins physiques. En parlant du vieux serviteur
qui venait de mourir, Agathe Mikhaïlovna avait dit :
« Dieu merci, il a reçu le bon Dieu, les saintes huiles;
Dieu donne à tous une fin pareille! » De son côté.

malgré les soucis de linge, de potions, de pansements, Kitty trouva moyen dès le premier jour de disposer son beau-frère à recevoir les sacrements.

Rentré dans son appartement à la fin de la soirée, Levine s'assit, la tête basse, ne sachant que faire, incapable de songer à souper, à s'installer, à rien prévoir, hors d'état même de parler à sa femme, tant était grande sa confusion. Kitty au contraire se montrait plus active, plus animée que jamais. Elle fit apporter à souper, défit elle-même les malles, aida à dresser les lits, qu'elle n'oublia pas de saupoudrer de poudre insecticide. Elle avait l'excitation, la rapidité de conception qu'éprouvent certains hommes avant une bataille ou encore à une heure grave et décisive de leur vie lorsque l'occasion se présente de montrer leur valeur.

Minuit n'avait pas sonné que tout était proprement rangé; ces deux chambres d'hôtel offraient l'aspect d'un appartement intime; près du lit de Kitty, sur une table couverte d'un napperon blanc, se dressait son miroir avec ses brosses et ses peignes. Levine trouvait impardonnable de manger, de dormir, même de parler, chacun de ses mouvements lui paraissait inconvenant. Kitty au contraire rangeait ses menus objets sans que son activité eût rien de blessant. Ils ne purent manger cependant et veillèrent tard, ne pouvant se résoudre à se coucher.

« Je suis bien contente de l'avoir décidé à recevoir demain l'extrême-onction, dit Kitty qui, vêtue d'une camisole de nuit, peignait devant son miroir de voyage ses cheveux parfumés. Je n'ai jamais vu administrer, mais maman m'a raconté qu'on disait des prières pour demander la guérison.

— Crois-tu une guérison possible? demanda Levine en considérant par-derrière la petite tête ronde de Kitty, dont la raie disparaissait dès qu'elle ramenait le peigne en avant.

— J'ai questionné le médecin; il prétend qu'il ne peut vivre plus de trois jours; mais qu'en savent-ils? Je suis contente de l'avoir décidé, dit-elle en lorgnant

son mari à travers sa chevelure. Tout peut arriver »,
ajouta-t-elle avec l'expression de malignité que prenait
son visage quand elle parlait des choses saintes.

Jamais, depuis la conversation qu'ils avaient eue
étant fiancés, ils ne s'étaient entretenus de questions
religieuses, mais Kitty n'en continuait pas moins à
prier, à suivre les offices avec la tranquille conviction
de remplir un devoir. Malgré l'aveu que son mari
s'était cru obligé de lui faire, elle le croyait aussi bon
chrétien, peut-être même meilleur qu'elle : sans doute
plaisantait-il en s'accusant du contraire, comme lorsqu'il la taquinait sur sa broderie anglaise. « Les honnêtes gens font des reprises sur leurs trous, disait-il,
mais toi, tu fais des trous par plaisir. »

« Oui, cette Marie Nicolaievna n'avait rien su arranger de tout cela, dit Levine. Et... franchement je
suis très heureux que tu sois venue... Tu es trop pure
pour que... »

Il lui prit la main sans oser la baiser (n'était-ce pas
une profanation que ce baiser presque en face de la
mort?), mais regardant ses yeux brillants, il la lui
serra d'un air contrit.

« Tu aurais trop souffert tout seul, dit-elle, cependant que ses bras, qu'elle levait pour enrouler et attacher ses cheveux sur le sommet de la tête, cachaient
ses joues rouges de satisfaction. — Cette femme ne
sait pas s'y prendre, tandis que moi j'ai appris bien
des choses à Soden.

— Y a-t-il donc des malades comme lui là-bas?

— De plus malades encore.

— Tu ne saurais croire le chagrin que j'éprouve à
ne plus le voir tel qu'il était dans sa jeunesse... C'était
un si beau garçon! mais je ne le comprenais pas alors.

— Je te crois; je sens que nous « aurions été »
amis, dit-elle, et elle se retourna les larmes aux yeux
vers son mari, toute stupéfaite d'avoir parlé au passé.

— Vous l'« auriez été », répondit-il tristement; c'est
un de ces hommes dont on peut dire avec raison qu'ils
ne sont pas faits pour ce monde.

— En attendant, n'oublions pas que nous avons bien

des journées de fatigue en perspective; il faut nous coucher », dit Kitty après un regard à sa montre minuscule (1).

XX

LA MORT

LE malade fut administré le lendemain. Pendant la cérémonie, Nicolas pria avec ferveur; une supplication passionnée se lisait dans ses grands yeux fixés sur l'image sainte qu'on avait placée sur une table à jeu recouverte d'une serviette de couleur. Levine fut effrayé de voir son frère entretenir cette espérance, le déchirement de quitter une vie à laquelle il tenait ne devant être que plus cruel. Il savait d'ailleurs que Nicolas s'était affranchi de la religion non par désir de vivre plus librement mais sous la lente poussée des théories scientifiques modernes; dû uniquement à des espoirs insensés de guérison que Kitty avait rendus plus vivaces par ses récits de cures miraculeuses, son retour à la foi ne pouvait être que temporaire et intéressé. Sachant tout cela, Levine considérait avec angoisse ce visage transfiguré, cette main émaciée se soulevant à grand-peine jusqu'au front décharné pour faire un signe de croix, ces épaules saillantes et cette poitrine essoufflée qui ne pouvait plus contenir la vie qu'implorait le moribond. Pendant la cérémonie, Levine fit ce qu'il avait fait cent fois, tout incrédule

(1) A ce stade de la publication de son roman, Tolstoï écrivait à sa tante Alexandra : « Mon *Anna* m'écœure au dernier degré. Je la traite comme une pupille qui laisse voir son mauvais caractère; mais ne m'en dites pas de mal ou, du moins, avec ménagement; je l'ai tout de même légitimée. » (Mars 1876.)

Tolstoï avait une grande affection pour la fille de son grand-oncle, la comtesse Alexandra Tolstoï, demoiselle d'honneur à la cour, avec laquelle il entretint une correspondance pendant près d'un demi-siècle. Tolstoï disait de cette correspondance que c'était la meilleure de ses biographies

qu'il était : « Guéris cet homme si tu existes, disait-il
en s'adressant à Dieu, et tu nous sauveras tous deux. »

Après avoir reçu l'extrême-onction, le malade se
sentit beaucoup mieux : pendant toute une heure il ne
toussa pas une seule fois; il assurait, en souriant et
en baisant la main de Kitty avec des larmes de reconnaissance, qu'il ne souffrait pas et sentait revenir ses
forces et son appétit. Quand on lui apporta sa soupe,
il se souleva de lui-même et demanda une côtelette.
Bien que le simple aspect du malade démontrât l'impossibilité de la guérison, Levine et Kitty passèrent
cette heure dans une agitation qui tenait de la joie et
de la crainte.

« Il va mieux? — Oui, beaucoup mieux. — C'est
étonnant. — Pourquoi cela? — Décidément il va
mieux », se chuchotaient-ils en souriant.

L'illusion ne dura pas. Après un sommeil tranquille
d'une demi-heure, une quinte de toux réveilla le
malade; aussitôt les espérances s'évanouirent pour
tous, à commencer par lui-même. Oubliant ce qu'il
avait cru une heure plus tôt, honteux même de se le
rappeler, il demanda qu'on lui fît respirer de l'iode.
Levine lui tendit un flacon recouvert d'un papier per-
foré. Pour se faire confirmer les paroles du médecin
qui attribuait à l'iode des vertus miraculeuses, Nicolas regarda son frère du même air extatique dont il
avait contemplé l'image.

« Kitty n'est pas là? murmura-t-il de sa voix enrouée
lorsque Levine eut, à contrecœur, répété les paroles
du médecin. Non? alors je puis parler... J'ai joué la
comédie pour elle, elle est si gentille! Mais entre nous
ce n'est plus nécessaire. Voilà la seule chose en quoi
j'ai foi », dit-il en serrant la fiole de ses mains
osseuses.

Il se mit à aspirer l'iode avidement.

Vers huit heures du soir, pendant que Levine et sa
femme prenaient le thé dans leur chambre, ils virent
accourir Marie Nicolaievna, essoufflée, pâle, les lèvres
tremblantes. « Il se meurt, balbutia-t-elle. J'ai peur
qu'il ne passe tout de suite. »

Tous deux coururent chez Nicolas et le trouvèrent assis sur son lit, appuyé sur le coude, la tête baissée et son long dos ployé.

« Qu'éprouves-tu? demanda à voix basse Levine après un moment de silence.

— Je m'en vais », répondit Nicolas, tirant à grand-peine les mots de sa poitrine, mais les prononçant encore avec une netteté surprenante. Sans relever la tête il tourna les yeux du côté de son frère, dont il ne pouvait apercevoir le visage. « Katia, va-t'en! » murmura-t-il encore.

Levine obligea doucement sa femme à sortir.

« Je m'en vais, répéta le moribond.

— Pourquoi t'imagines-tu cela? demanda Levine pour dire quelque chose.

— Parce que je m'en vais, répéta Nicolas, comme s'il eût pris ce mot en affection. C'est la fin. »

Marie Nicolaievna s'approcha de lui.

« Couchez-vous, vous serez mieux, dit-elle.

— Bientôt je serai couché tranquillement, mort, bougonna-t-il non sans ironie. Eh bien, couchez-moi si vous voulez. »

Levine remit son frère sur le dos, s'assit auprès de lui, et respirant à peine, examina son visage. Le mourant avait les yeux fermés, mais les muscles de son front s'agitaient de temps à autre comme s'il eût profondément réfléchi. Malgré lui Levine chercha en vain à comprendre ce qui pouvait se passer dans l'esprit du moribond; ce visage sévère et le jeu des muscles au-dessus des sourcils laissaient entendre que son frère entrevoyait des mystères qui lui demeuraient inaccessibles.

« Oui... oui, proféra le mourant avec de longues pauses; attendez... c'est cela! dit-il soudain, comme si tout s'était éclairci pour lui. O Seigneur! »

Il poussa un profond soupir. Marie Nicolaievna lui tâta les pieds. « Il se refroidit », dit-elle à voix basse.

Le malade resta immobile un temps qui parut infiniment long à Levine, mais il vivait encore et soupirait par instants. Fatigué de la tension de son esprit, Le-

vine ne se sentait plus à l'unisson du mourant et n'arrivait pas à comprendre ce que celui-ci avait voulu
dire par : « c'est cela! » Tout en n'ayant plus la force
de penser à la mort, il se demandait ce qu'il allait
avoir à faire : fermer les yeux de son frère, l'habiller,
commander le cercueil? Chose étrange, il se sentait
froid et indifférent; le seul sentiment qu'il éprouvât
était plutôt de l'envie, Nicolas ayant désormais une
certitude à laquelle lui, Constantin, ne pouvait prétendre. Longtemps, il resta près de lui, attendant la
fin; elle ne venait pas. La porte s'ouvrit et Kitty
parut; il se leva pour l'arrêter mais aussitôt le mourant
s'agita.

« Ne t'en va pas », dit Nicolas en étendant sa main.

Levine prit cette main dans la sienne et fit un geste
mécontent à sa femme pour la renvoyer. Il attendit
ainsi une demi-heure, une heure, puis une heure encore. Il ne songeait plus qu'à des choses indifférentes :
que faisait Kitty? qui pouvait bien demeurer dans la
chambre voisine? le médecin avait-il une maison à
lui? Puis il eut faim et sommeil. Il dégagea doucement
sa main pour toucher les pieds du mourant : ils étaient
froids, mais Nicolas respirait toujours. Levine essaya
de se lever et se sortir sur la pointe des pieds; le
malade s'agita et répéta : « Ne t'en va pas... »

.. ..

Le jour parut, et la situation restait la même. Levine
abandonna, sans le regarder, la main du moribond,
rentra dans sa chambre et s'endormit; à son réveil, au
lieu d'apprendre la mort de son frère, on lui dit qu'il
avait repris connaissance, s'était assis dans son lit,
avait demandé à manger, qu'il ne parlait plus de la
mort mais exprimait l'espoir de guérir, tout en se
montrant plus sombre, plus irrité que jamais. Personne
ne parvint à le calmer; il accusait tout le monde de
ses souffrances, réclamait un célèbre médecin de Moscou et, à toutes les questions qu'on lui faisait sur
son état, répondait qu'il souffrait d'une façon intolérable.

Comme les plaies s'avivaient et qu'il devenait difficile de les panser, son irritation ne fit qu'augmenter;
Kitty elle-même fut impuissante à l'adoucir, et Levine
s'aperçut qu'elle était à bout de forces, au moral
comme au physique, bien qu'elle ne voulût pas en
convenir. L'attendrissement causé l'autre nuit par les
adieux de Nicolas à la vie avait cédé la place à
d'autres sentiments. Tous savaient la fin inévitable,
tous voyaient le malade mort à moitié, tous en étaient
venus à souhaiter la fin aussi prompte que possible;
ils n'en continuaient pas moins à donner des potions,
à faire chercher le médecin et des remèdes; mais ils
se mentaient à eux-mêmes, et cette vile, cette sacrilège
dissimulation était plus douloureuse à Levine qu'aux
autres parce qu'il aimait Nicolas plus tendrement et
que rien n'était plus contraire à sa nature que le
manque de sincérité.

Levine, depuis longtemps poursuivi du désir de
réconcilier ses deux frères, fût-ce à l'article de la
mort, avait prévenu Serge Ivanovitch; celui-ci répondit, et Levine lut la lettre au malade : Serge ne pouvait venir, mais il demandait pardon à son frère en
termes touchants.

Nicolas garda le silence.

« Que dois-je lui écrire? demanda Levine. J'espère
que tu ne lui en veux pas?

— Non, pas du tout, répondit le malade d'un ton
contrarié. Écris-lui qu'il m'envoie le docteur. »

Trois jours cruels passèrent encore; le mourant restait dans le même état. Tous les habitants de l'hôtel
depuis le patron et les garçons jusqu'à Levine et
Kitty, sans oublier le médecin et Marie Nicolaievna,
n'avaient plus qu'un désir, sa fin; le malade seul ne
l'exprimait pas et continuait à demander le médecin
de Moscou, à prendre des remèdes et à parler de réta-
blissement. Dans les rares minutes où l'opium le plongeait dans un demi-sommeil, il confessait pourtant ce
qui pesait à son âme plus encore qu'à celle des
autres : « Ah! si cela pouvait finir! »

Ces souffrances, toujours plus intenses, faisaient

leur œuvre en le préparant à mourir; chaque mouvement était une douleur; pas un membre de ce pauvre
corps qui ne causât une torture. Tout souvenir, toute
pensée, toute impression répugnait au malade; la vue
de ceux qui l'entouraient, leurs discours, tout lui faisait mal. Chacun le sentait, nul n'osait se mouvoir ou
s'exprimer sans contrainte. La vie se concentra pour
tous dans le sentiment des souffrances du moribond et
dans le désir ardent de l'en voir délivré.

Il touchait à ce moment suprême où la mort devait
lui paraître souhaitable comme un dernier bonheur.
Toutes les sensations, comme la faim, la fatigue, la
soif, qui jadis, après avoir été souffrance ou priva-
tion, lui causaient, une fois satisfaites par les fonctions du corps, une certaine jouissance, n'étaient plus
que douleur; en conséquence il ne pouvait aspirer qu'à
être débarrassé du principe même de ses maux, de
son corps torturé; mais, comme il ne trouvait point
de paroles pour exprimer ce désir, il continuait par
habitude à réclamer ce qui le satisfaisait autrefois.
« Couchez-moi sur l'autre côté », demandait-il, et,
aussitôt couché, il voulait revenir à sa position première. « Donnez-moi du bouillon. Remportez-le. Pourquoi vous taisez-vous? racontez-moi quelque chose. »
Et, sitôt qu'on ouvrait la bouche, il reprenait
une expression de fatigue, d'indifférence et de
dégoût.

Le dixième jour après son arrivée, Kitty tomba malade : elle éprouvait des maux de tête et de cœur et
ne put se lever de la matinée. Le médecin
déclara que c'était l'effet de la fatigue et des émotions; il prescrivit le calme et le repos. Elle se leva
cependant après le dîner et se rendit, comme de coutume, chez le malade avec son ouvrage. Nicolas lui
lança un regard sévère et sourit avec dédain quand
elle lui dit qu'elle avait été souffrante. Toute la journée
il ne cessa de se moucher et de gémir.

« Comment vous sentez-vous? lui demanda-t-elle.

— Plus mal, répondit-il; je souffre.

— Où souffrez-vous?

— Partout.

— Vous verrez que cela finira aujourd'hui », dit Marie Nicolaievna à voix basse.

Levine la fit taire, craignant que son frère, dont l'ouïe était devenue très sensible, ne l'entendît. Il se tourna vers le mourant, qui avait bien entendu, mais sur lequel ces mots ne produisirent aucune impression, car son regard demeurait grave et fixe.

« Qu'est-ce qui vous le fait croire? demanda Levine après avoir emmené Marie Nicolaievna dans le corridor.

— Il se dépouille.

— Comment cela?

— Comme ça », dit-elle en tirant sur les plis de sa robe de laine.

Levine avait en effet remarqué que toute la journée le malade avait tiré ses couvertures comme s'il eût voulu s'en dépouiller.

Marie Nicolaievna avait prédit juste. Vers le soir, le malade n'eut plus la force de soulever ses bras, et son regard immobile prit une expression d'attention concentrée qui ne changea pas lorsque Kitty et son frère se penchèrent vers lui afin qu'il pût les voir. Kitty fit venir le prêtre pour dire les prières des agonisants.

Le malade ne donna d'abord aucun signe de vie; mais, vers la fin des prières, il poussa tout à coup un soupir, s'étendit et ouvrit les yeux. Quand il eut achevé ses oraisons, le prêtre posa la croix sur ce front glacé, l'enveloppa lentement dans son étole, et après quelques instants de silence, toucha des doigts l'énorme main exsangue du moribond.

« C'est fini », dit-il enfin, voulant s'éloigner.

Soudain les lèvres collées de Nicolas eurent un léger tressaillement, et du fond de sa poitrine sortirent ces paroles qui résonnèrent nettement dans le silence :

« Pas encore... bientôt. »

Au bout d'une minute, le visage s'éclaircit, un sou-

rire se dessina sous la moustache, et les femmes s'em-
pressèrent de commencer la dernière toilette (1).

Devant ce spectacle, toute l'horreur de Levine pour
la terrible énigme de la mort se réveilla avec la même
intensité que pendant la nuit d'automne où son frère
était venu le voir. Plus que jamais il se sentit incapable de sonder ce mystère. Mais cette fois la compagnie de sa femme l'empêcha de tomber dans le désespoir, car, malgré la présence de la mort, il éprouvait
le besoin de vivre et d'aimer. L'amour seul le sauvait
et devenait d'autant plus fort et plus pur qu'il était
menacé.

A peine Levine eut-il vu s'accomplir ce mystère de
mort qu'auprès de lui un autre mystère, également
insondable, mais d'amour et de vie celui-là, s'accomplit à son tour; le médecin déclara que Kitty était
enceinte, ainsi qu'il l'avait supposé dès l'abord.

XXI

Dès l'instant où Alexis Alexandrovitch eut compris,
grâce à Betsy et à Stépane Arcadiévitch, que tous, et
Anna la première, attendaient de lui qu'il délivrât sa

---

(1) Deux des frères de Tolstoï moururent tuberculeux. Lui-
même craignit un moment d'être atteint de cette maladie. Son
frère Nicolas mourut à Hyères en 1860. Tolstoï était auprès de lui.

« La mort n'agit jamais sur moi très douloureusement (je l'ai
senti lors de la disparition de mon frère bien-aimé). Si la perte
d'un être cher ne vous rapproche pas de votre propre mort, ne
vous ôte pas vos illusions sur la vie, ne vous détourne pas de le
chérir et d'en attendre du bien, cette perte doit être intolérable;
tandis que si l'on se familiarise avec l'idée de sa propre fin, ce
n'est plus douloureux mais grave et beau. » (Lettre de mars 1874
à Alexandra Tolstoï.)

« Il me semble qu'avec les derniers chapitres vous êtes
entré en pleine possession de vos forces. Quelle originalité!... La
confession, la mort, la visite au peintre... tous ces sujets si ordinaires... vous les traitez *pour la première fois...* »

« Dans bien longtemps, les lecteurs se souviendront encore
de l'époque où ils attendaient avec tant d'impatience les fascicules
du *Messager Russe.* » (Lettres de Strakhov avril-mai 1876.)

femme de sa présence, il se sentit complètement désorienté : incapable d'une décision personnelle, il remit
son sort entre les mains de tiers trop heureux d'avoir
à s'en mêler et consentit aveuglément à tout. Il ne
revint à la réalité qu'après le départ d'Anna, lorsque
l'Anglaise lui fit demander si elle devait prendre ses
repas avec lui ou à part : alors pour la première fois
son triste sort lui apparut dans toute son horreur.

Ce qui l'affligeait le plus, c'était de ne point apercevoir de lien logique entre le passé et le présent. Par
passé il n'entendait pas l'heureuse époque où il vivait
en bonne harmonie avec sa femme, époque que les
souffrances endurées après la trahison lui avaient fait
depuis longtemps oublier. Anna le quittant après
l'aveu, son malheur n'eût pas été comparable à la
situation sans issue dans laquelle il se débattait. Comment en effet l'attendrissement auquel il avait cédé, le
pardon si généreusement accordé, l'affection témoi-
gnée à une femme coupable et à l'enfant d'un autre
lui avaient-ils valu l'abandon, la solitude, les sarcasmes et le mépris général? Voilà la question qu'il
se posait constamment sans y trouver la moindre
réponse.

Les deux premiers jours qui suivirent le départ
d'Anna, Alexis Alexandrovitch continua ses récep-
tions, assista aux séances de son comité et dîna chez
lui comme d'habitude. Toutes les forces de sa volonté
étaient instinctivement tendues vers un seul but : paraître calme et indifférent. Aux questions des domestiques s'informant des mesures à prendre pour l'appartement et les affaires d'Anna, il répondit, au prix
d'efforts surhumains, de l'air d'un homme préparé aux
événements et qui n'y voit rien d'extraordinaire. Il
réussit ainsi à dissimuler quelque temps sa souffrance.

Le troisième jour, Kornéï lui apporta la facture
d'un magasin de modes qu'Anna avait oublié de solder.
Comme le commis attendait dans l'antichambre, Karénine le fit introduire.

« Votre Excellence, dit cet homme, voudra bien
excuser le dérangement et nous donner l'adresse de

madame, si c'est à elle que nous devons présenter la facture. »

Alexis Alexandrovitch parut réfléchir et, se détournant soudain, s'assit à son bureau, la tête entre ses mains. Il demeura longtemps dans cette position, essayant de parler sans y parvenir. Devinant l'angoisse de son maître, Kornéï pria le commis de repasser. Resté seul, Karénine sentit qu'il n'avait plus la force de lutter : il fit dételer sa voiture, ferma sa porte et ne dîna pas à table.

Le dédain, la cruauté qu'il avait cru lire sur le visage du commis, de Kornéï, de toutes les personnes à qui il avait eu affaire durant ces deux journées, lui devenaient insupportables. S'il s'était attiré le mépris de ses semblables par une conduite répréhensible, il aurait pu espérer qu'une conduite meilleure lui rendrait leur estime. Mais comme il n'était que malheureux — d'un malheur honteux, exécrable — les gens se montreraient d'autant plus implacables qu'il souffrirait davantage : ils l'écraseraient, comme les chiens mettent en pièces celui d'entre eux qui, blessé, hurle de douleur. Pour résister à l'hostilité générale, il devait à tout prix cacher ses plaies : hélas, deux jours de lutte l'avaient déjà épuisé! Et, chose atroce entre toutes, il ne voyait personne à qui confier son martyre. Pas un homme dans tout Pétersbourg qui s'intéressât à lui, qui eût quelque égard, non plus pour le personnage haut placé, mais pour le mari au désespoir.

Alexis Alexandrovitch avait perdu sa mère à l'âge de dix ans; il ne se souvenait plus de son père; son frère et lui étaient restés orphelins avec une très modique fortune; leur oncle Karénine, haut fonctionnaire fort bien vu du défunt empereur, se chargea de leur éducation. Après d'excellentes études au collège et à l'université, Alexis Alexandrovitch débuta brillamment, grâce à cet oncle, dans la carrière administrative, à laquelle il se voua exclusivement. Jamais il ne se lia d'amitié avec personne; son frère seul lui tenait au cœur; mais celui-ci, entré dans la diplomatie, résidait à l'étranger, où il mourut peu de temps après le mariage d'Alexis Alexandrovitch.

Karénine, nommé gouverneur d'une province, y fit la connaissance de la tante d'Anna, une dame fort riche, qui manœuvra habilement pour rapprocher de sa nièce ce dignitaire encore jeune. Un beau jour Alexis Alexandrovitch se vit dans l'alternative de choisir entre une demande en mariage ou un changement de résidence. Longtemps il hésita, trouvant autant de raisons contre que pour le mariage; il ne se fût sans doute point départi de sa maxime favorite « dans le doute abstiens-toi », si un ami de la tante ne lui avait fait entendre que ses assiduités compromettaient la jeune fille et qu'en homme d'honneur il devait se déclarer. Il s'exécuta aussitôt et dès lors reporta sur sa fiancée d'abord, puis sur sa femme, la somme d'affection dont sa nature était capable.

Cet attachement exclut chez lui tout autre besoin d'intimité. Il n'eut toute sa vie que des relations. Il pouvait inviter de nombreux personnages, leur demander un service, une protection pour quelque solliciteur, critiquer librement devant eux les actes du gouvernement, sans jamais prétendre à plus de cordialité. Le seul homme auquel il eût pu confier son chagrin, un ancien camarade d'université avec lequel il s'était lié par la suite, exerçait en province les fonctions de recteur d'académie. Les seules relations familières qu'il eût à Pétersbourg étaient son chef de cabinet et son médecin.

Le premier, Michel Vassiliévitch Slioudine, un galant homme, simple, bon et intelligent, paraissait ressentir pour Karénine une vive sympathie; mais cinq années de subordination avaient élevé entre son chef et lui une barrière qui arrêtait les confidences. Ce jour-là pourtant, Alexis Alexandrovitch, après avoir signé les papiers que Slioudine lui apportait, le regarda longtemps en silence, tout prêt à s'épancher. Il avait même préparé une phrase : « Vous savez mon malheur », et tenta plusieurs fois de la prononcer; mais elle mourut sur ses lèvres. Il dut se borner en le congédiant à la

formule habituelle : « Vous aurez la bonté de me préparer ce travail. »

Le médecin était également bien disposé à son
égard; Karénine ne l'ignorait point, mais il s'était
conclu un pacte tacite entre eux, par lequel tous deux
se supposaient surchargés de besogne et contraints
d'abréger leurs entretiens.

Quant aux amies, et à la principale d'entre elles, la
comtesse Lydie, Alexis Alexandrovitch n'y songeait
même pas. Les femmes lui faisaient peur et il n'éprouvait pour elles que de l'aversion.

XXII

Si Karénine avait oublié la comtesse Lydie, celle-ci
pensait à lui. Elle arriva précisément à cette heure
lugubre où, assis à son bureau, la tête entre ses mains,
il se laissait aller au désespoir. Sans se faire annoncer,
elle pénétra dans le cabinet de travail.

« *J'ai forcé la consigne,* dit-elle, entrant à pas
rapides, essoufflée par l'émotion. Je sais tout, Alexis
Alexandrovitch, mon ami! »

Et elle lui serra la main entre les siennes, en le
regardant de ses beaux yeux pensifs. Karénine se leva
d'un air maussade, dégagea sa main et lui avança un
siège.

« Veuillez vous asseoir, comtesse, je ne reçois pas
parce que je suis souffrant, dit-il les lèvres tremblantes.

— Mon ami », répéta la comtesse sans le quitter des
yeux; ses sourcils froncés dessinèrent un triangle sur
son front, et cette grimace enlaidit encore sa figure
jaune, naturellement laide.

Alexis Alexandrovitch comprit qu'elle était prête à
pleurer de compassion, et l'attendrissement le gagna;
il saisit sa main potelée et la baisa.

« Mon ami, dit-elle d'une voix entrecoupée par

l'émotion, vous ne devez pas vous abandonner ainsi à votre douleur; elle est grande, mais il faut chercher à la calmer.

— Je suis brisé, tué, je ne suis plus un homme », dit Alexis Alexandrovitch, abandonnant la main de la comtesse, sans quitter du regard ses yeux remplis de larmes; « ma situation est d'autant plus affreuse que je ne trouve d'appui ni en moi, ni hors de moi.

— Vous trouverez cet appui, non pas en moi, bien que je vous prie de croire à mon amitié, dit-elle en soupirant, mais en Lui. Notre appui est dans son amour; son joug est léger, continua-t-elle avec ce regard exalté que Karénine lui connaissait bien. Il vous soutiendra, Il viendra à votre aide. »

Ces paroles témoignaient d'une exaltation mystique nouvellement introduite à Pétersbourg (1); elles n'en furent pas moins douces à Alexis Alexandrovitch.

« Je suis faible, anéanti. Je n'ai rien prévu autrefois et ne comprends plus maintenant.

— Mon ami!

— Ce n'est pas la perte que je fais, continua Alexis Alexandrovitch, que je déplore. Oh! non, mais je ne puis me défendre d'un sentiment de honte aux yeux du monde. C'est mal, mais je n'y puis rien.

— Ce n'est pas vous qui avez accompli l'acte de pardon si noble que nous admirons tous, c'est Lui; aussi n'avez-vous pas à en rougir », dit la comtesse en levant les yeux d'un air extatique.

Karénine s'assombrit et, serrant les mains l'une contre l'autre, en fit craquer les jointures.

« Si vous saviez tous les détails! dit-il de sa voix perçante. Les forces de l'homme ont des limites, et j'ai trouvé la limite des miennes, comtesse. Ma journée entière s'est passée en arrangements domestiques découlant (il appuya sur ce mot) de ma situation solitaire. La gouvernante, les domestiques, les comptes,

(1) La haute société pétersbourgeoise était alors férue du prédicateur anglais Redstock, qui n'enseignait qu'une vague religiosité mystique. C'est à ce mouvement que Tolstoï fait allusion lorsqu'il parle du cercle où évolue Lydie Ivanovna.

ces misères me consument à petit feu. Hier à dîner...
c'est à peine si je me suis contenu. Je ne pouvais pas
supporter le regard de mon fils. Il n'osait pas me
poser de questions, et moi je n'osais pas le regarder.
Il avait peur de moi... Mais ce n'est rien encore. »

Karénine voulut parler de la facture qu'on lui avait
apportée, mais sa voix trembla et il s'arrêta. Cette
facture sur papier bleu, pour un chapeau et des
rubans, il n'y pouvait songer sans se prendre en
pitié.

« Je comprends, mon ami, je comprends tout, dit la
comtesse. L'aide et la consolation, vous ne les trouverez pas en moi; si je suis venue, c'est pour vous
offrir mes services, pour tenter de vous délivrer de
ces petits soucis misérables... Il faut ici une main de
femme... Me laisserez-vous faire? »

Alexis Alexandrovitch lui serra la main sans mot
dire.

« Nous nous occuperons tous deux de Serge. Je ne
m'entends guère aux choses de la vie pratique, mais je
m'y mettrai; je serai votre économe. Ne me remerciez
pas, je ne le fais pas de moi-même...

— Comment ne vous serai-je pas reconnaissant?

— Mais, mon ami, ne cédez pas au sentiment dont
vous parliez tout à l'heure, ne rougissez pas de ce qui
constitue le plus haut degré de la perfection chrétienne : « Celui qui s'abaisse sera élevé. » Ne me remerciez pas, mais bien plutôt Celui qu'il faut prier.
En Lui seul nous trouverons la paix, la consolation, le
salut et l'amour! »

Elle leva les yeux au ciel; Alexis Alexandrovitch
comprit qu'elle priait. Cette phraséologie, qu'il trouvait
autrefois déplacée, lui paraissait aujourd'hui naturelle
et calmante. Il n'approuvait pas l'exaltation à la mode;
croyant sincère, il ne s'intéressait guère à la religion
que du point de vue politique; et comme les doctrines
nouvelles ouvraient la porte à la discussion et à l'ana-
lyse, elles devaient lui être antipathiques par principe. Aussi objectait-il d'ordinaire un silence répro-
bateur aux effusions mystiques de la comtesse. Mais

cette fois il la laissa parler avec plaisir, sans la contredire, même intérieurement.

« Je vous ai un gré infini de vos paroles et de
vos promesses », dit-il quand elle eut fini de prier.

La comtesse serra encore une fois la main de son
ami.

« Maintenant je me mets à l'œuvre, dit-elle, après
avoir effacé en souriant les traces de larmes sur son
visage. Je vais voir Serge et ne m'adresserai à vous que
dans les cas graves. »

La comtesse se leva et se rendit auprès de Serge;
là, tout en baignant de ses larmes les joues du petit
garçon effrayé, elle lui apprit que son père était un
saint et que sa mère était morte.

La comtesse remplit sa promesse et se chargea effectivement des détails du ménage, mais elle n'avait rien
exagéré en avouant son manque de sens pratique. Elle
donna des ordres si peu raisonnables que Kornéï, le
valet de chambre d'Alexis Alexandrovitch, prit sur lui
de les révoquer et s'empara peu à peu des rênes du
gouvernement. Cet homme eut l'art d'habituer son
maître à écouter, pendant sa toilette, les rapports qu'il
jugeait bon de lui faire d'un ton calme et circonspect.
L'intervention de la comtesse n'en fut pas moins utile :
son affection et son estime furent pour Karénine un
soutien moral, et, à sa grande consolation, elle parvint
presque à le convertir, c'est-à-dire à changer sa tiédeur
en une chaude et ferme sympathie pour la doctrine
chrétienne, telle qu'on l'enseignait depuis peu à Saint-
Pétersbourg (1). Cette conversion ne fut pas difficile.
Comme la comtesse, comme tous ceux qui préconisaient les idées nouvelles, Alexis Alexandrovitch était
dénué d'imagination profonde, c'est-à-dire de cette faculté de l'âme grâce à laquelle les mirages de l'imagination même exigent pour se faire accepter une certaine vraisemblance. Il ne voyait rien d'impossible à
ce que la mort existât pour les incrédules et non pour
lui; à ce que le péché fût exclu de son âme et son

(1) Voir la note de la page 91.

salut assuré dès ce monde, parce qu'il possédait une foi pleine et entière, dont seul il était juge.

La légèreté, l'erreur de ces doctrines le frappaient néanmoins par moments. L'irrésistible sentiment, qui sans la moindre impulsion d'en haut l'avait entraîné au pardon, lui avait causé une joie bien différente de celle qu'il éprouvait à se redire constamment que le Christ habitait son âme et lui inspirait la signature de tel ou tel papier. Néanmoins, pour illusoire que fût cette grandeur morale, elle lui était indispensable dans son humiliation actuelle : du haut de cette révélation imaginaire, il croyait pouvoir mépriser ceux qui le méprisaient, et il se cramponnait à ses nouvelles convictions comme à une planche de salut.

XXIII

La comtesse Lydie avait été mariée fort jeune; d'un naturel exalté, elle rencontra dans son mari un grand seigneur bon enfant, très riche et très dissolu. Dès le second mois de leur mariage, son mari la quitta, répondant à ses effusions par des sarcasmes et même par une hostilité que personne ne parvint à s'expliquer, la bonté du comte étant connue et la romanesque Lydie n'offrant aucune prise à la critique. Depuis lors, bien que les époux vécussent séparés, chaque fois qu'ils se rencontraient, le comte accueillait sa femme avec un sourire amer qui demeura toujours une énigme.

La comtesse avait depuis longtemps renoncé à adorer son mari, mais elle s'était toujours éprise de quelqu'un et même de plusieurs personnes à la fois, hommes et femmes généralement, de ceux qui attiraient l'attention d'une manière quelconque. Elle s'éprit de tous les princes, de toutes les princesses qui s'alliaient à la famille impériale; elle aima successivement un métropolite, un grand vicaire et un simple prêtre; ensuite un journaliste, trois « frères slaves » et Komissarov; puis un ministre, un médecin, un missionnaire anglais et enfin Karénine. Ces amours multiples, avec leurs différentes phases de chaleur ou de refroidissement, ne l'empêchaient en rien d'entretenir tant à la cour qu'à la ville les relations les plus compliquées. Mais du jour où elle prit Karénine sous sa protection particulière et se préoccupa de son bien-être, elle sentit qu'elle n'avait jamais sincèrement aimé que lui. Ses autres amours perdirent toute valeur à ses yeux; en les comparant à celui qu'elle éprouvait maintenant, elle dut s'avouer que jamais elle ne se serait éprise de Komissarov s'il n'eût sauvé la vie de l'empereur, ni de Ristitch-Koudjitski (1) si la question slave n'eût pas existé; tandis qu'elle aimait Karénine pour lui-même, pour sa grande âme incomprise, pour son caractère, pour le son de sa voix, son parler lent, son regard fatigué et ses mains blanches et molles, aux veines gonflées. Non seulement elle se réjouissait à l'idée de le voir, mais encore elle cherchait à lire sur le visage de son ami une impression analogue à la sienne. Elle voulait lui plaire autant par sa personne que par sa conversation; elle ne s'était jamais autant mise en frais de toilette; elle se surprit plus d'une fois réfléchissant à ce qui aurait pu être s'ils eussent été libres tous deux. Entrait-il, elle rougissait d'émotion; lui disait-il quelque parole aimable, elle ne pouvait réprimer un sourire ravi.

Depuis quelques jours la comtesse était au comble de l'émoi : elle avait appris le retour d'Anna et de Vronski. Il fallait à tout prix épargner à Alexis Alexandrovitch le supplice de revoir sa femme, éloigner de lui jusqu'à la pensée que cette triste personne respirait dans la même ville que lui et pouvait à chaque instant le rencontrer. Elle fit faire une enquête pour connaître les plans de ces « vilaines gens »,

(1) Komissarov détourna, en frappant sur le bras de l'assassin, le coup de pistolet que le nihiliste Karakozov tira en 1866 contre Alexandre II. — Ristitch était le premier ministre du roi Milan de Serbie. (N. d. T.)

comme elle nommait Anna et Vronski. Le jeune aide
de camp, ami de Vronski, qu'elle chargea de cette mission avait besoin de la comtesse pour obtenir, grâce
à son appui, la concession d'une affaire. Il vint donc
lui apprendre qu'après avoir terminé leurs arrangements ils comptaient partir le lendemain. Lydie Ivanovna commençait à se rassurer lorsqu'on lui remit
le lendemain matin un billet dont elle reconnut aussitôt l'écriture : c'était celle d'Anna Karénine. L'enveloppe, en papier anglais épais comme de l'écorce,
contenait une feuille oblongue et jaune, ornée d'un
immense monogramme; le billet répandait un parfum
délicieux.

« Qui a apporté cette lettre?
— Un commissionnaire d'hôtel. »
Longtemps la comtesse resta debout sans avoir le
courage de s'asseoir pour lire. Un accès d'asthme
l'oppressait. Une fois calmée, elle lut le billet suivant
écrit en français :

« Les sentiments chrétiens dont votre âme est remplie, comtesse, me donnent l'audace — impardonnable,
je le sens — de m'adresser à vous. Je souffre d'être
séparée de mon fils et supplie qu'on veuille bien m'au-
toriser à le voir une fois avant mon départ. Si je ne
m'adresse pas directement à Alexis Alexandrovitch,
c'est pour ne pas éveiller chez cet homme généreux
de pénibles souvenirs. Connaissant votre amitié pour
lui, j'ai pensé que vous me comprendriez. M'enverrez-
vous Serge chez moi, préférez-vous que j'y vienne à
l'heure que vous m'indiquerez, ou me ferez-vous savoir
à quel endroit je pourrai le voir? Un refus me semble
impossible lorsque je songe à la magnanimité de celui
à qui il appartient de décider. Vous ne sauriez imaginer ma soif de revoir mon enfant, ni par conséquent
comprendre l'étendue de ma reconnaissance pour
l'appui que vous voudrez bien me prêter.

« ANNA. »

Tout dans cette lettre irrita la comtesse Lydie : son contenu, l'allusion à la magnanimité et surtout le ton d'aisance qu'elle crut y découvrir.

« Dites qu'il n'y a pas de réponse », fit-elle. Et ouvrant aussitôt son buvard, elle écrivit à Karénine qu'elle espérait bien le rencontrer vers une heure au palais : c'était jour de fête, la cour présentait ses vœux à la famille impériale.

« J'ai besoin de vous entretenir d'une affaire grave et triste. Nous conviendrons au palais du lieu où je pourrai vous voir. Le mieux serait chez moi, où je ferai préparer « votre » thé. C'est indispensable... Il nous impose sa croix; mais Il nous donne aussi la force de la porter », ajouta-t-elle pour le préparer dans une certaine mesure.

La comtesse écrivait deux ou trois billets par jour à Alexis Alexandrovitch. Elle aimait ce moyen de donner à leurs rapports, trop simples à son gré, un cachet d'élégance et de mystère.

XXIV

L'AUDIENCE impériale était terminée. Tout en se retirant, on commentait les nouvelles du jour : récompenses et mutations.

« Que diriez-vous si la comtesse Marie Borissovna était nommée ministre de la guerre et la princesse Vatkovski chef de l'état-major? disait un petit vieillard grisonnant, en uniforme couvert de broderies, à une grande et belle demoiselle d'honneur qui le questionnait sur les nominations.

— Dans ce cas je dois être promue aide de camp? dit la jeune fille en souriant.

— Que non! Vous êtes nommée ministre des cultes avec Karénine comme secrétaire d'Etat... Bonjour, mon prince, continua le bonhomme en serrant la main à quelqu'un qui s'approchait de lui.

— Vous parliez de Karénine? demanda le prince.

— Poutiatov et lui ont reçu le grand cordon de Saint-Alexandre-Nevski.

— Je croyais qu'il l'avait déjà.

— Non! Regardez-le », dit le petit vieillard en indiquant de son tricorne brodé Karénine qui, debout dans l'embrasure d'une porte, s'entretenait avec un des membres influents du Conseil d'Etat; il portait l'uniforme de cour avec son nouveau cordon rouge en écharpe. « N'est-il pas heureux et content comme un sou neuf? » Et le vieillard s'arrêta pour serrer la main à un superbe et athlétique chambellan qui passait.

« Non, il a vieilli, fit celui-ci.

— C'est l'effet des soucis. Il passe sa vie à écrire des projets. Tenez, en ce moment, il ne lâchera pas son malheureux interlocuteur avant de lui avoir tout exposé point par point.

— Comment, vieilli? *Il fait des passions.* La comtesse Lydie doit être jalouse de sa femme.

— Je vous en prie, ne dites pas de mal de la comtesse Lydie.

— Y a-t-il du mal à être éprise de Karénine?

— Mme Karénine est-elle vraiment ici?

— Pas ici au palais, mais à Pétersbourg. Je l'ai rencontrée hier, rue Morskaïa, *bras dessus bras dessous* avec Alexis Vronski.

— *C'est un homme qui n'a pas...* », commença le chambellan, mais il s'arrêta pour faire place et saluer au passage une personne de la famille impériale.

Tandis qu'on ridiculisait ainsi Alexis Alexandrovitch, celui-ci barrait le chemin au conseiller d'Etat, et, sans lui faire grâce d'un iota, lui exposait tout au long un projet financier.

Presque en même temps qu'il avait été abandonné par sa femme, Alexis Alexandrovitch s'était trouvé, sans qu'il s'en rendît encore bien compte, dans la situation la plus pénible que puisse connaître un fonctionnaire : la marche ascendante de sa carrière avait pris fin. Certes il occupait encore un poste important,

il continuait à faire partie d'un grand nombre de
comités et de commissions, mais on le rangeait parmi
les gens qui ont fait leur temps et dont on n'attend
plus rien; tous ses projets semblaient caducs et péri-
més. Loin d'en juger ainsi, Karénine croyait discerner
avec plus de justesse les erreurs du gouvernement
depuis qu'il n'en faisait plus directement partie et
pensait de son devoir d'indiquer certaines réformes à
introduire. Peu après le départ d'Anna, il écrivit
quelques pages sur les nouveaux tribunaux, le premier
des mémoires innombrables et parfaitement inutiles
qu'il devait composer sur les branches les plus diverses de l'administration. Aveugle à sa disgrâce, il se
montrait plus que jamais satisfait de lui-même et de
son activité; et comme la sainte Ecriture était dorénavant son guide en toutes choses, il se rappelait sans
cesse le mot de saint Paul : « Celui qui a une femme
songe aux biens terrestres; celui qui n'en a pas ne
songe qu'au service du Seigneur. »

Alexis Alexandrovitch ne prêtait aucune attention à
l'impatience, pourtant bien visible, du conseiller
d'Etat; il dut cependant s'interrompre au passage du
membre de la famille impériale, et son interlocuteur
en profita pour s'éclipser! Resté seul, Karénine baissa
la tête, chercha à rassembler ses idées, et, jetant un
regard distrait autour de lui, se dirigea vers la porte
où il pensait rencontrer la comtesse Lydie.

« Comme ils sont tous forts et bien portants! » songea-t-il en considérant au passage le cou vigoureux du
prince serré dans son uniforme, et le robuste chambellan aux favoris parfumés. « Il n'est que trop vrai,
tout est mal en ce monde », se dit-il encore après un
coup d'œil aux mollets du chambellan. Et, tout en
cherchant des yeux la comtesse, il adressa à ces beaux
messieurs qui parlaient de lui un de ces saluts las et
dignes dont il était coutumier.

« Alexis Alexandrovitch, s'écria le petit vieillard
dont les yeux brillaient méchamment, je ne vous ai
pas encore félicité. Tous mes compliments, ajouta-t-il
en désignant le grand cordon.

« — Je vous remercie infiniment. Quel temps superbe, n'est-ce pas? » répondit Karénine, en insistant, suivant son habitude, sur le mot « superbe ».

Il se doutait bien que ces messieurs se moquaient de lui : mais connaissant leurs sentiments hostiles, il n'attachait à leurs dires aucune importance.

Les épaules jaunes et les beaux yeux pensifs de la comtesse Lydie lui apparurent et l'attirèrent de loin : il se dirigea vers elle avec un sourire qui découvrit ses dents blanches.

La toilette de la comtesse, comme toutes celles que depuis quelque temps elle prenait le soin de composer, lui avait causé bien des soucis. Elle poursuivait un but fort différent de celui qu'elle se proposait trente ans plus tôt. Elle ne songeait alors qu'à se parer et n'était jamais trop élégante à son gré, tandis que maintenant elle cherchait à rendre le contraste supportable entre sa personne et sa toilette. Elle y parvenait aux yeux d'Alexis Alexandrovitch, qui la trouvait charmante. La sympathie de cette femme était pour lui l'unique refuge contre l'animosité générale. Aussi au milieu de cette foule hostile se sentait-il attiré vers elle comme une plante vers la lumière.

« Tous mes compliments », dit-elle en portant ses regards sur la décoration.

Retenant un sourire de contentement, Karénine haussa les épaules et ferma les yeux à demi, pour marquer que ces sortes de distinctions ne lui importaient guère. La comtesse savait pertinemment qu'elles lui causaient au contraire une de ses joies les plus vives.

« Que devient notre ange? demanda-t-elle, faisant allusion à Serge.

— Je ne suis pas très content de lui, répondit Alexis Alexandrovitch, en levant les sourcils et en ouvrant les yeux. Sitnikov, son professeur, ne l'est pas davantage. Comme je vous le disais, il fait preuve d'une certaine froideur pour les questions essentielles qui doivent toucher toute âme humaine, même celle d'un enfant. »

Sa carrière mise à part, l'éducation de son fils préoccupait seule pour le moment Alexis Alexandrovitch. Jamais jusque-là les questions d'éducation ne l'avaient intéressé; mais sentant la nécessité de suivre l'instruction de son fils, il avait consacré un certain temps à étudier des livres d'anthropologie et de pédagogie afin de se former un plan d'études que le meilleur professeur de Pétersbourg fut ensuite chargé de mettre en pratique (1).

« Oui, mais le cœur? Je trouve à cet enfant le cœur de son père, et avec cela peut-il être mauvais! dit la comtesse de son ton emphatique.

— Peut-être... Pour moi, je remplis mon devoir, c'est tout ce que je puis faire.

— Vous viendrez chez moi? dit la comtesse après un moment de silence. Nous avons à causer d'une chose triste pour vous. J'aurais donné tout au monde pour vous épargner certains souvenirs, mais d'autres ne pensent pas de même. « Elle » est ici, à Pétersbourg, et « elle » m'a écrit. »

Alexis Alexandrovitch tressaillit, mais son visage prit aussitôt cette expression d'immobilité cadavérique qui indiquait sa totale impuissance en pareille matière.

« Je m'y attendais », dit-il.

La comtesse l'enveloppa d'un regard exalté, et devant cette grandeur d'âme des larmes d'admiration jaillirent de ses yeux.

XXV

Alexis Alexandrovitch attendit quelques instants dans l'élégant boudoir décoré de portraits et de vieilles porcelaines. La comtesse changeait de toilette.

---

(1) A l'époque où il rédigeait ce passage, Tolstoï avait écrit à Strakhov, en lui demandant de lui envoyer les livres que devait lire Karénine « en abordant l'éducation de son fils qui lui reste sur les bras ». (18 mai 1876.)

Un service à thé chinois était disposé sur un guéridon à côté d'une bouilloire à esprit-de-vin. Karénine accorda un regard distrait aux innombrables cadres qui ornaient la pièce, s'assit près du guéridon et y prit un évangile. Le frôlement d'une robe de soie vint le distraire.

« Enfin, nous allons être un peu tranquille, dit la comtesse en se glissant avec un sourire ému entre le guéridon et le canapé. Nous pourrons causer en prenant notre thé. »

Après un court préambule, elle tendit, le teint cramoisi et l'haleine courte, la lettre d'Anna à Karénine, qui la lut et garda longtemps le silence.

« Je ne me crois pas le droit de lui refuser, dit-il enfin non sans timidité.

— Mon ami, vous ne voyez le mal nulle part.

— Je le vois au contraire partout. Mais serait-il juste de... »

Son visage exprimait l'indécision, le désir d'un conseil, d'un appui, d'un guide dans une question aussi épineuse.

« Non, interrompit la comtesse, il y a des limites à tout. Je comprends l'immoralité, dit-elle sans la moindre vraisemblance puisqu'elle n'avait jamais pu discerner ce qui incitait les femmes à enfreindre les lois de la morale; mais ce que je ne comprends pas, c'est la cruauté, et envers qui? envers vous! Comment a-t-elle le front de rester dans la même ville que vous! On n'est jamais trop vieux pour s'instruire; j'apprends tous les jours à comprendre votre grandeur et sa bassesse.

— Qui de nous jettera la première pierre? dit Alexis Alexandrovitch, satisfait de son rôle. Après avoir tout pardonné, puis-je la priver de ce qui est un besoin de son cœur, son amour pour son enfant?...

— Est-ce bien de l'amour, mon ami? Tout cela est-il sincère? Vous avez pardonné et vous pardonnez encore, je le veux bien, mais avons-nous le droit de troubler l'âme de ce petit ange? Il croit sa mère morte; il prie pour elle et demande à Dieu le pardon de ses péchés. Que penserait-il maintenant?

— Je n'y avais pas songé », dit Alexis Alexandrovitch, frappé par la justesse de ce raisonnement.

La comtesse se couvrit le visage de ses mains et garda un certain temps le silence. Elle priait.

« Si vous voulez mon avis, dit-elle enfin, je ne vous conseille pas d'accorder cette permission. Ne vois-je pas combien vous souffrez, combien votre blessure saigne? Admettons que vous fassiez abstraction de vous-même, mais où cela vous mènera-t-il? Vous vous préparez de nouvelles souffrances et un trouble nouveau pour l'enfant! Si elle était encore capable de sentiments humains, elle serait la première à le comprendre. Non, je n'éprouve aucune hésitation, et je vais, si vous m'y autorisez, lui faire une réponse en ce sens. »

Karénine ayant donné son acquiescement, la comtesse écrivit en français la lettre suivante :

« Madame. Votre souvenir peut donner lieu, de la part de votre fils, à des questions auxquelles on ne saurait répondre sans contraindre l'enfant à juger ce qui doit rester sacré pour lui. Vous voudrez donc bien comprendre le refus de votre mari dans un esprit de charité chrétienne. Je prie le Tout-Puissant de vous être miséricordieux.

« Comtesse Lydie. »

Cette lettre atteignit le but secret que la comtesse se cachait à elle-même : elle blessa Anna jusqu'au fond de l'âme.

De son côté Alexis Alexandrovitch rentra chez lui troublé; il ne put de toute la journée reprendre ses occupations ni retrouver la paix d'un homme qui possède la grâce et se sent élu. La pensée de sa femme, si coupable à son égard et envers laquelle il avait agi comme un saint aux dires de la comtesse, n'aurait pas dû le troubler; et cependant il n'était pas tranquille. Il ne comprenait rien à ce qu'il lisait, et, ne parvenant pas à chasser de son esprit les cruelles réminiscences du passé, il s'accusait de nombreuses fautes : pourquoi, après l'aveu d'Anna, n'avait-il exigé d'elle que le respect des convenances? pourquoi n'avait-il pas provoqué Vronski en duel? Et la lettre qu'il avait écrite à sa femme, son inutile pardon, les soins donnés à l'enfant étranger, tout lui revenait à la mémoire et brûlait son cœur de confusion. Il en vint même à trouver déshonorants tous les incidents de leur passé, à commencer par la déclaration plutôt niaise qu'il s'était décidé à lui faire après de longues hésitations.

« Mais en quoi suis-je donc coupable? » se demandait-il. Cette question en appelait invariablement une autre : comment donc aimaient, comment donc se mariaient les Vronski, les Oblonski, les chambellans aux mollets gras? Et il évoquait toute une série de ces êtres vigoureux et sûrs d'eux-mêmes, qui avaient toujours captivé son attention. Quelque effort qu'il fît pour chasser de semblables pensées, pour se souvenir que, le but de son existence n'étant pas de ce monde mortel, la paix et la charité devaient seules habiter son âme, il souffrait comme si le salut éternel n'eût été qu'une chimère. Il surmonta pourtant cette tentation et reconquit bientôt la sérénité et l'élévation d'esprit grâce auxquelles il parvenait à oublier les choses dont il voulait perdre le souvenir.

XXVI

« EH BIEN, Kapitonitch », demanda Serge, rentrant rose et gai de la promenade, la veille de son anniversaire, tandis que le vieux suisse, souriant au petit homme du haut de sa grande taille, le débarrassait de son caftan plissé, « le fonctionnaire au bandeau est-il venu? Papa l'a-t-il reçu?

— Oui, à peine le chef de cabinet parti, je l'ai

annoncé, répondit le suisse en clignant gaiement d'un œil. Laissez-moi vous enlever ça.

— Serge, appela le précepteur serbe, arrêté devant la porte qui menait aux appartements, déshabillez-vous vous-même. »

Mais Serge, bien qu'il entendît la voix grêle de son précepteur, n'y prêtait aucune attention; il tenait le suisse par son baudrier et le regardait dans les yeux.

« Papa a-t-il fait ce qu'il demandait? »

Le suisse fit un signe de tête affirmatif.

Ce fonctionnaire enveloppé d'un bandeau intéressait Serge et le suisse; c'était la septième fois qu'il se présentait, et Serge l'avait rencontré un jour dans le vestibule, suppliant le suisse de le faire recevoir et prétendant qu'il ne lui restait qu'à mourir avec ses sept enfants; depuis lors le sort du pauvre homme préoccupait beaucoup le petit garçon.

« Avait-il l'air content? demanda-t-il.

— Je crois bien, il est parti presque en sautant!

— A-t-on apporté quelque chose? s'enquit Serge après un moment de silence.

— Oh! oui, monsieur, dit à demi-voix le suisse en hochant la tête; il y a un paquet de la part de la comtesse.

— Vrai? Où l'a-t-on mis?

— Kornéï l'a porté chez monsieur votre papa; ça doit être une jolie chose.

— De quelle grandeur. Comme ça?

— Plus petit, mais c'est beau.

— Un livre.

— Non, un objet. Allez, allez, Vassili Loukitch vous appelle », dit le suisse en désignant d'un clin d'œil le précepteur Vounitch qui approchait. Et il repoussa doucement la petite main à demi dégantée agrippée à son baudrier.

« Tout de suite, Vassili Loukitch », dit Serge avec ce sourire aimable et gracieux qui désarmait toujours le sévère précepteur.

Serge avait le cœur trop rempli de joie pour ne point partager avec son ami le suisse un bonheur de

famille que venait de lui apprendre la nièce de la
comtesse Lydie pendant leur promenade au Jardin
d'Eté. Cette joie lui paraissait encore plus grande
depuis qu'il y joignait celle du fonctionnaire et celle
du cadeau. Il lui semblait qu'en ce beau jour tout le
monde devait être heureux et content.

« Sais-tu? reprit-il. Papa a reçu le grand cordon
de Saint-Alexandre-Nevski.

— Bien entendu que je le sais. On est déjà venu le
féliciter.

— Il doit être content?

— On est toujours content d'une faveur de l'empereur. C'est une preuve qu'on l'a méritée », dit le
suisse d'un ton grave.

Serge réfléchit, tout en continuant à considérer le
suisse, dont le visage lui était connu dans ses moindres
détails, le menton surtout, perdu entre ses favoris gris
et que personne n'avait jamais aperçu sauf l'enfant,
qui ne voyait jamais son ami que de bas en haut.

« Et ta fille, y a-t-il longtemps qu'elle est venue? »

La fille du suisse faisait partie du corps de ballet.

« Où trouverait-elle le temps de venir un jour de
semaine? Elles ont leurs leçons comme vous avez les
vôtres. Allez vite, monsieur, on vous attend. »

En rentrant dans sa chambre, Serge, au lieu de se
mettre à ses devoirs, fit part à son précepteur de ses
suppositions sur le cadeau qu'on lui avait apporté :
ce devait être une locomotive.

« Qu'en pensez-vous? » demanda-t-il.

Mais Vassili Loukitch ne pensait qu'à la leçon de
grammaire qui devait être apprise avant la venue du
professeur vers deux heures. L'enfant s'installa à sa
table de travail; il avait déjà son livre entre les
mains quand tout à coup :

« Dites-moi donc, s'écria-t-il, y a-t-il un ordre au-
dessus de Saint-Alexandre-Nevski? Vous savez que
papa a reçu le grand cordon de cet ordre. »

Le précepteur répondit qu'il y avait celui de Saint-
Vladimir.

« Et au-dessus?

— Au-dessus de tout, celui de Saint-André.

— Et au-dessus?

— Je ne sais pas.

— Comment, vous ne savez pas non plus? »

Et Serge, le front entre ses mains, se plongea dans des méditations plutôt compliquées. Il s'imaginait que son père allait peut-être recevoir encore les cordons de Saint-Vladimir et de Saint-André et se montrerait en conséquence bien plus indulgent pour la leçon d'aujourd'hui. Puis il se disait qu'une fois grand il ferait en sorte de mériter toutes les décorations, même celles qu'on inventerait au-dessus de Saint-André : à peine un nouvel ordre serait-il institué qu'il s'en rendrait digne tout de suite.

Ces réflexions firent passer le temps si vite qu'interrogé à l'heure de la leçon sur les compléments de temps, de lieu et de mode, il ne sut que répondre, au grand chagrin du professeur. Serge en fut peiné : sa leçon, quoi qu'il fît, ne lui entrait pas dans la tête! En présence du professeur, cela marchait encore, car à force d'écouter et de croire qu'il comprenait, il s'imaginait comprendre; mais, une fois seul, il se refusait à admettre qu'un mot aussi court et aussi simple que le mot « soudain » pût se ranger parmi les « com-plé-ments de mo-de »!

Désireux de rentrer en grâce, il choisit un moment où son maître cherchait quelque chose dans son livre et lui demanda :

« Michel Ivanytch, quand sera votre fête?

— Vous feriez mieux de penser à votre travail. Quelle importance un jour de fête a-t-il pour un être raisonnable? C'est un jour comme un autre, qu'il faut employer à travailler. »

Serge regarda avec attention son professeur, examina sa barbe rare, ses lunettes descendues sur son nez, et se perdit dans des réflexions si profondes qu'il n'entendit plus rien du reste de la leçon. Au ton dont la phrase avait été prononcée, il lui paraissait impossible qu'elle fût sincère.

« Mais pourquoi s'entendent-ils tous pour me dire

de la même façon les choses les plus ennuyeuses et
les plus inutiles? Pourquoi celui-ci me repousse-t-il et
ne m'aime-t-il pas? » se demandait tristement le petit
garçon sans pouvoir trouver de réponse.

XXVII

Après la leçon du professeur vint celle du père;
Serge, en l'attendant, jouait avec son canif et poursuivait le cours de ses méditations.

Une de ses occupations favorites consistait à chercher sa mère pendant ses promenades; il ne croyait
pas à la mort en général et surtout pas à celle de sa
mère, malgré les affirmations de la comtesse et de son
père. Aussi, les premiers temps qui suivirent le départ
d'Anna, pensait-il la reconnaître dans toutes les
femmes grandes, brunes, gracieuses et un peu fortes :
son cœur se gonflait de tendresse, il suffoquait, les
larmes lui venaient aux yeux. Il s'attendait à ce
qu'une de ces dames s'approchât de lui, levât son
voile; alors il reverrait son visage, elle lui sourirait,
l'embrasserait, il sentirait la douce caresse de sa
main, reconnaîtrait son parfum et pleurerait de joie,
comme un soir où il s'était roulé à ses pieds parce
qu'elle le chatouillait et qu'il avait tant ri en mordillant sa main blanche couverte de bagues. Plus tard,
la vieille bonne lui ayant appris par hasard que sa
mère vivait, son père et la comtesse durent lui expliquer qu'elle était morte pour lui parce qu'elle était
devenue méchante. Il n'en crut rien, car il l'aimait,
et continua à l'attendre et à la chercher de plus belle.
Ce jour-là, au Jardin d'Eté, il avait aperçu une dame
en voile mauve, et son cœur battit bien fort quand il
lui vit prendre le même sentier que lui; puis tout à
coup la dame avait disparu. Serge sentait sa tendresse
pour sa mère plus vive que jamais; les yeux brillants,

perdu dans son rêve, il regardait droit devant lui en tailladant la table de son canif.

Vassili Loukitch le tira de cette contemplation :

« Voilà papa qui vient! »

Serge sauta de sa chaise, courut baiser la main de son père et chercha sur son visage quelques signes de contentement à propos de sa décoration.

« As-tu fait une bonne promenade? » demanda Alexis Alexandrovitch, qui se laissa tomber dans un fauteuil et ouvrit le volume de l'Ancien Testament. Bien qu'il répétât souvent à Serge que tout chrétien devait connaître à fond l'histoire sainte, il avait besoin de consulter le livre pour ses leçons et l'enfant s'en apercevait.

« Oui, papa, je me suis beaucoup amusé », répondit Serge qui, se rasseyant de guingois sur sa chaise, se mit à la balancer, chose défendue. « J'ai vu Nadia (une nièce de la comtesse que celle-ci élevait) et elle m'a dit qu'on vous avait donné une nouvelle décoration. Vous devez être bien content, papa?

— D'abord ne te balance pas ainsi, dit Alexis Alexandrovitch, et ensuite apprends que ce qui doit nous être cher, c'est le travail par lui-même, et non la récompense. Je voudrais te faire comprendre cela. Si tu ne recherches que la récompense, le travail te paraîtra pénible; mais si tu aimes le travail pour lui-même, tu trouveras en lui ta récompense. »

Et Alexis Alexandrovitch se rappela qu'en signant ce jour-là cent dix-huit papiers différents, il n'avait eu pour soutien dans cette ingrate besogne que le sentiment du devoir.

Les yeux de Serge, brillants de tendresse et de joie, se voilèrent devant le regard de son père. Il sentait que celui-ci prenait en lui parlant un ton particulier, comme s'il se fût adressé à un de ces enfants imaginaires que l'on voit dans les livres mais auxquels lui, Serge, ne ressemblait en rien. Pour plaire à son père, il lui fallait donc jouer le rôle d'un de ces petits garçons exemplaires.

« Tu me comprends, j'espère?

— Oui, papa », répondit Serge, entrant dans son rôle.

La leçon consistait en une récitation de quelques versets de l'Evangile et une répétition des premiers chapitres de l'Ancien Testament. La récitation ne marchait pas mal; mais tout à coup Serge remarqua que l'os frontal de son père formait presque un angle droit près des tempes; cette bizarre disposition le frappa tellement qu'il s'embrouilla et, trompé par la répétition d'un mot, reporta la fin d'un verset au début du suivant. Alexis Alexandrovitch en conclut que son fils ne comprenait rien de ce qu'il récitait, et cela l'irrita. Il fronça le sourcil et se prit à expliquer des choses qu'il avait souvent répétées, mais que Serge n'arrivait jamais à retenir tout en les trouvant très claires : c'était la même aventure qu'avec « soudain — complément de mode ». L'enfant, effrayé, considérait son père en ne pensant qu'à une chose : faudrait-il lui répéter ses explications, ainsi qu'il l'exigeait parfois? Cette crainte l'empêchait de comprendre. Mais Alexis Alexandrovitch passa tout droit à l'histoire sainte. Serge raconta assez bien les faits eux-mêmes, mais lorsqu'il lui fallut indiquer ce que préfiguraient certains d'entre eux, il ne sut trop que dire, bien que cette leçon lui eût déjà valu une punition. Le moment le plus critique fut celui où il dut réciter la liste des patriarches antédiluviens : il demeura court, tailladant sa table et se balançant sur sa chaise. Il ne se rappelait plus qu'Hénoch : c'était son personnage favori dans l'histoire sainte, et il attachait à l'élévation de ce patriarche aux cieux une longue suite d'idées qui l'absorba complètement, tandis qu'il fixait la chaîne de montre de son père et un bouton à moitié déboutonné de son gilet.

Bien qu'on lui parlât souvent de la mort, Serge se refusait à y croire. Il n'admettait pas que les êtres qu'il aimait pussent disparaître ni encore moins qu'il dût mourir lui-même. Cette pensée invraisemblable et incompréhensible de la mort lui avait cependant été confirmée par des personnes qui lui inspiraient confiance; la vieille bonne avouait, un peu contre son gré, que tous les hommes mouraient. Mais alors pourquoi Hénoch n'était-il pas mort? Et pourquoi d'autres que lui ne mériteraient-ils pas de monter vivants au ciel comme lui? Les méchants, ceux que Serge n'aimait pas, pouvaient bien mourir, mais les autres devaient être dans le cas d'Hénoch.

« Eh bien, voyons, ces patriarches?

— Hénoch, Enos...

— Tu les as déjà nommés. C'est mal, Serge, très mal. Si tu ne cherches pas à t'instruire des choses essentielles à un chrétien, qu'est-ce donc qui t'intéressera? dit le père en se levant. Je ne suis pas content de toi, ton maître ne l'est pas davantage, je me vois donc forcé de te punir. »

Serge travaillait mal en effet; il était pourtant beaucoup mieux doué que certains enfants que son maître lui citait en exemple. S'il ne voulait pas apprendre ce qu'on lui enseignait, c'est qu'il ne le pouvait pas, et cela parce que son âme avait des besoins très différents de ceux que lui imposaient son père et son maître. A neuf ans, ce n'était qu'un enfant, mais il connaissait son âme et la défendait comme la paupière protège l'œil, contre ceux qui voulaient y pénétrer sans la clef de l'amour. On lui reprochait de ne rien vouloir apprendre alors qu'il brûlait du désir de savoir; mais il s'instruisait auprès de Kapitonitch, de sa bonne, de Nadia, de Vassili Loukitch.

Serge fut donc puni : il n'obtint pas la permission d'aller chez Nadia; mais cette punition tourna à son profit. Vassili Loukitch, qui était de bonne humeur, lui apprit à édifier de petits moulins à vent. Il passa la soirée à en construire un et à méditer sur le moyen de s'en servir pour tournoyer dans les airs : fallait-il s'y attacher par le corps ou simplement s'agripper aux ailes? Il en oublia sa mère, mais la pensée de celle-ci lui revint dans son lit, et il pria à sa façon pour qu'elle cessât de se cacher et lui fît une visite le lendemain, anniversaire de sa naissance.

« Vassili Loukitch, savez-vous ce que j'ai demandé à Dieu par-dessus le marché?

— De mieux travailler?

— Non.

— De recevoir des joujoux?

— Non, vous ne devinerez pas. C'est un secret. Si cela arrive, je vous le dirai... Vous ne savez toujours pas?

— Non, vous me le direz, dit Vassili Loukitch en souriant, ce qui ne lui arrivait pas souvent. Allons, couchez-vous, j'éteins la bougie.

— Quand il n'y a plus de lumière, je vois bien mieux ce que j'ai demandé dans ma prière. Tiens, j'ai presque dit mon secret! » fit Serge en riant.

Lorsqu'il fut dans l'obscurité, Serge crut entendre sa mère et sentir sa présence : debout près de lui, elle le caressait de son regard chargé de tendresse. Mais bientôt il vit des moulins, un canif, puis tout se brouilla dans sa petite tête et il s'endormit.

XXVIII

Vronski et Anna étaient descendus dans un des meilleurs hôtels de Petersbourg; Vronski se logea au rez-de-chaussée, tandis qu'Anna, avec l'enfant, la nourrice et sa femme de chambre, s'installait au premier dans un grand appartement composé de quatre pièces.

Dès le jour de son arrivée, Vronski alla voir son frère, chez qui il rencontra sa mère, venue de Moscou pour ses affaires. Sa mère et sa belle-sœur le reçurent comme d'habitude, le questionnèrent sur son voyage, causèrent d'amis communs, mais ne firent aucune allusion à Anna. En lui rendant sa visite le lendemain, son frère fut le premier à parler d'elle. Alexis saisit l'occasion pour lui faire entendre qu'il considérait comme un mariage la liaison qui l'unissait à Mme Karénine : ayant le ferme espoir d'obtenir un divorce qui régulariserait leur situation, il désirait que leur mère et sa belle-sœur comprissent ses intentions.

« Peu m'importe, ajouta-t-il, que le monde approuve ou non ma conduite; mais si ma famille tient à rester en bons termes avec moi, il est nécessaire qu'elle entretienne des relations convenables avec ma femme. »

Toujours très respectueux des opinions de son cadet, le frère aîné préféra laisser à d'autres le soin de résoudre cette question délicate et suivit sans protester Alexis chez Anna. Durant cette visite, Vronski n'eut garde de tutoyer sa maîtresse, mais il laissa entendre que son frère connaissait leur liaison et déclara sans ambages qu'Anna l'accompagnerait à la campagne.

Malgré son expérience du monde, Vronski tombait dans une étrange erreur : lui qui, mieux que personne, devait comprendre que la société leur resterait fermée, il se figura par un bizarre effet d'imagination que l'opinion publique, revenue d'antiques préjugés, avait dû subir l'influence du progrès général (car, sans trop s'en apercevoir, il était devenu partisan du progrès en toutes choses). « Sans doute, pensait-il, il ne faut pas compter sur le monde officiel; mais nos parents, nos amis se montreront plus compréhensifs. »

Pour pouvoir rester longtemps assis les jambes croisées, il faut être parfaitement sûr de la liberté de ses mouvements. Dans le cas contraire, des crampes auront vite fait de vous prendre et vos jambes chercheront d'instinct à s'allonger. Il en allait de même pour Vronski : convaincu dans son for intérieur que les portes du monde demeureraient closes, il n'en voulait pas moins croire à une transformation dans les mœurs. Il frappa donc aux portes du monde : elles s'ouvrirent pour lui, mais point pour Anna. Comme dans le jeu « du chat et de la souris », les mains levées devant lui s'abaissèrent aussitôt devant sa maîtresse.

Une des premières femmes du monde qu'il rencontra fut sa cousine Betsy.

« Enfin! s'écria-t-elle joyeusement à sa vue. Et Anna? Que je suis contente! Où êtes-vous descendus? J'imagine aisément la vilaine impression que doit vous laisser Pétersbourg après un voyage comme le vôtre. Quelle lune de miel vous avez dû passer à Rome! Et le divorce, est-ce arrangé? »

Cet enthousiasme tomba dès que Betsy apprit que le divorce n'était pas encore obtenu, et Vronski s'en aperçut.

« Je sais bien qu'on me jettera la pierre, dit-elle, mais je viendrai voir Anna. Vous ne resterez pas longtemps? »

Elle vint en effet le jour même, mais elle avait changé de ton : elle sembla faire valoir son courage et la preuve d'amitié qu'elle donnait à Anna. Après avoir causé des nouvelles du jour, elle se leva au bout de dix minutes et dit en partant :

« Vous ne m'avez toujours pas dit à quand le divorce. Mettons que, moi, j'aie jeté mon bonnet par-dessus les moulins, mais les collets montés vous battront froid tant que vous ne serez pas mariés. Et c'est si facile maintenant. *Ça se fait...* Ainsi vous partez vendredi? Je regrette que nous ne puissions nous voir d'ici là. »

Le ton de Betsy aurait pu édifier Vronski sur l'accueil qui leur était réservé; il voulut cependant faire encore une tentative dans sa famille. Il ne comptait certes pas sur sa mère qui, entichée d'Anna à leur première rencontre, se montrait maintenant inexorable pour celle qui venait de briser la carrière de son fils; mais il fondait les plus grandes espérances sur sa belle-sœur Varia : celle-ci, croyait-il, ne jetterait pas la pierre à Anna, elle trouverait tout simple, tout naturel de venir la voir et de la recevoir chez elle. Dès le lendemain, l'ayant trouvée seule, il lui fit part de son désir.

« Tu sais, Alexis, combien je t'aime, et combien je te suis dévouée, répondit Varia après l'avoir écouté jusqu'au bout. Si je me tiens à l'écart, c'est que je ne puis être d'aucune utilité à Anna Arcadiévna (elle appuya sur les deux noms). Ne crois pas que je me permette de la juger, j'aurais peut-être agi comme elle à sa place. Je ne veux entrer dans aucun détail, ajouta-t-elle d'un ton timide en voyant s'assombrir le visage de son beau-frère, mais il faut bien appeler les choses par leur nom. Tu veux que j'aille la voir, que je la reçoive chez moi pour la réhabiliter dans la société? En toute franchise je ne puis le faire. Mes filles grandissent, je suis forcée à cause de mon mari de vivre dans le monde. Supposons que j'aille chez Anna Arcadiévna, je ne puis l'inviter chez moi ou je dois tout au moins m'arranger pour qu'elle ne rencontre pas dans mon salon des personnes autrement disposées que moi. N'est-ce pas de toute façon la blesser? Je me sens impuissante à la relever...

— Mais je n'admets pas un instant qu'elle soit tombée, et je ne voudrais pas la comparer à des centaines de femmes que vous recevez, interrompit Vronski en se levant, car il comprenait que Varia avait dit son dernier mot.

— Alexis, ne te fâche pas, je t'en prie, ce n'est pas ma faute, dit Varia avec un sourire craintif.

— Je ne t'en veux pas, mais je souffre doublement, dit-il de plus en plus sombre; je regrette notre amitié brisée ou du moins bien atteinte, car tu dois comprendre qu'après cela... »

Il la quitta sur ces mots et, comprenant l'inutilité de nouvelles tentatives, il résolut de se considérer comme dans une ville étrangère et d'éviter toute occasion de froissements nouveaux.

Une des choses qui lui sembla le plus pénible fut d'entendre partout son nom associé à celui d'Alexis Alexandrovitch; il n'entendait parler que de Karénine, il le rencontrait partout, ou du moins il se le figurait, comme une personne affligée d'un doigt malade croit le heurter à tous les meubles.

D'autre part, l'attitude d'Anna le déroutait : elle se montrait tantôt éprise de lui, tantôt au contraire froide, irritable, énigmatique. Quelque chose évidemment la tourmentait, mais au lieu d'être sensible aux

froissements qui faisaient tant souffrir Vronski et
qu'avec sa finesse de perception ordinaire elle aurait
dû ressentir comme lui, elle paraissait uniquement
préoccupée de dissimuler ses soucis.

XXIX

En quittant l'Italie, Anna se proposait avant tout de
revoir son fils : à mesure qu'elle approchait de
Pétersbourg, sa joie augmentait. Puisqu'ils habite-
raient la même ville, l'entrevue lui paraissait toute
simple, toute naturelle; mais, dès son arrivée, elle se
rendit compte qu'il en allait autrement.

Comment s'y prendre? Aller chez son mari? Elle ne
s'en reconnaissait pas le droit et risquait de s'attirer
un affront. Ecrire à Alexis Alexandrovitch, alors
qu'elle ne retrouvait son calme qu'aux moments où elle
oubliait l'existence de cet homme? Guetter les heures
de promenade de Serge et se contenter d'une rapide
rencontre quand elle avait tant de choses à lui dire,
tant de baisers, de caresses à lui donner? La vieille
bonne aurait pu lui venir en aide, mais elle n'habitait
plus chez Karénine; Anna perdit deux jours à la chercher en vain. Le troisième jour, ayant appris les relations de son mari avec la comtesse Lydie, elle se
décida à écrire à celle-ci une lettre qui lui coûta
beaucoup de peine : elle y faisait appel à la générosité
de son mari, sachant qu'ayant une fois assumé ce rôle,
il le soutiendrait jusqu'au bout.

Le commissionnaire à qui elle avait confié son message apporta la plus cruelle et la plus inattendue des
réponses, à savoir qu'il n'y en aurait point. N'en
croyant pas ses oreilles, elle fit venir cet homme et
l'entendit à sa grande humiliation confirmer avec
force détails cette pénible nouvelle. Elle dut pourtant
s'avouer que de son point de vue la comtesse avait
raison. Sa douleur fut d'autant plus vive qu'elle ne

pouvait se confier à qui que ce fût. Vronski ne la comprendrait même pas; il traiterait la chose comme de peu d'importance, il en parlerait sur un ton si glacial qu'elle le prendrait en haine. Et comme elle ne redoutait rien tant que de le haïr, elle résolut de lui cacher soigneusement ses démarches au sujet de l'enfant.

Elle s'ingénia toute la journée à imaginer d'autres moyens de joindre son fils et résolut enfin d'écrire directement à son mari. Au moment où elle commençait sa lettre, on lui apporta la réponse de la comtesse. Elle n'avait point protesté contre le silence; mais l'animosité, l'ironie qu'elle lut entre les lignes de ce billet la révoltèrent.

« Quelle froideur, quelle hypocrisie, se dit-elle. Ils veulent me blesser et tourmenter l'enfant! Je ne les laisserai pas faire! Elle est pire que moi; du moins moi je ne mens pas! »

Aussitôt elle prit le parti d'aller le lendemain, anniversaire de la naissance de Serge, chez son mari, d'y voir l'enfant en achetant au besoin les domestiques et de mettre un terme aux mensonges absurdes dont on l'entourait. Elle courut acheter des joujoux et dressa son plan : elle viendrait le matin de bonne heure avant qu'Alexis Alexandrovitch fût levé; elle aurait de l'argent tout prêt pour le suisse et le valet de chambre, afin qu'on la laissât monter sans lever son voile, sous prétexte de poser sur le lit de Serge des cadeaux envoyés par son parrain. Quant à ce qu'elle dirait à son fils, elle avait beau y réfléchir, elle ne pouvait rien imaginer.

Le lendemain matin, vers huit heures, Anna se fit conduire en voiture de place à son ancienne demeure. Elle sonna à la porte.

« Va donc voir qui est là, on dirait une dame », dit Kapitonitch à son aide, un jeune garçon qu'Anna ne connaissait pas, en apercevant par la fenêtre une dame voilée arrêtée tout contre la porte. Le suisse était encore en déshabillé du matin : paletot sur le dos et caoutchoucs aux pieds. A peine le garçon lui eut-il ouvert la porte qu'elle tira de son manchon un billet de trois roubles et le lui glissa dans la main.

« Serge... Serge Alexéïtch », murmura-t-elle et elle voulut passer outre. Mais après un regard au billet, le remplaçant du suisse arrêta la visiteuse à la seconde porte.

« Qui voulez-vous voir? » demanda-t-il.

Elle ne l'entendit pas et ne répondit rien.

Remarquant le trouble de l'inconnue, Kapitonitch en personne sortit de sa loge, la laissa entrer et lui demanda ce qu'elle désirait.

« Je viens de la part du prince Skorodoumov voir Serge Alèxéiévitch.

— Il n'est pas encore levé », dit le suisse en l'examinant attentivement.

Anna n'aurait jamais cru que l'aspect de cette maison où elle avait vécu neuf ans la troublerait à ce point. Des souvenirs doux et cruels s'élevèrent dans son âme, et elle oublia un moment pourquoi elle était là.

« Veuillez attendre », dit le suisse en la débarrassant de sa fourrure. Au même instant il la reconnut et lui fit un profond salut. « Que Votre Excellence veuille bien entrer », reprit-il.

Elle essaya de parler; mais, la voix lui manquant, elle adressa au suisse un regard de supplication et se lança dans l'escalier. Kapitonitch, courbé en deux, et accrochant ses caoutchoucs à chaque marche, grimpa derrière elle, cherchant à la rattraper.

« Le précepteur n'est peut-être pas habillé; je vais le prévenir. »

Anna montait toujours l'escalier bien connu, sans comprendre un traître mot de ce que disait le vieillard.

« Par ici, à gauche, insistait cet homme. Excusez le désordre. Il a changé de chambre, que Votre Excellence daigne attendre un instant, je vais regarder... »

Il la rejoignit enfin, entrouvrit une grande porte et disparut pour revenir au bout d'un moment. Anna s'était arrêtée.

« Il vient de se réveiller », déclara le suisse.

Et comme il parlait, Anna perçut un bâillement et rien qu'au son de ce bâillement elle reconnut son fils et le vit devant elle.

« Laisse-moi, laisse-moi entrer », balbutia-t-elle en se précipitant dans la pièce.

A la droite de la porte, assis sur le lit, un enfant en chemise de nuit achevait de bâiller en s'étirant. Ses lèvres se fermèrent en dessinant un sourire à moitié endormi, et il se laissa retomber sur l'oreiller.

« Mon petit Serge », murmura-t-elle en s'approchant tout doucement du lit.

Dans ses effusions de tendresse pour l'absent, Anna revoyait toujours son fils à quatre ans, à l'âge où il avait été le plus gentil. Et voici qu'il ne ressemblait même plus à celui qu'elle avait quitté : il avait grandi et maigri; que son visage lui parut allongé avec ses cheveux courts! Et quels grands bras! Il avait bien changé, mais c'était toujours lui, la forme de sa tête, ses lèvres, son cou svelte et ses larges épaules.

« Mon petit Serge », répéta-t-elle à l'oreille de l'enfant.

Il se souleva sur son coude, tourna de droite et de gauche sa tête ébouriffée comme s'il cherchait quelqu'un, ouvrit enfin les yeux. Pendant quelques secondes il regarda d'un œil interrogateur sa mère immobile près de lui, sourit tout à coup de bonheur et, refermant les yeux, se jeta dans ses bras.

« Serge, mon cher petit garçon, balbutia-t-elle étouffée par les larmes en serrant dans ses bras ce petit corps potelé.

— Maman », murmura-t-il en se laissant glisser entre les mains de sa mère pour que tout son corps en sentît le contact.

Les yeux toujours fermés, il se renversa contre elle. Son visage se frottait contre le cou et la poitrine d'Anna qu'enivrait ce chaud parfum de l'enfant à demi endormi.

« Je savais bien, fit-il en entrouvrant les yeux.

C'est mon anniversaire. Je savais bien que tu viendrais. Je vais tout de suite me lever. »

Et tout en parlant il s'assoupit de nouveau.

Anna le dévorait des yeux; elle remarquait les changements survenus en son absence, elle reconnaissait malaisément ces jambes devenues si longues, ces joues amaigries, ces cheveux coupés court qui formaient de petites boucles sur la nuque à cette place où elle l'avait si souvent embrassé. Elle caressait tout cela sans mot dire, car les larmes l'empêchaient de parler.

« Pourquoi pleures-tu, maman? demanda-t-il, tout à fait réveillé cette fois. Pourquoi pleures-tu? répéta-t-il prêt à pleurer lui-même.

— C'est de joie, mon petit, il y a si longtemps que je ne t'ai vu!... Allons, c'est fini, dit-elle en se détournant pour dévorer ses larmes. Mais il est temps de t'habiller, reprit-elle après s'être un peu calmée et, sans lâcher les mains de Serge, elle s'assit près du lit sur une chaise où étaient préparés les vêtements de l'enfant... Comment t'habilles-tu sans moi? Comment... »

Elle voulait parler sur un ton simple et gai, mais n'y parvenant pas elle dut encore se détourner.

« Je ne me lave plus à l'eau froide, papa l'a défendu. Tu n'as pas vu Vassili Loukitch? il va venir... Tiens, tu es assise sur mes affaires! »

Et Serge pouffa de rire. Elle le regarda et sourit.

« Maman chérie! s'écria-t-il se jetant de nouveau dans ses bras, comme s'il eût mieux compris en la voyant sourire ce qui lui arrivait. Ote cela, continua-t-il en lui enlevant son chapeau. Et la voyant tête nue, il se reprit à l'embrasser.

— Qu'as-tu pensé de moi? As-tu cru que j'étais morte?

— Jamais je ne l'ai cru.

— Tu ne l'as pas cru, mon chéri?

— Je savais, je savais bien! » dit-il en répétant sa phrase favorite. Et, saisissant la main qui caressait sa chevelure, il en appuya la paume sur sa petite bouche et la couvrit de baisers.

XXX

Pendant ce temps Vassili Loukitch était fort embarrassé : il venait d'apprendre que la dame dont la visite lui avait paru extraordinaire était la mère de Serge, cette femme qui avait abandonné son mari et qu'il ne connaissait pas, puisqu'il ne faisait partie de la maison que depuis son départ. Devait-il pénétrer dans la chambre ou prévenir Alexis Alexandrovitch? Réflexion faite, il résolut de remplir strictement son devoir en surveillant le lever de Serge à l'heure habituelle, sans s'inquiéter de la présence d'une tierce personne, fût-elle la mère. Il ouvrit donc la porte, mais s'arrêta sur le seuil : la vue des caresses de la mère et de l'enfant, le son de leur voix, le sens de leurs paroles le firent changer d'avis. Il hocha la tête, poussa un soupir et referma la porte. « J'attendrai encore dix minutes », se dit-il en s'essuyant les yeux.

Une vive émotion agitait les domestiques. Ils savaient tous que Kapitonitch avait laissé entrer leur ancienne maîtresse et qu'elle se trouvait dans la chambre de l'enfant; ils savaient aussi que leur maître s'y rendait tous les matins peu après huit heures; ils comprenaient qu'il fallait à tout prix empêcher une rencontre entre les deux époux. Kornéï, le valet de chambre, descendit chez le suisse pour y faire une enquête, et apprenant que Kapitonitch en personne avait escorté jusqu'en haut Anna Arcadiévna, il lui adressa une verte semonce. Le suisse gardait un silence stoïque, mais, lorsque le valet de chambre déclara qu'il méritait d'être chassé, le brave homme sursauta et, s'approchant de Kornéï avec un geste énergique :

« Oui-da, tu ne l'aurais pas laissé entrer, toi! dit-il. Après avoir servi dix ans et n'avoir entendu que de bonnes paroles, tu lui aurais dit maintenant :

« Ayez la bonté de sortir! » Tu es une fine mouche,
hein, mon gars. Tu t'entends aussi à faire ton beurre
et à chaparder les pelisses de monsieur.

— Vieille baderne! » grommela Kornéï et il se
tourna vers la bonne qui entrait en ce moment.
« Soyez juge, Marie Iéfimovna : il a laissé monter
madame sans crier gare et tout à l'heure Alexis
Alexandrovitch va la trouver chez le petit.

— Quelle affaire, quelle affaire! dit la bonne. Mais,
Kornéï Vassiliévitch, trouvez donc un moyen de
retenir monsieur pendant que je courrai la prévenir
et la faire sortir. Quelle affaire! »

Quand la bonne entra chez l'enfant, Serge racontait
à sa mère comment Nadia et lui étaient tombés en
glissant d'une montagne de glace et avaient fait trois
culbutes. Anna écoutait le son de la voix, regardait
le visage, le jeu de la physionomie de son fils, palpait
son petit bras, mais ne comprenait rien à ce qu'il
disait. Il fallait partir! elle ne le sentait que trop bien
et ne songeait plus qu'à cette chose affreuse. Elle
avait entendu les pas de Vassili Loukitch et sa petite
toux discrète, et maintenant elle entendait venir la
vieille bonne; mais incapable de bouger et de parler,
elle restait immobile comme une statue.

« C'est vous, notre chère dame, dit la bonne en
s'approchant d'Anna et en lui baisant les épaules et
les mains. Le bon Dieu a voulu causer une grande joie
à notre petit monsieur pour son anniversaire. Mais
savez-vous que vous n'êtes pas changée du tout!

— Ah! ma bonne, je croyais que vous n'habitiez
plus ici, dit Anna, revenant à elle pour un moment.

— Oui, je vis chez ma fille, mais voyez-vous, notre
chère dame, je suis venue souhaiter sa fête au petit. »

La vieille femme se prit à pleurer et à baiser de
nouveau la main de son ancienne maîtresse.

Serge, les yeux brillants de joie, tenait d'une main
sa mère et de l'autre sa bonne, en trépignant de ses
petits pieds nus sur le tapis. La tendresse de sa chère
bonne pour sa maman le transportait d'aise.

« Maman, elle vient souvent me voir, et quand elle vient... »

Il s'arrêta en voyant la bonne chuchoter quelque chose à sa mère et le visage de celle-ci exprimer la frayeur et comme de la honte. Anna s'approcha de son fils.

« Mon chéri », commença-t-elle sans pouvoir prononcer le mot « adieu ». Mais à l'expression de son visage l'enfant comprit. « Mon cher, cher petit chienchien, murmura-t-elle employant un surnom qu'elle lui donnait lorsqu'il était tout petit. Tu ne m'oublieras pas, dis, tu... »

Elle ne put achever. Combien de choses elle regretta plus tard de n'avoir pas su lui dire, et dans ce moment elle était incapable de rien exprimer! Mais Serge comprit tout : il comprit que sa mère l'aimait et qu'elle était malheureuse, il comprit même ce que la bonne lui avait chuchoté à l'oreille, car il avait entendu les mots : « Toujours après huit heures. »

Il s'agissait évidemment de son père et il devina qu'elle ne devait pas le rencontrer. Mais pourquoi la frayeur et la honte se peignaient-elles sur le visage de sa mère? Sans être coupable, elle semblait redouter la venue de son père et rougir de quelque chose qu'il ignorait. Il aurait bien voulu l'interroger, mais il n'osa pas, car il la voyait souffrir et elle lui faisait trop de peine. Il se serra contre elle en murmurant :

« Ne t'en va pas encore, il ne viendra pas de si tôt. »

Sa mère l'éloigna d'elle un instant pour le regarder et tâcher de comprendre s'il pensait bien ce qu'il disait; à l'air effrayé de l'enfant elle sentit qu'il parlait réellement de son père et semblait même s'enquérir des sentiments qu'il devait avoir à son égard.

« Serge, mon ami, dit-elle, aime-le. Il est meilleur que moi et je suis coupable envers lui. Quand tu seras grand, tu jugeras.

— Personne n'est meilleur que toi », s'écria l'enfant avec des sanglots désespérés. Et s'accrochant aux

épaules de sa mère, il la serra de toute la force de
ses petits bras tremblants.

« Mon chéri, mon chéri », balbutia-t-elle en fon-
dant en larmes comme un enfant.

A ce moment Vassili Loukitch entra; on entendait
déjà des pas près de l'autre porte, et la bonne effrayée
tendit à Anna son chapeau en lui disant tout bas :
« Il vient! »

Serge se laissa retomber sur son lit et se prit à san-
gloter en se couvrant le visage de ses mains; Anna
les écarta pour baiser encore ses joues baignées de
larmes et sortit d'un pas précipité. Alexis Alexandrovitch venait à sa rencontre; il s'arrêta à sa vue et
courba la tête.

Elle venait d'affirmer qu'il était meilleur qu'elle;
et pourtant le regard rapide qu'elle jeta sur toute la
personne de son mari n'éveilla dans son cœur qu'un
sentiment de haine, de mépris et de jalousie par rapport à son fils. Elle baissa rapidement son voile et
sortit presque en courant.

Dans sa hâte elle avait laissé dans la voiture les
jouets choisis la veille avec tant de tristesse et
d'amour; elle les rapporta à l'hôtel.

XXXI

BIEN qu'elle l'eût désirée depuis fort longtemps et
qu'elle s'y fût préparée à l'avance, Anna ne s'attendait pas aux violentes émotions que lui causa cette
entrevue avec son fils. Revenue à l'hôtel, elle fut
longtemps à comprendre pourquoi elle était là.
« Allons, se dit-elle, enfin, tout est fini, et me voici
de nouveau seule! » Sans ôter son chapeau, elle se
laissa tomber dans un fauteuil près de la cheminée.
Et les yeux fixés sur une pendule de bronze qui reposait sur une console entre les fenêtres, elle s'absorba
dans ses réflexions.

La femme de chambre française qu'elle avait rame-
née de l'étranger vint prendre ses ordres pour sa
toilette; Anna parut surprise et répondit : « Plus
tard. » Le garçon qui voulait servir le petit déjeuner
reçut la même réponse.

La nourrice italienne entra à son tour, portant l'enfant qu'elle venait d'habiller; à la vue de sa mère, la
petite lui sourit, battant l'air de ses menottes potelées,
à la façon d'un poisson qui agite ses nageoires, ou les
frappant le long des plis empesés de sa robe. Comment
Anna aurait-elle pu ne pas répondre à son sourire
par un autre, ne pas embrasser ses joues fraîches et
ses petits bras dénudés, ne pas la faire sauter sur les
genoux, ni lui abandonner le doigt auquel elle s'accrochait avec des cris de joie, la lèvre qu'elle pressait
dans sa petite bouche, ce qui était sa manière à elle de
donner un baiser! Mais, tout en se laissant faire, Anna
constatait, hélas! qu'elle n'éprouvait envers cette charmante fillette qu'un sentiment fort éloigné du profond
amour dont son cœur débordait pour le premier-né.
Toutes les forces d'une tendresse inassouvie s'étaient
naguère concentrées sur son fils, l'enfant d'un homme
qu'elle n'aimait pourtant pas; et jamais sa fille, née
dans les plus tristes conditions, n'avait reçu la centième partie des soins prodigués par elle à Serge. La
petite fille ne représentait d'ailleurs que des espérances, tandis que Serge était presque un homme, qui
déjà connaissait le conflit des sentiments, des pensées;
il aimait sa mère, la comprenait, la jugeait peut-être...,
pensa-t-elle, se rappelant ses paroles et ses regards. Et
maintenant elle était séparée de lui, moralement aussi
bien que matériellement, et elle ne voyait aucun
remède à cette situation!

Après avoir rendu la petite à sa nourrice et les
avoir congédiées, Anna ouvrit un médaillon qui renfermait le portrait de Serge à peu près au même âge
que sa sœur. Puis elle se leva, ôta son chapeau, et,
reprenant sur la table un album de photographies, elle
en retira, pour les comparer entre eux, divers portraits
de son fils à différents âges. Il n'en restait plus qu'un,

le meilleur, où Serge était représenté à cheval sur une
chaise, en blouse blanche, la bouche souriante et les
sourcils froncés : la ressemblance était parfaite. De
ses doigts agiles, plus nerveux que jamais, elle tenta
en vain de faire sortir la photographie de son cadre;
n'ayant pas de coupe-papier sous la main, elle poussa
la carte à l'aide d'une autre photographie prise au
hasard et qui se trouva être un portrait de Vronski
fait à Rome en cheveux longs et chapeau mou. « Le
voilà! » s'écria-t-elle et, en le regardant, elle se rappela
qu'il était l'auteur de ses souffrances actuelles. Elle
n'avait pas pensé à lui de toute la matinée, mais la
vue de ce mâle et noble visage, si cher et si familier,
fit monter inopinément un flot d'amour à son cœur.

« Où est-il? pourquoi me laisse-t-il seule avec mon
chagrin? » se demanda-t-elle avec amertume, oubliant
qu'elle lui dissimulait avec soin tout ce qui concernait
son fils. Aussitôt elle le fit prier de venir et attendit,
le cœur serré, les paroles de tendresse qu'il allait lui
prodiguer. Le garçon revint lui dire que le comte
avait une visite et qu'il faisait demander si elle pouvait le recevoir avec le prince Iachvine nouvellement
arrivé à Saint-Pétersbourg. « Il ne viendra pas seul,
et il ne m'a pas vue depuis hier à l'heure du dîner,
pensa-t-elle. Je ne pourrai rien lui dire, puisqu'il sera
avec Iachvine. » Et une idée cruelle lui traversa l'esprit : « S'il avait cessé de m'aimer! »

Elle repassa dans sa mémoire les incidents des jours
précédents; elle y trouvait des confirmations de cette
pensée terrible : dès leur arrivée à Pétersbourg, il avait
exigé qu'elle se logeât à part; la veille, il n'avait pas
dîné avec elle, et voici qu'il venait la voir en compagnie, comme s'il eût craint un tête-à-tête.

« Si cela est vrai, il a le devoir de me l'avouer, je
dois être prévenue, alors je saurai ce qui me reste à
faire », se dit-elle, hors d'état d'imaginer ce qu'elle
deviendrait si l'indifférence de Vronski se confirmait.

Cette terreur voisine du désespoir lui donna une
certaine surexcitation; elle sonna sa femme de

chambre, passa dans son cabinet de toilette et prit un soin extrême à s'habiller, comme s'il dépendait de sa parure de ramener à elle son amant. La sonnette retentit avant qu'elle ne fût prête.

Quand elle rentra au salon, son regard rencontra d'abord celui de Iachvine; Vronski, plongé dans l'examen des portraits de Serge qu'elle avait oubliés sur la table, ne montra aucune hâte à lever les yeux sur elle.

« Nous sommes d'anciennes connaissances, nous nous sommes vus l'an dernier aux courses, dit-elle en posant sa petite main dans la main énorme du géant, dont la confusion contrastait si bizarrement avec son rude visage et sa taille gigantesque... Donnez, dit-elle, en reprenant à Vronski par un mouvement rapide les photographies de son fils, tandis que ses yeux brillants lui jetaient un regard significatif... Les courses de cette année ont-elles réussi? J'ai dû me contenter de voir celles de Rome au Corso. Mais je sais que vous n'aimez pas l'étranger, ajouta-t-elle avec un sourire caressant. Je vous connais et, bien que nous nous soyons peu rencontrés, je suis au courant de tous vos goûts.

— J'en suis fâché, car ils sont généralement mauvais », répondit Iachvine en mordillant sa moustache gauche.

Après quelques minutes de conversation, Iachvine, voyant Vronski consulter sa montre, demanda à Anna si elle comptait rester longtemps à Pétersbourg; puis prenant son képi, il déploya en se levant son immense personne.

« Je ne pense pas, répondit-elle d'un air gêné, en jetant à Vronski un coup d'œil furtif.

— Alors nous ne nous reverrons plus? dit Iachvine, se tournant vers Vronski. Où dînes-tu?

— Venez dîner chez moi, dit Anna d'un ton décidé. Mais elle rougit aussitôt, fort peinée de ne pouvoir dissimuler son trouble toutes les fois que sa situation fausse s'affirmait devant un étranger. La cuisine de l'hôtel est plutôt médiocre, mais du moins vous vous

verrez; de tous ses camarades de régiment vous êtes
celui que préfère Alexis.

— Enchanté », répondit Iachvine avec un sourire
qui prouva à Vronski qu'Anna avait fait sa conquête.

Il prit congé et sortit. Vronski allait le suivre.

« Tu pars déjà? s'enquit Anna.

— Je suis déjà en retard. Va toujours, je te rejoins »,
cria-t-il à son ami.

Anna lui prit la main et, sans le quitter des yeux,
chercha ce qu'elle pourrait bien dire pour le retenir.

« Attends, j'ai quelque chose à te demander »,
fit-elle. Et pressant la main de Vronski contre sa joue :
« Je n'ai pas eu tort de l'inviter?

— Tu as très bien fait », répondit-il en souriant de
toutes ses dents. Et il lui baisa la main.

« Alexis, tu n'as pas changé à mon égard? demanda-
t-elle en lui serrant la main entre les siennes. Alexis,
je n'en puis plus ici. Quand partons-nous?

— Bientôt, bientôt. Moi aussi je suis à bout de
forces. »

Et il retira sa main.

« Eh bien, va, va! » dit-elle d'un ton blessé.

Elle s'éloigna précipitamment.

XXXII

QUAND Vronski rentra à l'hôtel, Anna n'y était pas.
On lui dit que peu après son départ elle était sortie
avec une dame, sans dire où elle allait. Cette absence
inattendue, prolongée, jointe à l'air agité, au ton dur
dont elle lui avait retiré les photographies de son fils
devant Iachvine, fit réfléchir Vronski. Résolu à lui
demander une explication, il l'attendit au salon. Mais
Anna ne rentra pas seule; elle amena une de ses
tantes, une vieille fille, la princesse Oblonski, avec qui
elle avait fait des emplettes. Sans prendre garde à

l'air inquiet et interrogateur de Vronski, elle se mit
à lui énumérer ses achats; mais il lisait une attention
concentrée dans ses yeux brillants qui le regardaient
à la dérobée, il reconnaissait dans ses phrases et ses
gestes cette grâce fébrile, cette nervosité qui le char-
maient tant autrefois et qui maintenant lui faisaient
peur.

On allait passer dans la petite salle où le couvert
était disposé pour quatre, lorsqu'on annonça Touchkévitch, envoyé par Betsy. La princesse s'excusait
auprès d'Anna de ne pouvoir lui faire une visite
d'adieu : elle était souffrante et priait son amie de la
venir voir entre sept heures et demie et neuf heures.
Vronski voulut d'un coup d'œil faire entendre à Anna
qu'en lui désignant une heure on avait pris les mesures
nécessaires pour qu'elle ne rencontrât personne; mais
Anna parut n'y faire aucune attention.

« Je regrette beaucoup de n'être pas libre précisément entre sept heures et demie et neuf heures, dit-elle
avec un imperceptible sourire.

— La princesse le regrettera beaucoup!

— Et moi aussi.

— Vous allez sans doute entendre la Patti?

— La Patti? Vous me donnez une idée. J'irais certainement, si je pouvais avoir une loge.

— Je puis vous en procurer une.

— Je vous en aurai un gré infini... Mais ne voulez-
vous pas dîner avec nous? »

Vronski haussa légèrement les épaules. Il ne comprenait rien à la manière d'agir d'Anna : pourquoi
avait-elle amené cette vieille fille, pourquoi gardait-elle
Touchkévitch à dîner, et surtout pourquoi désirait-elle
une loge? Pouvait-elle, dans sa position, se montrer à
l'Opéra un jour d'abonnement? elle y rencontrerait
tout Pétersbourg. Au coup d'œil sévère qu'il lui lança
elle répondit par un de ces regards mi-joyeux mi-
provocants qui restaient pour lui des énigmes. Pendant le dîner Anna, très animée, sembla faire des
coquetteries tantôt à l'un, tantôt à l'autre de ses
convives; en sortant de table, Touchkévitch alla cher-

cher le coupon de loge, et Iachvine descendit fumer avec Vronski; au bout d'un certain temps celui-ci remonta et trouva Anna en toilette décolletée dont la soie claire se rehaussait de velours, tandis qu'une mante de dentelle faisait ressortir l'éclatante beauté de sa tête.

« Vous allez vraiment au théâtre? lui dit-il en évitant son regard.

— Pourquoi me le demandez-vous de cet air terrifié? répondit-elle, froissée de ce qu'il ne la regardait point. Je ne vois pas pourquoi je n'irais pas! »

Elle semblait ne pas saisir ce qu'il avait voulu dire.

« Evidemment, il n'y a aucune raison pour cela! reprit-il en fronçant les sourcils.

— C'est bien ce que je prétends », dit-elle, feignant de ne pas comprendre l'ironie de cette réponse.

Et, sans se départir de son calme, elle retournait tranquillement son long gant parfumé.

« Anna, au nom du Ciel, qu'est-ce qui vous prend?... lui dit-il, cherchant à la réveiller, comme l'avait naguère tenté plus d'une fois son mari.

— Je ne comprends pas ce que vous me voulez.

— Vous savez bien que vous ne pouvez pas y aller.

— Pourquoi? Je n'y vais pas seule : la princesse Barbe est allée changer de toilette, elle m'accompagnera. »

Il leva les épaules, découragé.

« Ne savez-vous donc pas..., voulut-il dire.

— Mais je ne veux rien savoir, s'écria-t-elle. Non je ne le veux pas. Je ne me repens en rien de ce que j'ai fait; non, non et non; si c'était à recommencer, je recommencerais. Il n'y a qu'une chose qui compte pour vous et moi, c'est de savoir si nous nous aimons. Le reste est sans valeur. Pourquoi vivons-nous ici séparés? Pourquoi ne puis-je aller où bon me semble?... Je t'aime et tout m'est égal si tu n'es pas changé à mon égard, ajouta-t-elle en russe, en posant sur lui un de ces regards exaltés qu'il n'arrivait point à comprendre. Pourquoi ne me regardes-tu pas? »

Il leva les yeux, vit sa beauté et la parure qui lui

allait si bien; mais, en ce moment cette beauté, cette élégance étaient précisément ce qui l'irritait.

« Vous savez bien que mes sentiments ne sauraient changer; mais je vous prie, je vous supplie de n'y point aller! » lui dit-il, toujours en français, l'œil froid mais d'une voix suppliante.

Elle ne remarqua que le regard et répondit d'un ton brusque :

« Et moi, je vous prie de m'expliquer pourquoi je n'y dois point aller.

— Parce que cela peut vous attirer des... »

Il n'osa pas achever.

« Je ne comprends pas. Iachvine *n'est pas compromettant,* et la princesse Barbe en vaut bien d'autres. Ah! la voilà! »

XXXIII

POUR la première fois depuis leur liaison, Vronski éprouva à l'égard d'Anna un mécontentement voisin de la colère. Ce qui le contrariait surtout, c'était de ne pouvoir s'expliquer à cœur ouvert, de ne pouvoir lui dire qu'en paraissant dans cette toilette à l'Opéra, en compagnie d'une personne tarée comme la princesse, non seulement elle se reconnaissait pour une femme perdue, mais encore elle jetait le gant à l'opinion publique et renonçait pour toujours à rentrer dans le monde.

« Comment ne le comprend-elle pas? Que se passe-t-il en elle? » se disait-il. Mais, tandis que baissait son estime pour le caractère d'Anna, son admiration pour la beauté de sa maîtresse allait croissant.

Rentré dans son appartement, il s'assit tout soucieux auprès de Iachvine, lequel, ses longues jambes étendues sur une chaise, dégustait un mélange d'eau de Seltz et de cognac. Vronski imita son exemple.

« Vigoureux, le cheval de Lankovski? Eh mais, c'est une belle bête que je te conseille d'acheter, dit Iach-

vine en jetant un coup d'œil sur le visage sombre de
son camarade. Il a la croupe fuyante, mais la tête et
les pieds admirables : on ne trouverait pas son pareil.

— Alors je vais le prendre », répondit Vronski.

Tout en causant chevaux, la pensée d'Anna ne le
quittait pas : il regardait la pendule et prêtait l'oreille
à ce qui se passait dans le corridor.

« Anna Arcadiévna fait dire qu'elle est partie pour
le théâtre », annonça le valet de chambre.

Iachvine versa encore un petit verre dans l'eau
gazeuse, l'avala et se leva en boutonnant son uniforme.

« Eh bien, partons-nous? » demanda-t-il, donnant à
entendre par un sourire discret qu'il comprenait la
cause de la contrariété de Vronski, mais n'y attachait
aucune importance.

« Je n'irai pas, répondit Vronski d'un ton lugubre.

— Moi, j'ai promis, je dois y aller; au revoir. Si tu
te ravises, prends le fauteuil de Krousinski qui est
libre, ajouta-t-il en se retirant.

— Non, j'ai une affaire à régler. »

« Décidément, se dit Iachvine, en quittant l'hôtel.
si l'on a des ennuis avec sa femme, avec une maîtresse
c'est encore bien pis! »

Resté seul, Vronski se prit à marcher de long en large.

« Voyons, quel abonnement est-ce aujourd'hui? Le
quatrième. Mon frère y sera certainement avec sa
femme, et sans doute aussi ma mère, c'est-à-dire tout
Pétersbourg... Elle entre en ce moment, ôte sa fourrure et la voilà devant tout le monde. Touchkévitch,
Iachvine, la princesse Barbe... Eh bien, et moi? ai-je
donc peur ou aurai-je donné à Touchkévitch le droit
de la protéger? Que tout cela est stupide! Pourquoi me
met-elle dans cette sotte position? » dit-il avec un
geste décidé.

Ce mouvement accrocha le guéridon sur lequel reposait le plateau avec le cognac et l'eau de Seltz, et
faillit le faire tomber. En voulant le rattraper Vronski
renversa complètement le guéridon; de dépit il lui
donna un coup de pied et tira la sonnette.

« Si tu veux rester chez moi, dit-il au valet de

chambre qui parut, fais mieux ton service : pourquoi
n'es-tu pas venu emporter cela? »

Fort de son innocence, le valet de chambre voulut
se justifier, mais un coup d'œil sur son maître lui
prouva qu'il valait mieux se taire; et s'excusant bien
vite, il s'agenouilla sur le tapis pour relever, brisés ou
intacts, les verres et les carafons.

« Ce n'est pas ton affaire; appelle un garçon et
prépare mon habit. »

A huit heures et demie, Vronski entrait à l'Opéra.
Le spectacle était commencé. Le vieil « ouvreur » qui
lui ôtait sa pelisse le reconnut et lui donna de l'Excellence.

« Pas besoin de numéro, affirma le bonhomme; en
sortant, Votre Excellence n'aura qu'à appeler Théodore. »

A part cet homme, il n'y avait dans le corridor que
deux valets de pied qui tenaient des fourrures et écou-
taient à une porte entrouverte; on entendait l'orchestre
accompagnant en *staccato* une voix de femme. La porte
s'ouvrit pour livrer passage à un ouvreur, et la phrase
chantée frappa l'oreille de Vronski. Il ne put entendre
la fin, la porte s'étant refermée; mais, aux applaudissements qui suivirent il comprit que le morceau était
terminé. Le bruit durait encore quand il pénétra dans
la salle qu'éclairaient brillamment des lustres et des
becs de gaz en bronze; sur la scène, la cantatrice
décolletée et couverte de diamants saluait en souriant
et se penchait pour ramasser, avec l'aide du ténor qui
lui donnait la main, les bouquets qu'on lui jetait maladroitement par-dessus la rampe. Un monsieur, dont
une raie impeccable séparait les cheveux pommadés,
lui tendait un écrin en allongeant les bras tandis que
le public entier, loges et parterre, criait, applaudissait,
se levait pour mieux voir. Après avoir aidé à transmettre les offrandes, le chef d'orchestre rajustait sa
cravate blanche. Arrivé au milieu du parterre, Vronski
s'arrêta et promena machinalement les regards autour
de lui, moins soucieux que jamais de la scène, du
bruit et de ce troupeau bigarré de spectateurs entassés

dans la salle. C'étaient les mêmes dames dans les loges et les mêmes officiers dans les arrière-loges, les mêmes femmes bariolées, les mêmes uniformes et les mêmes redingotes, la même foule malpropre au paradis; et dans cette salle comble une quarantaine de personnes, tant dans les loges qu'aux premiers rangs des fauteuils d'orchestre, représentaient seules le « monde ». L'at tention de Vronski se porta aussitôt sur ces oasis (1).

Comme l'acte venait de finir, Vronski, avant de se diriger vers la loge de son frère, gagna le premier rang des fauteuils, où Serpoukhovskoï, appuyé contre la rampe qu'il frappait du talon l'appelait d'un sou rire. Il n'avait pas encore vu Anna et ne la cherchait point; mais à la direction que prenaient les regards il devina l'endroit où elle se trouvait. Redoutant le pis, il tremblait d'apercevoir Karénine; par un heureux hasard celui-ci ne vint pas au théâtre ce soir-là.

« Comme tu es resté peu militaire! dit Serpou khovskoï; on dirait un diplomate, un artiste...

— Oui, aussitôt revenu, j'ai endossé l'habit, répondit Vronski en tirant lentement sa lorgnette.

— C'est en quoi je t'envie; quand je rentre en Russie, je t'avoue que je remets ceci à regret, dit Ser poukhovskoï en touchant ses aiguillettes. La liberté avant tout. »

(1) « En ce qui concerne *Anna Karénine* ici l'enthousiasme est général.. Les pédagogues d'avant-garde eux-mêmes disent que le personnage du petit Serge contient d'importantes indications pour une théorie de l'éducation. » (Lettre de Strakhov, janvier 1877.)

« Il y a des lignes qui m'ont fait frissonner... tant leur vérité et leur profondeur m'ont frappé. Mais la description du grand théâtre est inexacte; vous avez mélangé là le théâtre Michel et le théâtre Alexandra. » (Lettre de Strakhov, janvier 1877.)

« ... Je suis allé au théâtre. Je suis arrivé pour la fin du deuxième acte. Quand je viens de la campagne cela me semble toujours bizarre, recherché et faux; mais, une fois apprivoisé, on y prend plaisir de nouveau. »

« Ce jour-là... j'étais de très bonne humeur... et je suis allé à l'Opéra où j'ai trouvé beaucoup d'agrémem et à la musique et à la vue des différents spectateurs et spectatrices qui pour moi sont tous des types. »

« Il n'y avait cette fois au théâtre que le public du dimanche, aussi la moitié de l'intérêt de l'observation était-il absent pour moi. » (Lettres de Tolstoï à sa femme, novembre-décembre 1864.)

Serpoukhovskoï avait depuis longtemps renoncé à pousser Vronski dans la carrière militaire; mais, comme il l'aimait toujours, il se montra particulièrement aimable envers lui.

« Il est fâcheux que tu aies manqué le premier acte. »

Vronski n'écoutait que d'une oreille. Il examinait les baignoires et les loges de balcon. Tout à coup la tête d'Anna apparut dans le champ de sa lorgnette, fière, adorable et souriante parmi ses dentelles, auprès d'une dame à turban et d'un vieillard chauve, clignotant et maussade. Anna occupait la cinquième baignoire, à vingt pas de lui; assise sur le devant de la loge, elle causait avec Iachvine en se détournant un peu. L'attache de sa nuque avec ses belles et opulentes épaules, le rayonnement contenu de ses yeux et de son visage, tout lui rappelait telle qu'il l'avait vue jadis au bal de Moscou. Mais les sentiments que lui inspirait sa beauté n'avaient plus rien de mystérieux; aussi, tout en subissant son charme plus vivement encore se sentait il presque froissé de la voir si belle. Bien qu'elle ne regardât point de son côté, il ne douta pas qu'elle ne l'eût aperçu.

Lorsqu'au bout d'une minute Vronski dirigea de nouveau sa lorgnette vers la loge, il vit la princesse Barbe, très rouge, rire d'un rire contraint et se retourner à chaque instant vers la baignoire voisine; Anna, frappant de son éventail fermé le rebord de velours rouge, regardait au loin avec l'intention évidente de ne pas remarquer ce qui se passait à côté d'elle; quant à Iachvine, son visage exprimait les mêmes impressions que s'il eût perdu au jeu : il mâchonnait nerveusement sa moustache, fronçait le sourcil, jetait des regards de travers sur la loge de gauche.

En reportant sa lorgnette sur les occupants de cette baignoire, Vronski reconnut les Kartassov, qu'Anna et lui avaient naguère fréquentés. Debout, tournant le dos à Anna, Mme Kartassov, une petite femme maigre, mettait une sortie de bal que lui tendait son mari; son visage était pâle, mécontent, elle semblait parler avec animation; le mari, un gros monsieur chauve, faisait de son mieux pour la calmer en se retournant sans cesse du côté d'Anna. Quand la femme eut quitté la loge, le mari s'y attarda, cherchant à rencontrer le regard d'Anna pour la saluer, mais celle-ci se détournait ostensiblement pour s'entretenir avec la tête rasée de Iachvine courbé vers elle. Kartassov sortit sans avoir salué, et la loge resta vide.

Sans qu'il eût rien compris à cette petite scène, Vronski se rendit compte qu'Anna venait de subir une avanie : il vit à l'expression de son visage qu'elle rassemblait ses dernières forces pour soutenir son rôle jusqu'au bout. Elle gardait d'ailleurs l'apparence du calme le plus absolu. Ceux qui ne la connaissaient pas, qui ne pouvaient entendre les expressions indignées ou apitoyées de ses anciennes amies sur cette audace à paraître ainsi dans tout l'éclat de sa beauté et de sa parure, ceux-là n'auraient pu soupçonner que cette femme éprouvait les mêmes sentiments de honte qu'un malfaiteur exposé au pilori.

Très vivement troublé, Vronski se rendit dans la loge de son frère avec l'espoir d'y apprendre ce qui s'était passé. Il traversa avec intention le parterre du côté opposé à la loge d'Anna et se heurta en sortant à son ancien colonel, qui causait avec deux personnes. Vronski crut entendre prononcer le nom de Karénine et remarqua l'empressement que mit l'officier à l'appeler à haute voix, en décochant à ses interlocuteurs une œillade significative.

« Ah! Vronski! Quand te verrons-nous au régiment? Que diantre, nous ne pouvons pas te laisser partir sans t'offrir le coup de l'étrier. Tu es à nous jusqu'au bout des ongles.

— Je n'aurai pas le temps cette fois, je le regrette beaucoup », répondit Vronski.

Il escalada en toute hâte l'escalier qui menait aux loges de balcon. La vieille comtesse, sa mère, avec ses petites boucles d'acier, se trouvait dans la loge de son frère. Varia et la jeune princesse Sorokine se promenaient dans le corridor; en apercevant son beau-frère, Varia reconduisit sa compagne auprès de sa belle-mère et, donnant la main à Vronski, entama aussitôt, avec une émotion qu'il avait rarement remarquée en elle, le sujet qui l'intéressait.

« Je trouve que c'est lâche et vil; Mme Kartassov n'avait pas le droit d'agir ainsi. Mme Karénine...

— Mais qu'y a-t-il? je ne sais rien.

— Comment, on ne t'a rien dit.

— Tu comprends bien que je serai le dernier à savoir quelque chose!

— Y a-t-il une plus méchante créature au monde que cette Mme Kartassov!

— Mais qu'a-t-elle fait?

— Elle a insulté Mme Karénine, à qui son mari adressait la parole d'une loge à l'autre... Iégor me l'a raconté : elle a fait une scène à son mari et s'est retirée après s'être permis une expression offensante pour Mme Karénine.

— Comte, votre maman vous appelle, dit Mlle Sorokine, entrouvrant la porte de la loge.

— Je l'attends toujours, lui dit sa mère en l'accueillant d'un sourire ironique. On ne te voit plus du tout. »

Le fils sentit qu'elle ne pouvait dissimuler sa satisfaction.

« Bonjour, maman, je venais vous présenter mes respects.

— Eh quoi, tu ne vas pas *faire la cour à Mme Karénine?* reprit-elle quand la jeune fille se fut éloignée. *Elle fait sensation. On oublie la Patti pour elle.*

— Maman, je vous ai déjà priée de ne pas me parler de cela, répondit-il d'un air sombre.

— Je répète ce que tout le monde dit. »

Vronski ne répondit rien et, après avoir échangé quelques mots avec la jeune princesse, sortit dans le couloir où il se heurta aussitôt à son frère.

« Ah! Alexis! dit celui-ci. Quelle vilenie! Cette femme n'est qu'une pécore!... Je voulais aller voir Mme Karénine. Allons ensemble. »

Vronski ne l'écoutait pas. Il dégringolait l'escalier,

sentant qu'il avait un devoir à accomplir, mais lequel?
Furieux de la fausse position dans laquelle Anna les
avait mis tous deux, il éprouvait pourtant une grande
pitié pour elle. En se dirigeant du parterre vers la baignoire qu'occupait sa maîtresse, il vit que Strémov,
accoudé à la loge, s'entretenait avec Anna.

« Il n'y a plus de ténors, disait-il. *Le moule en est
brisé.* »

Vronski s'inclina devant Anna et serra la main de
Strémov.

« Vous êtes venu tard, il me semble, et vous avez
manqué le meilleur morceau, dit Anna à Vronski, d'un
air qui lui parut moqueur.

— Je suis un juge médiocre, répondit-il en la fixant
d'un regard sévère.

— Vous êtes comme le prince Iachvine, alors, dit-
elle en souriant; il trouve que la · Patti chante trop
fort... Merci », ajouta-t-elle, en prenant de sa petite
main emprisonnée dans un long gant le programme
que lui tendait Vronski.

Mais soudain son beau visage tressaillit; elle se leva
et se retira dans le fond de la loge.

Le second acte commençait à peine quand Vronski
s'aperçut que la baignoire d'Anna était vide. Malgré
les protestations des spectateurs, suspendus aux sons
de la cavatine, il se leva, traversa le parterre et rentra
à l'hôtel.

Anna aussi était revenue. Vronski la trouva telle
qu'elle était au théâtre, assise, le regard fixe, sur le
premier fauteuil venu, près du mur. En l'apercevant
elle lui accorda, sans bouger, un regard distrait.

« Anna, voulut-il dire...

— C'est toi qui es cause de tout, s'écria-t-elle en se
levant, avec des larmes de rage et de désespoir dans
la voix.

— Je t'ai priée, suppliée de n'y point aller. Je savais
que tu te préparais une épreuve peu agréable...

— Peu agréable! s'écria-t-elle. Tu veux dire : horrible. Dussé-je vivre cent ans, je ne l'oublierais pas.

Elle a dit qu'on se déshonorait à être assise près de moi.

— Paroles de sotte! Mais pourquoi s'exposer à les entendre?

— Je hais ta tranquillité. Tu n'aurais pas dû me pousser à cela; si tu m'aimais...

— Anna, que vient faire ici mon amour?

— Oui, si tu m'aimais comme je t'aime, si tu souffrais comme je souffre... », dit-elle en le considérant avec une expression de terreur.

Elle lui fit pitié, et il protesta de son amour, parce qu'il voyait très bien que c'était le seul moyen de la calmer; mais au fond du cœur il lui en voulait. Elle au contraire buvait avec délice ces serments d'amour dont la banalité écœurait son amant, et peu à peu elle retrouva son calme.

Le lendemain, ils partirent pour la campagne, complètement réconciliés.

SIXIÈME PARTIE

1

DARIE ALEXANDROVNA passait l'été à Pokrovskoié chez
sa sœur Kitty. Comme sa maison de Iergouchovo tombait en ruine, elle avait accepté la proposition que
lui firent les Levine de s'installer chez eux avec ses
enfants. Stépane Arcadiévitch approuva fort cet arrangement et témoigna un vif regret de ne pouvoir venir
que de loin en loin : ses occupations l'empêchaient de
consacrer les beaux jours à sa famille, ce qui eût été
pour lui le comble du bonheur. Outre les Oblonski,
leurs enfants et la gouvernante, les Levine avaient
encore chez eux la vieille princesse, qui croyait nécessaire de surveiller la grossesse de sa fille; ils avaient
aussi Varinka, l'amie de Kitty à Soden, qui tenait sa
promesse de la venir voir dès qu'elle serait mariée.
Pour sympathiques que lui fussent tous ces gens-là,
Levine n'en constatait pas moins que c'étaient tous
des parents ou des amis de sa femme. Il se prit à regretter que « l'élément Stcherbatski », comme il disait,
écartât un peu trop « l'élément Levine ». Celui-ci
n'était représenté que par Serge Ivanovitch, lequel
d'ailleurs tenait plus des Koznychev que des Levine.

La vieille maison, si longtemps déserte, n'avait
presque plus de chambre inoccupée. Tous les jours, en
se mettant à table, la princesse comptait les convives;
pour éviter le fâcheux nombre treize, elle devait bien
souvent contraindre un de ses petits-enfants à prendre

place à une table à part. De son côté Kitty mettait, en bonne ménagère, tous ses soins à s'approvisionner de poulets, de canards, de dindons pour satisfaire aux appétits de ses invités, grands et petits, que l'air de la campagne rendait exigeants.

La famille était à table, et les enfants projetaient d'aller à la chasse aux champignons avec la gouvernante et Varinka, lorsque, à la grande surprise de tous les convives, qui professaient pour son esprit et sa science un respect voisin de l'admiration, Serge Ivanovitch se mêla à ce fort prosaïque entretien.

« Permettez-moi de vous accompagner, j'aime beaucoup cette distraction, dit-il en s'adressant à Varinka.

— Avec plaisir », répondit celle-ci en rougissant.

Kitty échangea un regard avec Dolly : cette proposition confirmait une idée qui la préoccupait depuis quelque temps. Craignant qu'on ne s'aperçût de son geste, elle s'empressa d'adresser la parole à sa mère.

Après le dîner, Serge Ivanovitch, sa tasse de café à la main, s'assit au salon sur le rebord d'une fenêtre, continuant avec son frère une conversation commencée à table, tout en surveillant la porte par où devaient sortir les enfants. Levine prit place à côté de lui, tandis que Kitty, debout près de son mari, semblait attendre pour lui dire quelques mots la fin d'un entretien qui ne l'intéressait guère.

« Tu as beaucoup changé depuis ton mariage — et en mieux, disait Serge Ivanovitch avec un sourire à l'adresse de Kitty; tu n'en continues pas moins à défendre avec passion les plus étranges paradoxes.

— Kitty, tu as tort de rester debout, dit Levine en offrant une chaise à sa femme, non sans un regard sévère.

— Evidemment. Mais je dois vous fausser compagnie », dit Serge Ivanovitch en apercevant les enfants qui accouraient à sa rencontre, précédés de Tania au galop, les bas bien tirés, agitant d'une main une corbeille et le chapeau de Koznychev.

Elle fit mine de l'en coiffer, atténuant d'un doux sourire la liberté de son geste, cependant que ses beaux yeux, qui ressemblaient tant à ceux de son père, brillaient d'un vif éclat.

« Varinka vous attend », dit-elle en posant avec précaution le chapeau sur la tête de Serge Ivanovitch, qui l'y avait autorisée d'un sourire.

Varinka, en robe de toile jaune, un fichu blanc sur la tête, apparut sur le pas de la porte.

« Me voilà, me voilà, Barbe Andréievna, dit Serge Ivanovitch en avalant le fond de sa tasse et en fourrant dans ses poches son mouchoir et son porte-cigarettes.

— Que dites-vous de ma Varinka? N'est-ce pas qu'elle est charmante? dit Kitty à son mari et à sa sœur, de façon à être entendue de Serge Ivanovitch. Et que de noblesse dans sa beauté!... Varinka, cria-t-elle, vous serez dans le bois du moulin? nous irons vous retrouver.

— Tu oublies toujours ton état, Kitty, dit la vieille princesse en se montrant à la porte du salon. Quelle imprudence de crier si fort! »

En entendant l'appel de Kitty et la réprimande de sa mère, Varinka revint sur ses pas. La nervosité de ses gestes, la rougeur qui couvrait son visage, tout démontrait en elle une animation extraordinaire. Et son amie, qui devinait la cause de cet émoi, ne l'avait appelée que pour lui donner mentalement sa bénédiction.

« Je serai très heureuse si certaine chose arrive, lui chuchota-t-elle à l'oreille en l'embrassant.

— Nous accompagnez-vous? demanda la jeune fille à Levine pour dissimuler son embarras.

— Jusqu'aux granges seulement.

— Tu as affaire là-bas? s'informa Kitty.

— Oui, il faut que j'examine les nouvelles charrettes. Et toi, où vas-tu t'installer?

— Sur la terrasse. »

II

Sur cette terrasse où les dames se réunissaient volontiers après le dîner, on s'adonnait ce jour-là à une grave occupation. Outre la confection de langes et de brassières, on y faisait des confitures sans adjonction d'eau, procédé en usage chez les Stcherbatski, mais inconnu d'Agathe Mikhaïlovna. Celle-ci ayant été surprise, en dépit d'instructions précises, à ajouter de l'eau aux fraises suivant la recette des Levine, on s'était résolu à faire les framboises en public, afin de démontrer à la vieille entêtée que point n'était besoin d'eau pour obtenir de bonnes confitures.

Agathe Mikhaïlovna, le visage cramoisi, les cheveux en désordre, les manches relevées jusqu'au coude sur ses bras décharnés, tournait de fort mauvaise humeur la bassine à confitures au-dessus d'un brasero, tout en faisant des vœux pour que la cuisson s'opérât mal. La princesse, auteur de ces innovations et se sentant maudite en conséquence, feignait l'indifférence et devisait de choses et d'autres avec ses filles, mais n'en surveillait pas moins du coin de l'œil les mouvements de l'économe.

« Quant à moi, j'offre toujours à mes femmes des robes dont je fais l'emplette aux mises en vente de printemps, disait la princesse, engagée dans une intéressante discussion sur les meilleures étrennes à donner aux domestiques... N'est-ce pas le moment d'écumer, ma chère? demanda-t-elle à Agathe Mikhaïlovna... Non, non, ajouta-t-elle en retenant Kitty prête à se lever, ce n'est pas ton affaire, et tu aurais trop chaud près du feu.

— Laisse-moi faire », dit Dolly. Et s'approchant de la bassine, elle remua avec précaution le sirop bouillonnant, à l'aide d'une cuillère, qu'elle débarrassait ensuite de son contenu gluant en la tapotant sur une assiette remplie d'une écume d'un jaune rosâtre, d'où s'écoulait un jus couleur de sang. « Quel régal pour les petits à l'heure du thé! » songea-t-elle en se rappelant ses joies d'enfant et sa surprise devant l'incompréhension des grandes personnes qui faisaient fi de l'écume, cette partie la plus exquise des confitures!

« Stiva prétend qu'il vaut mieux leur donner de l'argent, reprit-elle en revenant au sujet qui passionnait ces dames; mais...

— De l'argent! s'exclamèrent d'une seule voix la princesse et Kitty. Mais non, voyons, c'est l'attention qui les touche...

— Ainsi, moi, par exemple, ajouta la princesse, j'ai fait cadeau l'an dernier à notre Matrone Sémionovna d'une robe genre popeline...

— Oui, je me rappelle, elle la portait le jour de votre fête.

— Un dessin ravissant, simple et de bon goût. J'avais grande envie de m'en commander une semblable. C'est charmant et bon marché, dans le genre de celle que porte Varinka.

— Elles sont à point, il me semble, dit Dolly en vérifiant le sirop à la cuillère.

— Non, il faut qu'elles tombent en nappe, décréta la princesse. Laissez-les mijoter encore un peu, Agathe Mikhaïlovna.

— Ah! ces maudites mouches! grogna la vieille économe... Elles n'en seront pas meilleures pour ça, ajouta-t-elle d'un ton bougon.

— Oh! qu'il est gentil, ne l'effrayez pas! s'écria tout à coup Kitty, en désignant un moineau qui était venu se poser sur la balustrade pour y becqueter une queue de framboise.

— Oui, oui, dit la mère, mais ne t'approche pas du brasero.

— *A propos de* Varinka », reprit Kitty en français, car leur entretien se poursuivait en cette langue quand elles ne voulaient pas qu'Agathe Mikhaïlovna les comprît, « je dois vous dire, maman, que j'attends au-

jourd'hui une décision. Vous savez laquelle. Comme
je voudrais que cela se fît!

— Voyez la « marieuse », dit Dolly; quel art, quelle
adresse!

— Sérieusement, maman, qu'en pensez-vous?

— Que te dirai-je? Il (« il » désignait Serge Ivanovitch) a toujours pu prétendre aux meilleurs partis de
la Russie. Et, bien qu'il ne soit plus de première
jeunesse, je connais encore plus d'une jeune fille qui
accepterait volontiers et son cœur et sa main. Quant
à elle, c'est évidemment une personne excellente, mais
il pourrait, je crois...

— Non, non, impossible de trouver pour l'un et
pour l'autre un meilleur parti. D'abord elle est délicieuse, fit Kitty en pliant un doigt.

— Elle lui plaît beaucoup, c'est certain, approuva
Dolly.

— Ensuite, il jouit d'une situation qui lui permet
d'épouser qui bon lui semble, en dehors de toute
considération de rang ou de fortune. Ce qu'il lui faut,
c'est une brave et honnête fille, douce, tranquille...

— Oh! pour cela oui, elle est de tout repos, confirma
Dolly.

— Enfin, elle l'aime... Que je serais ravie! Quand
ils vont rentrer de leur promenade, je lirai tout dans
leurs yeux. Qu'en penses-tu, Dolly?

— Ne t'agite donc pas ainsi, cela ne te vaut rien,
fit remarquer la princesse.

— Mais je ne m'agite pas, maman. Je crois qu'il va
se déclarer dès aujourd'hui.

— Quel bizarre sentiment on éprouve quand un
homme vous demande en mariage, c'est comme si une
digue se rompait entre vous, dit Dolly avec un sourire
pensif; elle songeait à ses fiançailles avec Stépane Arcadiévitch.

— Dites-moi, maman, comment papa vous a-t-il fait
sa demande?

— Le plus simplement du monde, répondit la princesse toute rayonnante à ce souvenir.

« — Mais encore? Vous l'aimiez sans doute avant qu'on vous ait permis de lui parler. »

Kitty était fière de pouvoir maintenant aborder avec sa mère comme avec une égale ces sujets si importants dans la vie d'une femme.

« Bien sûr que je l'aimais; il venait nous voir à la campagne.

— Et comment cela s'est-il décidé?

— Mais comme toujours : par des regards et des sourires. Crois-tu donc que vous ayez inventé quelque chose de nouveau!

— Par des regards et des sourires, répéta Dolly. C'est juste. Comme vous avez bien dit cela, maman!

— Mais en quels termes s'est-il exprimé?

— Et que t'a dit Kostia de si particulier?

— Oh! lui, il a fait sa déclaration avec de la craie!... Ce n'était pas banal. Mais comme cela me paraît lointain! »

Un silence suivit, pendant lequel les pensées des trois femmes suivirent le même cours. Kitty se rappela son dernier hiver de jeune fille, sa toquade pour Vronski, et par une association d'idées toute naturelle, la passion contrariée de Varinka.

« J'y pense, reprit-elle, il peut y avoir un obstacle : le premier amour de Varinka. J'avais l'intention de préparer Serge Ivanovitch à cette idée; les hommes sont tellement jaloux de notre passé.

— Pas tous, objecta Dolly. Tu en juges d'après ton mari : je suis sûre que le souvenir de Vronski le tourmente encore!

— C'est vrai, dit Kitty avec un regard pensif.

— Qu'y a-t-il dans ton passé qui puisse l'inquiéter? » demanda la princesse, prompte à la susceptibilité dès que sa surveillance maternelle semblait mise en question. « Vronski t'a fait la cour, mais à quelle jeune fille ne la fait-on pas?

— Il ne s'agit pas de cela, dit Kitty en rougissant.

— Pardon, reprit la mère, ne m'as-tu pas empêchée de m'expliquer avec lui. Tu t'en souviens?

— Ah! maman! fit Kitty d'une voix troublée.

— A l'heure actuelle, on ne peut plus vous tenir en bride... Vos rapports ne pouvaient pas dépasser certaines bornes; je l'aurais amené à se déclarer... Mais pour le moment, ma chère, fais-moi le plaisir de ne pas t'agiter. Calme-toi, je t'en conjure.

— Mais je suis très calme, maman.

— Quel bonheur pour Kitty qu'Anna soit alors survenue, fit remarquer Dolly, et quel malheur pour elle!... Oui, reprit-elle, frappée de cette pensée, comme les rôles sont intervertis! Anna était heureuse alors, tandis que Kitty se croyait à plaindre... Je songe souvent à elle...

— Quelle idée de songer à cette femme sans cœur, à cette abominable créature! s'écria la princesse qui ne se consolait pas d'avoir Levine pour gendre au lieu de Vronski.

— Laissez donc ce sujet, dit Kitty impatientée. Je n'y pense jamais et je n'y veux point penser... Non, je n'y veux point penser, répéta-t-elle en prêtant l'oreille aux pas bien connus de son mari qui montait l'escalier.

— A quoi ne veux-tu point penser? » demanda Levine, paraissant sur la terrasse.

Personne ne lui répondit, et il ne réitéra pas sa question.

« Je regrette de troubler votre intimité », dit-il, enveloppant les trois femmes d'un regard mécontent; car il sentait qu'elles ne voulaient pas poursuivre leur entretien devant lui. Pendant un instant il se trouva d'accord avec la vieille économe, furieuse de devoir faire des confitures sans eau et en général de subir la domination des Stcherbatski.

Néanmoins il s'approcha en souriant de Kitty.

« Eh bien? lui demanda-t-il du même ton dont tout le monde posait maintenant cette question à la jeune femme.

— Ça va très bien, répondit Kitty en souriant. Et tes charrettes?

— Elles supportent trois fois plus de charge que nos

simples télègues. Allons-nous à la rencontre des enfants? J'ai fait atteler.

— Tu ne prétends pas secouer Kitty en char à bancs, j'imagine? dit la princesse d'un ton de reproche.

— Nous irons au pas, princesse. »

Tout en aimant et respectant sa belle-mère, Levine ne pouvait se résoudre à la nommer *maman,* comme font d'ordinaire les gendres : il aurait cru porter atteinte au souvenir de sa mère. Cette nuance froissait la princesse.

« Venez avec nous, maman, proposa Kitty.

— Je ne veux pas voir vos imprudences.

— Alors j'irai à pied, la promenade me fera du bien. »

Kitty se leva et prit le bras de son mari.

« Eh bien, Agathe Mikhaïlovna, vos confitures réussissent-elles suivant la nouvelle recette? demanda Levine en souriant à sa vieille bonne pour la dérider.

— On prétend qu'elles sont bonnes, mais selon moi elles sont trop cuites.

— Au moins ne tourneront-elles pas, Agathe Mikhaïlovna, dit Kitty, devinant l'intention de son mari, et vous savez qu'il n'y a plus de glace dans la glacière. Quant à vos salaisons, maman assure n'en avoir jamais mangé de meilleures », déclara-t-elle en ajustant le fichu dénoué de la vieille femme.

Mais Agathe Mikhaïlovna la regarda d'un air courroucé.

« Inutile de me consoler, madame. Je n'ai qu'à vous voir avec « lui » pour être contente. »

Cette façon familière de désigner son maître toucha Kitty.

« Venez nous montrer les bons endroits pour trouver des champignons », dit-elle.

La vieille hocha la tête en souriant. « On voudrait vous garder rancune qu'on ne le pourrait pas », semblait dire ce sourire.

« Suivez mon conseil, dit la princesse : couvrez

chaque pot d'un rond de papier imbibé de rhum, et
vous n'aurez pas besoin de glace pour les empêcher
de moisir. »

III

L'OMBRE de mécontentement qui avait passé sur le
visage si mobile de son mari n'avait pas échappé à
Kitty. Aussi fut-elle bien aise de se trouver en tête-à-
tête avec lui; et, dès qu'ils eurent pris les devants sur
la route poudreuse, toute semée d'épis et de grains,
s'appuya-t-elle amoureusement à son bras. Levine avait
déjà oublié sa fâcheuse impression d'un moment pour
ne plus songer qu'à la grossesse de Kitty. C'était d'ailleurs depuis quelque temps son penser dominant et la
présence de sa femme faisait naître en lui un sentiment
nouveau, très pur et très doux, exempt de toute sensualité. Sans avoir rien à lui dire, il désirait entendre
sa voix, qui avait mué et pris, tout comme son regard,
cette nuance de douceur et de sérieux particulière
aux personnes qui se donnent corps et âme à une
seule et unique occupation.

« Alors, tu ne crains pas de te fatiguer? Appuie-toi
plus fort, lui dit-il.

— Je suis si heureuse d'être seule un moment avec
toi. J'aime les miens, mais, à parler franc, je regrette
nos soirées d'hiver à nous deux.

— Elles avaient du bon, mais le présent vaut encore
mieux, dit Levine en lui serrant le bras.

— Sais-tu de quoi nous parlions quand tu es venu?
— De confitures.

— Oui, mais aussi de la manière dont se font les
demandes en mariage.

— Ah! bah », dit Levine qui prêtait moins d'attention aux paroles qu'au son de la voix de Kitty. Comme
d'ailleurs ils entraient dans le bois, il surveillait jalou-
sement les aspérités du chemin pour épargner tout
faux pas à la jeune femme.

« Et encore, continua celle-ci, de Serge Ivanovitch et de Varinka. As-tu remarqué quelque chose? Qu'en penses-tu? demanda-t-elle en le regardant bien en face.

— Je ne sais trop que penser, répondit Levine en souriant. Sur ce point-là je n'ai jamais pu comprendre Serge. Ne t'ai-je pas déjà dit...

— Qu'il a aimé une jeune fille, et que celle-ci est morte?

— Oui; j'étais encore enfant et je ne connais cette histoire que par ouï-dire. Cependant ma mémoire se le représente très bien à cette époque : quel charmant garçon c'était! Depuis lors j'ai souvent observé sa conduite avec les femmes : il se montre aimable, certaines lui plaisent, mais on sent qu'elles n'existent pas pour lui en tant que femmes.

— Soit, mais avec Varinka... Il y a, je crois, quelque chose.

— Peut-être... Mais il faut le connaître. C'est un être à part. Il ne vit que par l'esprit. Il a l'âme trop pure, trop élevée...

— Crois-tu donc que le mariage l'abaisserait?

— Non, mais il est trop plongé dans la vie spirituelle pour pouvoir admettre la vie réelle. Et Varinka, vois-tu, c'est tout de même la vie réelle. »

Levine avait pris l'habitude d'exprimer hardiment sa pensée sans lui donner une forme concrète; il savait qu'aux heures de parfait accord sa femme le comprenait à demi-mot. Et ce fut précisément le cas.

« Oh! non, Varinka appartient bien plus à la vie spirituelle qu'à la vie réelle. Ce n'est pas comme moi, et je comprends très bien qu'une femme de mon genre ne puisse pas se faire aimer de lui.

— Mais si, il t'aime beaucoup, et je suis fort heureux que tu aies fait la conquête des miens...

— Oui, il se montre plein de bonté pour moi, mais...

— Mais ce n'est pas la même chose qu'avec ce pauvre Nicolas, acheva Levine. Celui-là t'a tout de suite aimée, et tu lui as rendu la pareille... Pourquoi ne pas l'avouer?... Je me reproche parfois de ne pas assez songer à lui; je finirai par l'oublier! C'était un

être exquis... et épouvantable... Mais de quoi parlions-
nous? reprit-il après un silence.

— Alors tu le crois incapable de tomber amoureux?
demanda Kitty, traduisant dans sa langue la pensée de
son mari.

— Je ne dis pas cela, répondit Levine en souriant,
mais il n'est accessible à aucune faiblesse... Je l'ai
toujours envié et à l'heure actuelle je lui porte encore
envie, malgré mon bonheur.

— Tu l'envies de ne pouvoir tomber amoureux?

— Je l'envie parce qu'il vaut mieux que moi, dit
Levine après un nouveau sourire. Il ne vit pas pour
lui-même, c'est le devoir qui le guide; aussi a-t-il le
droit d'être tranquille et satisfait.

— Et toi? » demanda-t-elle avec un sourire amoureux et narquois.

Interrogée sur la raison de ce sourire, elle n'eût
point su l'indiquer formellement. En fait elle ne
croyait pas qu'en se proclamant inférieur à Serge
Ivanovitch son mari fît preuve de sincérité : il cédait
tout bonnement à son amour pour son frère, à la gêne
que lui causait son excès de bonheur, à son constant
désir de perfectionnement.

« Et toi, répéta-t-elle toujours souriante, pourquoi
serais-tu mécontent de toi? »

Heureux de voir qu'elle ne croyait point à son désenchantement, il éprouva un plaisir inconscient à lui
faire exprimer les causes de ce scepticisme.

« Je suis heureux, mais je ne suis pas content de
moi, dit-il.

— Pourquoi cela puisque tu es heureux?

— Comment te faire comprendre?... Je n'ai rien à
souhaiter en ce monde, si ce n'est que tu ne fasses
point de faux pas... Ah! mais non, veux-tu bien ne pas
sauter! s'écria-t-il, interrompant le fil de son discours
pour lui reprocher d'avoir enjambé trop brusquement
une branche qui barrait le chemin... Mais, reprit-il,
quand je me compare à d'autres, à mon frère surtout,
je sens que je ne vaux pas grand-chose.

— Pourquoi cela? demanda-t-elle sans se départir de

son sourire. Ne songes-tu pas, toi aussi, à ton prochain ?
Tu oublies tes fermes, ton exploitation, ton livre...

— Non, tout cela n'est guère sérieux, et depuis
quelque temps je m'y attelle comme à une besogne
dont on aspire à se débarrasser. C'est ta faute d'ailleurs, avoua-t-il en lui serrant le bras. Ah! si je pouvais aimer mon devoir comme je t'aime!

— Mais alors, que penses-tu de papa? Le juges-tu
mauvais parce qu'il se soucie peu du bien général?

— Que non pas! Mais moi je ne possède ni sa simplicité, ni sa bonté, ni sa clarté d'esprit. Je ne fais
rien et je souffre de ne rien faire. Et cela à cause de
toi. Quand il n'y avait ici ni toi ni « cela », fit-il en
jetant sur la taille de sa femme un regard dont elle
comprit le sens, je m'adonnais de tout cœur à la tâche.
Maintenant, je le répète, ce n'est plus qu'une besogne,
un faux-semblant.

— Voudrais-tu par hasard changer de sort avec ton
frère? ne plus aimer que ton devoir et le bien général?

— Certes non. Au reste je suis trop heureux pour
raisonner juste... Ainsi, tu crois qu'il va faire sa demande aujourd'hui? demanda-t-il après un instant de
silence.

— Je ne sais trop, mais je le voudrais bien! Attends
une minute. »

Elle se pencha pour cueillir une marguerite sur le
bord du chemin.

« Tiens, compte : fera, fera pas, lui dit-elle en lui
tendant la fleur.

— Fera, fera pas », répéta Levine en arrachant l'un
après l'autre les blancs pétales.

Mais Kitty, qui surveillait avec émotion chaque
mouvement de ses doigts, le prit par le bras.

« Non, non, tu en as arraché deux d'un coup!

— Eh bien, je ne compterai pas ce petit-là, dit-il en
jetant un petit pétale tout rabougri... Mais voici le char
à bancs qui nous rejoint.

— Tu n'es pas fatiguée, Kitty? cria de loin la princesse.

— Pas le moins du monde, maman.

— Tu peux faire, si tu le préfères, le reste de la route en voiture, au pas bien entendu. »

Mais, comme on approchait du but, tout le monde termina la promenade à pied.

IV

Avec son fichu blanc tranchant sur ses cheveux noirs, au milieu de cette bande d'enfants dont elle partageait de bon cœur les joyeux ébats, Varinka, tout émue à la pensée qu'un homme qui ne lui déplaisait pas allait sans doute lui demander sa main, paraissait plus attrayante que jamais. En cheminant à ses côtés, Serge Ivanovitch ne pouvait se défendre de l'admirer, de se rappeler tout le bien qu'il avait ouï dire de cette charmante personne : décidément il éprouvait pour elle ce sentiment particulier qu'il n'avait connu qu'une seule fois, jadis, dans sa prime jeunesse. L'impression de joie que lui causait la présence de Varinka allait toujours croissant : comme il avait découvert un bolet monstre dont le chapeau relevait ses bords énormes au-dessus d'un pied très mince, il voulut le déposer dans la corbeille de la jeune fille; mais, leurs regards s'étant rencontrés, il remarqua sur ses joues la joyeuse rougeur de l'émoi; alors il se troubla à son tour et lui adressa, sans mot dire, un sourire par trop expressif.

« Si les choses en sont à ce point, songea-t-il, il importe de réfléchir avant de prendre une décision, car je ne veux point céder comme un gamin à l'entraînement du moment. »

« Si vous le permettez, déclara-t-il, je m'en vais maintenant chercher des champignons en toute indépendance, car il me semble que mes trouvailles passent inaperçues. »

Quittant donc la lisière, où quelques vieux bouleaux

s'élançaient d'une herbe courte et soyeuse, il gagna le
couvert, où de sombres coudriers s'entremêlaient aux
troncs gris des trembles, aux troncs blancs des bouleaux. Au bout d'une quarantaine de pas, il se déroba
aux regards derrière un buisson de fusain en pleine
floraison. Il régnait là un silence presque absolu; seul
un essaim de mouches bourdonnait dans les branches;
parfois aussi les voix des enfants parvenaient jusqu'à
cette retraite. Soudain le contralto de Varinka qui
appelait Gricha retentit non loin de la lisière, et Serge
Ivanovitch ne put retenir un sourire de joie, aussitôt
suivi d'un hochement de tête désapprobateur. Il tira
un cigare de sa poche, mais les allumettes se refusaient
à prendre sur le tronc du bouleau auprès duquel il
avait fait halte, les feuillets nacrés de l'écorce se col-
lant au phosphore. Enfin l'une d'elles s'enflamma, et
bientôt une large nappe de fumée odorante s'étendit
au-dessus du buisson; Serge Ivanovitch, qui avait
repris sa marche à pas lents, la suivait des yeux tout
en faisant son examen de conscience.

« Pourquoi résisterais-je? songeait-il. Il ne s'agit
point d'une passionnette, mais d'une inclination mutuelle, à ce qu'il me semble, et qui n'entraverait ma
vie en rien. Ma seule objection sérieuse au mariage
est la promesse que je me suis faite, en perdant Marie,
de rester fidèle à son souvenir. » Cette objection, Serge
Ivanovitch le sentait bien, ne touchait qu'au rôle poétique qu'il jouait aux yeux du monde. « Non, franchement, je n'en vois pas d'autre, et ma raison ne
saurait me dicter un meilleur choix. »

Il avait beau fouiller ses souvenirs, il ne se rappelait pas avoir rencontré en aucune jeune fille cette
réunion de qualités qui faisaient de Varinka une
épouse en tous points digne de son choix. Elle avait
le charme, la fraîcheur de la jeunesse, mais sans enfantillage; si elle l'aimait, ce serait avec discerne-
ment, comme il sied à une femme. Elle avait l'usage
du monde tout en le détestant, point capital aux yeux
de Serge Ivanovitch, qui n'eût pas admis dans sa
future compagne des façons vulgaires. Elle était

croyante, non pas aveuglément, à la manière de Kitty,
mais en toute connaissance de cause. Elle offrait même
des avantages jusque dans les plus petites choses :
pauvre et sans famille, elle n'imposerait pas, comme
Kitty, la présence et l'influence d'une nombreuse
parenté; elle devrait tout à son mari, ce que Serge
Ivanovitch avait toujours souhaité. Et ce parangon
de vertus l'aimait : pour modeste qu'il fût, il lui fallait bien s'en apercevoir! La différence d'âge entre eux
ne serait pas un obstacle : il appartenait à une race
solide, il n'avait pas un cheveu gris et personne ne lui
donnait quarante ans; d'ailleurs Varinka n'avait-elle
pas dit une fois qu'un homme de cinquante ans ne
passait pour un vieillard qu'en Russie; en France
c'était *la force de l'âge,* un quadragénaire y étant tenu
pour *un jeune homme.* Au reste qu'importait l'âge,
puisqu'il sentait son cœur aussi jeune que vingt ans
plus tôt? N'était-ce pas une preuve de fraîcheur, cet
attendrissement qui le gagna quand, revenu à la lisière,
il aperçut entre les vieux bouleaux la silhouette gracieuse de Varinka s'offrant, sa corbeille à la main, aux
rayons obliques du soleil, tandis que par-delà la jeune
fille un champ d'avoine roulait ses vagues dorées,
inondées de lumière, et que dans le lointain bleu la
forêt séculaire déployait sa ramure déjà jaunissante?
Varinka se baissa pour ramasser un champignon, se
redressa d'un geste souple et jeta un coup d'œil autour
d'elle. Serge Ivanovitch sentit son cœur se serrer
joyeusement; résolu à s'expliquer, il jeta son cigare et
s'avança vers la jeune fille.

V

« BARBE ANDRÉIEVNA, je m'étais fait dans ma prime
jeunesse un idéal de la femme que je serais heureux
d'avoir pour compagne. Je ne l'avais encore jamais
rencontrée. Vous seule réalisez mon rêve. Je vous

aime et vous offre mon nom. » Ces paroles sur les lèvres, Serge Ivanovitch regardait Varinka qui, agenouillée dans l'herbe à dix pas de lui, défendait un champignon contre les attaques de Gricha pour le réserver à Macha et aux plus petits.

« Par ici, par ici, il y en a des quantités! » criait-elle de sa belle voix de poitrine.

Elle ne se leva pas à l'approche de Serge Ivanovitch; mais tout dans sa personne témoignait sa joie de le revoir.

« En avez-vous trouvé? demanda-t-elle en tournant vers lui son aimable visage souriant sous son fichu.

— Pas un; et vous? »

Elle ne répondit pas tout d'abord, car elle était toute aux enfants.

« Tiens, vois-tu celui-ci, près de la branche », dit-elle à Macha en lui montrant une petite russule, qui pointait sous une touffe d'herbe sèche dont un brin avait transpercé son chapeau rose. En voulant la ramasser, l'enfant la brisa en deux.

« Cela me rappelle mes jeunes années », dit alors Varinka qui se leva pour rejoindre Serge Ivanovitch.

Ils firent quelques pas en silence. Varinka, étouffée par l'émotion, se doutait bien de ce qu'il avait sur le cœur. Ils étaient assez loin déjà pour qu'on ne pût les entendre, mais Serge Ivanovitch ne disait toujours mot. Tout à coup, presque involontairement, la jeune fille rompit le silence.

« Alors vous n'en avez pas du tout trouvé? Il est vrai que sous le couvert il y en a toujours moins qu'à la lisière. »

Serge Ivanovitch laissa échapper un soupir; quelques instants de silence l'eussent mieux préparé à une explication qu'un banal entretien sur les champignons! Se rappelant la dernière phrase de la jeune fille, il voulut la faire parler de son enfance; mais à sa grande surprise il s'entendit bientôt lui répondre :

« Les bolets, prétend-on, ne hantent que la lisière; mais à parler franc, je ne sais pas les distinguer des autres. »

Quelques minutes passèrent encore. Ils étaient maintenant complètement seuls. Le cœur de Varinka battait à coups précipités; elle se sentait rougir et pâlir alternativement. Quitter Mme Stahl pour épouser un homme comme Koznychev, dont elle se croyait presque sûrement amoureuse, lui semblait le comble du bonheur. Et tout allait se décider! Elle redoutait l'aveu et plus encore le silence.

« Maintenant ou jamais », se dit Serge Ivanovitch, pris de pitié devant le regard troublé, la rougeur et les yeux baissés de Varinka. Il s'avoua même qu'il l'offensait en se taisant. Il se remémora à la hâte ses arguments en faveur du mariage, mais au lieu de la phrase qu'il avait préparée, il laissa tomber inopinément :

« Quelle différence y a-t-il entre un cèpe et un bolet? »

Les lèvres de Varinka tremblèrent en répondant :

« Il n'y en a guère que dans le pied. »

Tous deux sentirent que c'en était fait : les mots qui devaient les unir ne seraient pas prononcés, et l'émotion violente qui les agitait se calma peu à peu.

« Le pied du bolet brun fait penser à une barbe noire mal rasée, dit tranquillement Serge Ivanovitch.

— C'est vrai », répondit Varinka avec un sourire.

Puis leur promenade se dirigea involontairement du côté des enfants. Confuse et blessée, Varinka éprouvait pourtant un sentiment de délivrance. Serge Ivanovitch repassait dans son esprit ses raisonnements sur le mariage et finit par les trouver faux : il ne pouvait être infidèle au souvenir de Marie.

« Doucement, voyons, doucement! » cria d'un ton fâché Levine en voyant les enfants se précipiter vers Kitty avec des cris de joie.

Derrière les petits parurent Serge Ivanovitch et Varinka. Kitty n'eut pas besoin de questionner son amie : l'expression calme, un peu honteuse, de leurs physionomies lui fit comprendre que l'espoir dont elle se berçait ne se réaliserait point.

« Eh bien? s'enquit Levine, sur le chemin du retour.

— Ça ne prend pas, répondit-elle d'un ton et avec un sourire qui lui étaient assez familiers et plaisaient beaucoup à son mari parce qu'ils lui rappelaient et le ton et le sourire du vieux prince.

— Que veux-tu dire?

— Voilà, expliqua-t-elle en portant à ses lèvres la main de son mari et en l'effleurant d'un semblant de baiser. C'est comme ça qu'on baise la main d'un évêque.

— Et chez qui ça ne prend-il pas? demanda-t-il en riant.

— Chez tous deux. Maintenant regarde comment il faut faire...

— Attention, voilà des paysans qui viennent...

— Ils n'ont rien vu. »

VI

Tandis que les enfants goûtaient, les grandes personnes, réunies sur le balcon, devisaient comme si de rien n'était. Cependant chacun se rendait compte qu'il s'était passé un fait important, encore que négatif. Serge Ivanovitch et Varinka semblaient deux écoliers qui auraient échoué à leurs examens; Levine et Kitty, plus amoureux que jamais l'un de l'autre, se sentaient confus de leur bonheur, comme d'une allusion indiscrète à la maladresse de ceux qui ne savaient pas être heureux.

« Croyez-moi, disait la princesse, Alexandre ne viendra pas. »

On attendait Stépane Arcadiévitch par le train du soir, et le prince avait écrit qu'il se joindrait peut-être à lui.

« Et je sais pourquoi, continuait la vieille dame : il prétend qu'on ne doit pas troubler la liberté de deux jeunes mariés.

— Grâce à ce principe, papa nous abandonne, dit

Kitty; et pourquoi nous considère-t-il comme de jeunes mariés, alors que nous sommes déjà d'anciens époux?

— S'il ne vient pas, mes enfants, il faudra que je vous quitte, déclara la princesse, non sans pousser un profond soupir.

— Que dites-vous, maman! s'exclamaient d'une seule voix ses deux filles.

— Songez un peu comme il doit s'ennuyer seul... »

Et soudain la voix de la princesse s'altéra. Ses filles échangèrent un regard qui voulait dire : « Maman a l'art de se forger des sujets de tristesse. » Elles ignoraient que leur mère, pour indispensable qu'elle se crût chez Kitty, ne songeait qu'avec une détresse infinie à son mari et à elle-même, depuis le jour où le dernier enfant s'était envolé du nid familial, désormais dépeuplé.

« Que désirez-vous, Agathe Mikhaïlovna? demanda Kitty à la vieille économe qui avait tout à coup surgi devant elle avec des airs mystérieux.

— C'est au sujet du souper, madame.

— Parfait, dit Dolly; va donner tes ordres, tandis que je m'occuperai de Gricha, qui n'a rien fait de la journée.

— Voilà une pierre dans mon jardin, s'écria Levine en sautant de sa chaise. Ne te tourmente pas, Dolly, j'y vais. »

Gricha, déjà au collège, avait des devoirs de vacances, et Darie Alexandrovna jugeait bon de l'aider à faire les plus difficiles, notamment ceux d'arithmétique et de latin, langue qu'elle s'appliquait à apprendre pour être utile à son fils. Levine s'étant offert à la remplacer, elle s'aperçut qu'il procédait autrement que le répétiteur de Moscou et lui déclara, avec beaucoup de tact et non moins de fermeté, qu'il fallait s'en tenir rigoureusement aux indications du manuel. En son for intérieur, Levine pesta contre le mauvais enseignement des professeurs et contre l'insouciance de Stépane Arcadiévitch qui abandonnait à sa femme une tâche à laquelle elle n'entendait rien. Il n'en promit pas moins à sa belle-sœur de suivre le bouquin pas à pas; mais, cette façon d'enseigner ne l'intéressant plus guère, il lui arrivait souvent d'oublier l'heure de la leçon.

« Non, non, Dolly, ne bouge pas, j'y vais, répéta-t-il. Et sois tranquille, nous suivrons l'ordre du manuel. Seulement, quand Stiva sera là, je l'accompagnerai à la chasse; alors, adieu les leçons! »

Et il s'en alla trouver Gricha.

Cependant Varinka, qui savait se rendre utile même dans une maison aussi bien tenue que celle des Levine, retenait de son côté sa chère Kitty.

« Restez tranquille, je vais commander le souper, dit-elle en rejoignant Agathe Mikhaïlovna.

— On n'aura sans doute pas trouvé de poulets; il faudra en tuer des nôtres, dit Kitty.

— Nous arrangerons cela avec Agathe Mikhaïlovna. »

Et Varinka disparut avec l'économe.

« Quelle charmante jeune fille! fit remarquer la princesse.

— Charmante, c'est trop peu dire, maman; délicieuse, incomparable!

— Alors vous attendez Stépane Arcadiévitch? demanda Serge Ivanovitch, dans l'intention évidente de rompre les chiens. On trouverait difficilement deux beaux-frères plus dissemblables, ajouta-t-il avec un fin sourire : l'un, qui est la mobilité même, ne peut vivre qu'en société, comme le poisson dans l'eau; l'autre, vif lui aussi, fin, sensible, pénétrant, perd contenance dans le monde et s'y débat comme le poisson hors de l'eau!

— Oui, approuva la princesse en se tournant vers Serge Ivanovitch, c'est une tête légère. Et je voulais précisément vous demander de lui faire entendre que, dans son état, Kitty ne peut rester ici. Il parle de faire venir un médecin, mais j'estime que les couches doivent avoir lieu à Moscou.

— Mais, maman, il fera tout ce que vous voudrez! » s'écria Kitty, fort confuse d'entendre sa mère adresser des doléances à Serge Ivanovitch.

Mais on perçut soudain un ébrouement de chevaux

et le bruit d'une voiture roulant sur le gravier de l'avenue. Dolly s'était à peine levée pour descendre à la rencontre de son mari que déjà, au rez-de-chaussée, Levine sautait par la fenêtre de la pièce où travaillait Gricha, entraînant son élève après lui.

« Voilà Stiva! cria-t-il sous le balcon. Sois tranquille, Dolly, nous avons fini! ajouta-t-il en prenant comme un gamin sa course dans la direction de la voiture.

— *Is, ea, id, ejus, ejus, ejus,* hurlait Gricha en sautillant derrière lui.

— Et quelqu'un avec lui, papa sans doute! cria de nouveau Levine, arrêté au départ de l'avenue. Kitty, ne prends pas l'escalier raide, fais le tour par l'autre. »

Mais Levine se trompait. Le compagnon de Stépane Arcadiévitch était un gros garçon, coiffé d'un béret écossais dont les longs rubans flottaient par-derrière. Vassia Veslovski, petit-cousin des Stcherbatski avantageusement connu dans le beau monde de Pétersbourg et de Moscou, « bon vivant et chasseur enragé », à en croire Stépane Arcadiévitch qui le présenta en ces termes.

Veslovski ne se montra nullement troublé de la désillusion que causait sa présence : il salua gaiement Levine, lui rappela qu'ils s'étaient rencontrés autrefois et enleva Gricha par-dessus le *pointer* d'Oblonski pour l'installer dans la calèche.

Levine suivit à pied, contrarié de voir arriver à la place du prince, qu'il aimait de plus en plus, ce Vassia Veslovski dont la présence lui semblait parfaitement importune. Cette impression fâcheuse s'accrut quand il vit ce personnage baiser galamment la main de Kitty en présence de toute la maisonnée — grands et petits — accourue sur le perron.

« Nous sommes *cousins,* votre femme et moi, et d'anciennes connaissances, dit le jeune homme en serrant une seconde fois et fort énergiquement la main de Levine.

— Eh bien, y a-t-il du gibier? s'enquit Stépane Arca-

diévitch, interrompant ses embrassades. Nous arri-
vons, Veslovski et moi, avec des projets meurtriers...
Mais non, maman, il n'était pas venu à Moscou depuis
lors... Tiens, Tania, voilà pour toi!... Voulez-vous
prendre ce paquet dans le fond de la voiture, continua-t-il, parlant à tout le monde à la fois. Comme te
voilà rajeunie, Dolly! » dit-il enfin à sa femme en lui
baisant la main qu'il retint entre les siennes et caressa
d'un geste affectueux.

La bonne humeur de Levine était complètement
tombée : il avait pris un air lugubre et trouvait tout
le monde répugnant.

« Qui ces mêmes lèvres ont-elles embrassé hier?
pensait-il. Et de quoi Dolly est-elle si contente puisqu'elle ne croit plus à son amour? Quelle abomination! »

Il fut vexé de l'accueil gracieux fait par la princesse à Veslovski; la politesse de Serge Ivanovitch
pour Oblonski lui parut hypocrite, car il savait que
son frère le tenait en assez piètre estime; Varinka lui
fit l'effet d'une *sainte nitouche* qui jouait l'innocente
tout en ne songeant qu'au mariage. Mais son dépit fut
au comble quand il vit Kitty, cédant à l'entraînement
général, répondre par un sourire, qui lui parut gros
de signification, au sourire béat de cet individu qui
considérait sa visite comme un bonheur pour chacun.

Tout le monde pénétra dans la maison, mais Levine
profita du brouhaha pour s'esquiver. Comme son
changement d'humeur n'avait point échappé à Kitty,
elle voulut le retenir, mais il la repoussa, en prétextant
que ses affaires l'appelaient au bureau. Jamais ses
occupations n'avaient pris à ses yeux autant d'importance que ce jour-là.

VII

LEVINE rentra seulement quand on le vint avertir que le souper était servi. Il rencontra sur le palier Kitty et Agathe Mikhaïlovna qui se concertaient sur les vins à offrir.

« Pourquoi tant de façons? qu'on serve le vin ordinaire.

— Non, Stiva n'en boit pas... Mais qu'as-tu, Kostia? attends donc... », demanda Kitty en tâchant de le rejoindre.

Mais, sans vouloir l'écouter, il continua à grands pas son chemin vers le salon, où il se hâta de prendre part à la conversation.

« Eh bien, allons-nous demain à la chasse? lui demanda Stépane Arcadiévitch.

— Allons-y, je vous en prie, insista Veslovski en s'asseyant de biais sur une chaise et en ramenant sous lui une de ses jambes.

— Volontiers; avez-vous déjà chassé cette année? répondit Levine, les yeux fixés sur la jambe du personnage, en prenant un ton faussement cordial que Kitty lui connaissait bien et qui ne lui allait pas du tout. Les bécassines abondent, je ne sais si nous trouverons aussi des doubles. Seulement il faudra partir de bonne heure; le pourrez-vous? Tu n'es pas fatigué, Stiva?

— Moi, fatigué? je ne le suis jamais! Je suis prêt, si tu veux, à ne pas dormir de la nuit. Allons faire un tour.

— C'est cela, ne nous couchons pas! approuva Veslovski.

— Oh! nous ne doutons pas que tu en sois capable, comme aussi de troubler le sommeil des autres, dit Dolly sur ce ton d'ironie légère qu'elle avait adopté à l'égard de son mari. Pour moi, qui ne soupe pas, je me retire.

— Attends un peu, Dolly, s'écria Stépane Arcadiévitch, en prenant place auprès d'elle à la grande table où le souper était servi. J'ai tant de choses à te raconter.

— Rien de bien important, sans doute.

— Sais-tu que Veslovski a vu Anna et qu'il compte retourner chez elle en nous quittant? J'ai aussi l'intention d'y aller. Elle n'habite qu'à soixante-dix verstes d'ici. Veslovski, viens donc par ici. »

Veslovski passa du côté des dames et s'assit auprès de Kitty.

« Vraiment, lui demanda Dolly, vous avez été chez Anna Arcadiévna? Comment va-t-elle? »

L'animation de ce petit groupe n'échappa point à Levine, qui causait à l'autre bout de la table avec la princesse et Varinka; il crut à un entretien mystérieux : Kitty ne quittait pas des yeux le beau visage de Veslovski en train de pérorer et sa physionomie semblait exprimer un sentiment profond.

« Leur installation est superbe, racontait le jeune homme. Evidemment il ne m'appartient pas de les juger, mais je dois dire que chez eux on se sent vraiment à l'aise.

— Et quelles sont leurs intentions?

— Passer l'hiver à Moscou, je crois.

— Ce serait charmant de se réunir là-bas! Quand comptes-tu y retourner? demanda Oblonski.

— J'y passerai le mois de juillet.

— Et toi, iras-tu? demanda-t-il à sa femme.

— Certainement. J'en ai depuis longtemps l'intention, Anna est une excellente personne que j'aime et que je plains. J'irai seule, après ton départ, cela vaudra mieux, je ne gênerai personne.

— Parfait. Et toi, Kitty?

— Moi? qu'irais-je faire chez elle? dit Kitty en rougissant et en jetant un coup d'œil du côté de son mari.

— Vous connaissez Anna Arcadiévna? lui demanda Veslovski. C'est une femme très séduisante.

— Oui », répondit Kitty, dont le visage s'empourpra de plus en plus.

Elle se leva et rejoignit son mari.

« Ainsi tu vas demain à la chasse? » lui demanda-
t-elle.

En voyant sa femme rougir, Levine ne fut plus
capable de refréner sa jalousie, et la question de Kitty
lui sembla une preuve d'intérêt pour ce mirliflore dont
elle était évidemment éprise et à qui elle désirait
procurer quelques moments agréables. L'absurdité de
ce grief ne devait lui apparaître que plus tard.

« Certainement, répondit-il d'une voix contrainte
qui lui fit horreur à lui-même.

— Passez plutôt la journée de demain avec nous,
Dolly n'a pas encore pu voir son mari. »

Levine traduisit ainsi ces mots : « Ne me sépare
pas de « lui ». Peu m'importe que tu t'en ailles, mais
laisse-moi jouir de la présence de ce charmant jeune
homme. »

Cependant Veslovski, sans soupçonner la tragédie
dont il était la cause innocente, s'était levé de table
pour rejoindre sa cousine, qu'il caressait des yeux.

« L'insolent! songea Levine oppressé, pâle de
colère. Comment se permet-il de la regarder ainsi! »

« A demain la chasse, n'est-ce pas? » demanda
Veslovski en s'asseyant de nouveau de guingois et en
repliant, selon son habitude, une de ses jambes sous
lui.

Emporté par la jalousie, Levine se voyait déjà dans
la situation d'un mari trompé qu'une femme et son
amant exploitent dans l'intérêt de leurs plaisirs. Il
se montra néanmoins aimable avec Veslovski, le fit
parler sur ses chasses, lui demanda s'il avait apporté
son fusil et ses bottes, et consentit à organiser une
partie pour le lendemain.

La princesse vint mettre un terme aux tortures de
son gendre en conseillant à Kitty d'aller se coucher;
mais, nouveau supplice pour Levine, en souhaitant le
bonsoir à la maîtresse de la maison, Veslovski voulut

de nouveau lui baiser la main. Kitty rougissante la retira en proférant avec une brusque naïveté qui devait plus tard lui valoir les reproches de sa mère :

« Ce n'est pas reçu chez nous. »

Aux yeux de Levine, elle avait commis une faute en permettant à ce freluquet de pareilles familiarités, et elle en commettait une plus grande en lui témoignant maladroitement qu'elles lui déplaisaient.

Mis en gaieté par quelques verres de bon vin, Oblonski se sentait d'humeur poétique.

« Quelle idée d'aller au lit par un temps pareil! Regarde, Kitty, comme c'est beau! dit-il en désignant la lune qui montait au-dessus des tilleuls. Veslovski, voici l'heure des sérénades... Il a une voix charmante, sais-tu; nous nous sommes exercés chemin faisant. Et il a apporté deux nouvelles romances qu'il pourrait nous chanter avec Barbe Andréievna. »

Quand tout le monde se fut retiré, Veslovski et Stépane Arcadiévitch se promenèrent encore longtemps en exerçant leurs voix. Les sons d'une nouvelle romance parvenaient aux oreilles de Levine, qui avait accompagné Kitty jusqu'à sa chambre où, tapi dans un fauteuil, il gardait un silence obstiné. Kitty, l'ayant vainement interrogé sur la cause de sa mauvaise humeur, finit par lui demander si la conduite de Veslovski ne l'avait pas par hasard froissé. Alors il éclata et lui dit tout; mais, offensé par ses propres paroles, il n'arrivait pas à se maîtriser.

Il se tenait debout devant sa femme, les yeux brillants sous ses sourcils froncés, les mains serrées contre sa poitrine comme s'il eût voulu comprimer sa colère, les pommettes tremblantes, les traits durs et pourtant empreints d'une souffrance qui toucha Kitty.

« Comprends-moi bien, disait-il d'une voix saccadée, je ne suis pas jaloux, c'est un mot infâme... Non, je ne saurais te jalouser, croire que... Je m'exprime mal, mais ce que j'éprouve est atroce... Je ne suis pas jaloux, mais je suis blessé, humilié qu'on ose te regarder ainsi.

— Comment m'a-t-il donc regardée? » demanda

Kitty, cherchant de bonne foi à se rappeler dans toutes leurs nuances les incidents de la soirée.

Peut-être tout au fond d'elle-même avait-elle trouvé un peu familière l'attitude de Veslovski venant la rejoindre d'un bout de la table à l'autre; mais elle n'osa pas l'avouer à son mari, de crainte d'attiser ses souffrances.

« Une femme dans mon cas peut-elle être attrayante? reprit-elle.

— Tais-toi! s'écria Levine en se prenant la tête à deux mains. Ainsi, si tu te sentais séduisante, tu pourrais...

— Mais non, Kostia, écoute-moi donc! dit-elle, désolée de le voir ainsi souffrir. Tu sais que personne n'existe pour moi en dehors de toi! Veux-tu que je m'enferme loin de tout le monde? »

Après avoir été froissée de cette jalousie qui lui gâtait jusqu'aux distractions les plus innocentes, elle était maintenant prête à renoncer à tout pour le calmer.

« Tâche de comprendre le ridicule de ma situation, continua-t-il dans un murmure de désespoir. Ce garçon est mon hôte, et, à part ses manières dégagées qu'il prend pour le comble du bon ton, je n'ai rien à lui reprocher. Je suis donc contraint de me montrer aimable et...

— Mais, Kostia, tu t'exagères les choses, interrompit Kitty, fière au fond du cœur de se sentir aussi profondément aimée.

— Et lorsque tu es plus que jamais pour moi l'objet d'un culte, que nous sommes si heureux, ce vaurien aurait le droit... Après tout, j'ai tort de l'injurier; peu m'importent ses qualités ou ses défauts!... Mais pourquoi notre bonheur serait-il à sa merci?

— Ecoute, Kostia, je crois me rappeler ce qui t'a mis sens dessus dessous.

— Et quoi donc?

— Je t'ai vu nous observer pendant le souper...

— Mais oui, mais oui », avoua Levine, troublé.

Haletante d'émotion, le visage pâle, bouleversé, elle

lui raconta l'entretien mystérieux. Levine garda un instant le silence.

« Kitty, pardonne-moi! s'écria-t-il enfin en se prenant de nouveau la tête à deux mains. Je suis fou! Comment ai-je pu me mettre martel en tête pour une pareille niaiserie!

— Tu me fais peine...

— Non, non, je suis fou!... Je te torture... Avec des idées pareilles, le premier étranger venu peut, sans le vouloir, détruire notre bonheur.

— Sa conduite était répréhensible...

— Non, non, je vais le retenir pour toute la belle saison et l'accabler de prévenances, dit Levine en baisant les mains de sa femme. Tu vas voir; dès demain... Ah! j'oubliais, demain nous allons à la chasse. »

VIII

Deux équipages de chasse, un char à bancs et une télègue, attendaient à la porte le lendemain matin, avant que les dames fussent levées. Mignonne avait compris dès l'aube et approuvé par force aboiements et cabrioles les intentions de son maître; assise maintenant près du cocher sur le siège du char à bancs, elle jetait des regards inquiets et désapprobateurs vers la porte où les chasseurs tardaient à se montrer. Le premier qui parut fut Vassia Veslovski, chaussé de bottes neuves qui lui montaient jusqu'au milieu des cuisses, vêtu d'une blouse verte serrée à la taille par une ceinture à cartouches de cuir odorant, coiffé de son calot à rubans, et tenant à la main un fusil anglais tout neuf sans bretelle ni grenadière. Mignonne sauta vers lui pour le saluer et lui demander à sa façon si les autres allaient bientôt venir; mais se voyant incomprise, elle retourna à son poste et s'y figea dans l'attente, la tête penchée et l'oreille aux aguets. Enfin la porte s'ouvrit de nouveau avec fracas, livrant pas-

sage à Crac, le *pointer* « blanc et foie » de Stépane
Arcadiévitch, bondissant et pirouettant, puis à son
maître en personne, le fusil à la main et le cigare
aux lèvres. « Tout beau, tout beau, Crac! » criait gaiement Oblonski cherchant à éviter les pattes du chien
qui, dans sa joie, s'accrochait à la gibecière. Il portait
des bottes molles par-dessus des bandes de toile, un
pantalon usé, un paletot court et un chapeau défoncé;
en revanche son fusil était du plus récent modèle et,
bien que fatigués, son carnier et sa cartouchière dé-
fiaient toute critique. Jusqu'à ce jour Veslovski se refusait à comprendre que pour un chasseur le dernier
mot du chic consistât à se mal vêtir tout en s'équi-
pant à merveille, mais à la vue de Stépane Arcadiévitch
rayonnant sous ses guenilles d'une élégance de grand
seigneur joyeux et repu, il se jura d'en faire son profit pour une autre fois.

« Eh bien, et notre hôte? demanda-t-il.

— Un jeune marié, n'est-ce pas..., dit en souriant
Oblonski.

— Et dont la femme est délicieuse...

— Il sera rentré chez elle, car je l'ai vu prêt à
partir. »

Stépane Arcadiévitch avait deviné juste : Levine
était retourné chez Kitty pour lui faire répéter qu'elle
lui pardonnait sa sottise de la veille et pour lui en-
joindre d'être prudente, de se tenir le plus loin possible des enfants. Kitty dut jurer une fois de plus
qu'elle ne lui en voulait pas de s'absenter pendant
deux jours; elle promit de lui envoyer le lendemain
un bulletin de santé par une estafette. Ce départ ne
plaisait guère à la jeune femme, mais elle s'y résigna
gaiement en voyant l'entrain de son mari, que ses
bottes et sa blouse blanche faisaient paraître plus
grand et plus fort que jamais.

« Toutes mes excuses, messieurs! cria Levine accou-
rant vers ses compagnons. A-t-on mis le déjeuner dans
la voiture? Pourquoi le bai brun est-il attelé à droite?
Après tout, tant pis. Allez coucher, Mignonne... Mets-
les avec les bouvards, dit-il au vacher qui le guettait

au passage pour le consulter au sujet des veaux...
Mille pardons, voilà encore un animal à expédier. »

Il sauta de la voiture où il s'était presque installé
pour marcher à la rencontre d'un entrepreneur en
charpenterie qui s'avançait son aune à la main.

« Tu aurais tout aussi bien fait de venir me trouver
hier au bureau. Eh bien, qu'est-ce qu'il y a?

— Sauf votre permission, on va ajouter un tournant. Trois marches tout au plus. Comme ça on arrivera juste au ras du palier. Et ce sera bien moins
raide.

— Pourquoi ne m'as-tu pas écouté? répliqua Levine
avec dépit. Je t'avais dit d'établir d'abord des contre-
marches. Maintenant c'est trop tard; il faut en faire
un nouveau. »

Dans une aile en construction, l'entrepreneur avait
abîmé l'escalier, faute d'avoir exactement calculé la
hauteur de la cage. Il voulait maintenant réparer sa
bévue en ajoutant trois marches.

« Ça sera beaucoup mieux, je vous assure.

— Mais où crois-tu qu'il se terminera, ton escalier,
avec trois marches de plus?

— Juste au bon endroit, pardine, répliqua le charpentier avec un sourire méprisant. Il partira du bas,
comme de juste, expliqua-t-il avec un geste persuasif,
il montera en douce et arrivera là-haut en plein à la
bonne place.

— Vraiment! T'imagines-tu que les trois marches ne
lui ajouteront pas de la hauteur? Réfléchis un peu,
voyons, et dis-moi où il arrivera.

— Juste au bon endroit, soutenait mordicus l'entrepreneur.

— Juste sous le plafond, mon pauvre ami!

— Non, reprit obstinément le bonhomme, il partira
du bas, il montera en douce, et il arrivera en plein
au bon endroit. »

Levine tira la baguette de son fusil et se mit à dessiner l'escalier dans le sable.

« Y es-tu maintenant?

— A vos ordres, répondit le charpentier dont le

regard s'éclaira : il avait enfin compris! Va falloir en
faire un nouveau.

— C'est ce que je m'épuise à te dire, obéis-moi donc
une bonne fois, cria Levine en remontant en voiture...
Allons-y!... Tiens bien les chiens, Philippe! »

Heureux de se sentir débarrassé de ses soucis
domestiques, Levine éprouva une joie si vive qu'il
aurait voulu se taire et ne songer qu'aux émotions qui
l'attendaient. Trouverait-on du gibier dans le marais
de Kolpenskoié? Mignonne tiendra-t-elle tête à Crac?
Lui-même serait-il à la hauteur devant cet étranger?
Pourvu qu'Oblonski ne fît pas un plus beau tableau
que lui!

En proie à des préoccupations analogues, Oblonski
n'était guère plus loquace. Seul Vassia Veslovski ne
tarissait pas, et Levine, en l'écoutant bavarder, se
reprocha ses injustices de la veille. C'était vraiment
un bon garçon, auquel on ne pouvait guère reprocher
que de considérer ses ongles soignés, son calot écossais et sa tenue élégante comme autant de preuves de
son incontestable supériorité; du reste, simple, gai,
bien élevé, prononçant admirablement le français et
l'anglais, et qu'avant son mariage, Levine eût de toute
évidence pris en grande amitié.

Le bricolier de gauche, un cheval du Don, plut
extrêmement à Veslovski. « Comme il doit faire bon
galoper par la steppe avec une bête pareille! » allait-il
répétant. Il goûtait sans doute à cette chevauchée
imaginaire une jouissance poétique et sauvage, encore
qu'assez imprécise; mais sa beauté, son charmant
sourire, la grâce de ses gestes, sa naïveté surtout exer-
çaient un attrait incontestable, auquel Levine résistait
d'autant moins qu'il avait à cœur de racheter ses jugements téméraires de la veille.

Ils avaient déjà fait trois verstes quand Vassia
s'aperçut de l'absence de son portefeuille et de son
étui à cigares; le portefeuille contenant trois cent
soixante-dix roubles, il voulut s'assurer qu'il l'avait
oublié sur sa table de nuit.

« Savez-vous quoi, Levine? dit-il, déjà prêt à sauter

de voiture. Laissez-moi monter votre bricolier, et je serai vite de retour.

— Ne vous donnez pas cette peine, mon cocher fera facilement la course », repartit Levine, calculant que le Vassia devait peser pour le moins cent kilos!

Le cocher fut dépêché en quête du portefeuille et Levine prit les rênes.

IX

« EXPLIQUE-NOUS ton plan de campagne, s'enquit soudain Oblonski.

— Le voici : l'objectif est Gvozdiev à vingt verstes d'ici. De ce côté-ci du village nous trouverons un marais à doubles et de l'autre côté de grands marécages où foisonnent les bécassines et que les doubles ne dédaignent pas non plus. En y arrivant vers le soir, nous pourrons profiter de la chaleur pour chasser; nous coucherons chez un paysan, et demain nous entreprendrons le grand marais?

— N'y a-t-il rien sur la route?

— Si fait, il y a deux bons endroits, mais cela nous retarderait. D'ailleurs il fait trop chaud et nous en serions sans doute pour notre peine. »

Levine comptait réserver pour son usage particulier ces chasses voisines de la maison, où d'ailleurs trois fusils n'auraient pu que se gêner; mais rien n'échappait à l'œil exercé d'Oblonski et, passant devant un petit marais, il s'écria :

« Si nous nous arrêtions?

— Oh! oui, Levine, faisons halte », supplia Vassia.

Il fallut se résigner. La voiture à peine arrêtée, les chiens s'élancèrent à qui mieux mieux vers le marais.

« Crac, Mignonne, ici! »

Les chiens revinrent.

« A trois, nous serions trop à l'étroit, je vais rester ici », dit Levine, espérant qu'ils ne trouveraient pas

d'autre gibier que des vanneaux : les chiens en avaient
fait lever quelques-uns qui, se balançant dans leur vol,
jetaient au-dessus du marais leur plainte désolée.

« Non, non, Levine, venez avec nous, insista
Veslovski.

— Mais non, je vous assure, nous nous gênerions.
Mignonne ici! Un chien vous suffira, n'est-ce pas? »

Levine demeura près des voitures, suivant d'un œil
d'envie les chasseurs, qui battirent tout le marais pour
n'y trouver qu'une poule d'eau et quelques vanneaux,
dont l'un fut abattu par Veslovski.

« Vous voyez bien que je ne mentais pas, leur dit
Levine quand ils furent de retour. Nous avons tout
bonnement perdu du temps.

— Mais non, c'était très amusant, rétorqua Veslovski
qui, empêtré par son fusil et son vanneau, remontait
gauchement en voiture. Vous avez vu comme je l'ai
descendu? Beau coup, n'est-ce pas? Arriverons-nous
bientôt dans le bon coin? »

Tout à coup les chevaux se cabrèrent, Levine donna
de la tête contre le canon d'un fusil et un coup de feu
partit. C'est du moins ce qui lui sembla. En réalité
Veslovski, voulant désarmer son fusil, avait appuyé
par erreur sur la détente tout en retenant le chien de
l'autre. Par bonheur la charge ne blessa personne et
s'enfonça dans le sol. Stépane Arcadiévitch hocha la
tête par manière de reproches, mais Levine n'eut pas
le courage de gronder Veslovski, dont le désespoir
était manifeste et qui pouvait d'ailleurs attribuer les
remontrances de son hôte au dépit de s'être fait une
bosse au front. A vrai dire, cette consternation céda
bientôt la place à un accès de gaieté aussi franche que
contagieuse.

En arrivant au second marais qui, plus étendu que
le premier, demandait plus de temps à battre, Levine
conjura ses invités de passer outre, mais, cédant aux
supplications de Veslovski, il les laissa descendre et
demeura de nouveau près des voitures.

Crac se jeta dans le marécage, suivi de près par
Vassia, et, avant qu'Oblonski ne les eût rejoints, il

avait fait lever une bécassine double qui, sur un raté de Veslovski, se remisa dans un pré. Mais cette fois Crac se mit en arrêt et Vassia ne la manqua point. Il revint alors vers les voitures.

« A votre tour, dit-il à Levine; je surveillerai les chevaux. »

Jaloux du coup de fusil, Levine tendit les rênes à Veslovski et s'engagea dans le marais. Mignonne, qui depuis longtemps gémissait sur l'injustice du sort, fila d'un trait vers un îlot négligé par Crac mais que son maître et elle connaissaient de longue date.

« Pourquoi ne l'arrêtes-tu pas? cria Stépane Arca-diévitch à son beau-frère.

— Sois tranquille, elle ne les fera pas voler », répondit Levine, heureux de la joie de sa chienne et courant après elle.

Plus Mignonne approchait de l'îlot giboyeux, plus sa quête devenait serrée. A peine se laissa-t-elle distraire un instant par un petit oiseau de marais sans conséquence. Elle fit une ou deux fois le tour de l'îlot giboyeux, puis subitement trembla de tout le corps et s'immobilisa.

« Arrive, arrive, Stiva! » cria Levine, qui sentit son cœur battre à coups précipités. Et tout à coup, comme si son ouïe tendue à l'extrême eût perdu le sens de la distance, tous les sons vinrent la frapper avec une intensité désordonnée. Il prenait les pas tout proches d'Oblonski pour le trépignement lointain des chevaux, et pour l'envol d'une bécassine l'éboulement d'une motte de terre sur laquelle il posait le pied. Il percevait encore non loin derrière lui une sorte de clapotis qu'il ne s'expliquait pas très bien.

Il rejoignit Mignonne en marchant prudemment.

« Pille! » cria-t-il.

Une bécassine partit sous les pieds de la chienne; il la visait déjà lorsqu'au lourd clapotis vint se mêler la voix de Veslovski poussant des cris bizarres. Levine vit très bien qu'il tirait trop en arrière et manqua son coup; en se retournant il aperçut le char à bancs et les chevaux à moitié enfoncés dans la boue : afin de mieux assister à la chasse, Vassia leur avait fait quitter la route pour le marais.

« Que le diable l'emporte! murmura Levine en rebroussant chemin vers l'équipage embourbé. Pourquoi diantre êtes-vous venu jusqu'ici? » demanda-t-il sèchement au jeune homme. Et, hélant le cocher, il se mit en devoir de dégager les chevaux.

Non seulement on lui gâtait son plaisir, on risquait d'abîmer ses chevaux, mais ses compagnons le laissèrent dételer et ramener à l'aide du cocher les pauvres bêtes en lieu sec, sans lui offrir la moindre assistance; aucun d'eux, il est vrai, ne s'y entendait. En revanche le coupable fit de son mieux pour dégager le char à bancs et dans son zèle arracha même un garde-crotte. Cette bonne volonté toucha Levine qui mit son accès de mauvaise humeur sur le compte de ses préventions de la veille et redoubla aussitôt d'amabilités pour Veslovski. L'alerte passée, il donna l'ordre de déballer le déjeuner.

« *Bon appétit, bonne conscience! Ce poulet va tomber jusqu'au fond de mes bottes,* dit Vassia rasséréné en dévorant son second poulet. Nos malheurs sont finis, messieurs, tout va nous réussir; mais, en punition de mes méfaits, je demande à monter sur le siège et à vous servir d'automédon... Non, non, laissez-moi faire, vous allez voir comme je vais vous mener. Je serai très bien sur le siège et j'ai à cœur de réparer ma bévue. »

Levine craignait pour ses chevaux, surtout pour le bai brun que Vassia tenait mal en main; mais il céda bientôt à l'insouciance communicative du brave garçon, qui ne cessa tout le long du chemin de chanter des romances ou de singer un amateur anglais conduisant *four in hand.*

Nos chasseurs atteignirent les marais de Gvozdiev dans les meilleures dispositions du monde.

X

VASSIA avait mené trop vite les chevaux : le but de l'expédition se trouvait atteint avant que la grosse chaleur ne fût tombée.

Levine aspira aussitôt à se débarrasser de l'incommode compagnon. Stépane Arcadiévitch semblait partager ce désir, car la rouerie bon enfant qui lui était particulière tempérait sur son visage l'air de préoccupation qui s'empare de tout chasseur au début d'une partie sérieuse.

« L'endroit m'a l'air bon, car j'aperçois des éperviers, dit-il en désignant deux oiseaux de proie qui planaient au-dessus des roseaux. C'est toujours un indice de gibier. Comment allons-nous l'explorer?

— Un instant, messieurs, répondit Levine qui, d'un air plutôt sombre, rajustait ses bottes et vérifiait les pistons de son fusil. Vous voyez cette touffe de joncs, tout droit devant nous? demanda-t-il en leur indiquant un point plus foncé qui tranchait sur l'immense prairie humide, fauchée par places. C'est à cet endroit que commence le marais pour incliner vers la droite, non loin de cette bande de chevaux; on trouve des doubles de ce côté-là. Il contourne ensuite les roseaux et s'étend jusqu'à ce bouquet d'aunes et même jusqu'au moulin que vous apercevez là-bas dans un coude de la rivière; c'est le meilleur coin, il m'est arrivé d'y tuer jusqu'à dix-sept bécassines. Nous allons, si vous le voulez bien, nous séparer et faire le tour du marais avec le moulin comme point de rendez-vous.

— Eh bien, prenez à droite, dit Stépane Arcadiévitch d'un air indifférent, il y a plus d'espace pour deux, moi je prendrai à gauche.

— C'est ça, appuya Vassia, et nous allons vous battre dans les règles. »

Force fut à Levine d'accepter cet arrangement.

A peine lâchés, les chiens se mirent à quêter, éventant du côté du marécage. A l'allure lente et indécise de Mignonne, Levine s'attendait à voir voler une bande de bécassines.

« Veslovski, ne restez pas en arrière, je vous en conjure, murmura-t-il à son compagnon de chasse qui barbotait dans les flaques d'eau.

— Ne vous occupez pas de moi, je ne veux pas vous gêner. »

Mais, rendu méfiant par l'alerte de Kolpenskoié, Levine se rappelait à bon droit l'admonestation que lui avait faite Kitty avant le départ : « Surtout, ne vous canardez pas les uns les autres! »

Les chiens approchaient de plus en plus de la remise des bécassines, cherchant à prendre connaissance du gibier chacun de son côté. Levine était si ému que le clapotement de son talon retiré de la vase lui parut le cri d'une bécassine; il saisit aussitôt la crosse de son fusil.

« Pif, paf! » Deux détonations retentirent soudain à son oreille. Vassia tirait sur une bande de canards qui passaient au-dessus du marais, mais hors de portée. Levine n'eut pas le temps de se retourner qu'une bécassine s'enlevait, suivie d'une seconde, d'une troisième, de huit autres encore.

Au moment où elle commençait ses crochets, Stépane Arcadiévitch en épaula une, qui tomba comme une motte. Sans se presser, il en suivit une autre qui rasait les joncs. Son second coup était à peine parti que la bécassine tombait; elle se débattit dans les joncs, laissant voir le dessous blanc de l'aile qui palpitait encore.

Levine fut moins heureux : il tira de trop près sa première bécassine et la manqua; il voulut la rattraper au moment où elle montait, mais une autre lui étant partie sous les pieds, il se laissa distraire et la rata de nouveau.

Tandis qu'Oblonski et Levine rechargeaient leurs fusils, une dernière bécassine partit et Veslovski, qui entre-temps avait rechargé le sien, tira deux coups de

petit plomb dans l'eau. Oblonski releva son gibier avec
des yeux brillants de joie.

« Et maintenant séparons-nous », dit-il, et il se
dirigea vers la droite, boitant légèrement de la jambe
gauche, sifflant son chien et tenant son fusil tout
prêt.

Lorsque Levine manquait le premier coup, il perdait
facilement son sang-froid et compromettait sa chasse;
c'est ce qui lui arriva ce jour-là. A tout instant les
bécassines partaient sous le nez du chien ou sous les
pieds des chasseurs; il aurait donc pu réparer sa maladresse, mais plus il tirait, plus il se couvrait de honte
devant Veslovski, qui déchargeait son fusil à tort et
à travers sans rien tuer, mais sans perdre pour autant
sa gaieté. Levine, qui s'irritait de plus en plus, en vint
presque à brûler ses cartouches au petit bonheur.
Mignonne, stupéfaite, regardait les chasseurs d'un air
de reproche, et sa quête se fit moins régulière. Les
coups de feu avaient beau se succéder sans interruption et la fumée envelopper les chasseurs, l'immense
carnassière contenait en tout et pour tout trois méchants bécasseaux; encore Vassia en avait-il tué un à
lui seul et un autre de moitié avec Levine.

Cependant, à l'autre bout du marécage, les coups,
d'ailleurs peu fréquents, tirés par Oblonski, semblaient
avoir porté, car presque chaque fois on l'entendait
crier : « Crac, apporte! » Ce succès irrita encore plus
Levine.

Les bécassines volaient maintenant en bandes;
d'aucunes même venaient se reposer à leur ancienne
place, et le bruit mat que faisaient celles-ci en pla-
quant leurs ailes sur le sol humide alternait avec les
cris que poussaient les autres en plein vol. Des
douzaines d'éperviers piaillaient maintenant au-dessus
du marais.

Levine et Veslovski avaient déjà battu plus de la
moitié du marécage quand ils atteignirent un pré appartenant à plusieurs familles de paysans et divisé en
longues bandes qui s'en venaient mourir au bord des
roseaux. Comme plusieurs de ces lots n'étaient pas

encore fauchés, la prairie n'offrait guère d'intérêt pour la chasse. Levine s'y engagea quand même, car il voulait tenir parole et rejoindre son beau-frère.

Quelques paysans cassaient la croûte près d'une charrette dételée.

« Ohé, les chasseurs, cria l'un d'eux, venez boire un coup avec nous. »

Levine considéra le groupe.

« Venez, n'ayez pas peur », continua le rustaud, un joyeux compère au visage écarlate et barbu, en découvrant ses dents blanches et levant au-dessus de sa tête une bouteille verdâtre qui brilla au soleil.

« *Qu'est-ce qu'ils disent?* demanda Veslovski.

— Ils nous offrent de boire avec eux; ils auront sans doute fait le partage de la prairie. J'accepterais bien, ajouta Levine avec l'arrière-pensée de se défaire de Vassia.

— Mais pourquoi veulent-ils nous régaler?

— En signe de réjouissance probablement. Allez-y donc, cela vous amusera.

— *Allons, c'est curieux.*

— Allez, allez, vous trouverez ensuite facilement le chemin du moulin, cria Levine, ravi de voir Veslovski s'éloigner, courbé en deux, tenant son fusil à bout de bras et butant de ses pieds fatigués contre les mottes de terre.

— Viens donc aussi, cria le paysan à Levine, y a du bon pâté! »

Levine n'eût certes refusé ni un morceau de pain ni un verre d'eau-de-vie, car il se sentait las et tirait avec peine ses pieds du sol marécageux. Mais il aperçut Mignonne en arrêt et oublia sa fatigue pour la rejoindre. Une bécassine lui partit sous les pieds, et cette fois il ne la manqua pas. La chienne gardait l'arrêt. « Pille! » Un autre oiseau se leva devant le nez du chien. Il tira son second coup, mais décidément la journée était malheureuse : non seulement il rata un des deux oiseaux, mais il ne put retrouver le premier. Ne voulant pas croire qu'il l'avait tué, Mignonne faisait semblant de le chercher.

La malchance, dont il rendait Vassia responsable, s'attachait bel et bien aux pas de Levine : bien qu'ici également il y eût beaucoup de gibier, il faisait raté sur raté.

Les rayons du soleil couchant étaient encore très chauds, ses vêtements trempés lui collaient au corps; sa botte gauche remplie d'eau alourdissait sa marche; la sueur coulait à grosses gouttes sur son visage noir de poudre, il avait la bouche mauvaise, un relent de fumée et de vase le prenait à la gorge, les cris incessants des bécassines l'étourdissaient, son cœur battait à coups précipités, ses mains tremblaient d'émoi, ses pieds harassés butaient dans les mottes, s'enfonçaient dans les trous; néanmoins il ne se rendait pas. Enfin, un raté plus honteux que les autres lui fit jeter sur le sol son fusil et son chapeau.

« Décidément, se dit-il, il faut me prendre en main. » Alors relevant fusil et chapeau, il appela Mignonne et sortit du marais. Une fois sur la berge, il tira sa botte, la vida, avala quelques lampées d'eau à fort goût de rouille, mouilla ses pistons échauffés et se rafraîchit le visage et les mains. Puis il se dirigea vers la nouvelle remise des bécassines, fermement convaincu d'avoir retrouvé son calme. Pure illusion : il n'avait pas encore visé que déjà son doigt pressait la détente!

Son carnier ne contenait en tout et pour tout que cinq pauvres oiseaux quand il atteignit l'aunaie où devait le rejoindre Stépane Arcadiévitch. Ce fut Crac qui se montra le premier : couvert d'une vase puante et noire, il déboucha d'une souche abattue et s'en vint flairer Mignonne avec des airs de triomphe. Son maître apparut bientôt dans l'ombre des aunes, le visage cramoisi, ruisselant de sueur, le col déboutonné et toujours boitillant.

« Eh bien, fit-il gaiement, vous devez avoir fait belle chasse? on n'entendait que vous.

— Et toi? » demanda Levine, question à quoi le carnier d'Oblonski, surchargé de quatorze bécassines, donnait une réponse éloquente.

— C'est un vrai marais du bon Dieu! Veslovski a
dû te gêner; rien n'est plus incommode que de chasser
à deux avec un seul chien », déclara Stépane Arcadiévitch par manière de consolation.

XI

Les deux beaux-frères trouvèrent Veslovski déjà installé dans l'isba où Levine avait accoutumé de prendre
gîte. Assis sur un banc auquel il se cramponnait des
deux mains, il faisait tirer ses bottes couvertes de vase
par un soldat, frère de leur hôtesse.

« Je viens d'arriver, leur dit-il en riant de son rire
communicatif. *Ils ont été charmants.* Figurez-vous
qu'après m'avoir fait boire et manger, ils n'ont rien
voulu accepter. Et quel pain! *Délicieux!* Et quelle eau-
de-vie! Je n'en ai jamais bu de pareille. Et ils me
répétaient tout le temps : « Faut pas nous en vouloir,
« on fait ce qu'on peut! »

— Mais pourquoi vouliez-vous payer? grommela le
soldat, enfin maître d'une des bottes et du bas noir de
fange qui s'y était collé. Ils vous régalaient, n'est-ce
pas? Leur eau-de-vie, ils ne la vendent pas. »

La saleté de l'isba, que leurs bottes et les pattes de
leurs chiens avaient souillée d'une boue noirâtre,
l'odeur de poudre et de marais qui s'y était insinuée,
ne rebutèrent pas plus nos chasseurs que l'absence de
fourchettes et de couteaux : tous trois soupèrent avec
un appétit qu'on ne connaît qu'à la chasse; puis après
s'être nettoyés, ils allèrent se coucher dans le fenil, où
les cochers leur avaient préparé des lits à même le
foin.

Bien que la nuit tombât, le sommeil les fuyait; ils
évoquaient à l'envi des souvenirs de chasse. Veslovski
trouvait tout pittoresque et charmant : le gîte qui
embaumait le foin, les chiens qui reposaient aux pieds
de leurs maîtres, le chariot qui se dressait dans un

coin et qu'il croyait brisé parce qu'on en avait retiré l'avant-train. Comme il ne tarissait pas d'éloges sur l'hospitalité villageoise, Oblonski crut bon d'opposer à ces plaisirs champêtres les fastes d'une grande chasse à laquelle il avait pris part l'année précédente dans la province de Tver, chez un certain Malthus, enrichi dans les chemins de fer. Il décrivit les immenses marécages gardés, les dog-carts, la tente dressée au bord de l'eau pour le déjeuner.

« Comment de pareils individus ne te sont-ils pas odieux? dit Levine, se soulevant sur son lit de foin. Je ne nie pas les charmes d'un déjeuner au château-lafite, mais est-ce que vraiment ce luxe ne te révolte pas? Ces gens-là s'enrichissent à la façon des fermiers d'eau-de-vie d'autrefois, et se moquent du mépris public, sachant que leur argent mal acquis les réhabilitera.

— Tout à fait exact! s'écria Veslovski. Bien entendu, Oblonski accepte leurs invitations par pure *bonhomie,* mais il donne là un fâcheux exemple.

Vous vous trompez, rétorqua Stépane Arcadiévitch avec un petit ricanement qui n'échappa point à Levine. Si je vais chez lui, c'est que je le crois tout aussi honnête que tel négociant, tel agriculteur qui doivent leur fortune à leur travail et à leur intelligence.

— Qu'appelles-tu travail? Est-ce de se faire donner une concession et de la rétrocéder?

— Certainement, en ce sens que, si personne ne prenait cette peine, nous n'aurions pas de chemins de fer.

— Peux-tu assimiler ce travail à celui d'un homme qui laboure ou d'un savant qui étudie?

Non, mais il n'en a pas moins un résultat : des chemins de fer. Mais j'oubliais que tu n'en es pas partisan.

— Ceci est une autre question : je veux bien, si cela peut te faire plaisir, en reconnaître l'utilité. Mais je tiens pour malhonnête toute rémunération qui n'est pas en rapport avec le travail.

— Mais comment déterminer ce rapport?

— J'entends tout gain acquis par des voies insidieuses et peu correctes, répondit Levine qui se sentit impuissant à tracer une limite précise entre le juste et l'injuste. Par exemple, les gros bénéfices des banques. Ces fortunes rapides sont proprement scandaleuses. *Le roi est mort, vive le roi :* nous n'avons plus de fermes, mais les chemins de fer et les banques y suppléent.

— Tout cela peut être vrai et fort spirituel, répliqua d'un ton posé Stépane Arcadiévitch, évidemment convaincu de la justesse de son point de vue, mais tu n'as pas répondu à ma question... Couché, Crac! dit-il à son chien, qui se grattait et retournait tout le foin. Pourquoi, par exemple, mes appointements sont-ils plus élevés que ceux de mon chef de bureau, qui connaît les affaires mieux que moi? Est-ce juste?

— Je n'en sais rien.

— Est-il juste que tu gagnes, disons cinq mille roubles là où, avec plus de travail, le paysan qui nous héberge ce soir en gagne à peine cinquante? Non, comparés à ceux de ces braves gens, ton gain et le mien sont aussi disproportionnés que celui de Malthus par rapport aux ouvriers de sa ligne. Au fond, vois-tu, il y a une certaine dose d'envie dans la haine qu'inspirent ces millionnaires...

— Vous allez trop loin, interrompit Veslovski; on ne leur envie pas leurs richesses, mais on ne peut se dissimuler qu'elles ont un côté ténébreux.

— Tu as raison, dit Levine, de taxer d'injustes mes cinq mille roubles de bénéfice; j'en souffre, mais...

— C'est, ma foi, vrai, approuva Veslovski, d'un ton d'autant plus sincère qu'il songeait sans doute à ces choses pour la première fois de sa vie. Nous passons notre temps à boire, à manger, à chasser, à nous tourner les pouces, tandis que ces pauvres diables peinent d'un bout de l'année à l'autre.

— Oui, tu souffres, mais pas au point de donner ta terre au paysan », objecta non sans malice Stépane Arcadiévitch.

Depuis qu'ils étaient devenus beaux-frères, une hostilité sourde altérait les relations des deux amis : chacun prétendait *in petto* avoir mieux organisé sa vie que l'autre.

« Je ne la donne pas parce que personne ne me la demande, répliqua Levine; si d'ailleurs je le voulais, je ne le pourrai pas. Et à qui diantre veux-tu que je la donne?

— Mais, par exemple, à ce brave homme chez qui nous passons la nuit.

— Et de quelle manière veux-tu que je m'y prenne? faudra-t-il établir un acte de vente ou de donation?

— Je n'en sais rien; mais puisque tu as la conviction de commettre une injustice...

— Mais pas du tout. J'estime au contraire qu'ayant une famille j'ai des devoirs envers elle et ne me reconnais pas le droit de me dépouiller.

— Pardon, si tu considères cette inégalité comme une injustice, tu dois agir en conséquence.

— C'est ce que je fais en m'efforçant de ne pas l'accroître.

— Quel paradoxe!

— Oui, cela sent le sophisme! ajouta Veslovski... Eh, mais, voilà le patron, dit-il à la vue du maître de l'isba qui ouvrait la porte en la faisant crier sur ses gonds. Comment, tu n'es pas encore couché?

— Il s'agit bien de ça! Je vous croyais depuis longtemps endormis, mais voilà que je vous entends bavarder. Alors, n'est-ce pas, comme j'ai besoin d'une faux... Ils ne vont pas me mordre, au moins? ajouta-t-il en posant précautionneusement ses pieds nus l'un devant l'autre.

— Où vas-tu dormir?

— Nous gardons nos chevaux au pâturage.

— Ah! la belle nuit! s'écria Veslovski, en apercevant dans l'encadrement de la porte, à la faible lueur du crépuscule, un coin de la maison et le char à bancs dételé... Mais d'où viennent ces voix de femmes? Elles ne chantent pas mal vraiment.

— Ce sont les filles d'à côté.

— Allons faire un tour... De toute manière, nous ne pourrons pas dormir. Allons, Oblonski.

— Que ne peut-on se promener, tout en restant étendu! Il fait si bon ici, répondit Oblonski en s'étirant.

— Alors, j'irai seul, dit Veslovski qui se leva et se chaussa à la hâte. Au revoir, messieurs. Si je m'amuse, je vous appellerai; vous avez été trop aimables à la chasse pour que je vous oublie.

— Quel brave garçon, n'est-ce pas? dit Oblonski quand Vassia fut sorti et que le patron eut fermé la porte derrière lui.

— Oui, oui », répondit évasivement Levine, qui suivait toujours le fil de sa pensée : il n'arrivait pas à comprendre comment deux hommes sincères et point sots pouvaient l'accuser de sophisme alors qu'il exprimait ses sentiments aussi clairement que possible?

« Oui, mon cher, reprit Oblonski, il faut en prendre son parti et reconnaître, soit que la société actuelle repose sur des fondements légitimes, et alors défendre ses droits, soit qu'on profite de privilèges injustes, et dans ce dernier cas, faire comme moi : en profiter avec plaisir.

— Non, si tu sentais l'iniquité de ces privilèges, tu n'en jouirais pas. Moi du moins, je ne le pourrais pas; j'ai besoin de me sentir en paix avec ma conscience.

— Au fait, pourquoi n'irions-nous pas faire un tour? dit Stépane Arcadiévitch, que cet entretien par trop sérieux commençait sans doute à lasser. Allons-y, puisque aussi bien nous ne dormons pas. »

Levine ne répondit rien; il réfléchissait. Ainsi donc on trouvait ses actes en contradiction avec le sentiment qu'il avait de la justice. « Est-il possible, se disait-il, que l'on ne puisse être juste que d'une manière purement négative? »

« Décidément l'odeur du foin m'empêche de dormir, dit Oblonski en se soulevant. Vassia m'a l'air de ne pas s'ennuyer. Entends-tu ces éclats de rire? Allons-y, crois-moi.

— Non, je reste.

— Est-ce aussi par principe? demanda en riant sous cape Stépane Arcadiévitch, qui cherchait sa casquette à tâtons.

— Non; mais qu'irais-je faire là-bas?

— Sais-tu, dit Oblonski en se levant, que tu me parais sur une pente dangereuse.

— Pourquoi?

— Parce que tu prends un mauvais pli avec ta femme. J'ai remarqué l'importance que tu attachais à obtenir son autorisation pour t'absenter pendant quarante-huit heures. Cela peut être charmant à titre d'idylle, mais cela ne saurait durer toute la vie. L'homme doit maintenir son indépendance, il a ses intérêts à lui, conclut Oblonski en ouvrant la porte.

— Lesquels? ceux de courir après les filles de ferme.

— Pourquoi pas, si cela l'amuse? *Cela ne tire pas à conséquence.* Ma femme ne s'en trouvera pas plus mal. Respectons seulement le domicile conjugal; mais, pour le reste, ne nous laissons pas lier les mains.

— Peut-être, répondit sèchement Levine en se retournant. Demain je pars avec l'aurore et n'éveillerai personne, je vous en préviens. »

Veslovski accourait.

« *Messieurs, venez vite!* s'écria-t-il. *Charmante!* C'est moi qui l'ai découverte. Une vraie Gretchen. Nous sommes déjà de bons amis. Je vous assure qu'elle est délicieuse », ajouta-t-il d'un ton qui laissait entendre que cette charmante enfant avait été créée et mise au monde pour qu'il la trouvât à son goût.

Levine fit semblant de sommeiller, tandis qu'Oblonski mettait ses pantoufles et allumait un cigare. Il laissa les deux amis s'éloigner mais resta longtemps sans pouvoir s'endormir; prêtant l'oreille aux bruits d'alentour, les chevaux mâchonnaient leur foin; le patron partit avec son fils aîné pour garder les bêtes au pâturage; le soldat se coucha de l'autre côté du fenil avec son tout jeune neveu; et comme l'enfant lui demandait à qui en voulaient ces méchants chiens, l'oncle lui raconta que le lendemain les chasseurs s'en iraient au marais pour y faire paf! paf! avec leurs

fusils; puis, excédé par les questions du gamin, il le
fit taire par des menaces : « Dors, Vassia, dors, ou
sans cela gare! » Bientôt ses ronflements troublèrent
seuls le silence, et, par intervalles, le hennissement
des chevaux et l'appel des bécassines.

« Eh quoi, se répétait toujours Levine, ne peut-on
vraiment être juste que d'une manière négative? Après
tout, je n'y puis rien, ce n'est pas ma faute! » Et il se
prit à songer au lendemain : « Je me lèverai avec le
jour et je saurai garder mon sang-froid; le marais est
plein de bécassines, il y a même des doubles. Et je
trouverai en rentrant un mot de Kitty... Stiva pourrait
bien avoir raison, je suis trop faible avec elle... Mais
qu'y faire? Voilà de nouveau du « négatif. »

Il perçut à travers son sommeil le rire et les gais
propos de ses compagnons qui rentraient, et rouvrit un
instant les yeux pour les voir éclairés par la lune dans
l'entrebâillement de la porte. Oblonski comparait un
jeune tendron à une noisette fraîchement écalée, tandis que Veslovski, riant de son rire contagieux, répétait sans doute un mot que lui avait dit l'un des manants : « Tâche plutôt voir à en prendre une à ton
goût! »

« Demain avant l'aube, messieurs! » marmonna
Levine et il se rendormit.

XII

Levé à pointe d'aube, Levine essaya en vain de réveiller ses compagnons. Couché sur le ventre et ne
laissant voir que le bas qui moulait une de ses jambes,
Veslovski ne donna aucun signe de vie; Oblonski
grommela quelques mots de refus; Mignonne elle-
même, blottie en rond au bord du foin, étira pares-
seusement l'une après l'autre ses pattes de derrière
avant de se décider à suivre son maître. Levine se

chaussa, prit son fusil, et sortit en se gardant de faire grincer la porte. Les cochers dormaient près des voitures, les chevaux sommeillaient, sauf un qui mâchonnait son avoine en l'étendant du museau sur l'auge. Il faisait à peine jour.

« Qu'est-ce qui te fait lever de si bon matin, notre ami? lui demanda la maîtresse du logis, une brave femme déjà âgée qui sortait de son isba et l'accosta familièrement comme une vieille connaissance.

— Je vais à la chasse, ma bonne. Par où faut-il que je passe pour gagner le marais?

— Prends tout droit derrière nos granges, puis à travers les chènevières; il y a un sentier. »

Marchant avec précaution, car elle avait les pieds nus, la vieille l'accompagna jusqu'à l'aire, dont elle lui ouvrit la barrière.

« Tu tomberas comme ça en plein mitan du marais. Nos gars ont mené les bêtes par là hier soir. »

Mignonne prit les devants en folâtrant et Levine la suivit d'un pas allègre, tout en scrutant le ciel d'un œil inquiet, car il aurait voulu atteindre le marais avant le lever du soleil. La lune, qui éclairait encore quand il avait quitté le fenil, prenait maintenant des teintes de vif-argent; l'étoile du matin, qui naguère s'imposait à la vue, pâlissait de plus en plus; des points, d'abord vagues à l'horizon, offraient des contours plus distincts : c'étaient des tas de blé. Dans le chanvre déjà haut qui répandait un âcre parfum et d'où l'on avait déjà arraché les tiges mâles, la rosée encore invisible mouillait les jambes de Levine et sa blouse jusqu'à la ceinture. Dans le silence limpide du matin, les moindres sons se percevaient nettement, et une abeille qui frôla l'oreille de Levine lui parut siffler comme une balle.

Il en aperçut encore deux ou trois qui, franchissant la clôture du rucher, prenaient leur vol par-dessus les chènevières dans la direction du marais. Déjà celui-ci se devinait aux vapeurs qui s'en exhalaient, nappe blanche où des bouquets de saules et de roseaux formaient des îlots d'un vert sombre. Au débouché du sentier, des hommes et des enfants enveloppés dans leurs caftans, dormaient d'un profond sommeil, après avoir veillé toute la nuit. Près d'eux paissaient trois chevaux entravés, dont l'un faisait résonner ses chaînes. Mignonne marchait maintenant à la botte de son maître fouillant les alentours du regard et implorant d'être lâchée. Quand, après avoir dépassé les dormeurs, Levine sentit le terrain fléchir sous ses pieds, il vérifia ses amorces et laissa aller sa chienne. A la vue de celle-ci, un des chevaux, un beau poulain brun de trois ans, dressa la queue et s'ébroua. Les autres prirent aussi peur et sortirent de l'eau en dégageant à grand-peine leurs sabots de la vase où ils barbotaient lourdement.

Mignonne s'arrêta; elle eut pour les chevaux une œillade moqueuse et pour son maître un regard interrogateur. Levine la caressa et l'autorisa par un sifflement à commencer sa quête. Elle partit aussitôt, flairant sur le sol mouvant, parmi d'autres senteurs connues — celles des racines, des plantes, de la rouille — ou inconnues — celle du crottin de cheval — cette odeur du gibier qui la troublait plus que toute autre. Cette odeur imprégnait de place en place la mousse et les bardanes, mais on ne pouvait en déterminer la direction. Pour trouver la piste, il lui fallait prendre le vent. Ne sentant pas les mouvements de ses pattes, marchant au petit galop pour pouvoir en cas de besoin s'arrêter brusquement, elle s'éloigna vers la droite, fuyant la brise qui soufflait de l'orient. Quand elle eut pris le vent, elle aspira l'air à pleines narines, et ralentit aussitôt sa course, sentant qu'elle tenait, non plus une piste, mais le gibier lui-même, et en grande abondance. Mais où exactement? Elle traçait déjà ses lacets, quand la voix de son maître retentit, l'appelant d'un autre côté : « Mignonne, ici! » Elle s'arrêta, indécise, comme pour lui faire entendre que mieux valait la laisser agir à sa guise; mais Levine réitéra son ordre d'une voix courroucée, en lui désignant un monticule où il ne pouvait rien y avoir. Pour lui faire plaisir, elle grimpa sur le monticule et fit semblant de quêter, mais revint bientôt à l'endroit qui l'attirait. Sûre de son fait, maintenant que son maître ne la gênait plus, sans regarder à ses pieds et butant rageusement contre les mottes, tombant à l'eau mais se redressant aussitôt sur ses pattes vigoureuses et souples, elle se mit à tracer un cercle qui devait lui donner l'explication de l'énigme. L'odeur se faisait toujours plus forte, toujours plus précise; soudain elle comprit qu'il y en avait « un » là, à cinq pas d'elle, et elle se mit en arrêt, immobile comme une statue. Ses pattes trop courtes l'empêchaient de voir, mais son flair ne la trompait pas. Sa queue tendue ne tremblait que du bout, elle avait la gueule entrouverte et les oreilles dressées; l'une d'elles s'était retournée en galopant. Elle respirait lourdement, mais avec précaution, et tournait son regard plus que sa tête vers son maître, qui arrivait avec des yeux qu'elle jugeait toujours courroucés et en marchant à une allure aussi rapide que le lui permettait le sol mouvant, mais dont elle maudissait la lenteur.

En voyant Mignonne se presser contre le sol la gueule entrouverte et les pieds de derrière raclant la terre, Levine comprit qu'elle avait éventé des doubles et prit sa course en suppliant le ciel de ne pas lui faire manquer son premier coup. Arrivé tout près d'elle, il découvrit à moins d'un mètre l'oiseau qu'elle n'avait pu que flairer. C'était bien une double, tapie, l'oreille aux aguets, entre deux mottes : elle fit mine un moment d'ouvrir ses ailes, les replia, et frétillant gauchement du croupion, se reblottit dans un coin.

« Pille! » cria Levine en excitant sa chienne du pied.

« Je ne puis pas bouger, se dit Mignonne, je les sens, mais je ne les vois pas, et si je bouge je ne saurai plus où les prendre. »

Mais le maître la poussa du genou, en répétant tout ému :

« Pille, Mignonne, pille! »

« Puisqu'il y tient, je vais lui obéir, mais je ne réponds pas de moi », se dit-elle en se lançant éperdue

entre les deux mottes, ne flairant plus rien et ne
sachant plus ce qu'elle faisait.

A dix pas de l'ancienne place, un oiseau se leva avec
le coassement gras et le bruit d'ailes sonore caractéris-
tiques des doubles. Levine tira, l'oiseau s'abattit, frappant la terre humide de sa poitrine blanche. Une
autre se leva d'elle-même derrière Levine; quand
celui-ci se retourna, elle était déjà loin, mais le coup
de feu l'atteignit : après avoir volé l'espace d'une
vingtaine de pas, elle monta en chandelle, dégringola
cul par-dessus tête, et vint lourdement se plaquer sur
une place sèche.

« Ça va marcher, songea Levine en fourrant dans
son carnier les deux oiseaux gras et chauds. N'est-ce
pas, ma belle, que ça va marcher? »

Quand Levine, après avoir rechargé son fusil, reprit
sa marche, le soleil, que cachaient encore des nuages,
était déjà levé, la lune ne semblait plus qu'un point
blanc dans l'espace, toutes les étoiles avaient disparu.
Les flaques d'eau, qu'argentait naguère la rosée, reflé-
taient maintenant de l'or et de l'ambre; les tons bleus
de l'herbe passaient au vert jaunâtre. Les oiseaux de
marais s'agitaient dans les buissons brillants de rosée,
qui jetaient de longues ombres le long d'un ruisseau.
Un épervier, perché sur une meule, se réveilla, tourna
la tête de droite et de gauche, jeta autour de lui des
regards mécontents, cependant que des corneilles s'envolaient dans la direction des champs. Un des gamins
aux pieds nus ramenait les chevaux vers le vieux villa-
geois qui se grattait, après avoir rejeté son caftan. La
fumée du fusil blanchissait l'herbe verte comme une
traînée de lait.

« Y a aussi des canards par ici, sais-tu, monsieur,
on en a vu hier », cria à Levine un des gamins, qui se
mit à le suivre à une distance respectueuse.

Levine éprouva un plaisir particulier à tuer coup
sur coup trois bécassines devant cet enfant, dont la
joie éclata bruyamment (1).

_____

(1) « On a fait des remarques caustiques sur la chasse, les
chiens, les doubles. Ce sont là sujets terre à terre aux regards de

XIII

La superstition du premier coup ne se trouva pas vaine : Levine rentra entre neuf et dix heures, harassé, affamé, mais enchanté, après avoir parcouru une trentaine de verstes, tué dix-neuf bécassines et un canard, que, faute de place dans son carnier, il suspendit à sa ceinture. Ses compagnons, levés depuis longtemps, avaient eu le loisir de mourir de faim en l'attendant, puis de déjeuner.

« Permettez, permettez, je sais qu'il y en a dix-neuf », disait-il en comptant pour la seconde fois ces petites bêtes si brillantes au moment de leur envol, et

la rhétorique contemporaine... Malgré tout cela, votre roman occupe tout le monde... C'est un succès fou, incroyable. Il n'y a que Pouchkine et Gogol qu'on ait lus ainsi. » (Lettre de Strakhov, février 1877.)

L'intérêt suscité par *Anna Karénine*, qui paraissait dans le *Messager Russe* avec des retards dont s'impatientait le public, était en effet immense. Chacun s'ingéniait à imaginer la suite du récit. On raconte que des dames de la société moscovite envoyaient leurs valets de chambre à l'imprimerie où se composait le roman, pour extorquer aux typographes le contenu des chapitres ultérieurs.

Cependant, Tourguéniev écrivait :

« Tolstoï a... un talent hors pair mais dans *Anna Karénine* il *a fait fausse route* comme on dit ici; c'est l'influence de Moscou, de la noblesse slavophile, des vieilles filles pieuses, de son propre isolement et de l'absence de véritable liberté artistique. » (Lettre à Souvorine.)

Dans une lettre au poète Polonski, il dit également : « *Anna Karénine* me déplaît, quoiqu'on y trouve des pages réellement magnifiques (les courses, les foins, la chasse). Mais tout cela sent l'aigre, Moscou, l'encens, la vieille fille, le slavophilisme, la caste nobiliaire, etc... »

Un des critiques regrette que les personnages d'*Anna Karénine* soient artificiels et ne trouvent pas de représentants dans la vie courante.

Quant à Skabitenevski, l'historien de la littérature, il dit que tout le roman est « pénétré du parfum idyllique des langes d'un nouveau-né ».

Tolstoï avait reçu 20 000 roubles pour *Anna Karénine*. On n'avait encore jamais donné un prix aussi élevé pour un roman.

de si piètre apparence maintenant avec leur petit corps recroquevillé, leur bec penché, leurs plumes couvertes de sang coagulé.

Le compte était exact et le sentiment d'envie que ne cacha point son beau-frère causa un certain plaisir à Levine. Pour comble de bonheur, le messager de Kitty l'attendait avec un billet rassurant.

« Je vais à merveille, écrivait-elle, et si tu ne me crois pas suffisamment gardée, rassure-toi en apprenant que Marie Vlassievna est ici (c'était la sage-femme, un personnage nouveau et fort important dans la famille). Elle me trouve en parfaite santé et restera avec nous jusqu'à ton retour; ainsi ne te presse pas si la chasse est bonne. »

Grâce à ce billet et à l'heureux tableau de chasse, Levine ne prit point trop à cœur deux incidents moins agréables. Tout d'abord, le cheval de volée, surmené la veille, refusait de manger et paraissait fourbu.

« On l'a mené trop vite hier, Constantin Dmitritch, je vous assure. Songez donc : dix verstes à un train pareil! »

La seconde contrariété, qui le fit bien rire après avoir tout d'abord échauffé sa bile, fut de ne plus rien trouver des provisions données par Kitty au départ d'une main plus que généreuse : il y en avait bien pour huit jours! Levine comptait particulièrement sur de certains petits pâtés dont il croyait sentir le fumet sur le chemin du retour. Son premier mot fut pour ordonner à Philippe de les lui servir; mais il n'en restait plus un seul, et tous les poulets avaient également disparu.

« Parlez-moi de cet appétit! dit en riant Stépane Arcadiévitch en désignant Vassia. Je ne puis pas me plaindre du mien, mais celui-là est vraiment phénoménal.

— Tout est dans la nature! répondit Levine en regardant Vassia sans aménité. Eh bien, Philippe, sers-moi le rôti.

— Il n'y en a plus, monsieur, et on a jeté les os aux chiens.

— On aurait tout de même pu me laisser quelque chose! s'écria Levine, prêt à pleurer de dépit. Eh bien, puisque c'est comme ça, reprit-il d'une voix tremblante en évitant de regarder Veslovski, vide les bécassines et bourre-les d'orties. Et tâche de me trouver au moins un pot de lait. »

Sa faim apaisée, il fut confus d'avoir témoigné son désappointement devant un étranger et rit le premier de la colère qu'avait provoquée sa fringale.

Le même soir, après une dernière chasse où Vassia lui-même se distingua, les trois compagnons reprirent le chemin du logis, où ils arrivèrent la nuit. Le retour fut aussi gai que l'aller; Veslovski chanta force romances et évoqua avec un plaisir tout particulier le souvenir de ses aventures : la halte auprès des paysans qui l'avaient régalé d'eau-de-vie; la promenade nocturne avec la fille de ferme en écalant des noisettes et la réflexion cocasse que lui avait fait un manant en apprenant qu'il n'était point marié : « Eh bien, au lieu de reluquer les femmes des autres, tâche plutôt voir à en prendre une à ton goût! » phrase qu'il ne pouvait se rappeler sans rire.

« Je suis on ne peut plus content de notre excursion, déclara-t-il. Et vous, Levine?

— Moi aussi », répondit franchement celui-ci, tout heureux de ne plus éprouver aucune animosité envers le brave garçon.

                            XIV

Le lendemain vers dix heures, après avoir fait sa ronde, Levine frappait à la porte de Veslovski.

« *Entrez!* cria celui-ci... Excusez-moi, je termine *mes ablutions,* dit-il, confus de son négligé.

— Ne vous gênez pas. Avez-vous bien dormi? demanda Levine en s'asseyant près de la fenêtre.

— Comme un mort. Fait-il un beau temps de chasse aujourd'hui?

— Que prenez-vous le matin, du café ou du thé?

— Ni l'un ni l'autre; je déjeune à l'anglaise... J'ai honte de mon appétit... Ces dames sont sans doute levées? Si nous faisions un petit tour? vous me montreriez vos chevaux. »

Après une promenade au jardin, une station à l'écurie et quelques exercices aux barres parallèles, les deux nouveaux amis gagnèrent la salle à manger.

« Nous avons eu une chasse bien amusante, et j'en rapporte une foule d'impressions, dit Veslovski en s'approchant de Kitty installée près du samovar. Quel dommage que les dames soient privées de ce plaisir! »

« Il faut bien qu'il dise un mot à la maîtresse de la maison », pensa pour se rassurer Levine, qu'agaçaient déjà le sourire et l'air conquérant du jeune homme.

A l'autre bout de la table, la princesse démontrait à Marie Vlassievna et à Stépane Arcadiévitch la nécessité d'installer sa fille à Moscou pour l'époque de sa délivrance, et elle appela son gendre pour lui parler de cette grave question. Rien ne froissait autant Levine que cette attente banale d'un événement aussi sublime que la naissance d'un fils, — car ce serait un fils. Il n'admettait pas que cet invraisemblable bonheur, entouré pour lui de tant de mystère, fût discuté comme un fait très ordinaire par ces femmes qui en comptaient l'échéance sur leurs doigts. Leurs entretiens sempiternels sur la meilleure façon d'emmailloter les nouveau-nés le froissaient; tous ces langes, toutes ces couches, particulièrement chers à Dolly et confectionnés avec des allures mystérieuses, l'horripilaient. Et il détournait les yeux et l'oreille comme naguère lors des préparatifs de la noce.

Incapable de comprendre les sentiments auxquels obéissait son gendre, la princesse taxait d'étourderie cette indifférence apparente; aussi ne lui laissait-elle pas de repos. Elle venait de charger Stépane Arcadiévitch de chercher un appartement et tenait à ce que Levine donnât son avis.

« Faites ce que bon vous semble, princesse. je n'y entends rien, rétorqua celui-ci.

— Mais il faut fixer la date de votre retour.

— Je l'ignore; ce que je sais, c'est que des millions d'enfants naissent hors de Moscou et sans l'aide d'aucun médecin.

— Dans ce cas...

— Kitty fera ce qu'elle voudra.

— Kitty ne doit pas entrer dans ces détails, qui pourraient l'effrayer. Rappelle-toi que Natalie Golitsyne est morte en couches ce printemps faute d'un bon accoucheur.

— Je ferai ce que vous voudrez », répéta Levine d'un air lugubre, et il cessa d'écouter sa belle-mère : son attention était ailleurs.

« Cela ne peut pas continuer ainsi », songeait-il en jetant à la dérobée des regards sombres sur Vassia penché vers Kitty et sur sa femme troublée et rougissante. La pose et le sourire du jeune homme lui parurent inconvenants et, comme l'avant-veille, il tomba soudain des hauteurs de l'extase dans l'abîme du désespoir. Le monde lui devint de nouveau insupportable.

« Faites comme vous voudrez, princesse, répéta-t-il une fois de plus en multipliant ses œillades.

— Tout n'est pas rose dans la vie conjugale, lui dit en plaisantant Stépane Arcadiévitch, à qui n'échappait point la véritable cause de cette mauvaise humeur. — Comme tu descends tard, Dolly.

— Macha a mal dormi et m'a excédée toute la matinée avec ses caprices. »

Tout le monde alla présenter ses hommages à Darie Alexandrovna. Veslovski, faisant preuve de ce sansgêne qui caractérise les jeunes gens d'aujourd'hui, se leva à peine, lui adressa de loin un bref salut, et reprit en riant la conversation qu'il avait engagée avec Kitty et dont Anna et l'union libre faisaient encore les frais. Ce sujet et le ton adopté par Veslovski déplaisaient d'autant plus à la jeune femme qu'elle n'ignorait pas combien son mari en serait froissé. Néanmoins elle était trop naïve et trop inexpérimentée pour savoir mettre un terme à l'entretien et dissimuler la gêne

mêlée de plaisir que lui causaient les attentions de son
cousin. Elle savait d'ailleurs que Kostia interpréterait
mal chacun de ses gestes, chacune de ses paroles. Et de
fait, quand elle demanda à sa sœur des détails sur la
conduite de Macha, cette question sembla à Levine
une odieuse hypocrisie. Vassia de son côté se prit à
considérer Dolly avec indifférence, et parut attendre
impatiemment la fin de cet ennuyeux intermède.

« Irons-nous à la chasse aux champignons tantôt?
s'enquit Dolly.

— Certainement et je vous accompagnerai », répondit Kitty.

Par politesse, elle aurait bien voulu demander à
Vassia s'il leur tiendrait compagnie, mais elle n'osa
pas.

« Où vas-tu, Kostia? » reprit-elle en voyant son
mari sortir d'un pas délibéré.

Le ton abattu sur lequel elle prononça cette phrase
confirma les soupçons de Levine.

« Un mécanicien allemand est arrivé pendant mon
absence; il faut que je le voie », répondit-il sans la
regarder.

A peine fut-il dans son bureau qu'il entendit le pas
familier de Kitty descendant l'escalier avec une im-
prudente vivacité.

« Que veux-tu? Nous sommes occupés, dit-il sèchement.

— Excusez-moi, dit-elle en s'adressant à l'Allemand;
j'ai un mot à dire à mon mari. »

Le mécanicien voulut sortir, mais Levine l'arrêta.

« Ne vous dérangez pas.

— Je ne voudrais pas manquer le train de trois
heures », fit observer cet homme.

Sans lui répondre, Levine sortit avec sa femme dans
le corridor.

« Que voulez-vous? lui demanda-t-il en français sans
vouloir remarquer son visage contracté par l'émotion.

— Je... je voulais te dire que cette vie est un supplice, murmura-t-elle.

— Il y a du monde à l'office, ne faites pas de scène, répliqua-t-il avec colère.

— Alors viens par ici. »

Elle voulut l'entraîner dans une pièce voisine, mais, comme Tania y prenait une leçon d'anglais, elle l'emmena au jardin.

Un jardinier y ratissait les allées; peu soucieux de l'effet que pouvait produire sur cet homme leurs visages bouleversés, ils avançaient à pas rapides, en gens qui sentent le besoin de rejeter loin d'eux, une fois pour toutes et par une franche explication, le poids de leur tourment.

« C'est un martyre qu'une existence pareille! Pourquoi souffrons-nous ainsi? dit-elle lorsqu'ils eurent atteint un banc solitaire au coin de l'allée de tilleuls.

— Avoue que son attitude avait quelque chose de blessant, d'inconvenant, s'écria Levine en serrant sa poitrine à deux mains, comme l'autre nuit.

— Oui, répondit-elle d'une voix tremblante, mais ne vois-tu pas, Kostia, que je n'y suis pour rien? J'aurais voulu tout de suite le remettre à sa place, mais ces sortes de gens... Mon Dieu, pourquoi est-il venu? nous étions si heureux! »

Des sanglots étouffèrent sa voix et la secouèrent tout entière.

Quand il les revit peu après passer devant lui avec des visages calmes et joyeux, le jardinier n'arriva pas à comprendre pourquoi ils avaient fui la maison ni encore moins quel heureux événement leur était advenu sur ce banc isolé.

XV

APRÈS avoir reconduit Kitty dans son appartement, Levine se rendit chez Dolly et la trouva très excitée, arpentant sa chambre de long en large et grondant la petite Macha qui, debout dans un coin, pleurait à chaudes larmes.

« Tu resteras là toute la journée sans voir une poupée, tu dîneras seule et tu n'auras pas de robe neuve, disait-elle, à bout de châtiments... Cette enfant est insupportable, reprit-elle en apercevant son beau-frère. D'où leur viennent donc ces mauvais instincts?

— Qu'a-t-elle fait? » demanda Levine d'un ton plutôt indifférent. Désireux de consulter Dolly, il regrettait d'arriver mal à propos.

« Elle est allée avec Gricha cueillir des framboises, et... Non, je rougis de le dire... Combien je regrette Miss Elliot, cette gouvernante est une vraie machine, elle ne s'occupe de rien!... *Figurez-vous que la petite...* »

Et elle raconta les méfaits de Macha.

« Je ne vois rien là de bien grave, c'est une simple gaminerie, dit Levine pour la tranquilliser.

— Mais qu'as-tu, toi? tu as l'air ému... Que voulais-tu me dire? Que fait-on en bas? »

Au ton de Dolly, Levine comprit qu'il pourrait lui parler à cœur ouvert.

« Je n'en sais rien... J'étais dans le jardin avec Kitty... C'est la seconde fois que nous nous querellons depuis l'arrivée de... Stiva. »

Dolly le regarda de ses yeux pénétrants.

« La main sur la conscience, n'as-tu pas remarqué... non pas certes dans Kitty, mais dans ce... jeune homme un ton qui puisse être non seulement désagréable, mais intolérable pour un mari?

— Que te dirai-je?... Veux-tu bien rester dans le coin », cria-t-elle à Macha qui, ayant cru remarquer un sourire sur les traits de sa mère, faisait mine de se retourner... « Selon les idées reçues dans le monde, il se conduit comme tous les jeunes gens. *Il fait la cour à une jeune et jolie femme,* et un mari homme du monde en serait flatté.

— Oui, oui, dit Levine d'un ton lugubre. Mais enfin tu l'as remarqué.

— Non seulement moi, mais Stiva m'a dit après le

thé : « *Je crois que Veslovski fait un petit brin de*
« *cour à Kitty.* »

— Alors me voilà tranquille; je vais le chasser.

— As-tu perdu l'esprit? s'écria Dolly effrayée... Tu
peux aller retrouver Fanny, dit-elle à Macha... Voyons,
Kostia, à quoi penses-tu? Si tu veux, je parlerai à
Stiva. Il l'emmènera; on peut lui dire que tu attends
du monde... Pareil invité ne nous convient guère.

— Non, non, laisse-moi faire.

— Tu ne vas pas te quereller avec lui?

— Mais non, mais non, cela va beaucoup m'amuser,
dit Levine, soudain rasséréné et dont les yeux brillaient... Allons, Dolly, pardonne-lui, elle ne recommen-
cera plus », ajouta-t-il en désignant la petite criminelle,
qui, au lieu d'aller retrouver Fanny, restait plantée en
face de sa mère, dont elle scrutait le regard du coin
de l'œil. La devinant radoucie, elle éclata en sanglots
et cacha son visage dans la jupe de Dolly, qui lui posa
tendrement sur la tête sa belle main émaciée.

« Qu'y a-t-il de commun entre ce garçon et nous? »
se dit Levine. Et il se mit sur-le-champ en quête de
Veslovski. En passant dans le vestibule, il donna
l'ordre d'atteler la calèche.

« Un ressort s'est cassé hier, répondit le domestique.

— Alors le tarantass et dare-dare... Où est notre
invité?

— Dans sa chambre. »

Vassia avait défait sa valise, rangé ses affaires, trié
ses romances; la jambe posée sur une chaise, il mettait des guêtres pour monter à cheval, lorsque Levine
entra. Le visage de celui-ci avait sans doute une expression particulière ou peut-être Veslovski se ren-
dait-il compte que son *petit brin de cour* n'était pas à
sa place dans cette famille; bref il se sentit aussi mal
à l'aise que peut l'être un jeune homme du monde.

« Vous montez à cheval en guêtres?

— Oui, c'est beaucoup plus propre », répondit Veslovski avec un bon sourire, en achevant d'agrafer sa
guêtre.

C'était au fond un si bon enfant que Levine éprouva
une certaine honte en remarquant une nuance de
confusion dans le regard du jeune homme. Ne sachant
pas où commencer, il prit sur la table une baguette
qu'ils avaient brisée le matin en essayant de hausser
les barres parallèles gonflées par l'humidité, et il se
mit à en déchiqueter le bout cassé.

« Je voulais... » Il s'arrêta, indécis; mais se rappelant soudain la scène avec Kitty, il continua, en le
regardant dans le blanc des yeux : « ... je voulais vous
dire que j'ai fait atteler.

— Pourquoi? où allons-nous? demanda Veslovski
stupéfait.

— Pour vous mener à la gare, dit Levine de son ton
lugubre.

— Partez-vous? est-il survenu quelque chose?

— Il est survenu que j'attends du monde, répondit
Levine, en effilochant sa baguette d'un geste de plus
en plus nerveux. Ou plutôt non, je n'attends personne,
mais je vous prie de partir. Interprétez mon impolitesse
comme bon vous semblera. »

Vassia se redressa avec dignité : il avait enfin
compris.

« Veuillez m'expliquer, fit-il.

— Je n'ai rien à vous expliquer et vous ferez mieux
de ne pas me poser de questions », répondit lentement
Levine, en s'efforçant d'arrêter le tremblement convul-
sif de ses pommettes.

Et, comme il en avait fini avec le bout déchiqueté,
il prit la baguette par le gros bout, la cassa en deux et
rattrapa soigneusement la partie qui tombait.

Les yeux brillants de Levine, sa voix sombre, ses
pommettes tremblantes et surtout la tension de ses
muscles dont Veslovski avait éprouvé la vigueur le
matin même en faisant de la gymnastique, convain-
quirent celui-ci mieux que des paroles. Il haussa les
épaules, sourit dédaigneusement, salua et dit :

« Pourrai-je voir Oblonski? »

Ni le sourire ni le haussement d'épaules ne blessèrent

Levine. « Que lui reste-t-il d'autre à faire? » pensa-t-il.
Et tout haut :

« Je vais vous l'envoyer.

— Mais cela n'a pas le sens commun, *c'est du dernier ridicule*, s'écria Stépane Arcadiévitch, lorsqu'il rejoignit Levine au jardin après avoir appris de Veslovski qu'on le mettait à la porte, quelle mouche t'a piqué? Eh quoi, parce qu'un jeune homme... »

La place piquée se trouvait encore si sensible que Levine blêmissant, ne laissa pas achever son beau-frère.

« Ne prends pas la peine de le disculper. Je suis désolé, aussi bien à cause de toi que de lui, mais il se consolera facilement. tandis que pour ma femme et pour moi sa présence devenait intolérable.

— Mais tu lui portes une offense gratuite. *Et puis c'est ridicule.*

— Moi aussi, je me sens offensé et, qui pis est, je souffre, sans l'avoir en rien mérité!

— Jamais je ne t'aurais cru capable d'un acte semblable. *On peut être jaloux, mais à ce point c'est du dernier ridicule!* »

Levine lui tourna le dos et continua à marcher de long en large dans l'allée en attendant le départ. Bientôt il entendit un grincement de roues et aperçut à travers les arbres Veslovski qui passait, coiffé de son calot, assis sur du foin et tressautant à la moindre secousse, car le tarantass n'avait pas même de siège (1).

« Qu'y a-t-il encore? » se demanda Levine, quand il vit le domestique sortir en courant de la maison et arrêter le véhicule : c'était pour y placer le méca-

(1) « Aucune des parties d'*Anna Karénine* n'a eu autant de succès que celle-ci. Vos admirateurs sont ravis... de l'expulsion de Veslovski. Mais Ausiéenko et Bourenine ont (dans leurs articles) pris la chose au tragique... Ils ont senti qu'en chassant Veslovski, Levine les offensait eux aussi. Ausiéenko est une énigme pour moi : voilà un homme marié... et qui plus est coureur... qui écrit des romans... et son article révèle qu'il n'a même pas idée de ce qu'est la jalousie... Vraiment, ce sont là des gens en papier, comme dit Dostoïevski. » (Lettre de Strakhov, février 1877.)

nicien qu'on avait oublié, et qui se casa auprès de
Veslovski, après l'avoir salué et échangé quelques mots
avec lui. Et bientôt tous deux disparurent.

Stépane Arcadiévitch et la princesse furent outrés de
la conduite de Levine; lui-même se sentait coupable et
ridicule au suprême degré, mais en songeant à ce que
Kitty et lui avaient souffert, il s'avoua qu'au besoin il
eût recommencé.

Cependant, dès le même soir, tout le monde, sauf la
princesse butée contre son gendre, avait retrouvé son
animation et sa gaieté : on eût dit des enfants après
une punition ou des maîtres de maison après une pénible réception officielle. Chacun se sentait soulagé, et,
quand la princesse se fut retirée, on parla de l'expulsion de Vassia comme d'un événement éloigné. Dolly
qui tenait de son père le don de l'humour, fit rire
Varia aux larmes en lui racontant trois ou quatre
fois, et toujours avec de nouvelles amplifications, ses
propres émotions. Elle avait, disait-elle, réservé en
l'honneur de leur hôte un nœud de rubans tout neuf; le
moment de le produire était venu, elle entrait au salon,
lorsque le fracas de la guimbarde l'attira à la fenêtre.
Quel spectacle s'offrit à sa vue? Vassia en personne,
avec son calot écossais, ses romances et ses guêtres,
ignominieusement assis sur du foin!

« Si du moins tu lui avais fait atteler une voiture!
mais non!... Tout à coup j'entends crier : « Halte! »...
Allons, me dis-je, on s'est ravisé, on l'a pris en pitié...
Pas du tout, c'est un gros bonhomme d'Allemand qu'on
ajoute à son malheur!... Décidément l'effet de mon
nœud était manqué! »

XVI

Tout en craignant d'être désagréable aux Levine qui
ne désiraient point — ce qu'elle comprenait fort bien
— de rapprochement avec Vronski, Darie Alexan-

drovna tenait à voir Anna pour lui prouver que son affection n'avait pas varié. Afin de sauvegarder son indépendance, elle voulut louer des chevaux au village. Dès que Levine en fut averti, il vint adresser des reproches à sa belle-sœur.

« Pourquoi t'imagines-tu me faire de la peine en allant chez Vronski? Quand d'ailleurs cela serait, tu m'affligerais plus encore en te servant d'autres chevaux que des miens. Ceux qu'on te louera ne pourront jamais fournir pareille traite. »

Darie Alexandrovna finit par se soumettre, et au jour indiqué Levine lui fit préparer quatre chevaux et autant au relais, tous bêtes de somme plutôt que de trait, mais capables de fournir la longue traite en un seul jour.

Cet attelage fut d'ailleurs difficile à constituer, les autres chevaux étant retenus pour le départ de la princesse et de la sage-femme. Tout cela causa à Levine certains dérangements; mais, outre qu'il remplissait un devoir d'hospitalité, il épargnait ainsi à sa belle-sœur, qu'il savait gênée, la dépense, très lourde pour elle, d'une vingtaine de roubles.

Sur le conseil de son beau-frère, Darie Alexandrovna se mit en route à pointe d'aube, sous la protection du teneur de livres qu'on avait, pour plus de sécurité, posté sur le siège en guise de valet de pied. Le chemin était bon, la voiture commode; bercée par l'allure régulière des chevaux, Dolly s'assoupit et ne se réveilla qu'au relais. Là elle prit du thé dans la maison du riche paysan chez qui Levine avait fait halte en allant chez Sviajski. Tandis que le bonhomme lui faisait un vif éloge du comte Vronski, elle engageait avec les brus un entretien qui roula surtout sur la question des enfants. Vers dix heures elle se remit en chemin. Ses devoirs maternels l'absorbaient trop d'ordinaire pour qu'elle eût le loisir de beaucoup réfléchir; aussi cette course de quatre heures lui fournit-elle une rare occasion de méditer sur sa vie et de l'examiner sur toutes ses faces. Elle songea d'abord à ses enfants, confiés aux soins de la princesse et de Kitty (c'était sur celle-ci

qu'elle comptait particulièrement). « Pourvu que Macha
ne fasse pas de scènes, que Gricha n'aille pas attraper
quelque coup de pied de cheval et que Lili ne se
donne pas d'indigestion! » se dit-elle. Ces petits soucis
du moment cédèrent bientôt la place à des préoccupations plus importantes : il lui faudrait dès son retour
à Moscou changer d'appartement, rafraîchir les
meubles du salon, commander une fourrure à sa fille
aînée. Puis vint une question encore plus grave, bien
que d'échéance moins prochaine : pourrait-elle continuer convenablement l'éducation des enfants? « Les
filles m'inquiètent peu, songeait-elle, mais les garçons?
Impossible de compter sur Stiva. Si je me suis occupée
de Gricha cet été, c'est que, par extraordinaire, ma
santé me l'a permis. Mais qu'une grossesse survienne! »
Et elle songea qu'il était injuste de considérer les
douleurs de l'enfantement comme le signe de la malé-
diction qui pèse sur la femme. « C'est si peu de chose,
comparé aux misères de la grossesse! » Et elle se rappela sa dernière épreuve en ce genre et la perte de
son enfant. Ce souvenir lui remit en mémoire la réponse que venait de lui faire une des brus du vieux
paysan : « As-tu des enfants? — J'avais une petite
fille, mais le bon Dieu m'en a délivrée pendant le
Carême. — Tu as beaucoup de chagrin? — Ma foi, non,
c'est un souci de moins; le vieux ne manque pas de
petits-enfants et que voulez-vous qu'on fasse avec un
nourrisson sur les bras? » Cette réponse semblait
odieuse; cependant les traits de cette femme n'expri-
maient aucune méchanceté, et Dolly voyait maintenant
qu'il y avait dans ses dires une part de vérité.

« En résumé, pensa-t-elle, en se remémorant ses
quinze années de mariage, ma jeunesse s'est passée à
avoir mal au cœur, à me sentir stupide, dégoûtée de
tout, et à paraître hideuse, car si notre jolie Kitty
enlaidit pour le moment, combien à chaque grossesse
ne dois-je pas être affreuse!... Et puis les couches, les
affreuses couches, le déchirement de la dernière minute, les misères de l'allaitement, les nuits d'insomnie,
toujours des souffrances, des souffrances atroces!... »

Et Dolly tressaillit au souvenir des crevasses aux seins dont elle souffrait à chaque grossesse.

« Et puis les maladies des enfants, cette continuelle épouvante, les soucis de l'éducation, les mauvais penchants à combattre (elle revit le méfait de Macha dans les framboisiers), le latin et ses difficultés... et pis que tout, la mort! » Son cœur de mère saignait cruellement encore de la perte de son dernier-né, enlevé par le croup; elle se rappela sa douleur solitaire devant ce petit front blanc auréolé de cheveux frisés, devant cette petite bouche étonnée et entrouverte, au moment où retombait le couvercle du cercueil, rose avec une croix dorée (1).

« Et pourquoi tout cela? Pourquoi, tantôt enceinte, tantôt allaitant, toujours exténuée et acariâtre, détestée de mon mari et fastidieuse à tout le monde, aurai-je vécu des jours pleins de tourments? Pour laisser une famille malheureuse, pauvre, mal élevée! Qu'aurais-je fait cet été si Kostia et Kitty ne m'avaient pas invitée à venir chez eux? Mais, quelque affectueux et délicats qu'ils soient, ils ne pourront pas recommencer, car à leur tour ils auront des enfants; ne sont-ils pas dès maintenant quelque peu gênés? Papa s'est presque dépouillé pour nous, lui non plus ne pourra pas m'aider. Comment arriverai-je à faire des hommes de mes fils? Il faudra chercher des protections, m'humilier... Si la mort ne me les enlève pas, ce que je puis

(1) Tolstoï perdit plusieurs enfants. En 1873, le petit Pétia, âgé d'un an et demi, fut emporté par le croup. « Cette année, il nous est arrivé un malheur. Nous avons perdu notre plus jeune fils, le sixième... De toutes les pertes que nous pouvions éprouver, c'est la plus légère... mais c'est tout de même douloureux, surtout pour ma femme. »

A propos de la mort d'un de ses autres fils, Vassia, emporté en deux jours par la scarlatine en février 1895, Tolstoï écrit : « Cette disparition m'est pénible, mais je ne la ressens pas de loin aussi vivement que Sonia, premièrement parce que j'ai une autre « vie » spirituelle, deuxièmement parce que son chagrin m'empêche de ressentir personnellement cette perte et parce que je vois que quelque chose de grand s'accomplit en elle : j'ai pitié d'elle et son état m'émeut. Dans l'ensemble, je puis dire que je suis dans une bonne période. » (Lettres de mars 1874 et mars 1895 à Alexandra Tolstoï.)

espérer de plus heureux c'est qu'ils ne tournent pas mal. Et que de souffrances pour en arriver là! Ma vie est à jamais gâchée. »

Décidément les paroles de la jeune paysanne avaient du vrai dans leur cynisme naïf.

« Approchons-nous, Michel? demanda-t-elle au teneur de livres pour écarter ces pénibles pensées.

— Paraît qu'y a encore sept verstes depuis le village que vous voyez là. »

La calèche traversa un petit pont où des moissonneuses, leurs paquets de liens sur le dos, s'arrêtèrent pour la regarder passer tout en bavardant avec une gaieté bruyante. Et Dolly remarqua que tous ces visages regorgeaient de joie et de santé. « Chacun vit et jouit de l'existence, se dit-elle en se laissant de nouveau bercer par le trot des chevaux, qui repartaient vivement après avoir monté une petite côte; moi seule, je me fais l'effet d'une prisonnière mise en liberté provisoire. Ma sœur Natalie, Varinka, ces femmes, Anna savent toutes ce que c'est que l'existence, mais moi, je l'ignore... Et pourquoi accuse-t-on Anna? suis-je meilleure qu'elle? Moi au moins, j'aime mon mari, pas comme je voudrais sans doute, mais enfin je l'aime, tandis qu'elle détestait le sien. En quoi est-elle coupable? Elle a voulu vivre, c'est un besoin que Dieu nous a mis au cœur. Si je n'avais pas aimé mon mari, j'eusse peut-être agi comme elle. Je me demande encore si j'ai bien fait de suivre ses conseils au lieu de me séparer de Stiva. Qui sait? j'aurais pu refaire ma vie, aimer, être aimée. Ma conduite est-elle plus honorable? je le supporte, parce que j'ai besoin de lui, voilà tout... A cette époque, je pouvais encore plaire, il me restait quelque beauté... »

Elle voulut tirer de son sac un petit miroir de voyage, mais craignit d'être surprise par les deux hommes qui occupaient le siège. Sans avoir besoin de se regarder, elle se dit que son temps n'était pas encore passé : elle se rappela les attentions particulières de Serge Ivanovitch, le dévouement du bon Tourovtsine, qui, par amour pour elle, l'avait aidée à soigner

ses enfants pendant leur scarlatine, et jusqu'aux taqui-
neries de Stiva à propos d'un tout jeune homme qui
la trouvait plus belle que ses sœurs. Et les romans les
plus passionnés, les plus invraisemblables se présentaient à son imagination. « Anna a eu bien raison, et
ce n'est pas moi qui lui jetterai la pierre. Elle est heureuse, elle fait le bonheur d'un autre. Alors que me
voilà comme hébétée, elle doit être fraîche et brillante,
s'intéresser à toutes choses. » Un sourire fripon effleura les lèvres de Dolly, poursuivant en pensée un
roman analogue à celui d'Anna, dont elle serait l'hé-
roïne, et le héros un personnage anonyme et collectif;
elle se représenta le moment où elle avouait tout à son
mari et se prit à rire en songeant à la stupéfaction de
Stépane Arcadiévitch (1).

Elle était toute à ces pensées quand la voiture arriva
à la croisée du chemin de Vozdvijenskoié.

XVII

Le cocher arrêta ses chevaux et jeta un coup d'œil sur
sa droite vers un groupe de paysans assis dans un
champ de seigle près d'un chariot dételé. Après avoir
fait mine de sauter à bas du siège, le teneur de livres
se ravisa et héla les manants d'un ton et d'un geste
impérieux. La brise soulevée par le trot des chevaux
tomba soudain et les taons se collèrent en foule sur
les pauvres bêtes en nage qui cherchaient rageusement à s'en débarrasser. Le son métallique d'une faux
que l'on martelait cessa tout d'un coup. Un des
hommes se leva et se dirigea vers la calèche; ses pieds
nus avançaient lentement sur le chemin raboteux.

(1) « Il y a des sages qui vous reprochent d'être immoral.
Sreznievski (philologue célèbre)... a soutenu avec indignation que
le seul être pur de votre roman était Dolly mais que maintenant
vous l'aviez, elle aussi, couverte de boue. » (Lettre de Strakhov,
10 mars 1877.)

« Eh ben quoi, y a plus moyen? lui cria le teneur de livres. Tu pourrais pas te dépêcher? »

L'homme hâta le pas; c'était un vieux; une mince lanière d'écorce retenait ses cheveux crépus, une blouse noircie par la sueur collait à son dos voûté. Arrivé près de la voiture, il s'appuya d'une main au garde-crotte.

« Vozdvijenskoïé, qu'il te faut? chez le comte? Après avoir monté la côte, mon gars, tu prendras à gauche, tu tomberas tout droit dans l'avenue. C'est-y au comte lui-même que vous en avez?

— Sont-ils chez eux, mon brave homme?... demanda Darie Alexandrovna, qui ne sachant trop comment s'enquérir d'Anna même auprès d'un paysan, préféra rester dans le vague.

— Faut croire que oui, répondit le vieux qui se dandinait d'un pied sur l'autre et laissait dans la poussière la marque visible de leurs empreintes. Faut croire que oui, répéta-t-il, désireux d'engager conversation; il leur est encore arrivé du monde pas plus tard qu'hier, y en avait pourtant assez comme ça... De quoi que tu dis? demanda-t-il à un jeune gars qui lui criait quelque chose... Ah! oui, c'est s'ment vrai... T'as raison, j'y pensais plus. Y a pas longtemps qu'y sont passés, ils étaient tous à cheval, ils allaient voir la nouvelle machine. Y doivent être rentrés à c'te heure... Et vous, d'où que vous venez comme ça?

— De loin, répondit le cocher en remontant sur son siège. Alors, on n'en a plus pour longtemps?

— Puisque je te dis que c'est tout près... T'as qu'à monter la côte... », commença-t-il en tambourinant sur le garde-crotte.

Le jeune paysan, un gars solide et trapu, s'approcha à son tour.

« Y aurait-il pas du travail par chez vous? Pour ce qui est de rentrer la moisson, on s'y connaît.

— Je n'en sais rien, mon ami.

— Tu prends à gauche, n'est-ce pas, et tu tombes tout de suite dans l'avenue », continuait le bonhomme, qui tenait évidemment à bavarder.

Le cocher toucha ses chevaux; il n'était pas au tournant qu'il s'entendit héler.

« Holà, l'ami, arrête! Hé, ho, arrête! » criaient les deux paysans.

Le cocher obéit.

« Les v'là qui rappliquent et dare-dare! » reprit le vieux en désignant quatre cavaliers et un char à bancs qui approchaient.

C'étaient Vronski, Anna, Veslovski et un groom à cheval; la princesse Barbe et Sviajski suivaient en voiture. Ils revenaient des champs, où l'on expérimentait de nouvelles moissonneuses.

En voyant la calèche s'arrêter, les cavaliers se mirent au pas. Anna avait pris les devants en compagnie de Veslovski. Elle montait avec aisance un petit cob anglais à queue courte et crinière faite. Sa jolie tête coiffée d'un chapeau haut de forme, d'où s'échappaient les mèches frisées de ses cheveux noirs, ses épaules rondes, sa taille bien prise dans une amazone noire, son assiette tranquille et gracieuse attirèrent aussitôt l'attention, quelque peu scandalisée, de Darie Alexandrovna. Celle-ci en effet attachait à l'équitation, pratiquée par une femme, une idée de coquetterie primesautière peu convenable dans la situation de sa belle-sœur. Ses préventions eurent d'ailleurs tôt fait de s'évanouir, tant la pose, les gestes, la sobre élégance d'Anna décelaient de noblesse et de simplicité.

Vassia Veslovski, les rubans de son calot écossais flottant derrière lui, accompagnait Anna sur un cheval de cavalerie, une bête grise pleine de feu : il portait ses grosses jambes en avant et paraissait fort content de lui-même; Dolly en le voyant ne put réprimer un sourire. Vronski les suivait sur un pur sang bai brun, que le galop paraissait avoir excité et qu'il retenait en travaillant de la bride. Son groom, un gamin affublé d'un costume de jockey, fermait la marche. A quelque distance, un char à bancs tout flambant neuf traîné par un grand trotteur noir, portait Sviajski et la princesse.

Quand elle reconnut la petite personne blottie dans

un coin de la vieille calèche, le visage d'Anna s'illumina; elle tressaillit, poussa un cri de joie et mit son cob au galop. Arrivée près de la voiture, elle sauta de cheval sans l'aide de personne et courut au-devant de Dolly.

« C'est bien toi, Dolly! Je n'osais le croire. Quelle joie immense tu me causes », dit-elle, serrant la voyageuse dans ses bras pour la couvrir de baisers, puis s'écartant pour la mieux considérer. « Regarde, Alexis, quel bonheur! » ajouta-t-elle en se retournant vers le comte, qui, lui aussi, avait mis pied à terre.

Vronski s'avança, son haut-de-forme gris à la main.

« Vous ne sauriez croire combien votre visite nous fait plaisir », proféra-t-il en appuyant sur chacun de ses mots, tandis qu'un sourire découvrait ses belles dents.

Sans quitter sa monture, Vassia Veslovski brandit joyeusement en guise de salut son calot au-dessus de sa tête.

Cependant le char à bancs approchait.

« C'est la princesse Barbe, dit Anna, en réponse à un regard interrogateur de Dolly.

— Ah! » répondit celle-ci en laissant voir un certain mécontentement.

La princesse Barbe, une tante de son mari, avait toujours vécu aux crochets de parents riches; Dolly, qui pour cette raison ne l'estimait guère, fut outrée de la voir maintenant installée chez Vronski, qui ne lui était rien. En remarquant cette désapprobation, Anna se troubla, rougit et faillit trébucher sur son amazone, dont la traîne lui échappa.

Dolly salua la princesse avec froideur; Sviajski, qu'elle connaissait, s'informa de son ami Levine, l'original, et de sa jeune femme, puis, après avoir jeté un coup d'œil à l'attelage mal assorti et aux garde-crotte rapiécés de la vieille calèche, il offrit aux dames de monter dans le char à bancs.

« Le cheval est très tranquille et la princesse conduit fort bien; quant à moi, je prendrai place dans ce *véhicule*.

— Oh! non, interrompit Anna; restez où vous êtes, je rentrerai avec Dolly. »

Jamais Darie Alexandrovna n'avait rien vu d'aussi brillant que ces chevaux, ces costumes, cet équipage; mais ce qui la frappa encore davantage, ce fut l'espèce de transfiguration qui s'était opérée dans sa chère Anna et dont elle ne se fût peut-être point avisée si elle n'avait réfléchi pendant le trajet aux choses de l'amour. Anna lui parut resplendir de cette beauté fugitive que donne à une femme la certitude d'une passion partagée. L'éclat de ses yeux, le pli de sa lèvre, les fossettes qui se dessinaient nettement sur ses joues et son menton, le sourire qui flottait sur son visage, la grâce nerveuse de ses gestes, le son chaud de sa voix et jusqu'au ton amicalement brusque lorsqu'elle permit à Veslovski de monter son cob pour lui apprendre à galoper du pied droit, tout dans sa personne respirait une séduction dont elle semblait avoir conscience et qui semblait la ravir.

Quand elles furent seules, les deux femmes éprouvèrent un moment de gêne. Anna se sentait mal à l'aise sous le regard inquisiteur de Dolly, qui, de son côté, depuis la remarque de Sviajski, était désolée de se faire voir en si piètre équipage. Cette confusion gagna le cocher et le teneur de livres; mais, tandis que celui-ci la dissimulait en s'empressant auprès des dames, Philippe, devenu soudain lugubre, ne voulut point s'en laisser imposer par tout ce clinquant. Il n'accorda qu'un sourire ironique au trotteur noir attelé au char à bancs : « une bête comme ça, c'est peut-être bon pour le « promenage », mais ça ne fournira jamais quarante verstes par la chaleur », décida-t-il à part lui en manière de consolation.

Cependant les moissonneurs avaient quitté leur chariot pour contempler la rencontre.

« Y sont tout de même ben aises de se revoir, fit remarquer le vieux.

— Reluque-moi l'étalon noir, père Gérasime; c'est une bête comme ça qu'y nous faudrait pour rentrer nos gerbes.

— Et ça, dit un autre en désignant Veslovski qui s'installait sur la selle de dame, c'est-y une femme en culotte?

— Sûr que non, t'as pas vu comme il a ben sauté dessus.

— Dites donc, les gars, on fait-y la sieste à c't' heure?

— S'agit ben de pioncer, répondit le vieux après un regard au soleil! V'là qu'il est plus de midi; prenez vos faux et à l'ouvrage! »

XVIII

DES rides où s'insinuait la poussière de la route marquaient le visage de Dolly; Anna faillit lui dire qu'elle la trouvait maigrie; mais l'admiration pour sa propre beauté qu'elle lut dans les yeux de sa belle-sœur l'arrêta.

« Tu m'examines? dit-elle. Tu te demandes comment dans ma position je puis paraître aussi heureuse? J'avoue que je le suis d'une façon impardonnable. Ce qui s'est passé en moi tient de l'enchantement; je suis sortie de mes angoisses comme on sort d'un cauchemar... Et quel réveil! surtout depuis que nous sommes ici! »

Elle interrogea Dolly d'un regard timide.

« J'en suis bien heureuse pour toi, répondit celle-ci en souriant mais sur un ton plus froid qu'elle ne l'aurait voulu. Mais pourquoi ne m'as-tu pas écrit?

— Je n'ai pas osé... Tu oublies ma position...

— Oh! si tu savais combien... »

Elle allait lui avouer ses réflexions de la matinée quand l'idée lui vint que le moment était mal choisi.

« Nous causerons de cela plus tard... Qu'est-ce que cette réunion de bâtiments, on dirait une petite ville? demanda-t-elle pour changer de conversation, en désignant des toits verts et rouges qui dominaient des haies de lilas et d'acacias.

— Dis-moi ce que tu penses de moi, insista Anna sans répondre à sa question.

— Je pense... »

A ce moment Vassia Veslovski, qui « pilait du poivre » sur le cuir chamoisé de la selle de dame, les dépassa rapidement. Il avait réussi à enseigner au cob le galop du pied droit.

« Ça marche, Anna Arcadiévna! » cria-t-il sans que celle-ci daignât lui accorder un regard.

Décidément la calèche n'était point l'endroit rêvé pour les confidences et Dolly résolut d'exprimer sa pensée en peu de mots.

« Je ne pense rien, reprit-elle. Je t'aime, et t'ai toujours aimée; quand on aime ainsi une personne, on l'aime telle qu'elle est et non telle qu'on la voudrait. »

Anna détourna les yeux en les fermant à demi (nouveau tic, que Dolly ne lui connaissait point), comme pour mieux réfléchir au sens de ces paroles. Elle leur donna une interprétation favorable et reportant sur sa belle-sœur un regard mouillé de larmes :

« Si tu as des péchés sur la conscience, dit-elle, ils te seront remis en faveur de ta visite et de ces bonnes paroles. »

Dolly lui serra la main.

« Tu ne m'as toujours pas dit ce que renferment ces bâtiments. Comme il y en a, grand Dieu! fit-elle observer après quelques instants de silence.

— Mais ce sont les dépendances, le haras, les écuries. Voici l'entrée du parc. Alexis aime beaucoup cette terre, qui avait été abandonnée, et, à ma grande surprise, il s'est pris de passion pour la culture. Au reste une nature si bien douée ne saurait toucher à rien sans y exceller. Le voilà devenu un excellent propriétaire, économe, presque avare... Il ne l'est d'ailleurs qu'en agriculture, car par ailleurs il dépense sans compter des milliers de roubles, dit-elle avec le sourire narquois des amoureuses qui ont découvert dans leur amant quelque faiblesse secrète. Vois-tu ce grand bâtiment? c'est un hôpital, son *dada* du moment, qui va sans doute lui coûter plus de cent mille roubles. Sais-

tu ce qui le lui a fait construire? Un reproche d'avarice
de ma part à propos d'une prairie qu'il refusait de
céder à bon compte aux gens du village. Je plaisante,
il y a d'autres raisons, mais enfin l'hôpital démontrera
l'injustice de mon observation. *C'est une petitesse,* si
tu veux, mais je ne l'en aime que mieux... Et voici la
maison; elle date de son grand-père et rien n'y a été
changé extérieurement.

— C'est superbe! s'écria Dolly à la vue d'un édifice
à colonnade qui déployait sa façade sur un fond
d'arbres séculaires.

— N'est-ce pas? Et d'en haut la vue est splendide. »
La calèche roulait sur le gravier de la cour d'honneur, ornée d'un parterre où les jardiniers entouraient
une corbeille d'une bordure de pierres poreuses. On
s'arrêta sous un péristyle couvert.

« Ces messieurs sont déjà arrivés, dit Anna en
voyant emmener des chevaux de selle. Quelle jolie
bête, n'est-ce pas? C'est un *cob,* mon favori... Amenez-
le-moi et donnez-moi du sucre... Où est le comte? demanda-t-elle à deux valets en livrée sortis pour les
recevoir... Ah! les voici, ajouta-t-elle à la vue de
Vronski et de Vassia qui venaient à leur rencontre.

— Où logerons-nous la princesse? » demanda
Vronski en français. Et, sans attendre la réponse
d'Anna, il présenta de nouveau ses hommages à Darie
Alexandrovna, en lui baisant la main cette fois. « Dans
la grande chambre à balcon, il me semble?

— Oh! non, c'est trop loin! Dans la chambre d'angle;
nous serons plus près l'une de l'autre. Eh bien, allons,
dit Anna, après avoir régalé de sucre son favori...
Vous oubliez votre devoir, ajouta-t-elle à l'adresse de
Veslovski.

— *Pardon, j'en ai plein les poches,* répondit celui-ci
en fouillant dans la poche de son gilet.

— *Mais vous venez trop tard* », riposta-t-elle tandis
qu'elle essuyait sa main que les naseaux du cheval
avaient mouillée en prenant le sucre. Puis se tournant
vers Dolly : « Tu nous restes quelque temps, j'espère?...
Comment, un seul jour! Pas possible!

— J'ai promis... à cause des enfants, répondit Dolly, confuse de la chétive apparence de son sac de voyage et de la poussière dont elle se sentait couverte.

— Non, non, ma chérie, c'est impossible... Enfin, nous en reparlerons. Montons chez toi. »

La chambre qui lui fut offerte avec des excuses, parce que ce n'était pas l'appartement d'honneur, avait un ameublement luxueux qui rappela à Dolly les meilleurs hôtels de l'étranger.

« Combien je suis heureuse de te voir ici, ma chère amie, répéta encore Anna, s'asseyant auprès de sa belle-sœur. Parle-moi de tes enfants; Stiva n'a fait que passer et ce n'est pas l'homme à s'étendre sur un pareil sujet. Que devient Tania, ma préférée? Ce doit être une grande fille.

— Oh! oui, répondit-elle, toute surprise de parler si froidement de ses enfants. Nous sommes chez les Levine et très heureux d'y être.

— Si j'avais su que tu ne me méprisais pas, je vous aurais tous priés de venir ici. Stiva est un vieil ami d'Alexis, dit Anna en rougissant.

— Oui, mais nous sommes si bien là-bas, répondit Dolly confuse.

— Le bonheur de te voir me fait déraisonner, dit Anna en l'embrassant une fois de plus. Mais promets-moi d'être franche, de ne me rien cacher de ce que tu penses de moi. Ma vie va s'offrir à toi sans détours. Ne t'imagine pas surtout que je prétende démontrer quoi que ce soit. J'entends tout bonnement vivre... vivre sans faire de mal à personne qu'à moi-même, ce qui m'est bien permis. Mais nous causerons de tout cela à loisir. Je vais changer de robe et t'envoyer la femme de chambre. »

XIX

UNE fois seule, Darie Alexandrovna examina sa chambre en femme qui connaissait le prix des choses. Jamais elle n'avait vu un luxe comparable à celui qui s'offrait à ses yeux depuis sa rencontre avec Anna. Tout au plus savait-elle par la lecture de romans anglais que pareil confort commençait à se répandre en Europe; mais en Russie, à la campagne, cela n'existait nulle part. Les papiers peints français, le tapis qui recouvrait toute la pièce, le lit à sommier élastique, le traversin, les taies d'oreillers en soie, la table de toilette en marbre, la pendule de bronze sur la cheminée, la couchette, les guéridons, les rideaux, les portières, tout était neuf et de la dernière élégance.

La femme de chambre pimpante qui vint offrir ses services était vêtue et coiffée à la dernière mode, avec beaucoup plus de recherche que la pauvre princesse. Bien que conquise par la bonne grâce et la complaisance de cette fringante personne, Dolly se sentit confuse de sortir devant elle de son sac une camisole de nuit reprisée qu'elle avait emportée par erreur. A la maison elle étalait avec fierté ces pièces et ces reprises, qui représentaient une notable économie, six camisoles exigeant vingt-quatre aunes de nankin à soixante-cinq kopeks, soit plus de quinze roubles, sans compter la garniture et la façon. Mais ici, devant cette donzelle!

Aussi éprouva-t-elle un grand soulagement en voyant entrer Annouchka, qu'elle connaissait de longue date et qui prit la place de la soubrette, rappelée par sa maîtresse. Annouchka paraissait ravie de l'arrivée de la princesse et fort désireuse de lui confier sa manière de voir sur la situation de sa chère dame et singulièrement sur la grande affection, le parfait dévouement que le comte lui témoignait. Mais Darie Alexandrovna coupait court à toute tentative de bavardage.

« J'ai été élevée avec Anna Arcadiévna, et je l'aime plus que tout au monde. Ce n'est pas à nous à juger. Et elle paraît tant l'aimer...

— Alors, n'est-ce pas, vous me ferez laver cela, si possible, l'interrompit Dolly.

— Certainement, soyez sans crainte. Nous avons deux lingères et tout le linge est lavé à la machine. Le comte s'occupe lui-même des plus petites choses. Un mari comme ça, voyez-vous... »

L'entrée d'Anna mit un terme à ces épanchements. Elle avait revêtu une robe de batiste fort simple, mais que Dolly examina attentivement, car elle savait à quel prix s'acquiert cette élégante simplicité.

« Te voilà en pays de connaissance », dit Anna en désignant sa femme de chambre.

A la manière dont ces mots furent prononcés, Dolly comprit que sa belle-sœur, ayant repris possession d'elle-même, se retranchait derrière un ton calme et indifférent.

« Comment va ta petite fille? lui demanda-t-elle.

— Annie? Très bien. Veux-tu la voir? Je vais te la montrer. Nous avons eu beaucoup d'ennui avec sa nourrice italienne, une brave femme, mais si bête! Cependant, comme la petite lui est très attachée, il a fallu la garder.

— Mais comment vous y êtes-vous pris pour..., commença Dolly, curieuse du nom que portait l'enfant; mais en voyant le visage d'Anna s'assombrir, elle changea le sens de sa question : ... pour la sevrer?

— Ce n'est pas là ce que tu voulais dire, répondit Anna, qui avait saisi la réticence de sa belle-sœur. Tu pensais au nom de l'enfant, n'est-ce pas? Le tourment d'Alexis, c'est qu'elle porte celui de Karénine... »

Elle ferma à demi les yeux, ses paupières parurent se coller l'une à l'autre, mais bientôt ses traits se détendirent.

« Nous reparlerons de tout cela; viens que je te la montre. *Elle est très gentille* et commence à ramper. »

Le confort de la *nursery,* une grande pièce très haute et bien éclairée. surprit peut-être encore plus

Dolly que le luxe des autres pièces. Les petites voi
tures, la baignoire, les balançoires, le divan en forme
de billard où l'enfant pouvait ramper à son aise, tout
ici était anglais, solide et coûteux.

L'enfant en chemise, assise dans un fauteuil, aidée
par une fille de service russe, qui partageait probablement son repas, mangeait un bouillon dont toute sa
petite poitrine était mouillée. Ni la bonne ni la nourrice n'étaient présentes; on percevait dans la pièce
voisine des bribes du jargon français qui leur permettait de se comprendre.

Dès qu'elle entendit la voix d'Anna, la bonne
anglaise parut et se répandit en excuses, encore qu'on
ne lui adressât aucun reproche. C'était une grande
femme à beaux atours et boucles blondes, dont la
physionomie mauvaise déplut à Dolly. A chaque mot
d'Anna elle répétait : *Yes, my lady.*

Quant à l'enfant, une robuste gamine aux cils et aux
cheveux noirs, au petit corps rouge, à la peau de
poulet, elle fit aussitôt, en dépit du regard sévère dont
elle toisa cette inconnue, la conquête de Darie Alexandrovna. Quand on l'eut posée sur le tapis, elle se mit
à ramper comme un petit animal : sa robe retroussée
par-derrière, ses beaux yeux regardant les spectatrices
d'un air satisfait, comme pour leur prouver qu'elle
était sensible à leur admiration, elle avançait énergiquement en s'aidant de ses mains, de ses pieds et de
son train de derrière.

Dolly dut s'avouer qu'aucun de ses enfants n'avait
jamais si bien rampé, ni montré si bonne mine.

Mais l'atmosphère de la *nursery* avait quelque chose
de déplaisant. Comment Anna pouvait-elle garder une
bonne aussi antipathique, aussi peu *respectable?* Sans
doute parce qu'aucune personne convenable n'eût
consenti à entrer dans une famille irrégulière. En
outre, Dolly crut remarquer qu'Anna était presque une
étrangère dans ce milieu : elle ne put trouver un jou-
jou qu'elle voulait donner à l'enfant, et, chose plus
bizarre encore, elle ignorait jusqu'au nombre de ses
dents.

« Je me sens inutile ici, et cela me fait beaucoup de peine », dit Anna comme elles sortaient, en relevant la traîne de sa robe pour ne pas accrocher quelque jouet. « Quelle différence avec l'aîné!...

— J'aurais cru au contraire..., insinua timidement Dolly.

— Oh! non... Tu sais que je l'ai revu, mon petit Serge, dit Anna en clignant des yeux comme si elle fixait un point dans le lointain. Mais nous reparlerons de cela plus tard. Je suis comme une créature mourant de faim qui, placée devant un festin, ne saurait par où commencer. Tu es ce festin pour moi : avec qui, sinon avec toi, pourrais-je parler à cœur ouvert? Aussi *ne te ferai-je grâce de rien...* Mais laisse-moi d'abord te donner une esquisse de la société que tu trouveras ici. En premier lieu la princesse Barbe. Je connais ton opinion sur son compte. Je sais aussi qu'à en croire Stiva elle ne pense qu'à démontrer sa supériorité sur notre tante Catherine Pavlovna. Mais elle a du bon, je t'assure, et je lui suis très obligée. Elle m'a été d'un grand secours à Pétersbourg, où un *chaperon* m'était indispensable... Tu ne t'imagines pas ce que ma position a de pénible... du moins là-bas, car ici je me sens tout à fait tranquille et heureuse... Mais revenons à nos hôtes. Tu connais Sviajski, le maréchal du district? C'est un homme très bien, qui paraît avoir besoin d'Alexis, car tu comprends qu'avec sa fortune Alexis peut acquérir une grande influence si nous vivons à la campagne... Ensuite Touchkévitch, le cavalier servant de Betsy, ou plutôt l'ancien cavalier, car il a reçu son congé. Comme Alexis dit, c'est un homme fort agréable, si on le prend pour ce qu'il veut paraître; *et puis il est comme il faut,* affirme la princesse Barbe... Enfin Veslovski, que tu connais. Un bon gosse... Il nous a conté sur les Levine une histoire invraisemblable, ajouta-t-elle, un sourire ironique aux lèvres. *Il est très gentil et très naïf...* Je tiens à toute cette société, parce que les hommes ont besoin de distraction et qu'il faut un public à Alexis pour qu'il ne trouve pas le temps de désirer autre chose... Nous avons aussi le régisseur, un Allemand très convenable, qui entend son affaire et dont Alexis fait grand cas; l'architecte; le docteur, un jeune homme fort instruit, qui n'est pas précisément nihiliste, mais enfin qui mange avec son couteau... *Bref, une petite cour.* »

XX

« Eh bien, la voilà, cette Dolly que vous désiriez tant voir, dit Anna à la princesse Barbe, qui, installée sur la grande terrasse, brodait au métier une garniture de fauteuil pour le comte Alexis Kirillovitch. Elle ne veut rien prendre avant le dîner; faites-lui cependant servir quelque chose, pendant que je fais chercher Alexis et tous ces messieurs. »

La princesse Barbe fit à Dolly un accueil gracieux et légèrement protecteur. Elle lui expliqua aussitôt qu'elle s'était installée chez Anna parce que l'ayant toujours mieux aimée que sa sœur Catherine Pavlovna, elle jugeait de son devoir de lui venir en aide durant cette période transitoire, si pénible, si douloureuse.

« Dès que son mari aura consenti au divorce, je me retirerai dans ma solitude; mais, actuellement, si pénible que cela soit, je reste et n'imite pas les autres. Tu as eu bien raison de venir, ils font un ménage parfait. C'est à Dieu et non à nous qu'il appartient de les juger. Est-ce que Biriouzovski et Mme Avéniev, Vassiliev et Mme Mamonov, Nikandrov lui-même, Lise Neptounov... Tout le monde a fini par les recevoir... Et puis *c'est un intérieur si joli, si comme il faut. Tout à fait à l'anglaise. On se réunit le matin au breakfast et puis on se sépare.* Chacun fait ce qu'il veut. On dîne à sept heures. Stiva a eu raison de t'envoyer. Le comte est très influent par sa mère et son frère. Et puis il est fort généreux. T'a-t-il parlé de son hôpital? ce sera admirable; tout vient de Paris. »

Cette conversation fut interrompue par Anna, qui revint sur la terrasse, suivie de ces messieurs qu'elle avait trouvés dans la salle de billard. Il restait encore deux heures avant le dîner; le temps était superbe, les distractions nombreuses et d'un tout autre genre qu'à Pokrovskoïé.

« *Une partie de lawn-tennis,* proposa Veslovski en souriant de son joli sourire. Voulez-vous être de nouveau ma partenaire, Anna Arcadiévna?

— Il fait trop chaud, objecta Vronski; faisons plutôt un tour dans le parc et promenons Darie Alexandrovna en bateau pour lui montrer le paysage?

— Je n'ai pas de préférence, dit Sviajski.

— Eh bien, conclut Anna, la promenade d'abord, le bateau ensuite; n'est-ce pas, Dolly? »

Veslovski et Touchkévitch allèrent préparer le bateau tandis que les deux dames accompagnées, Anna par Sviajski et Dolly par le comte, suivaient les allées du parc.

Décidément Dolly ne se sentait pas dans son assiette. En théorie, loin de jeter la pierre à Anna, elle était prête à l'approuver, et, comme il arrive aux femmes irréprochables que lasse quelquefois l'uniformité de leur vie morale, elle enviait même un peu cette existence coupable, entrevue à distance. Mais une fois en contact avec ce milieu étranger, avec ces élégances raffinées qui lui étaient inconnues, elle éprouva un véritable malaise. D'ailleurs, tout en excusant Anna, qu'elle aimait sincèrement, la présence de celui qui l'avait détournée de ses devoirs la choquait, et le chaperonnage de la princesse Barbe, pardonnant tout parce qu'elle partageait le luxe de sa nièce, lui semblait odieux. Vronski ne lui avait jamais inspiré de sympathie : elle le croyait fier et ne lui voyait, pour justifier son orgueil, d'autre raison que la richesse. Ici, chez lui, il lui imposait encore plus qu'à l'ordinaire et elle éprouvait en cheminant à ses côtés la même confusion que devant la fringante camériste. Elle répugnait à lui faire un compliment banal sur la magnificence de son installation, mais ne trouvant rien de mieux à lui dire, elle lui vanta la grande allure de la maison.

« Oui, répondit le comte, c'est un vieux manoir dans le bon style d'autrefois.

— La cour d'honneur m'a beaucoup plu; l'ordonnance en est-elle également ancienne?

— Oh! non, si vous l'aviez vue au printemps! »

Et s'emballant peu à peu il fit remarquer à Dolly les embellissements dont il était l'auteur. On le sentait heureux de pouvoir s'étendre sur un sujet qui lui tenait au cœur. Les éloges de son interlocutrice lui causèrent un visible plaisir.

« Si vous n'êtes pas fatiguée, nous pourrons aller jusqu'à l'hôpital, dit-il en regardant Dolly pour s'assurer que cette proposition ne l'ennuyait pas. Nous accompagnes-tu, Anna?

— Nous les suivons, n'est-ce pas? fit celle-ci en se tournant vers Sviajski. *Mais il ne faut pas laisser Touchkévitch et le pauvre Veslovski se morfondre dans le bateau.* Nous enverrons les prévenir... C'est un monument qu'il élève à sa gloire, reprit-elle à l'adresse de Dolly avec le même sourire qu'elle avait déjà eu pour lui parler de cet hôpital.

— Oui, c'est une fondation capitale », approuva Sviajski. Et aussitôt, pour n'avoir pas l'air d'un flatteur, il ajouta : « Je suis pourtant surpris, comte que vous vous préoccupiez uniquement de la santé du peuple et point du tout de son instruction.

— *C'est devenu si commun, les écoles!* répondit Vronski. Et puis je me suis laissé entraîner. Par ici, si vous le voulez bien », dit-il en indiquant à Dolly une allée latérale.

Les dames ouvrirent leurs ombrelles. Au sortir du parc, on se trouva devant une petite éminence; une grande bâtisse en briques rouges, d'une architecture plutôt compliquée, la couronnait; le toit de tôle, que l'on n'avait pas encore eu le temps de peindre, étincelait au soleil. Non loin de là s'en édifiait une autre, encore entourée d'échafaudages; des maçons, protégés

par des tabliers, étendaient sur les briques une couche
de mortier qu'ils égalisaient à l'équerre.

« Comme l'ouvrage avance rapidement! dit Sviajski.
La dernière fois que je suis venu, le toit n'était pas
encore posé.

— Ce sera terminé pour l'automne, car l'intérieur
est presque achevé, dit Anna.

— Que construisez-vous de nouveau?

— Un logement pour le médecin et une pharmacie »,
répondit Vronski.

Apercevant un personnage en paletot court qui venait à leur rencontre, il alla le rejoindre en évitant la
fosse à chaux. C'était l'architecte, avec lequel il se
prit à discuter.

« Qu'y a-t-il? s'enquit Anna.

— Le fronton n'est toujours pas à la hauteur voulue.

— Il fallait surélever les fondations, je l'avais bien
dit.

— En effet, Anna Arcadiévna, c'eût été préférable,
approuva l'architecte, mais il n'y faut plus songer
maintenant. »

Comme Sviajski se montrait surpris des connaissances d'Anna en architecture :

« Mais oui, répliqua-t-elle, cela m'intéresse beaucoup. Le nouveau bâtiment doit s'harmoniser avec
l'hôpital. Par malheur on l'a commencé trop tard et
sans plan. »

Quand Vronski eut fini avec l'architecte, il offrit
aux dames de visiter l'hôpital. La corniche extérieure
n'avait pas encore reçu ses ornements, on peignait le
rez-de-chaussée, mais le premier étage était à peu près
terminé. Un large escalier de fonte y menait; d'immenses fenêtres éclairaient de belles pièces aux murs
recouverts de stuc; on posait les dernières lames des
parquets. Les menuisiers, qui les rabotaient, enlevèrent,
pour saluer les « messieurs », les cordelettes qui leur
retenaient les cheveux.

« C'est ici la salle de réception, expliqua Vronski.
Elle n'aura pour tous meubles qu'un pupitre, une
table et une armoire.

— Par ici, s'il vous plaît; n'approchez pas de la fenêtre, dit Anna en touchant celle-ci du doigt. Alexis, ajouta-t-elle, la peinture a déjà séché. »

On passa dans le corridor où Vronski expliqua le nouveau système de ventilation. On parcourut toutes les salles, la lingerie, l'économat, on admira les lits à sommiers, les baignoires de marbre, les poêles d'un nouveau modèle, les brouettes perfectionnées et silencieuses. Sviajski appréciait tout en connaisseur. Dolly ne cachait point son étonnement admiratif et posait de nombreuses questions qui paraissaient enchanter Vronski.

« Ce sera, je crois, l'hôpital le mieux installé de la Russie, déclara Sviajski.

— N'aurez-vous point une salle d'accouchement? s'informa Dolly. C'est si nécessaire dans nos campagnes. J'ai souvent remarqué...

— Non, répliqua Vronski, ce n'est pas ici une maternité, mais un hôpital, où l'on soignera toutes les maladies, sauf les maladies contagieuses... Tenez, regardez, fit-il en désignant à Dolly un fauteuil roulant sur lequel il s'assit, et qu'il mit en marche... Un malade est atteint de la jambe, il ne peut pas marcher, mais il a besoin d'air. Alors on l'installe là-dedans et, en avant, marche! »

Dolly s'intéressait à tout et plus encore à Vronski, dont l'animation sincère et naïve faisait sa conquête. Ses préventions tombaient. « C'est un charmant garçon », se répétait-elle en scrutant les jeux de physionomie du jeune homme. Et elle comprit l'amour qu'il inspirait à Anna.

XXI

En sortant de l'hôpital, Anna proposa de montrer à Dolly le haras, où Sviajski voulait voir un étalon.

« La princesse doit être fatiguée et les chevaux ne

l'intéressent guère, objecta Vronski. Allez-y; quant à
moi, je ramènerai la princesse à la maison; et si vous
le permettez, nous causerons un peu chemin faisant,
ajouta-t-il à l'adresse de Dolly.

— Volontiers, car je ne me connais pas en chevaux », répondit celle-ci, quelque peu surprise.

Un regard qu'elle jeta au comte à la dérobée lui fit
soupçonner que celui-ci voulait lui demander un service. Effectivement, quand ils furent rentrés dans le
parc et que Vronski eut l'assurance qu'Anna ne pouvait plus ni les voir ni les entendre, il dit en regardant
Dolly de ses yeux souriants :

« Vous avez deviné, n'est-ce pas, que je désirais
m'entretenir avec vous en particulier. Vous êtes, je
le sais, une sincère amie d'Anna. »

Il ôta son chapeau pour essuyer son crâne menacé
par la calvitie.

Dolly ne lui répondit que par un regard inquiet.
Le contraste entre le sourire du comte et l'expression
sévère de son visage lui faisait peur. Qu'allait-il lui
demander? De venir s'installer chez eux avec ses
enfants? De former un cercle à Anna quand elle viendrait à Moscou?... Ou peut-être voulait-il se plaindre
de l'attitude d'Anna envers Veslovski? ou encore excuser sa propre conduite à l'égard de Kitty? Elle s'attendait au pire... et pas du tout à ce qu'il lui fut donné
d'entendre.

« Anna vous aime beaucoup, reprit le comte;
prêtez-moi l'appui de votre influence sur elle. »

Dolly interrogea d'un coup d'œil timide le visage
énergique du comte sur qui se jouait par instants un
rayon de soleil filtré par les branches des tilleuls. Il
marchait maintenant en silence.

« Si de toutes les amies d'Anna, reprit-il au bout
d'un moment, vous avez été la seule à venir la voir
— je ne compte pas la princesse Barbe, — ce n'est pas
que vous jugiez notre situation normale, c'est que vous
aimez assez Anna pour chercher à lui rendre cette
situation supportable. Ai-je raison? demanda-t-il en
scrutant les traits de Dolly.

— Oui, répondit celle-ci en fermant son ombrelle; mais...

— Personne ne ressent plus cruellement que moi la douloureuse situation d'Anna, interrompit Vronski qui, en s'arrêtant, força Dolly à l'imiter. Et vous l'admettrez aisément si vous me faites l'honneur de croire que je ne manque pas de cœur. Ayant causé cette situation j'en suis plus affecté que quiconque.

— Certainement, dit Dolly, touchée de la sincérité avec laquelle il venait de faire cet aveu; mais ne voyez-vous pas les choses trop en noir? Il se peut que dans le monde...

— Dans le monde, c'est l'enfer! jeta-t-il d'un ton sombre. Rien ne peut vous donner l'idée des tortures morales qu'elle a subies à Pétersbourg durant les quinze jours que nous avons dû y passer.

— Mais ici? Tant que ni elle ni vous n'éprouverez le besoin d'une vie mondaine...

— Eh, que m'importe le monde! s'écria-t-il.

— Vous vous en passerez facilement tant que vous connaîtrez le bonheur et la tranquillité. A en juger d'après ce qu'elle a eu le temps de me dire, Anna se trouve parfaitement heureuse. »

Tout en parlant, Dolly se demanda soudain si la félicité d'Anna était vraiment sans nuages. Vronski ne parut point en douter.

« Oui, oui, dit-il, elle a oublié ses souffrances, elle se sent heureuse parce qu'elle vit dans le présent. Mais moi?... Je redoute l'avenir... Mais pardon, vous êtes peut-être fatiguée? »

Dolly s'assit sur un banc au coin d'une allée; il resta debout devant elle.

« Je la sens heureuse, répéta-t-il et cette insistance confirma les soupçons de Dolly. Cependant la vie que nous menons ne saurait se prolonger. Avons-nous bien ou mal agi, je ne sais, mais le sort en est jeté, nous sommes liés pour la vie, continua-t-il en abandonnant le russe pour le français. Nous avons déjà un gage sacré de notre amour et nous pouvons encore avoir d'autres enfants. Mais notre situation actuelle entraîne mille complications qu'Anna ne peut ni ne veut prévoir, parce que, après avoir tant souffert, elle a besoin de respirer. C'est parfaitement légitime. Mais moi, je suis, hélas, bien forcé de les voir. Légalement ma fille n'est pas ma fille, mais celle de Karénine! Ce mensonge me révolte! » s'écria-t-il avec un geste énergique en scrutant Dolly du regard.

Comme celle-ci le considérait en silence :

« Qu'il me naisse un fils demain, reprit-il, ce sera toujours un Karénine, et il n'héritera ni de mon nom ni de mes biens. Nous pouvons être heureux tant que nous voudrons, il n'y aura pas de lien légal entre mes enfants et moi : ce seront à jamais des Karénine! Comprenez-vous que cette pensée me soit odieuse? Eh bien, j'ai essayé d'en toucher un mot à Anna; elle ne veut pas m'entendre, cela l'irrite et d'ailleurs je ne peux pas tout lui dire.

« ...Voyons maintenant les choses sous un autre angle. L'amour d'Anna a beau me rendre très heureux, je n'en dois pas moins m'adonner à une occupation quelconque. Or j'ai trouvé ici un but d'activité dont je suis fier et que je trouve supérieur à ceux que poursuivent mes anciens camarades de la cour ou de l'armée. Je ne les envie certes pas. Je travaille, je suis content, c'est la première condition du bonheur! Oui, j'aime ce genre d'activité; *ce n'est pas un pis aller,* bien au contraire... »

Il s'embrouillait, Dolly s'en aperçut et, sans trop comprendre où il voulait en venir, elle devina que cette digression appartenait aux pensées intimes qu'il n'osait pas dévoiler à Anna. S'étant résolu à prendre Dolly pour confidente, il vidait tout son sac.

« Je voulais dire, continua-t-il, en retrouvant le fil de ses idées, que pour se vouer entièrement à une œuvre, il faut être sûr qu'elle ne périra pas avec nous. Or je ne puis avoir d'héritiers! Concevez-vous les sentiments d'un homme qui sait que ses enfants et ceux de sa femme qu'il adore ne lui appartiennent pas, qu'ils ont pour père quelqu'un qui les hait et ne voudra jamais les connaître. N'est-ce pas épouvantable? »

Il se tut, en proie à une vive émotion.

« Je vous comprends, dit Darie Alexandrovna. Mais que peut faire Anna?

— Vous touchez au sujet principal de notre entretien, dit le comte en s'efforçant de reprendre son calme. Tout dépend d'Anna. Même pour soumettre à l'empereur une requête d'adoption, il faut d'abord que le divorce soit prononcé. Anna peut l'obtenir. Votre mari y avait fait consentir M. Karénine, et je sais que celui-ci ne s'y refuserait pas, même actuellement, si Anna lui écrivait. Cette condition est évidemment une de ces cruautés pharisaïques dont les êtres sans cœur sont seuls capables, car il n'ignore pas la torture qu'il lui impose. Mais devant d'aussi graves raisons, il importe de *passer par-dessus toutes ces finesses de sentiment : il y va du bonheur et de l'exigence d'Anna et de ses enfants*. Je ne parle pas de moi, bien que je souffre beaucoup, beaucoup... »

On percevait dans sa voix des notes menaçantes à l'intention d'on ne savait trop qui.

« Et voilà pourquoi, conclut-il, je m'accroche à vous, princesse, comme à une ancre de salut. Persuadez-la, je vous en supplie, d'écrire à son mari et de demander le divorce.

— Volontiers », dit Dolly sans grande conviction, car elle se rappelait son dernier entretien avec Alexis Alexandrovitch. « Oui, bien volontiers, reprit-elle, d'un ton plus ferme en songeant à Anna.

— Je compte fermement sur vous, car je n'ai pas le courage d'aborder ce sujet avec Anna.

— Entendu; mais comment n'y pense-t-elle pas d'elle-même? »

Et soudain elle crut voir une coïncidence entre les préoccupations d'Anna et ce clignement d'yeux qui était devenu chez elle une habitude. « On dirait vraiment, songea Dolly, qu'elle cherche à écarter certaines choses de son champ de vision. »

« Oui, je vous promets de lui parler », répéta Dolly, répondant au regard reconnaissant de Vronski.

Ils reprirent le chemin de la maison.

XXII

Quand Anna revint à son tour, elle chercha à lire dans les yeux de Dolly ce qui s'était passé entre elle et Vronski, mais elle ne lui posa aucune question.

« On va servir le dîner et nous nous sommes à peine vues, dit-elle. Je compte sur ce soir. Maintenant il faut changer de toilette, car nous nous sommes salies pendant notre visite à l'hôpital. »

Dolly trouva la remarque plaisante : elle n'avait apporté qu'une robe! Néanmoins, pour opérer un changement quelconque à sa toilette, elle mit une dentelle dans ses cheveux, changea le nœud et les poignets de son corsage et se fit donner un coup de brosse.

« C'est tout ce que j'ai pu faire, avoua-t-elle en riant à Anna, lorsque celle-ci vint la chercher après avoir revêtu une troisième toilette, tout aussi « simple » que les précédentes.

— Nous sommes très formalistes ici, dit Anna pour excuser son élégance. Alexis est ravi de ton arrivée; je l'ai rarement vu si content. Il doit s'être épris de toi!... Tu n'es pas fatiguée, j'espère? »

Elles retrouvèrent au salon la princesse Barbe et ces messieurs, en redingote; l'architecte avait même passé un habit. Vronski présenta à Darie Alexandrovna le médecin et le régisseur.

Un gros maître d'hôtel, dont la face ronde rasée et la cravate blanche empesée luisaient de concert, vint annoncer que « Madame était servie ». Vronski pria Sviajski d'offrir son bras à Anna, tandis qu'il tendait le sien à Dolly, Veslovski s'empressa auprès de la princesse Barbe, devançant Touchkévitch à qui il ne resta plus qu'à fermer la marche en compagnie du médecin, de l'architecte et du régisseur.

La salle à manger, le service, le menu, les vins dépassaient encore en somptuosité ce que Dolly avait vu au cours de la journée. Certes elle désespérait de

jamais introduire pareil luxe dans son modeste intérieur; néanmoins elle s'intéressait à tous les détails et
se demandait qui en avait surveillé l'ordonnance. Les
maîtres de maison de bonne compagnie aiment à
insinuer que tout se fait chez eux quasi automatique-
ment; cette innocente coquetterie pouvait duper certaines gens de sa connaissance — Veslovski, son mari,
Sviajski lui-même — mais non pas la ménagère avertie
qu'était Darie Alexandrovna. Si les plus petites choses,
la bouillie des enfants par exemple, nécessitaient un
certain contrôle, un train de vie aussi compliqué exigeait à plus forte raison une pensée directrice. Et
cette pensée venait du comte, Dolly le comprit au
regard dont il enveloppa la table, au signe de tête
qu'il adressa au maître d'hôtel, à la manière dont il lui
offrit le choix entre un consommé et un potage froid
au poisson. Anna se contentait de jouir, comme les
invités, des délices de la table. Elle s'était cependant
réservé le soin de diriger la conversation, tâche difficile avec des convives appartenant à des sphères
différentes, et dont elle s'acquittait avec son tact habituel; il sembla même à Dolly qu'elle y prenait un
certain plaisir.

A propos de la promenade en barque qu'il avait
faite en compagnie de Veslovski, Touchkévitch voulut
s'étendre sur les dernières régates du Yacht-Club; mais
Anna profita d'une pause pour faire parler l'architecte.

« Nicolas Ivanovitch trouve que le nouveau bâtiment a beaucoup avancé depuis sa dernière visite,
dit-elle en désignant Sviajski; je suis surprise moi-
même de cette rapidité.

— Les choses vont vite avec Son Altesse, répondit
en souriant l'architecte, personnage flegmatique chez
qui la déférence s'alliait à la dignité. Mieux vaut avoir
affaire à lui qu'à nos autorités du chef-lieu. Là-bas,
j'aurais dépensé en rapports toute une rame de papier;
ici, en trois phrases nous nous mettons d'accord.

— Tout à fait à l'américaine, n'est-ce pas? insinua
Sviajski.

— Oui, on sait construire aux Etats-Unis.

— Les abus de pouvoir y sont aussi fréquents... »

Anna détourna aussitôt l'entretien : il s'agissait maintenant de dérider le régisseur.

« Connais-tu les nouvelles machines à moissonner? demanda-t-elle à Dolly. Nous revenions de voir fonctionner la nôtre quand nous t'avons rencontrée. J'ignorais encore cette invention.

— Et comment fonctionnent-elles? s'enquit Dolly.

— Tout à fait comme des ciseaux. C'est une simple planche avec beaucoup de petits ciseaux. Tiens, regarde. »

De ses mains blanches, couvertes de bagues, Anna prit son couteau, sa fourchette, et commença une démonstration que personne ne parut comprendre; elle s'en rendit compte, mais ne la continua pas moins, car elle savait que ses mains étaient belles et sa voix agréable.

« Ce sont plutôt des canifs », dit en badinant Veslovski, qui ne la quittait pas des yeux.

Anna esquissa un sourire, mais ne répondit rien.

« N'est-ce pas, Carl Fiodorovitch, que ce sont des ciseaux? demanda-t-elle au régisseur.

— *O ja,* répondit l'Allemand. *Es ist ein ganz einfaches Ding.* (Oui, c'est tout à fait simple.) »

Et il se mit à expliquer le dispositif de la machine.

« C'est dommage qu'elle ne soit que moissonneuse, fit observer Sviajski. J'en ai vu à l'exposition de Vienne qui sont aussi lieuses. Cela me paraît plus avantageux.

— *Es kommt drauf an... Der Preis vom Draht muss ausgerechnet werden... Das lässt sich ausrechnen, Erlaucht.* (Cela dépend... Le prix du fil de fer doit entrer en ligne de compte... C'est facile à calculer, Excellence) », dit l'Allemand mis en verve en s'adressant à Vronski.

Il allait tirer son crayon et son carnet de sa poche, mais un coup d'œil plutôt froid que lui lança Vronski le fit se souvenir qu'il était à table, et il dit par manière de conclusion :

« *Zu complicirt, macht zu viel « Khlopot »*. (Trop compliqué, cela cause trop de « khlopots » (embarras).

— *Wünscht man « Dochods »*, *so hat man auch « Khlopots »* (quand on veut des « dochods » (revenus), on supporte les « khlopots »), insinua Vassia Veslovski pour taquiner le régisseur. *J'adore l'allemand,* ajouta-t-il à l'adresse d'Anna.

— Cessez, dit celle-ci d'un air mi-plaisant, mi-sévère... Nous croyions vous trouver dans les champs, Vassili Sémionovitch? demanda-t-elle au médecin, individu maladif. N'y étiez-vous pas?

— Si fait, mais je me suis volatilisé, répondit-il d'un ton qui voulait être badin, mais ne parut que lugubre.

— Bref, vous avez pris beaucoup d'exercice?

— Tout juste.

— Et comment va votre vieille malade? J'espère que ce n'est pas la fièvre typhoïde?

— Pas précisément, mais cela ne vaut guère mieux.

— La pauvre! »

Après ce sacrifice aux convenances, Anna se retourna vers les gens de son monde.

« A parler franc, Anna Arcadiévna, lui dit en riant Sviajski, ce ne serait pas chose facile que de construire une machine d'après vos explications.

— Croyez-vous? » répliqua-t-elle, en soulignant par un sourire qu'il y avait dans sa démonstration un côté charmant, dont Sviajski s'était bel et bien aperçu.

Ce nouveau trait de coquetterie frappa Dolly.

« En revanche, déclara Touchkévitch, Anna Arcadiévna possède en architecture des connaissances vraiment surprenantes.

— Comment donc! s'écria Veslovski. Ne l'ai-je pas entendue hier parler de plinthes et de frontons?

— Que voulez-vous, quand on entend prononcer ces mots-là tous les jours! Et vous, savez-vous seulement avec quels matériaux on bâtit une maison? »

Dolly remarqua que, tout en réprouvant le ton folâtre sur lequel lui parlait Veslovski, Anna l'adoptait à son tour.

Au contraire de Levine, Vronski n'attachait aucune importance au bavardage de Vassia; loin de s'offusquer de ses plaisanteries, il les encourageait.

« Voyons, Veslovski, dites-nous comment on lie les pierres d'un édifice?

— Avec du ciment.

— Bravo, mais qu'est-ce que le ciment?

— Une sorte de bouillie..., c'est-à-dire de mastic », répondit Veslovski, provoquant l'hilarité générale.

A l'exception du médecin, de l'architecte, du régisseur qui gardaient un morne silence, les convives devisèrent avec animation pendant tout le dîner, passant d'un sujet à l'autre, glissant sur celui-ci, insistant sur celui-là, s'attaquant parfois à telle ou telle personne. Une fois même, Darie Alexandrovna, piquée au vif, rougit et s'emporta si bien qu'elle craignit par la suite d'être allée trop loin. A propos des machines agricoles, Sviajski crut bon de signaler que Levine jugeait néfaste leur introduction en Russie, et il s'éleva contre une opinion aussi bizarre.

« Je n'ai pas l'honneur de connaître ce monsieur Levine, dit en souriant Vronski, mais je suppose qu'il n'a jamais vu les machines qu'il critique, ou du moins qu'il n'en a vu que de fabrication russe. Autrement je ne m'explique pas son point de vue.

— C'est un homme à points de vue turcs, dit Veslovski avec un sourire à l'adresse d'Anna.

— Il ne m'appartient pas de défendre ses opinions, déclara Darie Alexandrovna en s'échauffant peu à peu; mais ce que je puis vous affirmer, c'est que Levine est un garçon fort instruit; s'il était ici, il saurait vous faire comprendre sa manière de voir.

— Oh! je l'aime beaucoup et nous sommes d'excellents amis! proclama Sviajski d'un ton cordial. Mais, excusez-moi, *il est un petit peu toqué*. Il considère, par exemple, le « zemstvo » et les justices de paix comme parfaitement inutiles et se refuse à en faire partie.

— Voilà bien notre insouciance russe! s'écria Vronski en se versant un verre d'eau glacée. Nous refu-

sons de comprendre que les droits dont nous jouissons
entraînent certains devoirs.

— Je ne connais pas d'homme qui remplisse plus
strictement ses devoirs, dit Darie Alexandrovna, irritée
par ce ton de supériorité.

— Pour ma part, continua Vronski, piqué au vif à
son tour, je suis très reconnaissant à Nicolas Ivanovitch de m'avoir fait élire juge de paix honoraire.
Juger quelque pauvre affaire de paysan me paraît un
devoir aussi important que les autres. Et si l'on me
député au zemstvo j'en serai très flatté. C'est ma seule
façon de m'acquitter envers la société des privilèges
dont je jouis en tant que propriétaire foncier. On ne
comprend pas assez le rôle que doivent jouer dans
l'Etat les gros propriétaires. »

Dolly compara l'opiniâtreté de Vronski à celle de
Levine défendant des opinions diamétralement opposées. Elle ne put se défendre de songer que cette
belle assurance leur venait à tous deux quand ils
étaient à table. Mais, comme elle aimait son beau-frère,
elle lui donnait raison *in petto*.

« Ainsi donc, Comte, nous pouvons compter sur
vous pour les élections? dit Sviajski. Il faudra partir
un peu tôt, pour arriver dès le 8. Si vous me faisiez
l'honneur de descendre chez moi?

— Pour ma part, dit Anna à Dolly, je suis de l'avis
de ton beau-frère..., quoique pour des motifs différents,
ajouta-t-elle en souriant. Les devoirs publics me semblent se multiplier avec quelque exagération. Depuis
six mois que nous sommes ici, Alexis exerce déjà cinq
ou six fonctions. *Du train dont cela va,* il n'aura plus
une minute à lui. Et là où les fonctions s'accumulent à
ce point, je crains fort qu'elles ne deviennent une pure
question de forme. Voyons, Nicolas Ivanovitch, combien de charges avez-vous? Une vingtaine, sans doute. »

Sous ce, ton de plaisanterie, Dolly démêla une pointe
d'irritation. Elle remarqua que pendant cette diatribe
les traits de Vronski avaient pris une expression de
dureté et que la princesse Barbe en avait impatiemment attendu la fin pour se lancer dans des propos

abondants sur des amis pétersbourgeois. Elle se souvint
alors que durant leur entretien dans le parc, Vronski
s'était étendu assez mal à propos sur son besoin d'activité. Elle soupçonna que les deux amants devaient
être en désaccord sur ce point.

Le dîner eut ce caractère de luxe, mais aussi de
formalisme et d'impersonnalité propre aux repas de
cérémonie. Ce faste ne cadrait guère avec une réunion
intime; il indisposa fort Dolly qui en avait perdu l'habitude.

Après quelques instants de repos sur la terrasse, on
commença une partie de *lawn-tennis.* Sur le *croquet
ground,* soigneusement damé et nivelé, les joueurs, par-
tagés en deux camps, prirent place des deux côtés d'un
filet assujetti à des poteaux dorés. Dolly voulut
s'essayer à ce jeu, mais elle n'arrivait pas à en comprendre les règles; quand enfin elle les eut bien saisies,
elle était à bout de forces et préféra tenir compagnie
à la princesse Barbe. Son partenaire, Touchkévitch,
renonça également, mais les autres jouèrent encore
longtemps. Sviajski et Vronski étaient des joueurs sérieux : très maîtres d'eux-mêmes ils surveillaient d'un
œil vigilant la balle qu'on leur servait, la reprenaient
au bon moment et la renvoyaient d'un coup de ra-
quette très sûr. Veslovski au contraire s'échauffait
trop; mais ses rires, ses cris, sa gaieté excitaient les
autres joueurs. Avec la permission des dames, il avait
enlevé sa redingote; son buste bien moulé, son visage
cramoisi, ses manches de chemise blanches, ses gestes
nerveux se gravaient si bien dans la mémoire que,
rentrée dans sa chambre, Dolly devait longtemps les
revoir avant de trouver le sommeil.

Pour le moment elle s'ennuyait. La familiarité dont
Veslovski continuait de faire preuve envers Anna lui
devenait de plus en plus pénible; par ailleurs elle
trouvait à toute cette scène une affectation d'enfantillage : de grandes personnes qui s'adonnent entre
elles à une distraction d'enfants prêtent fort au ridicule. Néanmoins, pour ne pas troubler la bonne humeur
générale — et aussi pour passer le temps — elle se

joignit bientôt aux autres joueurs et fit semblant de s'amuser.

Elle avait eu toute la journée l'impression de jouer la comédie avec des acteurs qui lui étaient supérieurs et de nuire à l'ensemble.

Au cours de la partie, elle se résolut à repartir dès le lendemain, bien qu'elle fût venue avec l'intention secrète de rester une couple de jours si elle se sentait à l'aise. Un désir passionné de revoir ses enfants, de reprendre ce joug qu'elle avait tant maudit le matin même, s'emparait d'elle irrésistiblement.

Rentrée dans sa chambre après le thé et une promenade en bateau, elle passa un peignoir avec délice et s'installa devant la coiffeuse. Elle éprouvait un véritable soulagement à se retrouver seule et aurait préféré ne pas voir Anna.

XXIII

Au moment où elle allait se mettre au lit, Anna entra en déshabillé de nuit.

Plusieurs fois au cours de la journée, sur le point d'aborder une question intime, Anna s'était interrompue : « Plus tard, quand nous serons seules; j'ai tant de choses à te dire... » Et maintenant assise près de la fenêtre, elle considérait Dolly en silence et fouillait en vain sa mémoire : il lui semblait qu'elles s'étaient déjà tout dit. Enfin, après un profond soupir :

« Que devient Kitty? demanda-t-elle, le regard contrit. Dis-moi la vérité : m'en veut-elle?

— Oh! non, répondit Dolly en souriant.

— Elle me hait, me méprise.

— Non plus; mais, tu sais, il y a des choses qui ne se pardonnent pas.

— C'est vrai, dit Anna en reportant son regard vers la fenêtre ouverte. Mais franchement je ne suis pas coupable. D'ailleurs qu'appelle-t-on coupable? Pouvait-il en aller autrement? Croirais-tu possible de n'être pas la femme de Stiva?

— Je n'en sais trop rien. Mais, dis-moi, je te prie...

— Tout à l'heure, quand nous en aurons fini avec Kitty. Est-elle heureuse? Son mari est, paraît-il, un excellent homme.

— C'est trop peu dire : je n'en connais pas de meilleur.

— Pas de meilleur, répéta-t-elle, pensive. Allons, tant mieux! »

Dolly sourit :

« Voyons, parle-moi de toi. J'en ai long à te dire. J'ai causé avec... »

Elle ne savait comment nommer Vronski : le comte? Alexis Kirillovitch? formules bien solennelles!

« Avec Alexis, acheva Anna. Oui, je le sais... Dis-moi tout franc ce que tu penses de moi, de ma vie.

— Comme ça? de but en blanc? je ne saurais.

— Mais si, mais si... Seulement, avant de le juger, n'oublie pas que tu nous trouves entourés de monde, alors qu'au printemps nous étions seuls, complètement seuls. Ce serait le bonheur suprême que de vivre ainsi à deux! Mais je crains qu'il ne prenne l'habitude de s'absenter et alors figure-toi ce que serait pour moi la solitude... Oh! je sais ce que tu vas dire, ajouta-t-elle en venant s'asseoir auprès de Dolly. Sois sûre que je ne le retiendrai pas de force. Je n'y songe pas. C'est la saison des courses, ses chevaux courent; soit, qu'il s'amuse!... Mais moi, qu'est-ce que je deviens pendant ce temps-là... Eh bien, reprit-elle en souriant, de quoi avez-vous causé ensemble?

— D'un sujet que j'aurais abordé avec toi sans qu'il m'en parlât, à savoir la possibilité de rendre ta situation plus... régulière, acheva-t-elle après un moment d'hésitation... Tu connais ma manière de voir à ce sujet, mais enfin mieux vaudrait le mariage.

— C'est-à-dire le divorce?... Sais-tu que la seule femme qui ait daigné venir me voir à Pétersbourg, Betsy Tverskoï... Tu la connais, *c'est au fond la femme*

la plus dépravée qui existe; elle a indignement trompé
son mari avec Touchkévitch... Eh bien, Betsy m'a
laissé entendre qu'elle ne pourrait pas me voir tant
que ma position ne serait pas régularisée... Ne crois
pas que j'établisse de comparaison entre vous, c'est
une simple réminiscence... Alors, que t'a-t-il dit?

— Qu'il souffre pour toi et pour lui; si c'est de
l'égoïsme, je n'en sais pas de plus noble. Il voudrait
légitimer sa fille, être ton mari, avoir des droits sur
toi.

— Quelle femme peut appartenir à son mari plus
complètement que je ne lui appartiens? interrom-
pit-elle d'un ton morne. Je suis son esclave, voyons!

— Et surtout il ne voudrait pas te voir souffrir?

— C'est impossible!... Et puis...

— Et puis, désir bien légitime, donner son nom à
vos enfants?

— Quels enfants? s'enquit Anna en fermant à demi
les yeux.

— Mais Annie et ceux que tu pourras avoir encore...

— Oh! il peut être tranquille, je n'en aurai plus...

— Comment peux-tu répondre de cela?

— Parce que je ne veux plus en avoir... »

Malgré son émotion, Anna sourit en voyant une
expression d'étonnement, de naïve curiosité et d'horreur se peindre sur le visage de Dolly.

« Après ma maladie, crut-elle bon d'expliquer, le
médecin m'a dit...

— C'est impossible! » s'écria Dolly en ouvrant de
grands yeux. Ce qu'elle venait d'apprendre confondait
toutes ses idées, et les déductions qu'elle en tira éclai-
rèrent subitement bien des points qui jusqu'alors lui
étaient demeurés mystérieux. Elle comprenait maintenant pourquoi certaines familles n'avaient qu'un ou
deux enfants. N'avait-elle pas rêvé quelque chose
d'analogue pendant son voyage?... Epouvantée de cette
réponse trop simple à une question compliquée, elle
contemplait Anna avec satisfaction.

« *N'est-ce pas immoral?* demanda-t-elle après un
moment de silence.

— Pourquoi? Je n'ai pas le choix : ou la grossesse avec toutes les souffrances qu'elle entraîne, ou la possibilité d'être un camarade pour mon... disons mari, répondit Anna sur un ton qu'elle s'efforçait de rendre badin.

— Oui, oui, oui », répétait Dolly qui reconnaissait ses propres arguments mais ne leur trouvait plus la même force de conviction que le matin.

Anna parut deviner ses pensées.

« Si le point est discutable en ce qui te concerne, il ne saurait l'être pour moi. Je ne suis sa femme qu'autant qu'il m'aime. Et ce n'est pas avec cela — ses mains blanches esquissèrent un geste autour de sa taille — que j'entretiendrai son amour. »

Comme il est de règle dans les moments d'émotion, pensées et souvenirs se pressaient en foule dans l'esprit de Dolly. « Je n'ai pas su retenir Stiva, songeait-elle, mais celle qui me l'a enlevé y a-t-elle réussi? Ni sa jeunesse ni sa beauté n'ont empêché Stiva de la quitter, elle aussi. Anna retiendra-t-elle le comte par les moyens qu'elle emploie? Pour beaux que soient les bras blancs, la poitrine opulente, le visage animé, les cheveux noirs de ma belle-sœur, pour irréprochables que soient ses toilettes et ses manières, Vronski ne trouvera-t-il pas quand il le voudra — tout comme mon cher et pitoyable mari — une femme encore plus belle, plus élégante, plus séduisante? »

En guise de réponse, elle poussa un profond soupir. Sentant que Dolly la désapprouvait, Anna eut recours à des arguments qu'elle jugeait irrésistibles.

« Tu dis que c'est immoral. Raisonnons froidement, s'il te plaît. Comment dans ma situation puis-je désirer des enfants? Je ne parle pas des souffrances, je ne les redoute guère. Mais songe donc que mes enfants porteront un nom d'emprunt, qu'ils rougiront de leurs parents, de leur naissance.

— C'est bien pourquoi tu dois demander le divorce. »

Anna ne l'écoutait pas. Elle voulait exposer jusqu'au

bout une argumentation qui l'avait tant de fois convaincue.

« Ma raison me commande impérieusement de ne point mettre au monde des infortunés. »

Elle regarda Dolly, mais, sans attendre sa réponse, elle reprit :

« S'ils n'existent pas, ils ne connaissent pas le malheur; mais s'ils existent pour souffrir, la responsabilité en retombe sur moi. »

C'étaient les mêmes arguments auxquels Dolly avait failli céder le matin; qu'ils lui paraissaient faibles maintenant! « Comment peut-on être coupable à l'égard de créatures qui n'existent pas? Eût-il vraiment mieux valu pour mon bien-aimé Gricha qu'il ne vît jamais le jour? » Cette idée lui parut si indécente qu'elle secoua la tête pour chasser l'essaim d'absurdités qui l'assaillaient.

« Il me semble pourtant que c'est mal », finit-elle par dire avec une expression de dégoût.

Bien que Dolly n'eût à peu près rien objecté à son argumentation, Anna sentit sa conviction ébranlée.

« Oui, dit-elle, mais songe à la différence qui existe entre nous deux. Pour toi, il s'agit de savoir si tu désires encore avoir des enfants; pour moi, uniquement s'il m'est permis d'en avoir. »

Dolly comprit tout à coup l'abîme qui la séparait d'Anna : il y avait certaines questions sur lesquelles elles ne s'entendraient jamais plus.

XXIV

« Raison de plus pour régulariser ta situation, si c'est possible.

— Oui, *si c'est possible,* répondit Anna sur un ton de tristesse résignée, bien différent de celui qu'elle avait adopté jusqu'alors.

— On me disait que ton mari consentait au divorce?

— Laissons cela, je t'en supplie.

— Comme tu voudras, répondit Dolly, frappée de l'expression de souffrance qui contractait les traits d'Anna. Mais ne vois-tu pas les choses trop en noir?

— Nullement, je suis très gaie. *Je fais même des passions;* as-tu remarqué Veslovski?

— A vrai dire, son ton ne me plaît guère, dit Dolly pour détourner l'entretien.

— Pourquoi? L'amour-propre d'Alexis en est chatouillé, voilà tout; quant à moi, je fais de cet enfant ce que je veux, comme toi de Gricha... Non, Dolly, s'écria-t-elle soudain revenant à leur premier propos, je ne vois pas tout en noir, mais je cherche à ne *rien* voir... Tu ne peux pas me comprendre, tout cela est par trop horrible!

— Il me semble que tu as tort. Tu devrais faire le nécessaire.

— Que puis-je faire? Rien... A t'entendre, je ne songerais pas à épouser Alexis... Mais comprends donc que je ne songe qu'à cela! » s'écria-t-elle en se levant, le visage en feu, la poitrine agitée. Et elle se mit à marcher de long en large, avec de courts arrêts. « Oui, reprit-elle, il n'y a pas de jour, pas d'heure où cette pensée ne m'assaille, où je ne doive la chasser par peur de perdre l'esprit... Oui, de perdre l'esprit, répéta-t-elle... Et je ne parviens à me calmer qu'avec de la morphine... Mais raisonnons froidement. D'abord « il » ne consentira pas au divorce, parce qu'il est sous l'influence de la comtesse Lydie. »

Dolly s'était redressée sur sa chaise et suivait Anna d'un regard où se lisait une douloureuse sympathie.

« Tu pourrais quand même essayer, insinua-t-elle avec douceur.

— Essayer! C'est-à-dire qu'il faudra m'abaisser à implorer un homme que je hais tout en le sachant généreux, tout en me reconnaissant coupable envers lui! Soit... Et si je reçois une réponse blessante?... Mais admettons qu'il consente... Et mon fils, me le rendra-t-on? »

Elle s'était arrêtée tout au bout de la pièce, ses mains s'agrippaient au rideau d'une fenêtre; elle exprimait de toute évidence une opinion depuis longtemps mûrie.

« Non, continua-t-elle, on ne me le rendra pas. Il grandira chez ce père que j'ai quitté, où on lui apprendra à me mépriser. Conçois-tu que j'aime presque également, et certes plus que moi-même, ces deux êtres qui s'excluent l'un l'autre, Serge et Alexis. »

Elle était revenue au milieu de la chambre et pressait sa poitrine à deux mains. Le long peignoir blanc dont elle était revêtue la grandissait encore. Elle se pencha vers la pauvre petite Dolly, qui, affublée d'une coiffe de nuit, tremblante d'émotion sous sa camisole reprisée, faisait auprès d'elle triste figure, et la fixa d'un long regard mouillé de larmes.

« Je n'aime qu'eux au monde et puisqu'il m'est impossible de les réunir, je me soucie peu du reste! Cela finira d'une façon quelconque, mais je ne puis ni ne veux aborder ce sujet. Ne m'adresse aucun reproche, tu es trop honnête, trop pure pour pouvoir comprendre toutes mes souffrances. »

Elle s'assit près de sa belle-sœur et lui prit la main.

« Que dois-tu penser de moi? Ne me méprise pas, je ne le mérite point. Mais plains-moi, car il n'y a pas de femme plus malheureuse. »

Elle se détourna pour pleurer.

Quand Anna l'eut quittée, Dolly fit sa prière et se coucha, toute surprise de ne pouvoir penser à cette femme qu'elle plaignait pourtant de tout son cœur quelques instants plus tôt. Son imagination l'emportait impérieusement vers la maison, les enfants : jamais elle n'avait aussi vivement senti combien ce petit monde lui était cher et précieux! Et ces souvenirs charmants la confirmèrent dans sa résolution de partir le lendemain.

Cependant Anna, rentrée dans son cabinet de toilette, versait dans un verre d'eau quelques gouttes d'une potion à la morphine, qui lui rendit bientôt tout son calme. Après être demeurée quelques instants immobile dans un fauteuil, elle gagna de fort belle humeur la chambre à coucher.

Vronski la regarda avec attention, cherchant sur son visage à demi fermé quelque indice de la conversation qu'elle avait eue avec Dolly; mais il n'y vit que cette grâce séductrice dont il subissait toujours le charme. Il attendit qu'elle parlât.

« Je suis contente que Dolly t'ait plu, dit-elle simplement.

— Mais je la connais depuis longtemps. C'est, je crois, une excellente femme, bien qu'*excessivement terre à terre*. Je n'en suis pas moins très heureux de sa visite. »

Il prit la main d'Anna et l'interrogea d'un regard auquel celle-ci donna un sens bien différent : et pour toute réponse elle lui sourit.

Malgré les instances de ses hôtes, Dolly fit le lendemain ses préparatifs de départ. Le cocher Philippe, vêtu d'un caftan fatigué et coiffé d'un chapeau qui rappelait vaguement ceux des postillons, le cocher Philippe arrêta, d'un air morne mais résolu, sur les carreaux sablés du péristyle, son attelage mal assorti et sa calèche aux garde-crotte rapiécés.

Darie Alexandrovna prit froidement congé de la princesse Barbe et des messieurs; la journée passée en commun ne les avait pas rapprochés. Anna seule était triste : personne, elle le savait, ne viendrait plus réveiller les sentiments que Dolly avait remués dans son âme. Si douloureux qu'ils fussent, ils n'en constituaient pas moins la meilleure partie d'elle-même et bientôt, hélas, la vie qu'elle menait en étoufferait les derniers vestiges (1).

Dolly ne respira librement qu'en pleine campagne; curieuse de connaître les impressions de ses compagnons de voyage, elle allait les interroger, quand Philippe prit de lui-même la parole.

(1) Strakhov à propos de la visite de Dolly chez Anna et Vronski : « Mon Dieu! Mais pourquoi personne n'a-t-il encore jamais écrit cela? C'est la vérité, la plus simple, la vérité éternelle. »

« Pour des richards, c'est des richards. Ça n'empêche pas que mes chevaux n'ont reçu que trois mesures d'avoine. Juste de quoi ne pas crever de faim! Les pauvres bêtes avaient tout bâfré avant le chant des coqs. Aux relais on ne vous compte l'avoine que quarante-cinq kopeks. Chez nous, pour sûr, on n'y regarde pas de si près!

— Oui, c'est pas des gens larges, approuva le teneur de livres.

— Mais les chevaux sont beaux?

— Oui, y a pas à dire, c'est des belles bêtes. Et on n'a pas mal bouffé non plus... Je sais pas si ça vous fait le même effet, Darie Alexandrovna, ajouta-t-il en tournant vers elle sa belle et honnête figure, mais moi, chez ces gens-là, je me suis pas senti dans mon assiette.

— Moi non plus. Crois-tu que nous arriverons ce soir?

— On tâchera. »

Darie Alexandrovna retrouva ses enfants en bonne santé et plus charmants que jamais. Du coup, son malaise s'évanouit; elle décrivit avec animation les incidents de son voyage, l'accueil cordial qui lui avait été réservé, vanta le goût, le luxe, les divertissements des Vronski, et ne permit à personne la moindre critique à leur égard.

« Il faut les voir chez eux pour les bien comprendre, déclara-t-elle, et je vous assure qu'ils sont tout à fait touchants. »

XXV

Vronski et Anna passèrent à la campagne la fin de l'été et une partie de l'automne, sans faire aucune démarche pour régulariser leur situation. Ils avaient résolu de ne point bouger de Vozdvijenskoié, mais après le départ de leurs invités, ils sentirent que leur vie devait forcément subir quelque modification.

Rien de ce qui constitue le bonheur ne leur manquait en apparence : ils étaient riches et bien portants, ils avaient un enfant et des occupations. Anna continuait à prendre le plus grand soin de sa personne. Abonnée à plusieurs journaux étrangers, elle faisait venir les romans et les ouvrages sérieux qu'ils prônaient, et les lisait avec l'attention soutenue des solitaires. Aucun des sujets susceptibles de passionner Vronski ne lui restait indifférent : douée d'une excellente mémoire, elle puisa dans des manuels et des revues techniques des connaissances qui surprirent d'abord son amant; mais, quand elle lui eut montré ses références, il admira son érudition et prit l'habitude de la consulter sur des questions d'agronomie, d'architecture, voire de sport ou d'élevage de chevaux. Elle prenait aussi un vif intérêt à l'agencement de l'hôpital et fit adopter certaines innovations dont elle avait eu l'idée. L'unique but de sa vie était de plaire à Vronski, de le seconder en toutes choses, de lui remplacer ce qu'il avait quitté pour elle. Touché de ce dévouement, le comte l'appréciait à sa juste valeur; à la longue cependant, l'atmosphère de tendresse jalouse dont Anna l'enveloppait lui devint à charge et il éprouva le besoin d'affirmer son indépendance. Son bonheur eût été complet, croyait-il, n'étaient les scènes pénibles qui marquaient chacun de ses départs pour les courses ou les « assises de paix ». Il trouvait en effet fort à son goût le rôle de grand propriétaire et se découvrait des aptitudes sérieuses pour l'administration de ses biens. Malgré les sommes énormes consacrées à l'édification de l'hôpital, à l'achat de machines, de vaches suisses et de bien d'autres objets, sa fortune allait en augmentant parce qu'il s'en tenait à des méthodes de culture éprouvées et faisait preuve jusque dans les plus petites choses d'un grand esprit de prudence et d'économie. S'agissait-il d'affermer une terre, de vendre son bois, ses blés, sa laine, il défendait ses intérêts dur comme roc. Pour les

achats, il écoutait et questionnait sa fine mouche de
régisseur allemand, n'acceptant guère que les innovations les plus récentes, et qu'il jugeait de nature à
faire sensation autour de lui; encore ne s'y décidait-il
qu'en cas d'excédent de caisse et après avoir âprement
discuté le prix de chaque objet. Avec de pareilles méthodes il ne risquait pas de compromettre sa fortune.

La noblesse de la province de Kachine, où étaient
situées les terres de Vronski, de Sviajski, de Koznychev, d'Oblonski, et en partie celles de Levine, devait
procéder au mois d'octobre à l'élection de ses maréchaux. En raison de certaines circonstances, l'événement attirait l'attention générale, et d'aucunes person-
nalités, qui jusqu'alors s'étaient toujours abstenues,
s'apprêtaient à venir de Moscou, de Pétersbourg, voire
de l'étranger.

Un peu avant la réunion, Sviajski, visiteur attitré
de Vozdvijenskoié, vint rappeler au comte sa promesse de l'accompagner au chef-lieu. La veille du
départ, Vronski, tout préparé à une lutte dont il tenait
à sortir vainqueur, annonça d'un ton bref et froid
qu'il s'absentait pour quelques jours. A sa grande surprise, Anna prit cette nouvelle avec beaucoup de
calme, se contenta de lui demander l'époque exacte
de son retour, et ne répondit que par un sourire au
regard scrutateur dont il l'enveloppa. Sa méfiance fut
aussitôt éveillée : quand Anna se renfermait complètement en elle-même, c'était signe qu'elle était résolue
à quelque extrémité. Néanmoins, pour éviter une scène
désagréable, il fit semblant de croire — ou peut-être
en partie — qu'elle était devenue plus raisonnable.

« J'espère que tu ne t'ennuieras pas, dit-il simplement.

— Oh! non, j'ai reçu hier un envoi de la librairie
Gautier, cela m'occupera. »

« C'est un nouveau ton qu'elle adopte, se dit
Vronski. Tant mieux, j'en avais assez de l'ancien! »

Il la quitta sans qu'ils se fussent expliqué à fond, ce
qui ne leur était encore jamais arrivé. En dépit d'une
vague inquiétude, il espérait que les choses s'arran-

geraient. « Elle finira par entendre raison, songeait-il, car enfin je suis prêt à tout lui sacrifier, tout, sauf mon indépendance. »

XXVI

Levine était rentré à Moscou en septembre pour les couches de sa femme et y vivait depuis un mois dans une oisiveté forcée. Serge Ivanovitch qui se passionnait pour les élections de Kachine, lui rappela que ses terres du district de Selezniev lui donnaient voix au chapitre et l'invita à l'accompagner. Bien qu'il eût justement des affaires à régler pour sa sœur, qui habitait l'étranger, Levine hésitait à partir; mais, voyant qu'il s'ennuyait dans la capitale, Kitty l'en pressa fort et lui commanda en secret un uniforme de délégué de la noblesse; cette dépense de quatre-vingts roubles leva ses dernières hésitations.

Au bout de six jours de démarches à Kachine, les affaires de sa sœur n'avaient pas fait un pas. La première, une question de tutelle, ne pouvait être résolue sans l'avis des maréchaux, et ces messieurs ne songeaient qu'aux élections. La seconde, l'encaissement de la redevance (1) de rachat, se heurtait également à des difficultés : personne ne faisait opposition au paiement, c'était déjà un point d'acquis. Après combien de tracas! Mais, si complaisant qu'il fût, le notaire ne pouvait encore donner un bon sur la Trésorerie, le payeur-général, dont la signature était indispensable, ayant dû s'absenter pour raisons de service. Le temps se passait en conversations avec de fort braves gens, très désireux de rendre service au solliciteur mais impuissants à lui venir en aide. Ces allées et venues sans résultats ressemblaient fort aux efforts

(1) Payée par les paysans ou plutôt par le gouvernement qui en faisait l'avance aux propriétaires en échange des terres cédées par ceux-ci lors de l'abolition du servage. (N. d. T.)

inutiles qu'on fait en rêve. C'était la comparaison qui venait à l'esprit de Levine au cours de ses fréquents entretiens avec son homme d'affaires.

« Essayez donc de voir celui-ci ou celui-là », lui disait cet excellent homme pour aussitôt ajouter : « Vous n'arriverez à rien, mais essayez toujours. » Et Levine suivant son conseil, se rendait chez celui-ci ou chez celui-là, qui le recevaient fort bien et n'avançaient en rien ses affaires. Si encore il se fût agi d'une contrariété parfaitement compréhensible, comme de faire queue aux heures d'affluence devant un guichet de chemin de fer! Mais non, il se heurtait ici à un obstacle secret, dont la nature lui échappait. N'était-ce pas à perdre la tête? Par bonheur, le mariage l'avait rendu plus patient et il trouvait dans son ignorance des rouages administratifs une raison suffisante pour supposer que les choses suivaient un cours pleinement normal.

Il appliquait cette même patience à comprendre les manœuvres électorales qui agitaient autour de lui tant d'hommes estimables, et faisait de son mieux pour approfondir ce qu'il avait autrefois traité si légèrement — comme bien d'autres choses dont l'importance ne lui était apparue que depuis son mariage. Serge Ivanovitch ne négligea d'ailleurs rien pour lui expliquer le sens et la portée des nouvelles élections. Snietkov, le maréchal actuel, était un homme de la vieille roche, honnête à sa façon et qui avait dépensé une grosse fortune; ses idées arriérées ne cadraient plus avec les besoins du moment. Comme maréchal, il disposait de sommes considérables et avait la haute main sur des institutions de première importance telles que les tutelles (Levine en savait quelque chose!), les établissements d'enseignement (lui, un obscurantiste!), le zemstvo (dont il voulait faire un instrument de classe!). Il s'agissait de le remplacer par un homme nouveau, actif, imbu d'idées modernes, capable d'extraire du zemstvo tous les éléments de « self government) qu'il pouvait fournir. Si on savait s'y prendre, la riche province de Kachine pouvait une fois de plus

servir d'exemple au reste de la Russie. A la place de
Snietkov, on mettrait Sviajski ou mieux encore
Néviédovski, un ancien professeur très intelligent et
ami intime de Serge Ivanovitch.

La session fut ouverte par un discours du gouverneur, lequel engagea MM. les gentilshommes à n'envi-
sager dans leurs choix que le dévouement au bien
public : ce serait la meilleure façon de remplir leur
devoir et de répondre à la confiance que mettait en
eux l'auguste monarque.

Son discours terminé, le gouverneur quitta la salle
suivi de MM. les gentilshommes qui l'acclamaient
bruyamment et l'accompagnèrent jusqu'au vestiaire.
Levine, qui désirait ne perdre aucun détail, arriva
juste pour le voir mettre sa pelisse et l'entendre dire
au maréchal : « Présentez, je vous en prie, à Marie
Ivanovna tous les regrets de ma femme : elle doit
faire une visite à l'asile. » Sur ce, MM. les gentilshommes mirent à leur tour leur pelisse et s'en furent
à la cathédrale. Là, Levine, levant la main avec ses
collègues et répétant comme eux les paroles que pro-
nonçait l'archiprêtre, prêta un serment dont la teneur
correspondait de tous points aux vœux émis par le
gouverneur. Et comme les cérémonies religieuses
impressionnaient toujours Levine, il fut touché d'entendre cette foule de vieillards et de jeunes gens proférer avec lui une formule aussi solennelle.

Le lendemain et le surlendemain, on s'occupa du
budget et du collège de jeunes filles, questions qui, à
en croire Serge Ivanovitch, n'offraient aucun intérêt;
Levine en profita pour faire ses démarches. Le quatrième jour, on vérifia la trésorerie : les commissaires
des comptes la déclarèrent en règle. Le maréchal se
leva et remercia, en versant un pleur, MM. les gentilshommes de la confiance qu'ils lui faisaient. Mais l'un
de ceux-ci, qui partageait les vues de Serge Ivanovitch, prétendit avoir entendu dire que, par déférence
envers le maréchal, les commissaires n'avaient point
vérifié la caisse. Un des vérificateurs commit l'imprudence de confirmer cette marque de confiance. Alors

un petit monsieur, aussi jeune que fielleux, regretta que l'extrême délicatesse des commissaires enlevât au maréchal la satisfaction bien naturelle de rendre ses comptes. Les commissaires ayant retiré leur déclaration, Serge Ivanovitch démontra longuement qu'on devait proclamer ou que la caisse avait été vérifiée ou qu'elle ne l'avait pas été. Un beau parleur du parti opposé lui répliqua. Puis ce fut le tour de Sviajski, auquel succéda le monsieur fielleux. On discuta fort longtemps pour n'aboutir à rien. Tout cela surprit beaucoup Levine, et plus encore la réponse que lui fit son frère quand il lui demanda si l'on soupçonnait Snietkov de dilapidation :

« Oh! non, c'est un très honnête homme! Mais il faut mettre un terme à cette façon patriarcale de diriger les affaires. »

Le cinquième jour, on procéda à l'élection des maréchaux de district; certains d'entre eux l'emportèrent de haute lutte, mais pour le district de Selezniev, Sviajski fut réélu à l'unanimité et offrit le soir même un grand dîner.

XXVII

L'ÉLECTION du maréchal de la province ne devant avoir lieu que le sixième jour, beaucoup de gentilshommes ne firent leur apparition que ce matin-là. Comme d'aucuns arrivaient de Pétersbourg, de Crimée, de l'étranger, bien des vieux amis, qui ne s'étaient pas vus depuis longtemps, se retrouvaient avec plaisir. Les deux salles, la grande comme la petite, étaient bondées d'électeurs. Des regards hostiles, de brusques silences, des chuchotements dans les coins et jusque dans le corridor, tout dénonçait l'existence de deux camps hostiles. Au premier abord Levine inclinait à ranger dans l'un les vieillards, et dans l'autre les jeunes gens : les premiers, engoncés dans des uniformes civils ou militaires passés de mode, courts de taille, boutonnés jusqu'au cou, serrés aux entournures, bouffant aux épaules, arboraient des épées et des chapeaux à plumages, les seconds au contraire se prélassaient dans des habits larges d'épaules et longs de taille, déboutonnés sur des gilets blancs; certains portaient la tenue des dignitaires de la cour, d'autres, celle du ministère de la justice, collet noir orné de feuilles de laurier. Mais en y regardant de plus près, Levine s'aperçut que bien des jeunes soutenaient l'ancien parti, tandis que d'aucuns, parmi les plus âgés, tenaient des conciliabules avec Sviajski.

Dans la petite salle, où était installé le buffet, Levine s'efforçait en vain de comprendre la tactique d'un groupe dont son frère était l'âme. Sviajski, approuvé par Serge Ivanovitch, insistait auprès de Khlioustov, maréchal d'un autre district gagné à leur parti, pour qu'il allât au nom de son district prier Snietkov de poser sa candidature. « Comment diantre, se disait Levine, peut-on faire pareille démarche auprès d'un homme qu'on a l'intention de blackbouler? »

Stépane Arcadiévitch, en tenue de chambellan, s'approcha du groupe; il venait de faire un léger déjeuner et s'essuyait la bouche avec son mouchoir de batiste parfumé.

« Nous occupons la position, Serge Ivanovitch », dit-il en arrangeant ses favoris.

Et comme on lui soumettait le cas, il donna raison à Sviajski.

« Un seul district suffit, déclara-t-il, celui de Sviajski qui appartient trop ouvertement à l'opposition. »

Tout le monde comprit, sauf Levine.

« Eh bien, Kostia, continua-t-il en prenant le bras de son beau-frère, tu me parais prendre goût à nos petites histoires. »

Levine ne demandait pas mieux que d'y prendre goût; encore fallait-il qu'il comprît quelque chose; il entraîna donc Oblonski à l'écart pour lui demander quelques éclaircissements.

« *O sancta simplicitas!* » s'écria Stépane Arcadié-vitch. Et en peu de mots il lui expliqua l'affaire.

Aux dernières élections, les dix districts de la province ayant posé la candidature de Snietkov, il avait été élu à toutes boules blanches. Cette fois-ci, deux districts voulaient s'abstenir, ce qui pouvait entraîner Snietkov à se désister; dans ce cas-là l'ancien parti choisirait peut-être un autre candidat plus dangereux. Si au contraire le seul district de Sviajski faisait bande à part, Snietkov n'en prendrait pas ombrage. Certains opposants voteraient même pour lui, afin que, dérouté par cette tactique, l'ancien parti accordât des voix de politesse au candidat de l'opposition lorsque celui-ci se déclarerait.

Levine ne comprit qu'à demi et il aurait continué ses questions, si tout le monde ne s'était mis à parler en même temps et à se diriger vers la grande salle. « Qu'y a-t-il? — Qui cela? — Un pouvoir reconnu faux? — Mais non, c'est Flérov qu'on ne veut pas admettre. — Pourquoi cela? — Parce qu'il a fait l'objet d'une enquête. — Mais alors on finira par n'admettre personne. C'est absurde. — Mais non, c'est la loi. »

Entraîné par le flot des électeurs, qui craignaient de manquer un aussi curieux spectacle, Levine arriva dans la grande salle où une vive discussion mettait aux prises le maréchal, Sviajski et d'autres personnages importants groupés autour de la table d'honneur sous le portrait du monarque.

XXVIII

LES voisins de Levine l'empêchaient d'entendre : l'un avait la respiration rauque, les bottines de l'autre craquaient. Il distingua pourtant la voix douce du vieux maréchal, la voix criarde du fielleux gentilhomme, et enfin celle de Sviajski. Tous trois discutaient sur le

sens de l'expression « faire l'objet d'une conquête »
et sur l'interprétation à donner à un certain article
de loi.

La foule s'écarta devant Serge Ivanovitch; celui-ci
déclara aussitôt qu'il fallait se reporter au texte même
de la loi. L'article en question précisait qu'en cas de
divergence d'opinion on devait aller aux voix. Koznychev le savait fort bien, et, dès que le secrétaire le
lui eut soumis, il en fit une lecture commentée. Alors
un grand et gros gaillard aux moustaches peintes et
au dos légèrement voûté, engoncé dans un uniforme
trop étroit dont le collet servait de soutien à sa nuque,
frappa du plat de sa bague quelques coups secs sur
la table et cria d'une voix de stentor :

« Aux voix! aux voix! pas de discussion! »

Plusieurs personnes ayant voulu s'interposer et parlant toutes à la fois, le monsieur à la bague s'emporta
de plus en plus sans qu'on arrivât d'ailleurs à comprendre ce qu'il disait.

Il demandait au fond la même chose que Serge Ivanovitch, mais sur un tel ton d'hostilité envers lui et
les gens de son bord que ceux-ci se devaient de relever
le gant. Ils ne s'en privèrent pas et le maréchal dut
réclamer le silence. « Aux voix! aux voix!... — Tout
gentilhomme me comprendra. — Nous versons notre
sang pour la patrie... — Le monarque nous honore de
sa confiance... — Le maréchal n'a pas d'ordre à nous
donner... — Mais il ne s'agit pas de cela... — Permettez, permettez, c'est une infamie... Aux urnes!... »

Clameurs violentes, regards courroucés, visages
contractés par la haine, Levine ne comprenait pas
qu'on pût mettre tant de passion dans une affaire dont
l'importance ne lui apparaissait guère mais que Serge
Ivanovitch lui expliqua. Le bien public exigeait l'échec
du maréchal; pour obtenir cet échec, la majorité des
suffrages était nécessaire; pour obtenir cette majorité,
il fallait accorder le droit de vote à Flérov; pour lui
reconnaître ce droit, il fallait interpréter en un certain sens tel et tel paragraphe de la loi.

« Une seule voix peut déplacer la majorité, conclut

Serge Ivanovitch; mets-toi bien en tête que le souci du bien public exige avant tout de la logique et de l'esprit de suite. »

En dépit de cette leçon, l'irritation haineuse à laquelle étaient en proie ces hommes qu'il estimait produisit sur Levine une fâcheuse impression. Sans attendre la fin des débats, il se réfugia dans la petite salle où les garçons du buffet dressaient le couvert. A sa grande surprise, la vue de ces braves gens à la mine placide le calma instantanément. Il crut respirer un air pur et se mit à faire les cent pas en s'amusant au manège d'un vieux serveur à favoris gris qui, indifférent aux brocards de ses jeunes confrères, leur enseignait, d'un air de souverain mépris, le grand art de plier les serviettes. Il allait adresser la parole au bonhomme quand le secrétaire du bureau des tutelles, un petit vieux qui connaissait par cœur les prénoms de tous les gentilshommes de la province, vint le relancer de la part de Serge Ivanovitch.

« Monsieur votre frère vous cherche, Constantin Dmitritch; c'est le moment de voter. »

Levine retourna dans la grande salle, où l'on lui remit une boule blanche, et suivit son frère jusqu'à la table où Sviajski, l'air important, ironique, et la barbe dans son poing, présidait aux votes. Après avoir donné son suffrage, Serge Ivanovitch s'écarta devant Levine, mais celui-ci, déconcerté, lui demanda à mi-voix, espérant que ses voisins, engagés dans une conversation animée, ne l'entendraient pas :

« Que faut-il que je fasse ? »

Par malheur l'entretien cessa brusquement, et la malencontreuse question fut perçue de toutes les personnes présentes. D'aucunes sourirent.

« Ce que vous dicteront vos convictions », répondit Serge Ivanovitch en fronçant le sourcil.

Levine rougit et déposa sa boule dans le compartiment de droite, après avoir fourré sous le drap sa main droite seule; s'apercevant de cette bévue, il l'aggrava en dissimulant trop tard l'autre main, et complètement désorienté, opéra une retraite précipitée.

« Cent vingt-six voix pour! Quatre vingt-dix-huit contre! » proclama le secrétaire.

Et comme on avait encore trouvé dans l'urne un bouton et deux noix, un rire général s'éleva.

Flérov était admis. Le nouveau parti l'emportait, mais l'ancien ne se tenait pas pour battu. Un groupe de gentilshommes entourait Snietkov et le suppliait de se représenter à leurs suffrages. Levine perçut quelques bribes de son remerciement : « Confiance, affection, dévouement à la noblesse, douze ans de loyaux services », ces mots revenaient sans cesse sur ses lèvres. Soudain une crise de larmes, provoquée peut-être par l'affection qu'il portait à MM. les gentilshommes ou plus probablement par l'injustice de leurs procédés à son égard, l'empêcha de continuer. Aussitôt un revirement se produisit en sa faveur, et Levine éprouva pour lui une sorte de tendresse.

Comme le maréchal opérait sa retraite, il se heurta près de la porte à Levine.

« Pardon, monsieur », dit-il, mais l'ayant reconnu, il lui sourit timidement et parut vouloir ajouter quelques mots que son émoi ne lui permit pas de prononcer.

La fuite éperdue de cet homme en pantalon blanc galonné dont l'uniforme était constellé de décorations, l'expression d'angoisse qu'il lut sur son visage, rappelèrent à Levine les derniers moments d'un animal aux abois. Il en fut d'autant plus frappé qu'étant allé le voir la veille pour son affaire de tutelle, il avait eu occasion d'admirer la parfaite dignité de sa vie. Une antique demeure parée de meubles d'autrefois; de vieux serviteurs, à la mise négligée mais aux manières respectueuses, anciens serfs qui n'avaient point voulu changer de maître; une grosse et excellente femme en châle et bonnet de dentelle, en train de caresser sa charmante petite fille; un jeune collégien, déjà beau garçon et dont le premier soin en rentrant avait été de baiser la main du papa; les propos affectueux et les manières imposantes du maître du logis; tout cela en avait fort imposé à Levine. Aussi, pris de pitié pour

le malheureux vieillard, voulut-il lui redonner du courage :

« J'espère que vous nous restez, lui dit-il.

— J'en doute, répondit le maréchal, en jetant autour
de lui un regard troublé. Je suis vieux et fatigué; que
de plus jeunes prennent ma place! »

Et il disparut par une petite porte.

La minute solennelle approchait. Les chefs des deux
clans escomptaient leurs chances. L'incident soulevé
par le nouveau parti lui avait fait gagner, outre la
voix de Flérov, deux autres voix encore. En effet certains partisans de Snietkov avaient joué à ses adversaires le bon tour d'enivrer deux de leurs tenants et
de dérober l'uniforme d'un troisième. Sviajski déjoua
cette manœuvre en dépêchant pendant le vote préli-
minaire quelques-uns de ses hommes, qui équipèrent
tant bien que mal le hobereau dépouillé et ramenèrent
en fiacre un des ivrognes.

« Je lui ai versé un seau d'eau sur la tête, dit l'un
des délégués à Sviajski. Il peut se tenir debout.

— Pourvu qu'il ne tombe pas! répondit Sviajski en
hochant la tête.

— Il n'y a pas de danger. A moins qu'on ne l'entraîne au buffet! Mais j'ai donné des ordres sévères au
tenancier. »

XXIX

La salle, longue et étroite, où se trouvait le buffet, était
pleine à craquer et l'agitation allait croissant surtout
parmi les meneurs qui supputaient à une voix près les
chances de leur candidat. Le gros de l'armée se préparait à la lutte en se restaurant; d'autres fumaient
ou discouraient en arpentant la salle.

Levine n'avait pas faim; il n'était pas fumeur; il ne
voulait pas non plus se joindre à ses amis, parmi lesquels pérorait Vronski, en uniforme d'écuyer de l'em-

pereur; il l'avait aperçu dès la veille et ne désirait à
aucun prix le rencontrer. Il se réfugia près d'une
fenêtre, examinant les groupes qui se formaient, prêtant l'oreille à ce qu'on disait autour de lui. Il éprouvait une certaine tristesse à voir tout le monde plein
d'entrain, tandis que lui seul, en compagnie d'un très
vieil officier de marine édenté et bredouillant, ne
prenait intérêt à rien du tout.

« Ah! l'animal! Je l'avais pourtant assez chapitré.
Mais non, trois ans n'ont pas suffi à monsieur pour
faire ses préparatifs! » proféra d'un ton énergique un
hobereau à la taille moyenne et quelque peu voûtée,
dont les cheveux pommadés retombaient sur le collet
de sa tunique brodée, et dont les bottines neuves,
achetées sans doute en vue de ce grand jour, craquaient furieusement. Il jeta sur Levine un regard peu
amène et se retourna brusquement tandis que le petit
bonhomme auquel il s'adressait lui répliquait d'une
voix de fistule :

« Oui, vous avez raison, l'affaire n'est pas claire. »
Levine vit ensuite venir à lui toute une bande de
gentillâtres qui entouraient un gros général et fuyaient
de toute évidence les oreilles indiscrètes.

« Il ose prétendre que je lui ai fait dérober sa
culotte! Soyez certains qu'il a dû la vendre pour la
boire! Je me moque pas mal qu'il soit prince. C'est
dégoûtant de tenir des propos pareils.

— Permettez, disait-on dans un autre groupe. La loi
est formelle : la femme doit être inscrite au registre
de la noblesse.

— Je me moque pas mal de la loi. On est gentilhomme ou on ne l'est pas! Et si je le suis alors on
peut m'en croire sur parole, que diantre!

— Que diriez-vous d'un verre de *fine champagne,*
Excellence? »

Un autre groupe surveillait de près un personnage
criant et gesticulant, qui n'était autre que l'ivrogne
rescapé.

« J'ai toujours conseillé à Marie Sémionovna de
louer sa terre, elle n'y trouve pas son compte », disait

un monsieur à moustaches grises, qui arborait un antique uniforme de colonel d'état-major.

Levine reconnut aussitôt le vieux propriétaire qu'il avait rencontré chez Sviajski; leurs regards se rencontrèrent.

« Charmé de vous revoir, dit le vieillard en abandonnant son groupe; si j'ai bonne mémoire, nous avons fait connaissance l'an dernier chez Nicolas Ivanovitch.

— Comment vont vos affaires?

— De mal en pis, répondit le vieillard d'un ton posé et convaincu, comme s'il n'en pouvait aller autrement. Mais que venez-vous faire si loin de chez vous? Prendre part à notre *coup d'Etat?* »

L'air résolu dont il proféra ces mots français compensait les difficultés de sa prononciation.

« La Russie entière paraît s'y être donné rendez-vous, nous avons jusqu'à des chambellans, peut-être des ministres », ajouta-t-il en désignant Oblonski qui se promenait en compagnie d'un général; sa prestance et son brillant uniforme faisaient sensation.

« A parler franc, répondit Levine, l'importance que peuvent avoir ces élections m'échappe complètement.

— Quelle importance voulez-vous qu'elles aient? C'est une institution périmée qui ne se prolonge que par la force d'inertie. Voyez tous ces uniformes : il n'y a plus de gentilshommes, monsieur, il n'y a que des fonctionnaires.

— S'il en est ainsi, que venez-vous faire aux sessions?

— L'habitude, monsieur; l'habitude et l'intérêt. Car, outre une sorte d'obligation morale, j'ai besoin d'entretenir certaines relations. Mon gendre, voyez-vous, n'est pas riche, il cherche une place, il faut lui donner un coup d'épaule... Mais ce qui m'étonne, c'est de voir ici des personnages comme celui-là, dit-il en désignant le monsieur dont le ton fielleux avait frappé Levine pendant les débats qui précédèrent le vote.

— Ce sont des nobles nouveau style.

— Nouveau style, tant qu'il vous plaira; mais peut-on appeler nobles des gens qui s'attaquent aux droits de la noblesse?

— Puisque, selon vous, c'est une institution qui a fait son temps?...

— D'accord, mais il y a des institutions vieillies qui doivent quand même être respectées. Est-ce que Snietkov... Nous ne valons peut-être pas grand-chose, mais nous n'en avons pas moins duré mille ans. Qu'il vous prenne fantaisie de créer des parterres devant votre maison, vous n'allez pas pour autant abattre l'arbre séculaire qui l'ombrage. Non, pour tortu qu'il soit, vous tracerez vos allées et vos corbeilles de façon à tirer profit du vieux chêne : celui-là ne repousserait pas en un an... »

Il avait débité cette tirade avec une certaine circonspection; et, pour détourner l'entretien :

« Eh bien, et vos affaires? demanda-t-il à Levine.

— Ça ne va guère bien : du cinq pour cent tout au plus.

— Et vous ne comptez pas vos peines, qui vaudraient bien aussi une rémunération. Quand j'étais au service, je touchais trois mille roubles de solde. Maintenant que je fais de l'agriculture, je travaille bien davantage, sans toucher un sou. Et je m'estime content quand je tire comme vous, cinq pour cent de ma terre.

— Pourquoi vous obstinez-vous?

— L'habitude, monsieur, l'habitude!... Bien mieux, continua-t-il en s'accoudant à l'appui de la fenêtre, car il semblait prendre goût à l'entretien, bien mieux, j'ai beau savoir que mon fils n'a aucune disposition pour la culture — il n'aime que la science, voyez-vous — je viens encore de planter un verger.

— C'est vrai, dit Levine, on dirait que nous sentons un devoir à remplir envers la terre, car pour ma part je ne me fais plus d'illusion sur le rendement de mon travail.

— J'ai pour voisin un homme de négoce. L'autre jour il est venu me faire visite et quand je lui eus tout montré, savez-vous ce qu'il m'a dit? « Mes compli- « ments, Stépane Vassiliévitch, vous menez bien votre

« barque; mais moi, à votre place, je jetterais bas ces
« tilleuls-là, en pleine sève comme de juste. Vous en
« avez bien là un millier, et chacun vous donnerait
« de quoi faire deux bonnes poutres d'isba; on en
« demande beaucoup au jour d'aujourd'hui. »

— « Et du prix que j'en tirerais, j'achèterais pour
« pas grand-chose du bétail, ou bien une pièce de
« terre que je louerais très cher aux paysans », acheva
en souriant Levine, qui connaissait de longue date ce
genre de raisonnement. Et il se ferait une fortune
là où nous serons trop heureux de garder notre terre
intacte et de pouvoir la léguer à nos enfants.

— Vous êtes marié, m'a-t-on dit?

— Oui, répondit Levine avec une orgueilleuse satisfaction... N'est-il pas surprenant que nous restions
ainsi attachés à la terre, comme les Vestales au feu
sacré? »

Le vieillard sourit sous ses moustaches blanches.

« D'aucuns, comme notre ami Nicolas Ivanovitch
ou comme le comte Vronski, qui vient de se fixer sur
ses terres, prétendent faire de l'industrie agricole;
mais jusqu'ici ça n'a servi qu'à manger son capital.

— Mais pourquoi ne faisons-nous pas comme votre
marchand? reprit Levine qui tenait à son idée. Pourquoi n'abattons-nous pas nos arbres?

— A cause de notre manie d'entretenir le feu sacré,
comme vous dites. Et puis, que voulez-vous, vendre
des arbres n'est pas le fait de gentilshommes. Nous
avons un instinct de caste qui dirige nos actions. Les
paysans ont aussi le leur : les meilleurs d'entre eux
s'entêtent à louer le plus de terre possible, et qu'elle
soit bonne ou mauvaise, ils la cultivent quand même,
bien souvent à perte.

— Tout à fait comme nous! dit Levine. Je suis fort
heureux d'avoir renoué connaissance avec vous,
ajouta-t-il en voyant approcher Sviajski.

— Je n'avais pas revu monsieur depuis notre rencontre chez vous l'année dernière, dit le vieillard en
se tournant vers le nouveau venu. Nous venons de
causer à cœur ouvert.

— Et de médire du nouvel ordre de choses? insinua Sviajski en souriant.

— Si vous voulez.

— Il faut bien se soulager le cœur, n'est-ce pas? »

XXX

Sviajski prit Levine par le bras et l'entraîna vers leur
groupe. Il devint impossible d'éviter Vronski qui,
planté entre Serge Ivanovitch et Stépane Arcadiévitch,
les regardait venir.

« Enchanté, dit-il en tendant la main à Levine...
Nous nous sommes, je crois, rencontrés chez... la princesse Stcherbatski.

— Oui, je me rappelle parfaitement notre rencontre », répondit Levine, qui devint pourpre et se
tourna vers son frère.

Vronski esquissa un sourire et adressa la parole à
Sviajski sans témoigner aucun désir de poursuivre son
entretien avec Levine; mais celui-ci, confus de son
impolitesse, cherchait un moyen de la réparer.

« Où en êtes-vous? demanda-t-il en reportant ses
regards vers Vronski et Sviajski.

— Tout dépend maintenant de Snietkov, répondit
celui-ci.

— Va-t-il se représenter?

— Il a l'air d'hésiter, dit Vronski.

— S'il refuse, qui se présentera à sa place?

— Tous ceux qui voudront, dit Sviajski.

— Vous, par exemple?

— Jamais de la vie, s'exclama Nicolas Ivanovitch
qui se troubla et jeta un regard inquiet sur le voisin
de Serge Ivanovitch, en qui Levine reconnut le monsieur au ton fielleux.

— Alors, ce sera Néviédovski, continua Levine tout
en sentant qu'il s'aventurait sur un terrain dangereux.

— En aucun cas! répondit le monsieur désagréable

qui se trouva être Néviédovski en personne, et auquel Sviajski se hâta de présenter Levine.

— Cela commence à te passionner? intervint Stépane Arcadiévitch en lançant une œillade à Vronski. C'est un genre de courses; on devrait installer un pari mutuel.

— Oui, c'est passionnant comme toute lutte, approuva Vronski, le sourcil froncé et les pommettes contractées.

— Quel esprit pratique que ce Sviajski.

— Certainement », répondit Levine d'un ton évasif.

Un silence suivit, pendant lequel Vronski accorda à Levine un regard distrait; en voyant que celui-ci tenait fixés sur lui ses yeux sombres, il lui demanda, pour dire quelque chose :

« Comment se fait-il qu'habitant toujours la campagne, vous ne soyez pas juge de paix?

— Parce que les justices de paix me semblent une institution absurde, laissa tomber Levine d'un ton cassant et lugubre.

— J'aurais cru le contraire, riposta Vronski sans se départir de son calme.

— A quoi peuvent-elles bien servir? l'interrompit Levine. Je n'ai eu qu'un procès en huit ans, encore l'a-t-on jugé en dépit du bon sens. Le juge de paix habitant à quarante verstes de chez moi, je dois me faire représenter, et pour un différend de deux roubles, j'aurai quinze roubles de frais. »

Et il se mit à raconter l'histoire d'un meunier poursuivi pour calomnie à la requête d'un paysan, qui lui avait volé un sac de farine et se l'était vu reprocher par lui.

Tout en débitant ces fadaises, Levine sentait lui-même ce qu'elles avaient de niais et d'inopportun.

« Quel original! dit Oblonski avec son sourire le plus onctueux. Mais si nous allions voir ce qui se passe? Il me semble qu'on vote.

— Je ne te comprends pas, dit Serge Ivanovitch quand ils furent seuls. J'ai rarement vu un manque aussi complet de tact politique. Défaut bien russe, hélas!... Snietkov est notre adversaire, tu fais l'aimable avec lui. Le comte Vronski est notre allié, tu le traites de haut... A vrai dire, je ne tiens guère à me rapprocher de lui, je viens même de refuser son invitation à dîner; mais enfin pourquoi se le mettre à dos?... Puis tu poses à Néviédovski des questions indiscrètes...

— Tout cela m'ennuie et n'a d'ailleurs aucune importance, rétorqua Levine de plus en plus lugubre.

— C'est possible; mais quand tu t'y mets, tu gâtes tout. »

Levine ne répondit rien et tous deux gagnèrent la grande salle.

Bien qu'il sentît une manœuvre dans l'air, le vieux maréchal s'était finalement laissé faire une douce violence. Un grand silence se fit, et le secrétaire proclama à haute et intelligible voix que le capitaine aux gardes Michel Stépanovitch Snietkov posait sa candidature à la charge de maréchal de noblesse pour la province de Kachine. Les maréchaux de district quittèrent leurs tables respectives pour s'installer, avec les urnes, à la table d'honneur.

« A droite! » murmura Stépane Arcadiévitch à l'oreille de son beau-frère quand ils approchèrent de la table. Mais Levine, qui avait oublié les explications compliquées de Serge Ivanovitch, crut à une erreur d'Oblonski : Snietkov n'était-il pas l'adversaire? Devant l'urne même, il fit passer la boule de sa main droite dans sa main gauche et vota si ostensiblement à gauche qu'un électeur qui l'observait fronça le sourcil : ce monsieur pratiquait l'art de deviner les votes, et sa pénétration faisait fi d'une manœuvre aussi apparente.

On entendit bientôt le bruit des boules que l'on comptait, et le secrétaire proclama les résultats du scrutin : Snietkov était élu à une forte majorité. Tout le monde se précipita vers la porte pour l'ouvrir au maréchal et le féliciter.

« Alors c'est fini? demanda Levine à son frère.

— Cela commence au contraire, répondit pour

Koznychev le narquois Sviajski. Le vice-maréchal peut obtenir un nombre de voix supérieur. »

Cette finesse avait échappé à Levine; elle le jeta dans une sorte de mélancolie; se croyant inutile, il retourna dans la petite salle, où la vue des garçons lui rendit de nouveau sa sérénité. Le vieux serveur s'étant mis à ses ordres, il lui commanda des croquettes aux haricots et le fit jaser sur ses maîtres du temps passé. Puis, comme décidément la grande salle lui inspirait de la répulsion, il monta dans les tribunes, qu'il trouva pleines de dames en grande toilette. Penchées sur la balustrade, elles prêtaient l'oreille à ce qui se disait dans la salle. De pimpants avocats, des officiers, des professeurs du collège les entouraient. On ne parlait que des élections; d'aucuns faisaient ressortir l'intérêt des débats, d'autres soulignaient l'extrême fatigue du maréchal, et Levine entendit une dame dire à un avocat :

« Que je suis contente d'avoir entendu Koznychev! Pour un discours pareil on peut retarder son dîner. Quelle belle voix et comme elle porte! Au tribunal vous n'avez que Maïdel qui sache parler; encore n'est-il guère éloquent. »

Levine finit par trouver une place libre; il s'appuya à la balustrade et regarda où l'on en était.

Messieurs les gentilshommes étaient tous groupés par districts; au milieu de la salle un personnage en uniforme proclamait d'une voix de fausset :

« Le capitaine en second Eugène Ivanovitch Apoukhtine accepte-t-il la candidature à la charge de vice-maréchal? »

Après quelques instants de profond silence, une petite voix de vieillard chevrota :

« Il refuse.

— Le conseiller aulique Pierre Pétrovitch Bohl accepte-t-il la candidature?

— Il refuse », glapit une jeune voix criarde.

Cela dura une bonne heure. Après avoir en vain cherché à comprendre, Levine, pris d'un mortel ennui et revoyant en pensée tous ces visages lourds de haine, résolut de rentrer chez lui. A l'entrée de la tribune, il se heurta à un collégien aux yeux cernés qui faisait les cent pas d'un air mélancolique. Et sur l'escalier, il rencontra une dame qui en grimpait les marches sur les talons et qu'accompagnait un sémillant substitut.

« Je vous avais bien dit que nous arriverions à temps », dit le substitut tandis que Levine s'effaçait devant sa compagne.

Il atteignait le vestibule et tirait de sa poche de gilet son numéro de vestiaire, quand le secrétaire le rattrapa.

« S'il vous plaît, Constantin Dmitriévitch, on vote. »

En dépit de ses récentes dénégations, Néviédovski avait accepté la candidature.

Le secrétaire frappa à la porte de la grande salle qui était fermée; elle s'ouvrit, livrant passage à deux hobereaux cramoisis.

« Je n'en pouvais plus! » dit l'un d'eux.

Le vieux maréchal accourut : son visage bouleversé faisait peine à voir.

« Je t'avais défendu de laisser sortir qui que ce fût! cria-t-il au suisse.

— Mais pas de laisser entrer, Excellence!

— Seigneur, mon Dieu! » soupira le maréchal en regagnant la table d'honneur, tête basse et jambe traînante.

Comme l'escomptaient ses partisans, Néviédovski, ayant obtenu un nombre de voix supérieur à celui de Snietkov, fut proclamé maréchal, ce qui réjouit les uns, chagrina les autres et plongea son prédécesseur dans un désespoir qu'il ne songeait point à dissimuler. Quand le nouvel élu quitta la salle, une foule enthousiaste accompagna sa sortie des mêmes acclamations qu'elle avait prodiguées cinq jours plus tôt au gouverneur et quelques heures auparavant à Snietkov (1).

(1) « On vous a bien arrangé à propos de la scène des élections. » (Lettre de Strakhov, mars 1877.)

XXXI

Vronski offrit un grand dîner au nouvel élu et au parti qui triomphait avec lui.

En venant assister à la session, le comte avait voulu affirmer son indépendance à l'égard d'Anna, être agréable à Sviajski qui lui avait rendu maints services lors des élections au zemstvo, et par-dessus tout remplir les devoirs qu'il s'imposait à titre de grand propriétaire. Il ne soupçonnait guère l'intérêt passionné qu'il prendrait à l'affaire et le succès avec lequel il jouerait son rôle. Il avait conquis d'emblée la sympathie générale et voyait fort bien qu'on comptait déjà avec lui. Cette influence subite était due à son nom et à sa fortune ; à la belle maison qu'il occupait en ville et que lui cédait son vieil ami Chirkov, un homme de finances qui avait fondé à Kachine une banque fort prospère ; à l'excellent cuisinier qu'il avait amené avec lui de la campagne ; à son intimité avec le gouverneur, un de ses anciens camarades et protégés ; mais plus encore à ses façons simples et charmantes, qui lui gagnaient tous les cœurs en dépit de la réputation de fierté qu'on lui faisait. Bref, à part cet enragé qu'avait cru bon d'épouser Kitty Stcherbatski et qui venait de lui débiter *à propos de bottes* une kyrielle de sottises, tous ceux qui l'avaient approché durant la session semblaient disposés à lui rendre hommage et à lui attribuer le succès de Néviédovski. Il éprouvait un certain orgueil à se dire que dans trois ans, s'il était marié et si la fantaisie lui en prenait, il ferait triompher sa propre candidature, tout comme jadis, après avoir applaudi aux succès de son jockey, il s'était résolu à courir de sa personne.

Pour le moment on célébrait le triomphe du jockey. Vronski présidait la table ; il avait placé à sa droite le gouverneur, un jeune général attaché à la personne de

Sa Majesté, que courtisaient fort MM. les gentilshommes; mais pour le comte ce n'était que son vieux camarade Maslov — Katka, comme on le surnommait au Corps des pages — un obligé de longue date qu'il s'efforçait de *mettre à l'aise.* Il avait à sa gauche Néviédovski, imperturbable et narquois, envers qui il se montrait plein d'égards.

Le dîner se passa à merveille. Stépane Arcadiévitch, heureux de la satisfaction générale, s'amusait franchement. Sviajski faisait bonne mine à mauvais jeu : il porta un toast à son heureux rival, autour duquel, à l'entendre, tous les honnêtes gens devaient se grouper, la noblesse ne pouvant mettre à sa tête un meilleur défenseur des principes dont elle se réclamerait dorénavant. Puis, faisant allusion aux pleurnicheries de Snietkov, il conseilla plaisamment à « Son Excellence » de recourir pour la vérification de la trésorerie à des procédés plus probants que les larmes. Une autre mauvaise langue raconta que Snietkov, comptant célébrer par un bal sa réélection, avait fait venir des valets en culotte courte, qui demeuraient maintenant sans emploi, à moins que « Son Excellence » ne voulût offrir un bal à sa place.

En donnant de l'Excellence à Néviédovski, tout le monde éprouvait le même plaisir qu'à saluer une jeune mariée du titre de *madame.* Le nouveau maréchal prenait des airs indifférents, tout en se tenant à quatre pour ne point faire éclater un enthousiasme fort peu en harmonie avec les dispositions « libérales » qu'affectait l'assistance.

Plusieurs dépêches ayant été envoyées à qui de droit, Oblonski crut bon d'en expédier une à Dolly, « pour leur faire plaisir à tous », confia-t-il à ses voisins. « Néviédovski élu majorité vingt voix. Félicitations. Transmets », disait cette dépêche, que la pauvre Dolly reçut en soupirant; encore un rouble jeté à l'eau! C'était une des faiblesses de son mari de *faire jouer le télégraphe* après un bon dîner.

Celui-ci ne laissait vraiment rien à désirer : chère exquise, vins des meilleurs crus étrangers, convives

triés sur le volet par Sviajski, propos spirituels et de
bonne compagnie, toasts humoristiques en l'honneur
du nouveau maréchal, du gouverneur, du directeur de
la banque et de « notre aimable amphitryon », jamais
Vronski ne se fût attendu à trouver pareil ton en province. Il ne cachait pas sa satisfaction.

Vers la fin du repas la gaieté redoubla, et le gouverneur pria Vronski d'assister à un concert que sa femme
organisait au profit de « nos frères slaves » : elle désirait vivement faire la connaissance du comte.

« On dansera après, et tu verras notre « beauté »
locale : elle en vaut la peine.

— *Not in my line* », répondit en souriant Vronski
qui affectionnait cette expression; il promit pourtant
de venir.

Les cigares s'allumaient et l'on allait se lever de
table quand le valet de chambre s'approcha de Vronski,
portant une lettre sur un plateau :

« De Vozdvijenskoié, par exprès, déclara-t-il d'un
ton important.

— C'est étonnant comme il ressemble au substitut
Sventitski », dit en français un des convives en désignant le valet de chambre, tandis que Vronski, soudain
renfrogné, décachetait la lettre.

Il avait promis de rentrer le vendredi; or, les élections s'étant prolongées, il se trouvait encore absent le
samedi. Il avait écrit la veille pour expliquer son retard, mais, les deux lettres s'étant croisées, celle
d'Anna devait être pleine de reproches. Le contenu en
fut plus pénible encore qu'il ne s'y attendait : « Annie
est gravement malade, le médecin redoute une inflam-
mation. Je perds la tête toute seule. La princesse
Barbe n'est qu'un embarras. Je t'ai attendu en vain
avant-hier, puis hier; en désespoir de cause je t'envoie un messager pour savoir ce que tu deviens. Je
serais venue moi-même si je n'avais craint de t'être
désagréable. Donne une réponse quelconque afin que je
sache à quoi m'en tenir! »

L'enfant était gravement malade et elle avait voulu

venir elle-même! Leur fille souffrait et elle prenait
envers lui ce ton d'hostilité!

Le contraste entre l'innocente gaieté des élections
et la tragique passion qui le rappelait impérieusement
à elle frappa douloureusement Vronski. Pourtant il
partit la nuit même par le premier train.

XXXII

LES scènes qu'Anna lui faisait à chacune de ses ab-
sences ne pouvaient que rebuter son amant. Elle s'en
rendait compte et s'était bien promis, à l'heure du
départ pour les élections, de supporter stoïquement la
séparation. Mais le regard froid et impérieux avec
lequel il lui annonça sa décision la blessa, et il n'était
pas encore parti qu'elle ne se possédait déjà plus.

Elle commenta dans la solitude ce regard par lequel
il lui signifiait son indépendance et l'interpréta,
comme toujours, dans un sens humiliant pour elle.
« Certes, il a le droit de s'absenter quand bon lui
semble..., et même de m'abandonner tout à fait. Tous
les droits d'ailleurs ne les a-t-il pas, tandis que je n'en
ai aucun?... C'est peu généreux à lui de me le montrer...
Mais comment me l'a-t-il fait sentir? Par un regard
dur?... C'est un tort bien vague. Cependant il ne me
regardait pas ainsi jadis, et cela prouve qu'il se refroidit à mon égard... »

Bien que convaincue de ce refroidissement, elle ne
croyait pouvoir y porter remède qu'en offrant à
Vronski un amour toujours plus ardent et des charmes
toujours renouvelés. Par ailleurs des occupations mul-
tipliées pendant la journée et des doses fréquentes de
morphine pendant la nuit pouvaient seules assoupir
l'effrayante pensée qu'un jour peut-être son amant cesserait de l'aimer : alors qu'adviendrait-il d'elle? A
force de réfléchir à ces choses, elle finit par comprendre qu'il lui restait encore un moyen de salut : le

mariage, et elle décida de céder aux premiers arguments en faveur du divorce que ferait valoir auprès
d'elle ou Stiva ou Vronski.

Cinq jours se passèrent dans ces transes; elle trompait son chagrin par des promenades, des bavardages
avec la princesse, des visites à l'hôpital, des lectures
sans fin. Mais le sixième jour, en voyant le cocher
revenir seul de la station, elle sentit ses forces faiblir.
Sur ces entrefaites, sa petite fille tomba malade, mais
trop légèrement pour que l'inquiétude parvînt à la distraire; du reste, malgré qu'elle en eût, elle ne pouvait
feindre pour cet enfant des sentiments qu'elle n'éprouvait point. Le soir venu, ses terreurs redoublèrent;
s'imaginant qu'un malheur était arrivé à Vronski, elle
voulut le rejoindre, mais se ravisa et lui fit tenir par
exprès un billet incohérent qu'elle n'eut pas le courage de relire. Le lendemain matin l'arrivée du mot
de Vronski lui fit regretter ce mouvement d'humeur :
comment supporterait-elle la sévérité du regard dont il
l'accablerait en apprenant qu'Annie n'avait pas été
sérieusement malade? Malgré tout, son retour lui pro-
curait une grande joie : il aurait beau trouver sa
chaîne pesante, il n'en serait pas moins là, elle ne le
perdrait pas de vue.

Assise sous la lampe, elle lisait le dernier livre de
Taine, écoutant au-dehors les rafales du vent et tendant
l'oreille au moindre bruit. Après s'être trompée plusieurs fois, elle perçut distinctement la voix du cocher et le roulement de la voiture sous le péristyle. La
princesse Barbe, qui faisait une patience, l'entendit
également. Anna se leva; elle n'osait descendre comme
elle l'avait fait deux fois déjà, et rouge, confuse,
inquiète de l'accueil qu'elle recevrait, elle s'arrêta.
Toutes ses susceptibilités s'étaient évanouies; elle ne
redoutait plus que le mécontentement de Vronski et, se
souvenant soudain que l'enfant allait beaucoup mieux
depuis la veille, elle lui en voulait de s'être rétablie au
moment même où elle expédiait sa lettre. Mais en songeant qu'elle allait « le » revoir, en chair et en os,
toute autre pensée disparut, et lorsque le son de sa

voix parvint jusqu'à elle, la joie l'emporta : elle courut
au-devant de son amant.

« Comment va Annie? demanda-t-il avec inquiétude
du bas de l'escalier, tandis qu'un domestique le débarrassait de ses bottes fourrées.

— Mieux.

— Et toi? » demanda-t-il en secouant les flocons de
neige qui s'étaient insinués sous sa pelisse.

Elle lui prit une main dans les siennes et l'attira
vers elle sans le quitter des yeux.

« J'en suis bien aise », dit-il, en n'accordant qu'un
regard distrait à une toilette qu'il savait avoir été mise
pour lui.

Ces attentions lui plaisaient, mais elles lui plaisaient
depuis trop longtemps; et son visage prit cette expression d'immobile sévérité que redoutait tant Anna.

« J'en suis bien aise. Mais toi, comment vas-tu? »
insista-t-il en lui baisant la main, après s'être essuyé la
barbe.

« Tant pis, se dit Anna, pourvu qu'il soit ici! Quand
je suis là, il est bien forcé de m'aimer. »

La soirée se passa gaiement en présence de la princesse, qui se plaignit qu'Anna ait pris de la morphine.

« Je n'y puis rien, mes pensées m'empêchaient de
dormir. Quand il est là, je n'en prends presque jamais. »

Vronski raconta les incidents de l'élection, et par des
questions habiles Anna sut l'amener à parler de ses
succès; à son tour elle passa en revue les petits événements domestiques, ceux du moins qu'elle savait de
nature à lui plaire.

Lorsqu'ils se retrouvèrent seuls, Anna croyant l'avoir
repris tout entier, voulut effacer l'impression désagréable qu'avait produite sa lettre.

« Avoue, lui dit-elle, que tu as été mécontent de
mon billet et que tu n'y as pas ajouté foi.

— Oui, répondit-il, et, malgré la tendresse qu'il lui
témoignait, elle comprit qu'il ne pardonnait pas. Ta
lettre était si bizarre : Annie t'inquiétait et cependant
tu voulais venir toi-même.

— L'un et l'autre étaient vrais.

— Je n'en doute pas.

— Si, tu en doutes; je vois que tu es fâché.

— Pas du tout, mais ce qui me contrarie, c'est que tu ne veuilles pas admettre des devoirs...

— Quels devoirs? celui d'aller au concert?

— N'en parlons plus.

— Pourquoi ne plus en parler?

— Je veux dire qu'il peut se rencontrer des devoirs impérieux... Ainsi il faudra bientôt que j'aille à Moscou pour affaires... Voyons, Anna, pourquoi t'irriter ainsi quand tu sais que je ne puis vivre sans toi?

— S'il en est ainsi, dit Anna, changeant subitement de ton, si tu arrives un jour pour repartir le lendemain, si tu es fatigué de cette vie...

— Anna, ne sois pas cruelle. Tu sais que je suis prêt à te sacrifier tout... »

Elle ne l'écoutait point.

« Quand tu iras à Moscou, je t'accompagnerai... Je ne reste pas seule ici. Vivons ensemble ou séparons-nous.

— Je ne demande qu'à vivre avec toi, mais pour cela il faut...

— Le divorce? soit. Je lui écrirai. Je ne puis continuer à vivre ainsi... Mais je te suivrai à Moscou.

— Tu dis cela d'un air de menace; c'est pourtant tout ce que je souhaite », dit Vronski en souriant. Mais son regard restait glacial et mauvais, comme celui d'un homme exaspéré par la persécution.

Elle comprit le sens de ce regard et jamais l'impression qu'elle en ressentit ne devait s'effacer de son souvenir.

Anna écrivit à son mari pour lui demander le divorce et, vers la fin de novembre, après s'être séparée de la princesse Barbe, que ses affaires rappelaient à Pétersbourg, elle vint s'installer à Moscou avec Vronski.

SEPTIÈME PARTIE

I

Les Levine étaient à Moscou depuis plus de deux mois, et le terme fixé par les autorités compétentes pour la délivrance de Kitty se trouvait dépassé sans que rien fît prévoir un dénouement prochain. Tout le monde dans son entourage commençait à se préoccuper : le médecin, la sage-femme, la princesse, Dolly, Levine surtout, qui voyait approcher avec terreur le moment fatal. Kitty gardait au contraire tout son calme. Cet enfant qu'elle attendait existait déjà pour elle; il manifestait même son indépendance en la faisant parfois souffrir, mais cette douleur étrange et inconnue n'amenait qu'un sourire sur ses lèvres; elle sentait naître en elle un amour nouveau. Et comme jamais elle ne s'était vue plus gâtée, plus choyée de tous les siens, pourquoi aurait-elle hâté de ses vœux la fin d'une situation qu'on savait lui rendre si douce?

Il y avait cependant une ombre au tableau : elle trouvait son mari inquiet, ombrageux, oisif, agité sans but; était-ce l'homme dont elle avait admiré à la campagne l'activité pratique, la dignité tranquille, la cordiale hospitalité? Ce brusque changement lui inspirait une sorte de commisération, que nul d'ailleurs n'éprouvait autour d'elle. Sa jalousie mise en éveil la forçait à reconnaître que dans le monde la belle prestance de son mari, sa politesse quelque peu surannée, sa physionomie expressive surtout n'étaient pas sans pro-

duire un certain effet. Cependant, comme elle avait
l'habitude de lire dans l'âme de Levine, elle le devinait
désorienté, et lui reprochait *in petto* de ne point savoir s'accommoder de la vie d'une grande ville, tout
en s'avouant que Moscou lui offrait peu de ressources.
Quelles occupations pouvait-il s'y créer? Il n'aimait
ni les cartes, ni les clubs, ni la compagnie des viveurs
comme Oblonski, ce dont elle rendait grâce au Ciel,
car elle savait maintenant que ces gens-là prenaient
plaisir à s'enivrer et à fréquenter des lieux auxquels
elle ne pouvait songer sans effroi. Le monde? pour s'y
plaire il aurait dû rechercher la société des femmes, et
cette perspective ne souriait guère à Kitty. La famille?
ne devait-il pas trouver bien monotones ces éternels
papotages entre sœurs, ces « Aline-Nadine », comme
les appelait pittoresquement le vieux prince? Son
livre? Levine avait songé à le terminer et commencé
des recherches dans les bibliothèques publiques, mais
il avoua à Kitty qu'il se déflorait à lui-même l'intérêt
de son travail quand il en parlait et que d'ailleurs plus
il avait de loisirs, moins il trouvait le temps de s'occuper sérieusement!

Les conditions particulières de leur vie à Moscou
eurent en revanche un résultat inattendu, celui de faire
cesser leurs querelles; la crainte que tous les deux
avaient éprouvée de voir renaître des scènes de jalousie se trouva vaine, même à la suite d'un incident
imprévu, la rencontre de Vronski.

L'état de Kitty ne lui permettait aucune sortie; elle
déféra pourtant au désir de sa marraine, la vieille
princesse Marie Borissovna, qui l'avait toujours beaucoup aimée, et se laissa conduire chez elle par son
père. Ce fut là qu'elle retrouva, sous des habits civils,
l'homme qui jadis lui avait été si cher. Elle sentit tout
d'abord son cœur battre à l'étouffer et son visage devenir pourpre, mais cette émotion ne dura qu'une seconde. Le vieux prince se hâta d'adresser la parole
à Vronski; la conversation à peine engagée, Kitty aurait déjà pu la soutenir sans que son sourire ou l'in-
tonation de sa voix eût prêté aux critiques de son

mari, dont elle subissait l'invisible surveillance. Elle échangea quelques mots avec Vronski, sourit même, pour montrer qu'elle comprenait la plaisanterie, lorsqu'il appela l'assemblée de Kachine « notre parlement », puis ne s'occupa plus de lui que pour répondre à son salut lorsqu'il prit congé.

Le vieux prince ne fit, en sortant, aucune remarque sur cette rencontre; mais à la tendresse particulière qu'il lui témoigna au cours de leur promenade habituelle, Kitty comprit qu'il était content d'elle et lui fut reconnaissante de son silence. Elle aussi était satisfaite — et fort surprise — d'avoir pu refouler ses souvenirs au point de revoir Vronski presque avec indifférence.

« J'ai regretté ton absence, dit-elle à son mari en lui racontant cette entrevue, ou du moins j'aurais voulu que tu pusses me voir par le trou de la serrure, car devant toi je n'aurais peut-être pas conservé mon sang-froid. Vois comme je rougis maintenant... Beaucoup plus que tantôt, je t'assure. »

Levine, d'abord plus rouge qu'elle et l'écoutant d'un air sombre, se calma devant le regard sincère de sa femme et lui posa même quelques questions qui permirent à Kitty de justifier son attitude. Complètement rasséréné, Levine déclara qu'à l'avenir il ne se conduirait plus aussi sottement qu'aux élections et ferait preuve envers Vronski d'une parfaite amabilité.

« C'est si pénible, avoua-t-il, de craindre la vue d'un homme et de le considérer presque comme un ennemi! »

II

« N'OUBLIE pas de faire une visite aux Bohl, rappela Kitty à son mari, lorsque avant de sortir il entra dans sa chambre vers onze heures du matin. Je sais que tu dînes au club avec papa, mais que fais-tu d'ici là?

— Je vais tout simplement chez Katavassov.

— Pourquoi de si bonne heure?

— Il m'a promis de me présenter à Métrov, un grand savant de Pétersbourg avec qui je voudrais causer de mon livre.

— Ah! oui, je me rappelle, tu nous as fait un vif éloge d'un de ses articles. Et après?

— Peut-être passerai-je au tribunal pour l'affaire de ma sœur.

— Tu n'iras pas au concert?

— Que veux-tu que j'y aille faire tout seul?

— Mais si, mais si, vas-y. On donne ces deux œuvres nouvelles que tu désirais entendre. Si je le pouvais, je t'accompagnerais.

— En tout cas, je viendrai prendre de tes nouvelles avant le dîner, dit-il avec un regard à la pendule.

— Mets ta redingote pour pouvoir passer chez les Bohl.

— Est-ce bien nécessaire?

— Certainement, le comte nous a fait visite le premier. Cinq minutes de conversation sur la pluie et le beau temps ne sont vraiment pas une grande corvée.

— C'est que, vois-tu, j'ai complètement perdu l'habitude des visites. Quelle drôle de coutume, vraiment! Vous arrivez chez les gens sans crier gare, vous n'avez rien à leur dire, vous les dérangez tout en vous faisant du mauvais sang, et... bonsoir, messieurs, dames! »

Kitty se mit à rire.

« Tu faisais bien des visites quand tu étais garçon?

— C'est vrai, mais ma confusion était la même. Ma parole d'honneur, plutôt que faire cette visite, j'aimerais mieux jeûner pendant deux jours. Tu es sûre que ça ne les blessera pas?

— Mais bien sûr, bien sûr, affirma Kitty, très amusée. Allons, au revoir, ajouta-t-elle en lui prenant la main. Et n'oublie pas ta visite. »

Il allait sortir après avoir baisé la main de sa femme, quand celle-ci l'arrêta.

« Kostia, sais-tu qu'il ne me reste plus que cinquante roubles?

— Eh bien, je vais passer à la banque; combien te faut-il?

— Attends, dit-elle en voyant le visage de son mari se rembrunir; et elle le retint par le bras. Cette question me préoccupe. Je ne crois pas faire de dépenses inutiles; et cependant l'argent disparaît par trop vite; quelque chose doit clocher dans notre façon de vivre.

— Nullement », répondit Levine, le regard en dessous et avec une petite toux qu'elle savait être un signe de contrariété. En effet s'il ne trouvait pas leurs dépenses exagérées, il regrettait qu'elle lui rappelât un désagrément auquel il ne voulait point songer. « J'ai écrit à Sokolov de vendre le blé et de toucher d'avance le loyer du moulin. L'argent ne manquera pas.

— Je crains vraiment que nous ne dépensions trop.

— Mais non, mais non. Au revoir, ma chérie.

— Je regrette parfois d'avoir écouté maman. Je vous fatigue tous, et nous dépensons un argent fou... Pourquoi ne sommes-nous pas restés à la campagne?

— Mais non, mais non, je ne regrette rien de ce que j'ai fait depuis notre mariage...

— Vraiment? » dit-elle en le regardant bien en face.

Il n'avait dit cette phrase que pour rassurer Kitty, mais ému par ce regard franc et limpide, il la répéta de tout son cœur... « J'oublie tout quand je la vois », songea-t-il. Et, se rappelant l'heureux événement qu'ils attendaient :

« Comment te sens-tu? demanda-t-il en lui prenant les deux mains. Est-ce pour bientôt?

— Je me suis si souvent trompée dans mes calculs que je ne veux plus y penser.

— Tu n'as pas peur?

— Pas le moins du monde, répondit-elle avec un sourire hautain.

— S'il t'arrive quelque chose, fais-moi demander chez Katavassov.

— Mais non, mais non, ne t'inquiète pas. Je t'attends avant le dîner. D'ici là nous ferons un tour avec papa et nous entrerons chez Dolly... A propos sais-tu que sa position n'est plus tenable? La malheureuse est criblée

de dettes et n'a pas un sou devant elle. Nous en avons
causé hier avec maman et Arsène (le mari de sa sœur
Natalie) et nous avons décidé que vous chapitreriez
sérieusement Stiva, car papa n'en voudra rien faire.

— Crois-tu qu'il nous écoutera?

— Parle toujours à Arsène.

— Soit, je passerai chez eux et peut-être alors irai-je
au concert avec Natalie. Allons, à bientôt. »

Dans le vestibule, Kouzma, le vieux domestique de
Levine qui remplissait en ville les fonctions de majordome, arrêta son maître.

« On a referré hier Jolicœur (le timonier de gauche)
mais il continue à boiter; que faut-il faire? » demanda-t-il.

Levine avait amené des chevaux de la campagne,
mais s'était bientôt aperçu qu'ils lui revenaient plus
cher que des chevaux de remise et qu'en outre il fallait souvent recourir à un loueur.

« Fais venir le vétérinaire, il a peut-être une froissu-
re.

— Et pour Catherine Alexandrovna? » insista
Kouzma.

Les premiers temps de son séjour à Moscou, Levine
n'arrivait pas à comprendre que, pour faire une visite
à dix minutes de chez soi, il fût nécessaire d'atteler
deux vigoureux chevaux à une lourde voiture, de les
laisser se morfondre quatre heures durant dans la
neige et de payer cinq roubles ce médiocre plaisir.
Maintenant au contraire cela lui paraissait tout naturel.

« Prends deux chevaux chez le loueur.

— Bien, monsieur. »

Ayant ainsi tranché d'un mot une difficulté qui à la
campagne lui eût demandé de longues réflexions, Levine sortit, héla un fiacre et se fit conduire rue Saint-
Nicétas, ne pensant plus qu'au plaisir de parler de ses
travaux avec un célèbre sociologue.

Levine avait vite pris son parti de ces dépenses
indispensables dont l'absurdité frappe de stupeur tout
provincial qui vient s'établir à Moscou. Il lui arriva

ce qui arrive aux ivrognes pour qui, prétend un vieux dicton, « il n'y a que la première bouteille qui coûte ». Quand il lui fallut changer son premier billet de cent roubles pour affubler le suisse et le valet de chambre des livrées qu'à l'encontre de sa belle-mère et de sa femme il jugeait parfaitement inutiles, il songea que ces oripeaux représentaient les gages de deux ouvriers à l'année, besognant de l'aurore à la tombée de la nuit depuis la semaine de Pâques jusqu'au carnaval, soit bien près de trois cents jours — et il trouva la pilule dure à avaler. Elle lui parut moins amère dès le second billet, avec lequel il régla une note de vingt-huit roubles, coût d'un festin de famille, non sans calculer qu'à ce prix-là on pouvait avoir une centaine de boisseaux d'avoine que plusieurs hommes avaient dû faucher, lier, battre, vanner, tamiser et mettre en sac à la sueur de leur front. Les billets suivants s'envolèrent d'eux-mêmes : Levine ne se demanda même plus si le plaisir acheté par son argent était proportionné au mal qu'il donnait à gagner; il oublia, en cédant son avoine à cinquante kopecks au-dessous du cours, ses principes bien arrêtés sur le devoir de vendre ses céréales au plus haut prix possible; il ne songea même plus à se dire que le train qu'il menait l'endetterait promptement. Avoir de l'argent à la banque pour subvenir aux besoins journaliers du ménage fut dorénavant son seul objectif. Jusqu'ici il s'était tiré d'affaire, mais la nouvelle demande de Kitty l'aurait certainement incité à d'amères réflexions, n'eût été sa hâte à répondre à l'appel de Katavassov.

III

Levine s'était beaucoup rapproché de son ancien camarade d'université, qu'il n'avait point revu depuis son mariage. Katavassov avait du monde une conception très nette et très simple, que Levine attribuait à la pauvreté de sa nature; il imputait de son côté l'incohérence d'idées de Levine à un manque de discipline dans l'esprit. En raison sans doute de ces qualités opposées — clarté un peu sèche chez l'un, richesse indisciplinée chez l'autre — ils prenaient plaisir à se voir et à discuter longuement. Katavassov décida Levine à lui lire quelques chapitres de son ouvrage et les ayant trouvés intéressants, il en parla à Métrov, un savant éminent de passage à Moscou dont Levine appréciait beaucoup les travaux. La veille au soir, au cours d'une conférence, il avait prévenu son ami que Métrov désirait faire sa connaissance : un rendez-vous avait été pris pour le lendemain matin, à onze heures, chez Katavassov.

« Décidément, mon cher, vous devenez exact, dit celui-ci en accueillant Levine dans son petit salon. Tous mes compliments... Que dites-vous des Monténégrins? Des soldats de race, n'est-ce pas?

— Il y a du nouveau? » s'enquit Levine.

Katavassov lui résuma les dernières nouvelles et, le faisant passer dans son cabinet de travail, il le présenta à un personnage de taille moyenne mais de belle apparence. C'était Métrov. La politique extérieure fit les premiers frais de la conversation. Métrov cita quelques paroles significatives prononcées par l'empereur et qu'il tenait de source certaine, ce à quoi Katavassov opposa des paroles d'un sens diamétralement opposé et de source également certaine; Levine demeura libre de choisir entre les deux versions.

« Mon ami, dit alors Katavassov, met la dernière main à un ouvrage sur l'économie rurale. Ce n'est pas ma partie, mais en tant que naturaliste, l'idée fondamentale de ce travail me plaît beaucoup. Il tient compte du milieu dans lequel l'homme vit et se développe, il ne l'envisage pas en dehors des lois zoologiques, il l'étudie dans ses rapports avec la nature.

— C'est fort intéressant, fit Métrov.

— Mon but était simplement d'écrire un livre d'agronomie, dit Levine en rougissant; mais, malgré moi, en étudiant l'instrument principal, l'ouvrier, je suis arrivé à des conclusions fort imprévues. »

Et Levine développa ses idées avec une certaine prudence, car, tout en sachant Métrov adversaire des doctrines économiques classiques, il ignorait le degré de sympathie que lui accorderait ce savant au visage intelligent mais fermé.

« En quoi, selon vous, l'ouvrier russe diffère-t-il des autres? s'enquit Métrov. Est-ce au point de vue que vous qualifiez de zoologique, ou bien à celui des conditions matérielles dans lesquelles il se trouve? »

Cette façon de poser la question prouvait à Levine une différence d'idées absolue; il continua néanmoins à exposer sa thèse, à savoir que le peuple russe envisage la question agraire d'une manière bien différente des autres peuples, et cela pour la raison primordiale qu'il se sent d'instinct prédestiné à coloniser d'immenses espaces encore incultes.

« Il n'est jamais si facile de se tromper qu'en prétendant assigner telle ou telle mission à un peuple, objecta Métrov; et la situation de l'ouvrier dépendra toujours de ses rapports avec la terre et le capital. »

Et sans donner à Levine le temps de répliquer, il lui expliqua en quoi ses propres opinions différaient de celles qui avaient cours. Levine n'y comprit rien et ne chercha même pas à comprendre. En dépit de son fameux article, Métrov, comme tous les économistes, n'étudiait la situation du peuple russe que par rapport à la rente, au salaire et au capital, tout en convenant que dans les provinces de l'Est — qui constituent la plus grande partie du pays — la rente était nulle, que pour les neuf dixièmes d'une population de quatre-vingts millions d'âmes le salaire consistait à ne pas mourir de faim, et qu'enfin le capital n'était représenté que par des outils primitifs. Métrov ne différait des autres tenants de l'école que par une théorie nouvelle sur le salaire, qu'il démontra longuement.

Après avoir essayé de l'interrompre pour exposer son propre point de vue, qui, croyait-il, rendrait inutile toute discussion ultérieure, Levine finit par com prendre que leurs théories ne pouvaient pas se concilier. Il laissa donc parler Métrov, flatté au fond de voir un aussi savant homme le prendre pour confident et lui marquer tant de déférence. Il ignorait que l'éminent professeur, ayant épuisé ce sujet avec son entourage habituel, exposait volontiers au premier venu ses conceptions qui d'ailleurs ne s'imposaient pas encore à son esprit avec une évidence irréfutable.

« Nous allons nous mettre en retard, fit enfin remarquer Katavassov après un regard à sa montre. Il y a aujourd'hui une séance extraordinaire à la Société des amis de la science russe à l'occasion du cinquantenaire de Svintitch, ajouta-t-il, à l'adresse de Levine; j'ai promis de lire une communication sur ses travaux zoologiques. Venez avec nous, ce sera intéressant.

— Oui, venez, dit Métrov; et, après la séance faites-moi le plaisir de passer chez moi pour me lire votre ouvrage; je l'écouterai avec plaisir.

— C'est une ébauche indigne d'être produite, mais je vous accompagnerai volontiers à la séance.

— Vous savez que j'ai signé le mémorandum », dit Katavassov, qui passait son habit dans la pièce à côté.

Il faisait allusion à une affaire qui passionnait cet hiver-là les Moscovites. A une séance du conseil de l'université trois vieux professeurs n'ayant pas accepté la manière de voir de leurs jeunes collègues, ceux-ci l'exposèrent en un mémorandum dont le contenu parut à d'aucuns fort juste et à d'autres tout simplement abominable. Les professeurs se divisèrent en deux camps, dont l'un taxait de lâcheté la façon d'agir des conservateurs et l'autre traitait de gaminerie l'acte des opposants.

Bien qu'il n'appartînt pas à l'université, Levine avait déjà entendu parler plusieurs fois de cet incident, à propos duquel il s'était même fait une opinion. Il put donc prendre part à l'entretien de ces messieurs, qui roula exclusivement sur ce grave sujet jusqu'à leur arrivée devant les anciens bâtiments de l'université.

La séance était déjà commencée. Six personnes, auxquelles se joignirent Katavassov et Métrov, avaient pris place devant une table couverte d'un tapis, et l'une d'elles faisait une lecture, le nez dans un manuscrit. Levine s'assit auprès d'un étudiant et lui demanda à voix basse ce que l'on lisait.

« La biographie », répondit l'autre d'un ton bourru. Levine écouta machinalement la biographie et apprit diverses particularités intéressantes sur la vie de l'illustre savant. Quand l'orateur eut fini, le président le remercia et déclama une pièce de vers envoyée par le poète Ment, auquel il adressa quelques mots de remerciement. Puis Katavassov lut d'une voix puissante une notice sur les travaux de Svintitch. Levine, voyant l'heure s'avancer, comprit qu'il n'aurait pas le temps de lire avant le concert son ouvrage à Métrov. Du reste l'inutilité d'un rapprochement avec cet économiste lui apparaissait de plus en plus évidente : s'ils étaient destinés l'un et l'autre à travailler avec fruit, ce ne pouvait être qu'en poursuivant leurs études chacun de son côté. A la fin de la séance, il alla donc trouver Métrov, qui le présenta au président. La conversation étant tombée sur la politique, Métrov et Levine répétèrent les phrases qu'ils avaient échangées chez Katavassov, avec cette différence que Levine émit une ou deux opinions nouvelles qui venaient de lui passer par la tête. Puis, comme le fameux différend entre professeurs revenait de nouveau sur le tapis. Levine, que cette question ennuyait, présenta ses excuses à Métrov et, s'esquivant aussitôt, se fit conduire chez Lvov.

IV

Lvov, le mari de Natalie, avait toujours vécu soit dans les deux capitales, soit à l'étranger où l'appelaient des fonctions diplomatiques. Il avait depuis quelques mois abandonné la carrière, non pas certes qu'il y eût éprouvé des ennuis, car c'était l'homme le plus souple du monde, mais tout simplement pour surveiller de plus près l'éducation de ses deux fils. Il s'était fixé à Moscou où il exerçait une charge de cour.

En dépit d'une différence d'âge assez marquée, et malgré des opinions et des habitudes très dissemblables, les deux beaux-frères s'étaient liés au cours de l'hiver d'une sincère amitié.

Commodément installé dans un fauteuil, Lvov, en veston d'intérieur et bottines de chamois, lisait à l'aide d'un pince-nez à verres bleus, tout en fumant un cigare à demi consumé que sa belle main tenait à distance respectueuse de son livre posé devant lui sur un pupitre bas. Son fin visage, d'une expression encore jeune, auquel une chevelure frisée et argentée donnait un air aristocratique, s'éclaira d'un sourire en voyant entrer Levine, qui ne s'était pas fait annoncer.

« J'allais envoyer prendre des nouvelles de Kitty; comment va-t-elle? Mettez-vous là, vous y serez mieux, dit-il avec un léger accent français en avançant un fauteuil à bascule. Avez-vous lu la dernière circulaire du *Journal de Saint-Pétersbourg*? Je la trouve fort bien. »

Levine raconta les bruits qu'il tenait de Katavassov et, après avoir épuisé la question politique, il narra son entretien avec Métrov et la séance de l'université.

« Combien je vous envie vos relations avec le monde savant, dit Lvov, qui avait pris plaisir à l'écouter. Je ne pourrais, il est vrai, en profiter comme vous, faute de temps et, je dois l'avouer, faute d'instruction suffisante.

— Laissez-moi douter de ce dernier point, répondit en souriant Levine, qui trouvait toujours très touchante la modestie de son beau-frère, parce qu'il la savait très sincère.

— Vous ne sauriez croire à quel point je le constate, maintenant que je m'occupe de l'éducation de mes fils : non seulement il s'agit de me rafraîchir la mémoire, mais il me faut refaire mes études... J'estime en effet qu'auprès des enfants des maîtres ne suffisent pas, il faut encore une sorte de surveillant général, dont le rôle équivaut à celui que joue votre régisseur auprès de vos ouvriers... Et je vois qu'on fait apprendre à Micha des choses par trop difficiles, déclara-t-il en désignant la grammaire de Bouslaïev qui reposait sur le pupitre. Pourriez-vous, par exemple, m'expliquer ce passage?... »

Levine objecta que c'étaient là des matières que l'on devait apprendre sans chercher à les approfondir. Lvov ne se laissa pas convaincre.

« Vous devez me juger ridicule, fit-il.

— Bien au contraire, vous me servez d'exemple pour l'avenir (1).

— Oh! l'exemple n'a rien de remarquable.

— Si fait, car je n'ai jamais vu d'enfants mieux élevés que les vôtres. »

Lvov ne dissimula pas un sourire de satisfaction.

« Je désire seulement qu'ils vaillent mieux que moi. Leur instruction a été fort négligée pendant notre séjour à l'étranger et vous ne sauriez croire à quelles difficultés nous nous heurtons.

— Ils sont trop bien doués pour ne pas rattraper bientôt le temps perdu. En revanche leur éducation ne laisse vraiment rien à désirer.

— Si vous saviez la peine qu'elle me donne! A peine un mauvais penchant dompté, un autre se manifeste. Comme je vous l'ai déjà dit, sans le secours de la religion aucun père ne pourrait venir à bout de sa tâche. »

La belle Natalie Alexandrovna, en toilette de promenade, interrompit cet entretien, dont le sujet la passionnait beaucoup moins que Levine.

---

(1) Dans les premières années qui suivirent son mariage, Tolstoï voulut appliquer ses théories pédagogiques à ses enfants : absence de contrainte, exercices physiques, etc... Mais le nombre de ses enfants augmentant et ses travaux littéraires l'accaparant de plus en plus, on revint à Iasnaïa Poliana au système des gouvernantes et précepteurs étrangers et Tolstoï se résigna à envoyer ses enfants au lycée.

« Les idées de Léon Nicolaïevitch sur l'éducation différaient parfois des vues de Sonia... Il ne voulait pour tout vêtement que des chemises de toile grossière pour Serge; pour Tania, des blouses de flanelle grise disgracieuses. Il était contre les jouets. » (T. Kouzminski, *op. cit.*)

« Je ne vous savais pas ici, dit-elle à son beau-frère.
Comment va Kitty? Elle vous a dit que je dîne avec
elle?... A propos, Arsène, tu vas prendre la voiture... »

Lvov devait aller à la gare, au-devant d'une certaine
personnalité, Natalie, au concert et à une séance publique du Comité des Slaves du Sud. Après une longue
discussion, on décida que Levine accompagnerait sa
belle-sœur et dépêcherait la voiture à Arsène, qui
viendrait reprendre sa femme pour la conduire chez
Kitty ou, s'il était retenu trop longtemps, laisserait ce
soin à Levine mais leur renverrait en tout cas la voiture. Cette question vidée, Lvov dit à sa femme :

« Levine me gâte : il prétend que nos enfants sont
parfaits, alors que je vois en eux tant de défauts.

— Tu passes toujours d'un extrême à l'autre; la
perfection est une utopie. Mais papa a bien raison :
autrefois les parents habitaient le premier étage et les
enfants ne quittaient pas l'entresol; aujourd'hui les
enfants ont conquis le premier et relégué les parents
au grenier. Les parents n'ont plus le droit de vivre
que pour leurs enfants.

— Qu'importe, si cela vous fait tant plaisir! dit
Lvov en lui prenant la main et en souriant de son beau
sourire. Si on ne te connaissait pas, on croirait entendre parler une belle-mère.

— Non, l'excès en tout est un défaut, conclut Natalie; et elle remit soigneusement à la place voulue le
coupe-papier de son mari.

— Eh bien, approchez, enfants modèles », dit Lvov
à deux jeunes et jolis garçons qui se montrèrent sur le
pas de la porte.

Après avoir salué leur oncle, les enfants s'approchèrent du papa, dans l'intention évidente de lui poser
quelques questions. Levine aurait bien voulu prendre
part à l'entretien, mais Natalie s'interposa et sur ces
entrefaites apparut en uniforme de cour, Makhotine, le
collègue de Lvov, qui devait l'accompagner à la gare.
Ce furent aussitôt des palabres sans fin sur l'Herzé-
govine, la princesse Korzinski, le conseil municipal
et la mort subite de Mme Apraxine.

Levine ne se rappela que dans l'antichambre la commission dont on l'avait chargé.

« A propos, dit-il à Lvov, qui le reconduisait, Kitty m'a prié de m'entendre avec vous au sujet d'Oblonski.

— Oui, je sais, *maman* veut que nous, les *beaux-frères,* nous lui fassions la morale, répondit Lvov en rougissant; mais en quoi cela me regarde-t-il?

— Eh bien, je m'en charge, mais partons », intervint Natalie qui, drapée dans sa rotonde de renard blanc, attendait avec quelque impatience la fin de l'entretien.

V

On donnait ce jour-là deux œuvres nouvelles : une « fantaisie sur le roi Lear de la steppe » et un quatuor dédié à la mémoire de Bach. Levine désirait vivement se former une opinion sur ces œuvres composées dans un esprit nouveau et, pour ne subir l'influence de personne, il alla s'adosser à une colonne, après avoir installé sa belle-sœur, bien résolu à écouter consciencieusement. Il évita de se laisser distraire par les gestes du chef d'orchestre en cravate blanche, par les chapeaux des dames dont les brides leur bouchaient hermétiquement les oreilles, par la vue de toutes ces physionomies oisives, venues au concert pour tout autre chose que pour la musique. Il évita surtout les dilettantes beaux parleurs et, les yeux fixés dans l'espace, il s'absorba dans une profonde attention. Mais, plus il écoutait la fantaisie, plus il sentait l'impossibilité de s'en former une idée nette et précise : sans cesse la phrase musicale, au moment de se développer, se fondait en une autre phrase ou s'évanouissait, suivant le caprice du compositeur, en laissant pour unique impression celle d'une pénible recherche d'instrumentation. Les meilleurs passages venaient mal à propos, et la gaieté, la tristesse, le désespoir, la tendresse, le triomphe, se succédaient avec l'incohérence des impressions d'un fou, pour disparaître de même.

Quand le morceau se termina brusquement, Levine fut surpris de la fatigue que cette tension d'esprit lui avait bien inutilement causée; il se fit l'effet d'un sourd qui regardait danser, et, en écoutant les applaudissements enthousiastes de l'auditoire, il voulut comparer ses impressions à celles des connaisseurs. On se levait de tous côtés, des groupes se formaient, et Levine put joindre Pestsov qui conversait avec l'un des plus fameux amateurs.

« C'est étonnant! clamait Pestsov de sa grosse voix. Ah! bonjour, Constantin Dmitritch... Le passage le plus riche en couleur, le plus sculptural, dirais-je, est celui où l'on devine l'approche de Cordelia, où la femme, *das ewig Weibliche* (l'éternel féminin) entre en lutte avec la fatalité. N'est-il pas vrai?

— Permettez, que vient faire ici Cordelia? osa demander Levine, perdant de vue qu'il s'agissait du roi Lear.

— Cordelia apparaît, voyez plutôt », riposta Pestsov en frappant des doigts sur un programme satiné qu'il passa à Levine.

Alors seulement celui-ci se rappela le titre de la fantaisie et se hâta de lire les vers de Shakespeare imprimés dans une traduction russe sur le revers du programme.

« On ne peut suivre sans cela », insista Pestsov qui, abandonné par le dilettante, se retourna en désespoir de cause vers le piètre interlocuteur qu'était pour lui Levine.

Une discussion s'engagea entre ces messieurs sur les mérites et les défauts de la musique wagnérienne. Levine prétendait que Wagner et ses imitateurs avaient tort d'empiéter sur le domaine d'un autre art; la poésie ne réussissait pas davantage à dépeindre les traits d'un visage, ce qui est le fait de la peinture. A l'appui de ses dires, Levine cita le cas récent d'un sculpteur qui avait groupé autour de la statue d'un poète les prétendues ombres de ses inspirations.

« Ces figures ressemblent si peu à des ombres qu'elles sont contraintes de s'appuyer à un escalier », conclut-il, satisfait de sa phrase. Mais à peine l'eut-il prononcée qu'il crut vaguement se souvenir de l'avoir déjà dite à quelqu'un, peut-être même à Pestsov lui-même. Il perdit aussitôt contenance.

Pestsov estimait au contraire que l'art est « un » : pour qu'il atteigne la grandeur suprême, il faut que ses diverses manifestations soient réunies en un seul faisceau.

Le quatuor fut perdu pour Levine : planté à côté de lui, Pestsov ne cessa de bavarder; la simplicité affectée de ce morceau lui rappelait la fausse naïveté des peintres préraphaélites.

Aussitôt après le concert, Levine rejoignit sa belle-sœur. En sortant, après avoir rencontré diverses personnes de sa connaissance et échangé avec elles maints propos sur la politique, la musique ou des amis communs, il aperçut le comte Bohl, et la visite qu'il devait faire lui revint à l'esprit.

« Allez-y bien vite, dit Natalie, à qui il confia ses remords. Peut-être la comtesse ne reçoit-elle pas. Vous viendrez ensuite me rejoindre à la séance du comité. »

VI

« LA comtesse ne reçoit peut-être pas? s'enquit Levine en pénétrant dans le vestibule des Bohl.

— Si fait, veuillez entrer », répondit le suisse en le débarrassant résolument de sa pelisse.

« Quel ennui! pensa Levine. Que vais-je lui dire? Et que suis-je venu faire ici? »

Il poussa un soupir, retira un de ses gants, répara le désordre de son chapeau et s'engagea dans le premier salon. Il y rencontra la comtesse qui donnait d'un air sévère des ordres à un domestique. Elle sourit à la vue du visiteur et le pria d'entrer dans un bou-

doir, où ses deux filles s'entretenaient avec un colonel
que connaissait Levine. Après les civilités d'usage,
celui-ci s'assit près du canapé son chapeau sur le
genou.

« Comment va votre femme? Vous venez du
concert? Nous n'avons pu y aller : maman devait
assister au *requiem*.

— Oui... Quelle mort soudaine! »

La comtesse parut, s'assit sur le canapé, s'informa
à son tour de la santé de Kitty et de la réussite du
concert. Levine de son côté regretta une fois de plus
la mort subite de Mme Apraxine.

« Au reste elle a toujours eu une bien petite santé.

— Avez-vous été hier à l'Opéra?

— Oui.

— La Lucca était superbe.

— Certainement. »

Et comme peu lui importait l'opinion de ces gens,
il débita sur le talent de la cantatrice des banalités que
la comtesse faisait mine d'écouter. Quand il crut en
avoir assez dit, le colonel, silencieux jusqu'alors,
s'étendit à son tour sur l'opéra, sur le nouvel éclairage
et sur la *folle journée* que donneraient bientôt les
Tiourine. Puis il se leva bruyamment et prit congé,
Levine voulut en faire autant, mais un regard étonné
de la comtesse le cloua sur place : le moment n'était
pas venu. Il se rassit, tourmenté de la sotte figure qu'il
faisait et de plus en plus incapable de trouver un sujet
de conversation.

« Irez-vous à la séance du comité? demanda la
comtesse. On dit qu'elle sera intéressante.

— Oui, j'ai promis à ma *belle-sœur* d'aller l'y chercher. »

Nouveau silence, pendant lequel les trois dames
échangèrent un regard.

« Cette fois, il doit être temps de partir », pensa
Levine et il se leva de nouveau. Les dames ne le
retinrent plus, lui serrèrent la main et le chargèrent
de *mille choses* pour sa femme.

En lui remettant sa pelisse, le suisse lui demanda

son adresse et l'inscrivit gravement dans un superbe registre relié.

« Au fond je m'en moque, mais, bon Dieu, qu'on a l'air bête, et que tout cela est donc ridicule! » songeait Levine en se rendant à la séance.

Il arriva suffisamment à temps pour entendre la lecture d'un exposé que le nombreux auditoire trouva fort remarquable. Toute la bonne société semblait s'être donné rendez-vous en ce lieu. Levine y retrouva Sviajski, qui le conjura de ne pas manquer le soir même à une conférence des plus intéressantes à la Société agronomique, Oblonski, qui revenait des courses, bien d'autres amis encore avec lesquels il lui fallut échanger maintes considérations sur la séance elle-même, sur une pièce dont on venait de donner la première, sur un procès qui passionnait les esprits, et à propos duquel son attention fatiguée lui fit commettre une bévue qu'il regretta beaucoup par la suite. Un étranger s'étant rendu coupable d'un délit en Russie, un simple arrêté d'expulsion paraissait à tout le monde un châtiment trop doux.

« Oui, dit Levine, c'est vouloir punir un brochet en le jetant à l'eau. »

Il se rappela trop tard que cette pensée, qu'il donnait comme sienne, lui avait été confiée la veille par un ami. Ce monsieur l'avait d'ailleurs lue dans un feuilleton dont l'auteur l'avait à son tour empruntée au fabuliste Krylov.

Après avoir ramené chez lui sa belle-sœur et trouvé Kitty en parfaite santé, il se fit conduire au club. Il y arriva au moment où tout le monde, membres et invités, se réunissait.

VII

LEVINE n'avait pas remis les pieds au club depuis le temps où, ses études terminées, il habitait Moscou et fréquentait le monde. Ses souvenirs à demi effacés se réveillèrent devant le grand perron, au fond de la vaste cour semi-circulaire, lorsqu'il vit le suisse à baudrier lui ouvrir sans bruit la porte d'entrée, et l'inviter à se défaire de sa pelisse et de ses caoutchoucs avant de monter au premier. Et quand, précédé d'un coup de sonnette mystérieux, il fut arrivé au haut du bel escalier et qu'il aperçut la statue qui ornait le palier, tandis qu'un second suisse blanchi sous le harnois l'attendait posément à la porte des salles, il éprouva de nouveau l'impression de bien-être décent que lui avait toujours laissée cette maison si correctement tenue.

« Votre chapeau, s'il vous plaît », dit le suisse à Levine qui avait oublié de laisser le sien au vestiaire, ainsi que le voulait le règlement.

Cet homme connaissait non seulement Levine mais toute sa parenté; il le lui rappela aussitôt.

« Voilà longtemps que nous n'avons eu le plaisir de vous voir. Le prince vous a inscrit hier. Stépane Arcadiévitch n'est pas encore arrivé. »

Après avoir traversé l'antichambre aux paravents et la petite pièce où se tenait le marchand de fruits, Levine, devançant un vieux monsieur qui marchait à petits pas, pénétra dans la salle à manger, dont il trouva les tables presque entièrement occupées. Parmi les convives il reconnut des figures de connaissance : le vieux prince, Sviajski, Stcherbatski, Néviédovski, Serge Ivanovitch, Vronski.

« Te voilà enfin, lui dit son beau-père en lui tendant la main par-dessus l'épaule. Comment va Kitty? ajouta-t-il en introduisant un coin de sa serviette dans une boutonnière de son gilet.

— Elle va bien et dîne avec ses deux sœurs.

— Ah! ah! elles font « Aline-Nadine ». Allons, tant mieux. Eh bien, mon garçon, va vite te mettre à cette table là-bas, ici tout est pris », dit le prince en prenant avec précaution une assiette de soupe aux foies de lotte que lui offrait un serveur.

« Par ici, Levine! » cria une voix joviale à quelques pas de là. C'était Tourovtsine, assis près d'un

jeune officier, en face de deux chaises réservées. Après
une journée si chargée, la vue de ce bon vivant pour
qui il avait toujours eu un faible et qui lui rappelait le
soir de ses fiançailles, fut particulièrement agréable à
Levine.

« Prenez place », lui dit Tourovtsine, après l'avoir
présenté à son voisin, un Pétersbourgeois aux yeux
rieurs et à la taille très droite, qui répondait au nom
de Gaguine. « Il ne manque plus qu'Oblonski. Mais
justement le voici.

— Tu viens d'arriver, n'est-ce pas? demanda
Oblonski. Eh bien, allons prendre un verre d'eau-de-
vie. »

Levine se laissa entraîner devant une grande table
chargée de flacons et d'une vingtaine de hors-d'œuvre;
il y avait là de quoi satisfaire les goûts les plus divers;
cependant Stépane Arcadiévitch remarqua aussitôt
l'absence d'une certaine friandise qu'un domestique
en livrée s'empressa de lui procurer.

Dès le potage, Gaguine ayant fait servir du champagne, Levine en commanda une seconde bouteille.
Il mangea et but avec plaisir, et prit part avec un
plaisir non moins évident aux conversations plutôt
légères de ses commensaux. Gaguine raconta la dernière anecdote pétersbourgeoise, aussi grossière que
stupide, ce qui n'empêcha pas Levine d'en rire de si
bon cœur, qu'on se retourna aux tables voisines.

« Tout à fait dans le genre de « c'est justement ce
que je ne puis souffrir », déclara Stépane Arcadiévitch.
La connais-tu? Encore une bouteille, garçon!

— De la part de Pierre Ilitch Vinovski », annonça
un vieux serveur en déposant devant Levine et son
beau-frère deux flûtes d'un champagne pétillant.

Stépane Arcadiévitch leva la sienne dans la direction d'un monsieur roux, chauve et moustachu, auquel
il adressa un petit signe de tête amical.

« Qui est-ce? demanda Levine.

— Un charmant garçon. Tu ne te souviens pas de
l'avoir rencontré chez moi? »

Levine imita le geste de son beau-frère et celui-ci

put alors placer son historiette, non moins scabreuse que celle de Gaguine. Quand Levine en eut aussi raconté une, que l'on voulut bien trouver plaisante, on parla chevaux, courses et l'on cita le trotteur de Vronski, Velouté, qui venait de gagner un prix.

« Et voici l'heureux propriétaire en personne », dit Stépane Arcadiévitch, se renversant en arrière sur sa chaise pour tendre la main à Vronski, qu'accompagnait un colonel de la garde d'une stature gigantesque. Vronski, qui paraissait lui aussi d'excellente humeur, s'accouda à la chaise d'Oblonski, lui murmura quelques mots à l'oreille et tendit avec un sourire aimable la main à Levine.

« Enchanté de vous revoir, dit-il. Je vous ai cherché dans toute la ville après les élections; vous aviez disparu.

— C'est vrai, je me suis esquivé le jour même... Nous parlions de votre trotteur; tous mes compliments.

— N'élevez-vous pas aussi des chevaux de course?

— Moi, non; mais mon père avait une écurie et par tradition, je m'y connais.

— Où as-tu dîné? demanda Oblonski.

— A la seconde table, derrière les colonnes.

— On l'a accablé de félicitations, dit le grand colonel. C'est joli, un second prix impérial. Ah! si je pouvais avoir la même chance au jeu!... Mais je perds un temps précieux... »

Et il se dirigea vers la chambre « infernale ».

« C'est Iachvine », répondit Vronski à une question de Tourovtsine. Il s'attabla près d'eux, accepta une flûte de champagne, en commanda une nouvelle bouteille. Sous l'influence du vin et de l'atmosphère sociable du club, Levine entama avec lui une cordiale discussion sur les mérites respectifs des différentes races bovines; heureux de ne plus éprouver de haine contre son ancien rival, il fit même une allusion à la rencontre qui avait eu lieu chez la princesse Marie Borissovna.

« Marie Borissovna? s'écria Stépane Arcadiévitch. Elle est tout bonnement délicieuse! » Et il conta sur la vieille dame une anecdote qui mit de nouveau tout le monde en gaieté. Le rire de Vronski parut à Levine de si bon aloi qu'il se sentit définitivement réconcilié avec lui.

« Eh bien, messieurs, dit Oblonski en se levant, le sourire aux lèvres, si nous avons fini, sortons. »

VIII

Levine quitta la salle à manger avec un singulier sentiment de légèreté dans les mouvements. Comme Gaguine l'entraînait vers la salle de billard, il se heurta dans le grand salon à son beau-père.

« Que dis-tu de ce temple de l'oisiveté? demanda le vieux prince en le prenant sous le bras. Viens faire un tour.

— Je ne demande pas mieux, car cela m'intéresse.

— Moi aussi, mais autrement que toi. Quand tu vois des bonshommes comme ceux-ci, dit-il en désignant un vieux monsieur voûté, à la lèvre tremblante, qui avançait péniblement chaussé de bottes molles sans semelles, tu crois volontiers qu'ils sont nés gâteux et cela te fait sourire; tandis que moi je les regarde en me disant qu'un de ces jours je traînerai la patte comme eux. Tu connais le prince Tchétchenski? demanda-t-il d'un ton qui laissait prévoir une plaisante historiette.

— Ma foi, non.

— Comment, tu ne connais pas notre fameux joueur de billard? Enfin peu importe... Il y a de ça trois ans, il crânait encore, et il traitait les autres de vieux ramollis. Or, un beau jour, Vassili, notre suisse... Tu te le rappelles? Non? mais si, voyons, un gros, qui a toujours le mot pour rire... Un jour donc le prince lui demanda en arrivant : « Qui vais-je trouver là-« haut, Vassili? — Celui-ci et celui-là. — Et des ra-« mollis, y en a-t-il déjà? — Vous êtes le troisième,

« mon prince », lui répond l'autre du tac au tac. Et
« voilà! »

Tout en devisant et en saluant leurs amis au passage,
les deux hommes traversèrent le grand salon, où des
parties s'engageaient entre habitués; le « salon aux
canapés », rendez-vous des joueurs d'échecs, où Serge
Ivanovitch conversait avec un inconnu; la salle de
billard où, dans un coin près du divan, Gaguine avait
rassemblé quelques joueurs autour d'une bouteille de
champagne. Ils jetèrent un coup d'œil à la « chambre
infernale » : Iachvine, entouré de pontes, y était déjà
installé. Ils entrèrent avec précaution dans la salle de
lecture : une pièce sombre qu'éclairaient faiblement
des lampes à abat-jour verts; un jeune homme maussade y feuilletait des revues auprès d'un général
chauve, le nez enfoncé dans un bouquin. Ils péné-
trèrent enfin dans une pièce, que le prince avait
surnommée le « salon des gens d'esprit », et y trouvèrent trois messieurs discourant sur la politique.

« On vous attend, mon prince » vint annoncer un
de ses partenaires, qui le cherchait de tous côtés.

Resté seul, Levine écouta encore les trois messieurs;
puis, se rappelant toutes les conversations du même
genre entendues depuis le matin, il éprouva un ennui
si profond qu'il se sauva pour chercher Tourovtsine et
Oblonski, avec lesquels du moins on ne s'ennuyait pas.

Il les retrouva dans la salle de billard, Tourovtsine
dans le groupe des buveurs, Oblonski arrêté près de
la porte en compagnie de Vronski.

« Ce n'est pas qu'elle s'ennuie, mais cette indécision l'énerve, entendit Levine qui voulait passer outre
mais se vit saisir par le bras.

— Ne t'en va pas, Levine », lui cria Stépane Arcadiévitch, les yeux humides comme il les avait toujours
après boire ou aux heures d'attendrissement et, ce
soir-là, c'étaient l'un et l'autre... « C'est, je crois, mon
meilleur ami, continua-t-il en se tournant vers Vronski,
et comme toi aussi tu m'es pour le moins aussi cher
et aussi proche, je voudrais vous voir amis; vous êtes
dignes de l'être.

— Après cela, il ne nous reste qu'à nous embrasser, répondit plaisamment Vronski, en offrant à Levine une main que celui-ci serra avec cordialité.

— Enchanté, enchanté, déclara-t-il.

— Garçon, du champagne! cria Oblonski.

— Je le suis également », reprit Vronski.

Cependant, malgré cette mutuelle satisfaction, ils ne trouvèrent rien à se dire.

« Tu sais qu'il ne connaît pas Anna, fit remarquer Oblonski, et je veux de ce pas le lui présenter.

— Elle en sera ravie, répondit Vronski. Je partirais bien dès maintenant, mais Iachvine m'inquiète, il faut que je le surveille.

— Il est en train de perdre?

— Comme toujours. Et il n'y a que moi qui puisse lui faire entendre raison.

— Alors que diriez-vous d'une partie de billard en attendant? Tu es des nôtres, Levine? Parfait... Une pyramide! cria-t-il au marqueur.

— Il y a beau jeu qu'elle vous attend, répondit le personnage, qui employait ses loisirs à faire rouler la rouge.

— Eh bien, marchons. »

La partie terminée, Vronski et Levine s'installèrent à la table de Gaguine, et sur le conseil d'Oblonski, Levine misa sur les as. Une foule d'amis assiégeait sans cesse Vronski qui s'en allait de temps à autre relancer Iachvine. Heureux de sa réconciliation définitive avec son ancien rival, Levine éprouvait une sensation grandissante de détente physique et morale.

Quand la partie eut pris fin, Stépane Arcadiévitch le prit par le bras.

« Alors, tu m'accompagnes chez Anna? Il y a longtemps que je lui promets de t'amener. Tu n'avais rien en vue pour ce soir?

— Rien de particulier. J'avais promis à Sviajski d'assister à une séance de la Société agronomique, mais cela n'a pas d'importance. Allons-y, si tu le désires.

— Parfait... Informe-toi si ma voiture est là »,
ordonna Stépane Arcadiévitch à un valet.

Après s'être acquitté des quarante roubles qu'il avait
perdus aux cartes, Levine régla ses dépenses à un
vieux maître d'hôtel, appuyé contre le linteau de la
porte, qui en savait, Dieu sait pourquoi, le total par
cœur, et, les bras ballants, gagna la sortie à travers
l'enfilade des salons.

IX

« La voiture du prince Oblonski! » cria le suisse d'une
voix tonnante.

La voiture avança, les deux beaux-frères y montèrent, et bientôt les secousses de l'équipage, les cris
d'un cocher de fiacre, l'enseigne rouge d'un cabaret
aperçue à travers la portière, dissipèrent cette atmosphère de béatitude qui avait enveloppé Levine dès
son entrée au club. Brusquement rendu à la réalité, il
se demanda s'il avait raison d'aller chez Anna. Que
dirait Kitty? Mais, comme s'il eût deviné ce qui se
passait dans son esprit, Oblonski coupa court à ses
méditations...

« Comme je suis heureux de te la faire connaître!
Sais-tu que Dolly le désire depuis longtemps? Lvov
aussi va chez elle. Bien qu'elle soit ma sœur, je puis
dire que c'est une femme supérieure. Malheureusement
sa situation est plus triste que jamais.

— Pourquoi cela?

— Nous négocions un divorce, son mari y consent,
mais il surgit des difficultés à cause de l'enfant et
depuis trois mois l'affaire n'avance pas. Dès que le
divorce aura été prononcé, elle épousera Vronski...
Entre nous soit dit, quelle sottise que cette cérémonie
désuète, à quoi personne n'attache plus d'importance
et qui n'en est pas moins nécessaire au bonheur des
gens!... Et quand tout sera terminé, sa position devien-
dra aussi régulière que la tienne ou la mienne.

— En quoi consistent ces difficultés?

— Ce serait trop long à te raconter. Quoi qu'il en soit, la voilà depuis trois mois à Moscou, où elle est connue de tout le monde, et elle n'y voit pas d'autres femmes que Dolly, parce qu'elle ne veut pas qu'on lui fasse visite par charité. Croirais-tu que cette sotte de princesse Barbe lui a fait entendre qu'elle la quittait par convenance? Une autre qu'Anna se trouverait perdue, mais tu vas voir comme elle s'est au contraire organisé une vie digne et bien remplie... A gauche, en face de l'église, cria par la portière Oblonski au cocher. Mon Dieu, qu'il fait chaud! bougonna-t-il en rejetant sa fourrure en arrière, malgré douze degrés de froid.

— Mais elle a une fille, qui doit lui prendre beaucoup de temps.

— Décidément, tu ne veux voir dans la femme qu'*une couveuse!*... Oui, elle s'occupe de sa fille, elle l'élève même très bien, mais elle ne fait pas parade de cette enfant. Ses principales occupations sont d'ordre intellectuel : elle écrit. Je te vois sourire et tu as tort; ce qu'elle écrit est destiné à la jeunesse, elle n'en parle à personne, sinon à moi qui ai montré le manuscrit à Varkouïev... tu sais, l'éditeur. Comme il écrit lui-même, il s'y connaît. Eh bien, à son avis, c'est une chose remarquable... Ne t'imagine pas au moins qu'elle pose pour le bas-bleu. Anna est avant tout une femme de cœur. Elle s'est chargée d'une petite Anglaise et de sa famille.

— Par philanthropie, sans doute?

— Non, par simple bonté d'âme. Tu vois partout des ridicules. Cette famille est celle d'un entraîneur, très habile dans son métier, que Vronski a employé; le malheureux, perdu de boisson, atteint du *delirium tremens,* a abandonné femme et enfants. Anna s'est intéressée à ces pauvres gens, mais pas seulement pour leur donner de l'argent, car elle enseigne le russe aux garçons afin de les faire entrer au collège, et elle garde la fille chez elle. D'ailleurs tu vas voir... »

La voiture entra dans la cour et se rangea à côté

d'un traîneau. La porte s'ouvrit sur un bruyant coup
de sonnette de Stépane Arcadiévitch, qui, sans demander si on recevait, se débarrassa de sa fourrure dans
le vestibule. Levine, de plus en plus inquiet sur l'op-
portunité de sa démarche, imita pourtant cet exemple.
Il se trouva très rouge en se regardant au miroir, mais,
sûr de ne pas être gris, il monta l'escalier à la suite
d'Oblonski. Un domestique les accueillit au premier
étage et, questionné familièrement par Stépane Arcadiévitch, répondit que madame était dans son boudoir
en compagnie de M. Varkouïev.

Ils traversèrent une petite salle à manger en boiserie
et entrèrent dans une pièce faiblement éclairée par une
lampe à grand abat-jour sombre, tandis qu'un réflec-
teur répandait une lumière très douce sur l'image
d'une femme aux épaules opulentes, aux cheveux noirs
frisés, au sourire pensif, au regard troublant. C'était le
portrait d'Anna fait par Mikhaïlov en Italie. Levine
demeura fasciné : était-il possible qu'une aussi belle
créature existât en chair et en os?

« Je suis charmée... », dit une voix à ses oreilles.
C'était Anna qui, dissimulée par un treillage de plantes
grimpantes, se levait pour accueillir ses visiteurs. Et
dans la demi-obscurité de la pièce, Levine reconnut
l'original du portrait, d'une beauté toujours souveraine
encore que moins brillante et qui gagnait en charme
ce qu'elle perdait en éclat.

X

ANNA s'avança vers lui et ne dissimula pas le plaisir
que lui causait sa visite. Avec cette aisance, cette simplicité particulières aux femmes du meilleur monde
et que Levine sut aussitôt apprécier, elle lui tendit une
petite main énergique, le présenta à Varkouïev et lui
désigna comme sa pupille la jeune enfant assise avec
son ouvrage près de la table.

« Je suis charmée, tout à fait charmée, répéta-t-elle, et prononcées par elle ces paroles banales prenaient un sens particulier, car il y a longtemps que je vous connais et vous estime, grâce à Stiva et à votre femme. Je n'ai vue celle-ci qu'une ou deux fois, mais elle m'a laissé une impression charmante : c'est une fleur, une fleur exquise. Et j'apprends qu'elle sera bientôt mère? »

Elle parlait sans embarras ni hâte, regardant tour à tour son frère et Levine, qui, devinant qu'il lui plaisait, se sentit bientôt aussi à l'aise que s'il l'avait connue depuis l'enfance.

Oblonski demanda si l'on pouvait fumer.

« C'est pour cela qu'Ivan Pétrovitch et moi nous nous sommes réfugiés dans le cabinet d'Alexis, répondit Anna en tendant à Levine un porte-cigarettes d'écaille, après y avoir pris un *pajito*.

— Comment vas-tu aujourd'hui? demanda son frère.

— Pas mal, un peu nerveuse, comme toujours.

— N'est-ce pas qu'il est beau? dit Stépane Arcadiévitch, remarquant l'admiration de Levine pour le portrait.

— Je n'en ai pas vu de plus parfait.

— Ni de plus ressemblant », ajouta Varkouïev. Le visage d'Anna brilla d'un éclat tout particulier lorsque, pour comparer le portrait à l'original, Levine la regarda attentivement; celui-ci rougit et, pour cacher son trouble, voulut demander quand elle avait vu Dolly; mais Anna prit la parole.

« Nous causions avec Ivan Pétrovitch des derniers tableaux de Vastchenkov. Les avez-vous vus?

— Oui, répondit Levine.

— Mais pardon, je vous ai, je crois, interrompu. » Levine posa sa question.

« Dolly je l'ai vue hier, très montée contre le maître de latin de Gricha, qu'elle accuse d'injustice.

— Oui, reprit Levine, revenant au sujet qu'elle avait abordé, j'ai vu les tableaux de Vastchenkov et je dois avouer qu'ils ne m'ont pas beaucoup plu. »

La conversation s'engagea sur les nouvelles écoles

de peinture. Anna causait avec esprit, mais sans aucune prétention, s'effaçant volontiers pour faire briller les autres, si bien qu'au lieu de se torturer comme il l'avait fait toute la journée, Levine trouva agréable et facile soit de parler, soit d'écouter. A propos des illustrations qu'un peintre français venait de faire de la Bible, Varkouïev s'éleva contre le réalisme exagéré de cet artiste. Levine objecta que ce réalisme était une réaction salutaire, jamais la convention dans l'art n'ayant de poussée aussi loin qu'en France.

« Ne plus mentir devient pour les Français de la poésie », dit-il, et il se sentit heureux de voir Anna rire en l'approuvant. Aucune de ses saillies ne lui avait fait tant plaisir.

« Je ris, déclara-t-elle, comme à la vue d'un portrait très fidèle. Votre boutade caractérise à merveille tout l'art français d'aujourd'hui, la littérature aussi bien que la peinture. Prenez par exemple, Zola, Daudet... Il en va peut-être toujours ainsi : on commence par créer des types conventionnels mais une fois toutes les *combinaisons* épuisées, on se décide à tâter du naturel.

— Très juste! dit Varkouïev.

— Ainsi vous venez du club? » dit Anna en se penchant vers son frère pour lui parler à voix basse.

« Oui, voilà une femme », pensa Levine, absorbé dans la contemplation de cette physionomie mobile qu'il vit tour à tour exprimer la curiosité, la colère et l'orgueil. L'émotion d'Anna fut d'ailleurs de courte durée; elle ferma les yeux à demi comme pour recueillir ses souvenirs, et se tournant vers la petite Anglaise :

« *Please, order the tea in the drawing-room* (Faites servir le thé dans le salon) », ordonna-t-elle.

L'enfant se leva et sortit.

« A-t-elle bien passé son examen? s'enquit Stépane Arcadiévitch.

— Parfaitement; elle a beaucoup de moyens et un charmant caractère.

— Tu finiras par la préférer à ta propre fille.

— Voilà bien un jugement d'homme. Peut-on comparer ces deux affections? J'aime ma fille d'une façon et celle-ci d'une autre.

— Ah! déclara Varkouïev, si Anna Arcadiévna voulait dépenser au profit d'enfants russes la centième partie de l'activité qu'elle consacre à cette petite Anglaise, quels services son énergie ne rendrait-elle pas! Je ne cesse de le lui dire.

— Que voulez-vous, cela ne se commande pas. Quand nous habitions la campagne, le comte Alexis Kirillovitch (en prononçant ce nom, elle jeta un coup d'œil timide à Levine, qui lui répondit par un regard de respect et d'approbation) m'a fort encouragée à visiter les écoles; j'ai essayé, mais je n'ai jamais pu m'y intéresser. Vous parlez d'énergie? Elle a pour base l'amour, et l'amour ne se donne pas à volonté. Pourquoi me suis-je intéressée à cette petite Anglaise? je serais bien en peine de vous le dire. »

Elle eut encore pour Levine un regard et un sourire; sourire et regard soulignaient qu'elle ne parlait qu'à son intention, sûre d'avance qu'ils se comprenaient mutuellement.

« Vous avez tout à fait raison, dit Levine. On ne met jamais son cœur dans ces institutions philanthropiques, et c'est pourquoi elles donnent de si piètres résultats.

— Oui, dit Anna après un moment de silence, *je n'ai pas le cœur assez large* pour aimer tout un ouvroir de vilaines petites filles. Pourtant combien de femmes ont affermi de la sorte leur *position sociale!* Mais moi je ne le puis pas... non, pas même maintenant, où j'aurais tant besoin d'occupation », ajouta-t-elle d'un air triste à l'intention de Levine, bien qu'elle fît mine de parler à son frère. Puis, fronçant le sourcil comme pour se reprocher cette demi-confidence, elle changea de conversation. « Vous passez pour un mauvais citoyen, dit-elle à Levine, mais j'ai toujours pris votre défense.

— De quelle façon?

— Cela dépendait des attaques... Mais le thé nous attend... »

Elle se leva et prit sur la table un cahier relié en maroquin.

« Donnez-le-moi, Anna Arcadiévna, dit Varkouïev, en montrant le cahier. Il vaut la peine d'être imprimé.

— Non, cela n'est pas encore au point.

— Je lui en ai parlé, dit Stépane Arcadiévitch en désignant Levine.

— Tu as eu tort. Mes écrits ressemblent à ces petits ouvrages faits par des prisonniers, que me vendait jadis Lise Mertsalov... Une amie qui s'occupait d'œuvres de bienfaisance, expliqua-t-elle à Levine... Ces infortunés font, eux aussi, des chefs-d'œuvre de patience. »

Ce trait de caractère frappa Levine, déjà séduit par cette femme remarquable; à l'esprit, à la grâce, à la beauté venait s'ajouter la franchise : elle ne cherchait point à dissimuler l'amertume de sa situation. Un soupir lui échappa, son visage prit une expression grave, comme pétrifiée, en complète opposition avec la félicité rayonnante qu'avait si bien rendue Mikhaïlov, et qui pourtant l'embellissait encore. Tandis qu'elle prenait le bras de son frère, Levine jeta un dernier coup d'œil au merveilleux portrait et se surprit à éprouver pour l'original un vif sentiment de tendresse et de pitié.

Anna laissa Levine et Varkouïev passer au salon et demeura en arrière pour causer avec Stiva. « De quoi peut-elle bien lui parler? se demanda Levine. De son divorce? De Vronski? De moi peut-être? » Il était si ému qu'il entendit à peine Varkouïev lui prôner les mérites du livre pour enfants écrit par la jeune femme.

La conversation reprit autour de la table, les sujets intéressants ne tarissaient pas, et tous les quatre semblaient déborder d'idées; grâce à l'attention dont faisait preuve Anna, aux fines remarques qu'elle laissait tomber, tout ce qui se disait prenait pour Levine un intérêt spécial. Il pensait sans cesse à cette femme, admirait son intelligence, la culture de son esprit, son tact, son naturel, cherchait à pénétrer ses sentiments et jusqu'aux replis de sa vie intime. Naguère si prompt à la juger, il l'excusait maintenant, et la pensée que Vronski pouvait ne pas la comprendre lui serrait le cœur. Il était plus de onze heures lorsque Stépane Arcadiévitch se leva pour partir; Varkouïev les avait déjà quittés; Levine se leva aussi, mais à regret : il croyait n'être là que depuis un moment.

« Adieu, lui dit Anna en retenant la main qu'il lui tendait et en plongeant son regard dans le sien. Je suis contente *que la glace soit rompue.* »

Et, lâchant sa main, elle ajouta avec un clignement d'yeux :

« Dites à votre femme que je l'aime comme autrefois, et que, si elle ne peut me pardonner ma situation, je souhaite que jamais elle ne vienne à la comprendre. Pour pardonner il faut avoir passé par toutes les souffrances que j'ai endurées; que Dieu l'en préserve!

— Je le lui dirai, soyez-en sûre », répondit Levine en rougissant.

XI

« Pauvre et charmante femme! », pensa Levine en se retrouvant à l'air glacé de la nuit.

« Que t'avais-je dit? lui demanda Stépane Arcadiévitch en le voyant conquis.

— Oui, répondit Levine d'un air pensif, c'est une femme tout à fait remarquable. La séduction qu'elle exerce ne tient pas seulement à son esprit : on sent qu'elle a du cœur. Elle me fait peine!

— Dieu merci, tout va bientôt s'arranger, j'espère. Mais à l'avenir, méfie-toi des jugements téméraires, dit Oblonski en ouvrant la portière de sa voiture. Au revoir, nous allons de côtés différents. »

Tout le long du chemin, Levine se remémora les moindres phrases d'Anna, les nuances les plus subtiles de sa physionomie. Il l'estimait et la plaignait de plus en plus.

En ouvrant la porte, Kouzma apprit à son maître que Catherine Alexandrovna se portait bien et que ses sœurs venaient à peine de la quitter. Il lui remit en même temps deux lettres, que Levine parcourut aussitôt. L'une était de Sokolov, son régisseur, qui ne trouvait d'acheteur pour le blé qu'au prix dérisoire de cinq roubles cinquante et ne voyait pour le moment aucune rentrée possible; l'autre, de sa sœur qui lui reprochait de négliger son affaire de tutelle.

« Eh bien, nous vendrons à cinq roubles cinquante, puisqu'on ne donne pas davantage, se dit-il, tranchant d'un cœur léger la première question. Quant à ma sœur, elle a raison de me gronder, mais le temps passe si rapidement que je n'ai pas trouvé le moyen d'aller au tribunal aujourd'hui et j'en avais pourtant l'intention. »

Il se jura d'y aller le lendemain et, se dirigeant vers la chambre de sa femme, jeta sur sa journée un coup d'œil rétrospectif. Qu'avait-il fait, sinon causer, causer et toujours causer? Aucun des sujets abordés ne l'eût occupé à la campagne, ils ne prenaient d'importance qu'ici; aucun non plus ne lui laissait de mauvais souvenirs, à part la fâcheuse phrase sur le brochet... Et n'y avait-il pas aussi quelque chose de répréhensible dans son attendrissement sur Anna?

Il trouva Kitty triste et rêveuse. Le dîner des trois sœurs avait été fort gai, mais comme Levine tardait à rentrer, la soirée leur avait finalement paru longue.

« Qu'es-tu devenu? » lui demanda-t-elle, remarquant un éclat suspect dans ses yeux, mais se gardant bien de le dire pour ne pas arrêter ses effusions. Bien au contraire, elle l'écouta, le sourire aux lèvres.

« J'ai rencontré Vronski au club et j'en suis bien aise. Il n'y aura dorénavant plus de gêne entre nous, bien que mon intention ne soit pas de rechercher sa société. » Tout en disant ces mots, il rougit, se rappelant soudain que « pour ne pas rechercher sa société » il était allé chez Anna en sortant du club. « Nous flétrissons l'ivrognerie des gens du peuple, mais il me semble que les gens du monde boivent bien davantage et ne se bornent pas à se griser les jours de fête... »

Kitty s'intéressait beaucoup moins à l'ivrognerie comparée qu'à la rougeur subite de son mari; aussi reprit-elle ses questions.

« Qu'as-tu fait après le dîner?

— Stiva m'a tourmenté pour l'accompagner chez Anna Arcadiévna », répondit-il en rougissant de plus en plus, car cette fois l'inconvenance de cette visite lui paraissait indubitable.

Les yeux de Kitty lancèrent des éclairs, mais elle se contint et dit simplement:

« Ah!

— Tu n'es pas fâchée? Stiva me l'a demandé avec beaucoup d'insistance et je savais que Dolly le désirait également.

— Oh! non, répondit-elle avec un regard qui ne présisait rien de bon.

— C'est une charmante femme, qu'il faut beaucoup plaindre, reprit Levine, et, après avoir raconté la vie que menait Anna, il transmit ses souvenirs à Kitty.

— Oui, elle est à plaindre, dit seulement Kitty quand il eut terminé. De qui as-tu reçu une lettre? »

Il le lui dit et, trompé par ce calme apparent, il passa dans le cabinet de toilette. Quand il rentra, Kitty n'avait pas bougé. En le voyant approcher, elle éclata en sanglots.

« Qu'y a-t-il? demanda-t-il, bien qu'il sût fort bien de quoi il retournait.

— Tu t'es épris de cette affreuse femme, elle t'a déjà ensorcelé, je l'ai vu à tes yeux... Qu'en résultera-t-il? Tu as été au club, tu as trop bu, où pouvais-tu aller de là, sinon chez une femme comme elle?... Non, cela ne saurait durer ainsi, demain nous repartons. »

Levine eut fort à faire pour apaiser sa femme. Il n'y parvint qu'en promettant de ne plus retourner chez Anna, dont la pernicieuse influence, jointe à un excès de champagne, avait troublé sa raison. Ce qu'il confessa avec le plus de sincérité fut que cette vie

oisive passée à boire, manger et bavarder, le rendait
tout bonnement stupide. Ils causèrent fort avant dans
la nuit et ne parvinrent à s'endormir que vers trois
heures du matin, suffisamment réconciliés pour pouvoir trouver le sommeil.

XII

SES visiteurs partis, Anna se mit à arpenter la pièce
de long en large. Depuis un certain temps, ses rapports
avec les hommes s'imprégnaient d'une coquetterie
presque involontaire; elle avait fait son possible pour
tourner la tête à Levine et voyait bien que ce but était
atteint, du moins dans la mesure compatible avec
l'honnêteté d'un jeune marié. Le jeune homme lui
avait plu et, malgré certains contrastes extérieurs, son
tact de femme lui avait permis de découvrir ce rapport secret entre Levine et Vronski grâce auquel Kitty
s'était éprise des deux hommes. Et cependant, dès
qu'il eut pris congé, elle l'oublia. Une seule et même
pensée la poursuivait.

« Pourquoi, puisque j'exerce une attraction si sensible sur un homme marié, amoureux de sa femme,
n'en ai-je plus sur « lui »? Pourquoi devient-il si
froid?... Froid n'est pas le mot exact, car il m'aime
encore, je le sais... Mais quelque chose nous divise.
Pourquoi n'est-il pas encore rentré? Il m'a fait dire
par Stiva qu'il tenait à surveiller Iachvine : Iachvine
est-il un enfant? Il ne ment pourtant pas, mais il profite de l'occasion pour me faire voir qu'il entend garder son indépendance; je ne le conteste pas, mais
qu'a-t-il besoin de l'affirmer ainsi? Ne peut-il donc
comprendre l'horreur de la vie que je mène? Peut-on
appeler vivre cette longue expectative d'un dénouement
qui recule de jour en jour? Toujours aucune réponse!
Et Stiva hésite à faire une nouvelle démarche auprès
d'Alexis Alexandrovitch. Je ne saurais pourtant lui

écrire une seconde fois. Que puis-je faire, que puis-je
entreprendre en attendant? Rien, sinon ronger mon
frein, me forger des distractions. Et qu'est-ce
que ces Anglais, ces lectures, ce livre, sinon autant de
tentatives pour m'étourdir, comme la morphine que je
prends la nuit! Il devrait pourtant me plaindre! »

Des larmes de pitié sur son propre sort lui jaillirent
des yeux. Mais soudain retentit le coup de sonnette
saccadé de Vronski; aussitôt Anna, s'essuyant les yeux,
feignit le plus grand calme et s'assit près de la lampe,
un livre à la main : elle tenait à témoigner son mécontentement, non à laisser voir sa douleur. Vronski
ne devait pas se permettre de la plaindre. Elle provoquait ainsi la lutte qu'elle lui reprochait de vouloir
engager.

« Tu ne t'es pas ennuyée? demanda-t-il d'un ton
dégagé. Quelle terrible passion que le jeu!

— Oh! non, c'est une chose dont je me suis depuis
longtemps déshabituée. J'ai reçu la visite de Stiva et
de Levine.

— Je le savais; Levine te plaît-il? demanda-t-il en
s'asseyant près d'elle.

— Beaucoup; ils viennent de partir. Et que devient
Iachvine?

— Il avait gagné dix-sept mille roubles et j'étais par-
venu à l'emmener, lorsqu'il m'a échappé; en ce moment il reperd tout.

— Alors pourquoi le surveiller? dit Anna en levant
brusquement la tête. Après avoir dit à Stiva que tu
restais pour emmener Iachvine, tu as fini par l'abandonner. »

Leurs regards, empreints d'une animosité glaciale,
se croisèrent.

« D'abord, je n'ai chargé Stiva d'aucune commission, puis je n'ai pas l'habitude de mentir, et enfin
j'ai fait ce qu'il me convenait de faire, déclara-t-il
maussadement... Anna, Anna, pourquoi ces récriminations? » ajouta-t-il après un moment de silence, tendant sa main ouverte vers elle dans l'espoir qu'elle y
mettrait la sienne.

Un mauvais esprit l'empêcha de répondre à cet appel à la tendresse.

« Certainement, tu as fait comme tu l'entendais; c'est ton droit, personne ne le nie, pourquoi appuyer là-dessus? » dit-elle, tandis que Vronski retirait sa main d'un air plus résolu encore, et qu'elle considérait ce visage dont l'expression butée l'irritait. « C'est pour toi une question d'entêtement, oui, d'entêtement, répéta-t-elle toute heureuse de cette découverte : tu veux à tout prix savoir qui de nous deux l'emportera. Il s'agit pourtant de bien autre chose. Si tu savais combien, lorsque je te vois ainsi hostile — oui c'est le mot, hostile — je me sens sur le bord d'un abîme, combien j'ai peur, peur de moi-même! »

Et se prenant de nouveau en pitié, elle détourna la tête afin de lui cacher ses sanglots.

« Mais à quel propos tout cela? dit Vronski effrayé de ce désespoir et se penchant vers Anna pour lui baiser la main. Peux-tu me reprocher de chercher des distractions au-dehors? Est-ce que je ne fuis pas la société des femmes?

— Il ne manquerait plus que cela!

— Voyons, dis-moi ce qu'il faut que je fasse pour te tranquilliser, je suis prêt à tout pour t'épargner la moindre douleur, dit-il, tout ému de la voir si malheureuse.

— Ce n'est rien... la solitude, les nerfs;... n'en parlons plus... Raconte-moi ce qui s'est passé aux courses, tu ne m'en as encore rien dit », fit-elle cherchant à dissimuler son triomphe.

Vronski demanda à souper et, tout en mangeant, lui raconta les incidents des courses; mais au son de sa voix, à son regard de plus en plus froid, Anna comprit que son opiniâtreté reprenait le dessus et qu'il ne lui pardonnait pas de l'avoir un moment fait plier. En se rappelant les mots qui lui avaient donné la victoire : « J'ai peur de moi-même, je me sens sur le bord d'un abîme » — elle comprit que c'était une arme dangereuse, dont il ne fallait plus se servir. Il s'élevait en eux comme un esprit de lutte; elle le sentait mais n'était pas maîtresse, non plus que Vronski, de le dominer.

XIII

TROIS mois auparavant, Levine n'aurait pas cru possible de s'endormir paisiblement après une journée comme celle qu'il venait de passer; mais on s'habitue à tout, surtout quand on voit les autres faire de même. Il dormait donc tranquille, sans souci de ses dépenses exagérées, de sa « soûlerie » (pour appeler les choses par leur nom) au club, de son absurde rapprochement avec un homme dont Kitty avait été amoureuse, de sa visite plus absurde encore à une personne qui, après tout, n'était qu'une femme perdue et qui lui avait aussitôt tourné la tête, au grand chagrin de sa chère Kitty. Vers cinq heures, le bruit d'une porte qu'on ouvrait le réveilla en sursaut; Kitty n'était plus auprès de lui, mais il perçut ses pas dans le cabinet de toilette, où vacillait une lumière.

« Qu'y a-t-il? Qu'y a-t-il? marmotta-t-il encore à moitié endormi.

— Ce n'est rien, dit Kitty, qui apparut un bougeoir à la main et lui sourit d'un sourire particulièrement tendre et significatif. Je me sens un peu souffrante.

— Quoi? cela commence? s'écria-t-il effrayé, cherchant ses vêtements pour s'habiller au plus vite. Il faut envoyer chercher la sage-femme.

— Non, non, je t'assure, ce n'est rien, c'est déjà passé », dit-elle en le retenant.

Elle éteignit la bougie et se recoucha. Pour suspectes que lui parussent sa respiration oppressée et sa réponse palpitante d'émotion, Levine était si fatigué qu'il se rendormit aussitôt; plus tard seulement il imagina les pensées qui durent agiter cette chère âme, alors qu'étendue immobile à son côté, elle attendait patiemment le moment le plus solennel qui puisse marquer

la vie d'une femme. Vers sept heures, Kitty, partagée
entre la crainte de l'éveiller et le désir de lui parler,
finit par lui toucher l'épaule.

« Kostia, n'aie pas peur, ce n'est rien, mais je crois
qu'il vaut mieux chercher Elisabeth Pétrovna. »

Elle avait rallumé la bougie et repris le tricotage qui
l'occupait depuis plusieurs jours.

« Ne t'effraie pas, je t'en supplie; je n'ai pas peur
du tout », continua-t-elle en voyant l'air terrifié de
son mari, et elle lui prit la main pour la porter à son
cœur et à ses lèvres.

Levine sauta à bas du lit, sans quitter sa femme des
yeux, enfila sa robe de chambre et s'arrêta soudain,
impuissant à s'arracher à cette contemplation. Brillant
d'une alerte résolution sous le bonnet d'où s'échappaient des mèches soyeuses, ce cher visage, dont il
croyait connaître la moindre expression, lui apparaissait sous un jour tout nouveau. Cette âme candide et
transparente se dévoilait presque jusque dans son tré-
fonds. Et il rougit de honte en se rappelant la scène
de la veille.

Kitty aussi le regardait, toute souriante. Mais tout
à coup ses paupières palpitèrent : elle dressa la tête et
attirant à elle son mari, elle se serra contre sa poitrine, comme sous l'étreinte d'une vive douleur. A la
vue de cette souffrance muette, le premier mouvement
de Levine fut encore de s'en croire coupable; mais le
regard chargé de tendresse, de Kitty, le rassura : loin
de l'accuser, elle semblait l'aimer davantage. « A qui
la faute sinon à moi? » se demanda-t-il, cherchant en
vain, pour l'en punir, l'auteur de ce tourment, qu'elle
endurait d'ailleurs avec la fierté du triomphe. Il sentit
qu'elle atteignait à une hauteur de sentiments qu'il ne
pouvait comprendre.

« J'ai déjà envoyé chez maman, dit-elle. Et toi, va
vite chercher Elisabeth Pétrovna... Kostia!... Non, c'est
passé. »

Elle le quitta pour sonner sa femme de chambre.

« Eh bien, va vite. Je me sens mieux et voici Pacha
qui vient. »

A sa grande surprise, il la vit reprendre son ouvrage. Comme il sortait par une porte, Pacha entrait par l'autre; il entendit Kitty lui passer ses instructions, tout en l'aidant à déplacer le lit.

Il s'habilla à la hâte et, tandis qu'on attelait, car à cette heure matinale, il risquait de ne point trouver de fiacre, il s'aventura sur la pointe des pieds dans la chambre à coucher : deux servantes s'y affairaient, attentives aux ordres de Kitty, qui marchait de long en large et tricotait nerveusement.

« Je vais chez le médecin; j'ai fait prévenir la sage-femme et j'y passerai moi-même. Ne faut-il rien de plus? Ah! oui, Dolly. »

Elle le regardait sans l'écouter.

« Oui c'est cela, va vite », lui dit-elle avec un geste de congé.

Comme il traversait le salon, il crut percevoir une plainte, aussitôt contenue. Il ne comprit pas tout d'abord, mais bientôt :

« C'est elle qui gémit », murmura-t-il. Et, se prenant la tête à deux mains, il se sauva en courant.

« Seigneur, ayez pitié de nous, pardonnez-nous, aidez-nous! » Ces mots qui lui vinrent soudain aux lèvres, il se mit à les répéter du fond du cœur. Et lui, l'incrédule, ne connaissant plus ni scepticisme, ni doute, il invoqua Celui qui tenait en son pouvoir et son âme et son amour.

Le cheval n'était pas encore attelé; pour ne pas perdre de temps et distraire son attention il partit à pied, après avoir donné à Kouzma l'ordre de le suivre.

Au coin de la rue il aperçut un petit traîneau qui amenait au trot d'un maigre cheval Elisabeth Pétrovna, enveloppée d'un châle et d'une rotonde de velours.

« Dieu merci! » murmura-t-il en reconnaissant le visage blond de la jeune femme, qui lui parut plus grave que jamais. Et, sans faire arrêter le traîneau, il rebroussa chemin en courant à côté.

« Pas plus de deux heures, dites-vous? Bien. Vous trouverez certainement Pierre Dmitriévitch chez lui.

Inutile de le presser. N'oubliez pas de prendre de l'opium à la pharmacie.

— Alors vous croyez que tout se passera bien? Que Dieu vous aide! »

Et, voyant arriver Kouzma, il monta en traîneau et se fit conduire chez le médecin.

XIV

LE médecin dormait encore et un domestique, absorbé par le nettoyage de ses lampes, déclara que « son maître s'étant couché tard avait défendu de le réveiller, mais qu'il se lèverait bientôt ». Le souci que cet homme prenait des verres de lampe et sa profonde indifférence à l'égard des événements extérieurs indignèrent d'abord Levine; mais, à la réflexion, il se dit qu'après tout personne n'était obligé de connaître les sentiments qui l'agitaient. Pour percer cette muraille de froideur, il lui faudrait agir avec une calme résolution. « Ne point me hâter et ne rien omettre, telle doit être ma règle de conduite », décida-t-il, heureux de sentir toute son attention, toutes ses forces physiques absorbées par la tâche qui s'imposait à lui.

Après avoir échafaudé divers plans, il s'arrêta au suivant : Kouzma porterait un billet à un autre médecin; quant à lui, il passerait à la pharmacie et reviendrait chez Pierre Dmitriévitch; si celui-ci n'était pas encore debout, il achèterait la bienveillance de son domestique ou, en cas de refus, envahirait de force la chambre à coucher.

A la pharmacie, un cocher attendait des poudres, qu'un aide-pharmacien enrobait dans des capsules avec la même indifférence que le domestique de l'esculape nettoyait ses verres de lampe. Bien entendu, ce chétif personnage refusa de délivrer de l'opium à Levine qui, s'armant de patience, nomma le médecin et la sage-femme qui l'envoyaient et expliqua l'usage qu'il comptait faire de ce médicament. Sur avis favorable du patron retranché derrière une cloison et dont il avait pris conseil en langue allemande, l'aide-pharmacien s'empara d'un bocal, versa à l'aide d'un entonnoir quelques gouttes de son contenu dans une fiole, qu'il étiqueta et cacheta, en dépit des objurgations de Levine; il allait même l'envelopper quand son client exaspéré la lui arracha des mains et prit la fuite.

Le médecin dormait toujours et son domestique étendait maintenant les tapis. Résolu à garder son sang-froid, Levine tira alors de son portefeuille un billet de dix roubles et, le glissant dans la main de l'inflexible serviteur, lui assura en pesant ses mots que Pierre Dmitriévitch ne se formaliserait certainement pas, ayant promis de venir à toute heure du jour ou de la nuit. Combien ce Pierre Dmitriévitch, si insignifiant d'ordinaire, devenait aux yeux de Levine, un personnage important.

Convaincu par ces arguments, le domestique ouvrit le salon d'attente, et bientôt Levine entendit dans la pièce voisine le toussotement du médecin suivi d'un bruit d'ablutions. Au bout de trois minutes, n'y tenant plus, il entrouvrit la porte de communication.

« Excusez-moi, Pierre Dmitriévitch, murmura-t-il d'une voix suppliante, recevez-moi comme vous êtes; elle souffre depuis plus de deux heures.

— Je viens, je viens, répondit le médecin d'un ton narquois.

— Deux mots seulement, je vous en supplie!

— Un petit instant. »

Il fallut encore au médecin deux minutes pour se chausser, deux autres pour s'habiller et se peigner.

« Ces gens-là n'ont pas de cœur, songeait Levine. Peut-on se peigner quand il s'agit d'un cas de vie ou de mort! »

Il allait réitérer ses supplications lorsque le médecin apparut, dûment costumé.

« Bonjour, dit-il le plus posément du monde, comme s'il eût voulu narguer Levine. Qu'y a-t-il? »

Levine commença aussitôt un long récit, chargé
d'une foule de détails inutiles, en s'interrompant à
chaque instant pour supplier le médecin de partir.

« Rien ne presse. Vous n'y entendez rien. Je viendrai, puisque je l'ai promis, mais, croyez-moi, ma présence sera sans doute superflue. En attendant, prenons
toujours une tasse de café. »

Levine n'en croyait pas ses oreilles : se moquait-on
de lui? Le visage du praticien n'annonçait nullement
cette intention.

« Je vous comprends, reprit Pierre Dmitriévitch en
souriant, mais, que voulez-vous, nous autres maris faisons triste figure dans ces cas-là. Le mari d'une de mes
clientes se sauve d'habitude à l'écurie.

— Mais pensez-vous que cela se passe bien?

— J'ai tout lieu de le croire.

— Vous allez venir, n'est-ce pas? insista Levine, en
foudroyant du regard le domestique qui apportait le
café.

— Dans une petite heure.

— Au nom du Ciel, docteur!

— Eh bien, laissez-moi prendre mon café et je suis
à vous. »

Un silence suivit.

« Les Turcs m'ont tout l'air de recevoir une frottée,
reprit le médecin, la bouche pleine. Avez-vous lu le
dernier communiqué? »

Levine n'y tint plus.

« Je me sauve, déclara-t-il en sautant de sa chaise.
Jurez-moi de venir dans un quart d'heure.

— Accordez-moi une demi-heure.

— Parole d'honneur? »

En rentrant chez lui, Levine se heurta à sa belle-
mère qui arrivait. Elle l'embrassa, les larmes aux yeux
et les mains tremblantes. Tous deux se dirigèrent vers
la chambre à coucher.

« Eh bien, ma bonne? » demanda la princesse en
prenant le bras de la sage-femme, qui venait à leur
rencontre, le visage rayonnant, bien que préoccupé.

— Tout va bien, mais elle ferait mieux de se coucher. Faites-lui entendre raison. »

Depuis qu'en s'éveillant il avait compris la situation, Levine, résolu à soutenir le courage de sa femme, s'était promis de ne penser à rien, de renfermer ses impressions et de contenir son cœur à deux mains pendant cinq heures — durée habituelle de l'épreuve, s'il fallait en croire les compétences. Mais quand au bout d'une heure il retrouva Kitty dans le même état, la crainte de ne pouvoir résister au spectacle de cette torture s'empara de lui, et il multiplia ses invocations au Ciel afin de ne pas défaillir.

Une heure s'écoula, une troisième, une quatrième, enfin la dernière qu'il s'était assignée pour terme. Et il patientait toujours, parce qu'il ne pouvait faire autrement, convaincu à chaque minute qu'il avait atteint les dernières limites de la patience et que son cœur allait éclater; mais bien d'autres heures passaient et sa terreur grandissait sans cesse. Peu à peu les conditions habituelles de la vie disparurent, la notion de temps cessa d'exister. Certaines minutes — celles où sa femme l'appelait à elle, où il tenait dans les siennes cette main moite qui tantôt se cramponnait à lui, tantôt au contraire le repoussait rageusement — lui semblaient des heures. Certaines heures au contraire s'envolaient comme des minutes, et quand la sage-femme lui demanda d'allumer une bougie derrière le paravent, il fut tout interdit en voyant la nuit arrivée. Prévenu qu'il était dix heures du matin et non cinq heures du soir, il n'en aurait pas été autrement surpris. Qu'avait-il fait au cours de cette journée? il eût été bien embarrassé pour le dire. Il revoyait Kitty agitée et plaintive, puis calme, souriante, cherchant à le rassurer; la princesse, rouge d'émotion, ses boucles grises défrisées, dévorant ses larmes; Dolly; le médecin fumant de grosses cigarettes; la sage-femme et son visage sérieux mais rassurant; le vieux prince arpentant le grand salon d'un air sombre. Mais les entrées et les sorties se confondaient dans sa pensée : la princesse et le docteur se trouvaient avec lui dans la chambre à coucher, puis dans son bureau, où une table servie faisait son apparition; et tout à coup la princesse se muait en Dolly. Il se rappela qu'on l'avait chargé de diverses commissions. Tantôt il déménageait un divan et une table, besogne dont il s'acquittait avec conscience, la croyant utile à Kitty, alors qu'en réalité il préparait son propre lit. Tantôt on l'envoyait demander quelque chose au médecin, et celui-ci lui répondait et l'entretenait des fâcheux désordres du conseil municipal. Puis il se transportait chez sa belle-mère pour décrocher dans sa chambre une image sainte au revêtement d'argent doré; il s'y prenait si maladroitement qu'il brisait la veilleuse; la vieille camériste le consolait de cet accident et lui prodiguait les encouragements au sujet de Kitty; il rapportait enfin l'icône et la plaçait précautionneusement au chevet de la gisante, derrière les oreillers. Mais quand et comment tout cela était-il arrivé? Mystère. Pourquoi la princesse lui prenait-elle la main d'un air de compassion? Pourquoi Dolly cherchait-elle à le faire manger avec force raisonnements? Pourquoi le médecin lui-même lui offrait-il une potion calmante en le regardant avec gravité?

Une seule chose lui apparaissait évidente : l'événement actuel était du même ordre que l'agonie de son frère Nicolas l'année précédente, dans cette misérable auberge de province. Le chagrin cédait la place à la joie; mais dans la grisaille habituelle de l'existence, joie et chagrin ouvraient des perspectives sur l'au-delà. Et cette contemplation emportait son âme sur des sommets vertigineux où sa raison se refusait à le suivre.

« Seigneur, pardonnez-moi, Seigneur, venez à mon aide », répétait-il sans cesse, heureux d'avoir retrouvé, en dépit d'un long éloignement des choses saintes, la même naïve connance en Dieu qu'aux jours de son enfance.

Pendant ces longues heures, Levine connut alternativement deux états d'esprit fort opposés. Avec Dolly, avec le prince, avec le médecin qui fumait cigarette sur cigarette et les éteignait sur le bord d'un cendrier trop plein, il agitait des choses indifférentes, telles que

la politique, la cuisine ou la maladie de Marie Pétrovna, et oubliait pour un instant ce qui se passait
dans la chambre voisine. Aussitôt dans cette pièce,
son cœur se déchirait et son âme élevait vers Dieu
une prière incessante. Et chaque fois qu'un gémissement venait l'arracher au bienfaisant oubli, l'angoisse
d'une culpabilité imaginaire l'étreignait comme à la
première minute : pris du besoin de se justifier, il
courait alors vers sa femme, se rappelait en chemin
qu'il n'y pouvait rien, mais s'obstinait à vouloir lui
venir en aide. La vue de la patiente lui faisait sentir
toute son impuissance : il ne lui restait qu'à multiplier ses « Seigneurs, ayez pitié! »

Plus le temps avançait, plus le contraste entre ces
deux états devenait douloureux. Excédé par les appels
de Kitty, Levine en était venu à récriminer contre la
malheureuse; mais, dès qu'il apercevait son visage
souriant et soumis, dès qu'il l'entendait lui dire :
« Que de tourments je te cause, mon pauvre ami! »
— c'était à Dieu même qu'il s'en prenait pour implorer aussitôt son pardon et sa miséricorde.

XV

LES bougies achevaient de brûler dans leurs bobèches.
Levine traversait une période d'oubli : assis près du
médecin, auquel Dolly venait d'offrir de prendre
quelque repos, il contemplait la cendre de sa cigarette,
tout en l'écoutant se plaindre d'un charlatan de magné-
tiseur. Tout à coup un cri qui n'avait rien d'humain
retentit. Pétrifié d'épouvante, Levine interrogea du regard le médecin, qui tendit l'oreille et sourit d'un air
d'approbation. Levine en était venu à ne plus s'étonner
de rien. « Cela doit être ainsi », se dit-il. Cependant,
pour s'expliquer ce cri, il alla sur la pointe des pieds
reprendre sa place au chevet de la malade. Evidemment quelque chose de nouveau se passait, qu'il ne

pouvait ni ne voulait comprendre mais que trahissait le visage pâle et grave d'Elisabeth Pétrovna : les mâchoires de cette femme tremblotaient, elle ne quittait pas des yeux la face tuméfiée de Kitty, où s'était collée une mèche de cheveux. La pauvre enfant saisit de ses mains moites les mains glacées de son mari et les pressa contre ses joues fiévreuses.

« Reste, reste, je n'ai pas peur, dit-elle d'une voix saccadée... Maman, ôtez-moi mes boucles d'oreilles, elles me gênent... Tu n'as pas peur?... Ce sera bientôt fini, n'est-ce pas, Elisabeth Pétrovna? »

Elle allait sourire, mais soudain son visage se défigura et, repoussant son mari :

« Va-t'en, va-t'en! Je souffre trop... je vais mourir! »

Et l'effroyable hurlement se répéta. Levine se prit la tête à deux mains et se sauva, sans vouloir écouter Dolly qui lui criait :

« Ce n'est rien, tout va bien! »

Il savait maintenant que tout était perdu. Réfugié dans la pièce voisine, le front contre le chambranle de la porte, il écoutait ces clameurs monstrueuses poussées par cette chose informe qui naguère était Kitty. Il ne songeait à l'enfant que pour en avoir horreur. Il ne demandait même plus à Dieu de lui conserver sa femme, mais de mettre un terme à d'aussi atroces souffrances.

« Docteur, qu'est-ce que cela signifie? dit-il en saisissant le bras du médecin qui entrait.

— C'est la fin », répondit celui-ci d'un ton sérieux. Levine crut qu'il avait voulu dire : la mort. Fou de douleur il se précipita dans la chambre à coucher, où le premier visage qu'il aperçut fut celui de la sage-femme, toujours plus renfrognée. Quant à Kitty, il ne la reconnut pas dans cette forme hurlante et contorsionnée. Sentant son cœur prêt à se rompre, il appuya sa tête contre le bois du lit. Et soudain, au moment où les cris semblaient atteindre le comble de l'horreur, ils cessèrent brusquement. Levine n'en croyait pas ses oreilles, mais il lui fallut bien se rendre à l'évidence : le silence s'était fait, il ne percevait plus que des souffles saccadés, des chuchotements, des allées et venues discrètes, et la voix de sa femme murmurant avec une indicible expression de bonheur : « C'est fini! » Il leva la tête; elle le regardait, les mains affaissées sur la couverture, cherchant à lui sourire belle d'une beauté languissante et souveraine.

Abandonnant aussitôt la sphère mystérieuse et terrible où il s'était agité durant vingt-deux heures, Levine reprit pied dans le monde réel, un monde réel resplendissant d'une telle lumière de joie qu'il ne put la supporter. Les cordes trop tendues se rompirent; il fondit en larmes, et des sanglots, qu'il était loin de prévoir, lui coupèrent la parole.

A genoux près du lit, il appuyait ses lèvres sur la main de Kitty, qui lui répondait par une légère pression de doigts. Cependant, entre les mains exercées de la sage-femme, s'agitait, pareille à la lueur vacillante d'une petite lampe, la faible flamme de vie de cet être qui une seconde auparavant n'existait pas mais qui bientôt ferait aussi valoir ses droits au bonheur et engendrerait à son tour d'autres êtres semblables à lui-même.

« Il vit, il vit, ne craignez rien, et c'est un garçon », entendit Levine, tandis que d'une main tremblante Elisabeth Pétrovna frictionnait le dos du nouveau-né.

« Maman, c'est bien vrai? » demanda Kitty.

La princesse ne répondit que par des sanglots.

Comme pour ôter le moindre doute à la mère, un son, bien différent de toutes ces voix contenues, s'éleva au milieu du silence : c'était un cri hardi, insolent, téméraire, poussé par ce nouvel être qui venait de surgir Dieu sait d'où (1).

(1) « Ce n'est qu'hier que j'ai lu les chapitres de mars d'*Anna Karénine*, incomparable Léon Nicolaïevitch, je les ai lus... avec la même avidité, en pleurant, en sautant de ma chaise à tout instant... L'accouchement... est une de ces choses simples et immortelles après lesquelles on se demande malgré soi comment il se fait que personne ne l'ait traitée jusqu'à présent... Non seulement vous prenez de nouveaux sujets, mais vous les épuisez... Après vous, il est impossible de décrire un accouchement... Vous et vos romans, vous êtes depuis longtemps la meilleure part de ma vie. » (Lettre de Strakhov, avril 1877.)

Quelques instants plus tôt, on aurait pu facilement faire croire à Levine que Kitty était morte, qu'il l'avait suivie dans la tombe, que leurs enfants étaient des anges, qu'ils se trouvaient en présence de Dieu. Maintenant que la réalité l'avait repris, il dut faire un prodigieux effort pour admettre que sa femme vivait, qu'elle allait bien, que ce petit être vagissant était son fils. Il éprouvait un immense bonheur à savoir Kitty sauvée; mais pourquoi cet enfant? qui était-il? d'où venait-il? Cette idée lui parut difficile à accepter; il ne s'y fit que lentement.

XVI

VERS dix heures, le vieux prince, Serge Ivanovitch et Stépane Arcadiévitch se trouvaient réunis chez Levine pour y prendre des nouvelles de l'accouchée. Levine se croyait séparé de la veille par un intervalle de cent ans : il écoutait les autres parler et faisait effort pour descendre jusqu'à eux des hauteurs auxquelles il planait; tout en s'entretenant de choses indifférentes, il pensait à la santé de sa femme, à ce fils dont l'existence lui semblait toujours une énigme. Le rôle de la femme dans la vie, dont il n'avait guère compris l'importance que depuis son mariage, dépassait maintenant toutes ses prévisions. Tandis que ses visiteurs discouraient sur un dîner qui avait eu lieu la veille au club, il se disait : « Que fait-elle? à quoi songe-t-elle? s'est-elle endormie? et mon fils Dmitri, crie-t-il toujours? » Au beau milieu d'une phrase, il sauta de son siège pour aller voir ce qui se passait chez Kitty.

« Fais-moi savoir si je puis entrer, dit le prince.

— Tout de suite », répondit Levine sans s'arrêter.

Elle ne dormait pas; coiffée d'un bonnet à rubans bleus et bien arrangée dans son lit, les mains posées sur la couverture, elle causait à voix basse avec sa mère, formant déjà des plans pour le prochain bap-

tême. Son regard, déjà brillant, s'enflamma davantage
à l'approche de son mari. Son visage reflétait ce calme
souverain qu'on lit sur la face des morts : signe ici de
bienvenue et non d'adieu à la vie. Elle lui prit la main
et lui demanda s'il avait un peu dormi. L'émotion de
Levine fut si vive qu'il détourna la tête.

« Figure-toi, Kostia, que j'ai sommeillé, et que je
me sens très bien. »

L'expression de son visage changea brusquement :
l'enfant vagissait.

« Donnez-le-moi, Elisabeth Pétrovna, que je le
montre à son père.

— Nous allons nous montrer dès que nous aurons
fait notre toilette », répondit la sage-femme en déposant au pied du lit une forme étrange, rougeâtre et
tremblotante, qu'elle se mit à démailloter, à poudrer,
à remmailloter en la faisant tourner à l'aide d'un seul
doigt.

Levine considéra le petit avec de vains efforts pour
se découvrir des sentiments paternels. Mais quand
apparurent ces petits bras, ces petits pieds couleur de
safran et qu'il les vit se replier comme des ressorts
sous les doigts de la sage-femme qui les enveloppait
dans des langes, il fut pris de pitié et esquissa un
geste pour la retenir.

« Soyez tranquille, dit celle-ci en riant, je ne lui
ferai pas de mal. »

Quand elle eut arrangé son poupon comme elle
l'entendait, Elisabeth Pétrovna le fit sauter d'un bras
sur l'autre, et, toute fière de son travail, s'écarta pour
que Levine pût admirer son fils dans toute sa beauté.

« Donnez-le-moi, dit Kitty, qui n'avait cessé de
suivre du coin de l'œil les mouvements de la sage-
femme et qui fit mine de se soulever.

— Voulez-vous bien rester tranquille, Catherine
Alexandrovna. Je m'en vais vous le passer. Attendez
que nous nous fassions voir à papa. »

Et d'un seul bras (l'autre main soutenait seulement la
nuque branlante) elle leva vers Levine cet être bizarre
et rougeaud qui cachait sa tête dans un coin de langes.

A vrai dire, on distinguait un nez, des yeux bridés et des lèvres barbotantes.

« C'est un enfant superbe », déclara la sage-femme.

Levine soupira. Cet enfant superbe ne lui inspirait que pitié et dégoût. Il s'était attendu à tout autre chose.

Tandis qu'Elisabeth Pétrovna déposait le petit dans les bras de sa mère, Levine se détourna, mais le rire de Kitty lui fit tourner la tête : l'enfant avait pris le sein.

« C'est assez, dit la sage-femme au bout d'un instant; mais Kitty ne voulut pas lâcher son fils qui s'endormit près d'elle.

— Regarde-le maintenant », dit-elle en tournant l'enfant vers son père, au moment où le petit visage prenait une expression plus vieillotte encore pour éternuer.

Levine se sentit prêt à pleurer d'attendrissement; il embrassa sa femme et quitta la chambre.

Combien les sentiments que lui inspirait ce petit être différaient de ceux qu'il avait prévus! Au lieu de la joie escomptée il n'éprouvait qu'une pitié angoissante : il y avait dorénavant dans sa vie un nouveau coin vulnérable. Et la crainte de voir souffrir cette pauvre créature sans défense l'empêcha de remarquer le mouvement de fierté niaise qui lui avait échappé en l'entendant éternuer.

XVII

Les affaires de Stépane Arcadiévitch traversaient une phase critique : il avait dépensé les deux tiers de l'argent rapporté par la vente du bois, et l'acheteur, qui lui avait escompté à dix pour cent une partie du dernier tiers, ne voulait plus rien avancer, d'autant plus que Darie Alexandrovna, affirmant pour la première fois ses droits sur sa fortune personnelle, refusait de donner sa signature. Les frais du ménage et quelques dettes criardes absorbaient tout le traitement.

La situation devenait fâcheuse, mais Stépane Arcadiévitch ne l'attribuait qu'à la modicité de son traitement. La place qu'il croyait bonne cinq ou six ans plus tôt ne valait décidément plus rien. Petrov, qui dirigeait une banque, touchait douze mille roubles; Mitine, qui en avait fondé une autre, cinquante mille. « Décidément, se dit Oblonski, je m'endors et l'on m'oublie. » Il se mit donc en quête de quelque fonction bien rétribuée et vers la fin de l'hiver il crut l'avoir trouvée : après avoir engagé l'attaque à Moscou à l'aide de ses oncles, de ses tantes et de ses amis, il se décida à faire au printemps le voyage de Pétersbourg pour enlever l'affaire. C'était un de ces emplois comme on en rencontre maintenant, qui rapportent suivant le cas de mille à cinquante mille roubles et valent encore mieux que les bonnes petites places à pots-de-vin de naguère. Elles exigent, il est vrai, des aptitudes si variées, une activité si extraordinaire que, faute de trouver des hommes assez richement doués pour les remplir, on se contente d'y mettre des hommes « honnêtes ». Honnête, Stépane Arcadiévitch l'était dans toute la force du terme, tel qu'on l'entend à Moscou, où l'honnêteté consiste autant à fronder le gouvernement qu'à ne point frustrer son prochain. Et comme il hantait précisément les milieux où ce mot avait été lancé, il estimait être mieux fondé que personne à occuper cet emploi. Il pouvait le cumuler avec ses fonctions actuelles, et y gagner une augmentation de revenus de sept à dix mille roubles. Mais tout dépendait du bon vouloir de deux ministres, d'une dame et de deux Israélites, qu'il se proposait de solliciter en personne après avoir fait sonder le terrain par ses protecteurs. Il profiterait de l'occasion pour obtenir de Karénine une réponse définitive au sujet du divorce d'Anna. Il extorqua donc cinquante roubles à Dolly et partit pour Saint-Pétersbourg.

Reçu par Karénine, il dut subir l'exposé d'un plan de réforme des finances russes avant de pouvoir aborder les sujets qui l'amenaient.

« C'est fort juste, dit-il, lorsque Alexis Alexandrovitch, arrêtant sa lecture, ôta le pince-nez sans lequel il ne pouvait plus lire pour interroger son beau-frère du regard; c'est fort juste dans le détail, mais le principe dirigeant de notre époque n'est-il pas en définitive la liberté?

— Le principe nouveau que j'expose embrasse également celui de la liberté », répliqua Alexis Alexandrovitch en appuyant sur le mot « embrasse » et en remettant son pince-nez pour indiquer dans son élégant manuscrit à grandes marges un passage concluant; « car si je réclame le système protectionniste, ce n'est pas pour l'avantage du petit nombre, mais pour le bien de tous, des basses classes comme des classes élevées... C'est précisément là ce qu'« ils » ne veulent pas comprendre, ajouta-t-il en regardant Oblonski par-dessus son pince-nez, absorbés qu'ils sont par leurs intérêts personnels et si aisément satisfaits de phrases creuses. »

Stépane Arcadiévitch savait que Karénine était au bout de ses démonstrations lorsqu'il interpellait ceux qui repoussaient ses projets et causaient ainsi le malheur de la Russie : aussi ne chercha-t-il plus à sauver le principe de la liberté. De fait, Alexis Alexandrovitch se tut bientôt et se prit à feuilleter son manuscrit d'un air pensif.

« A propos, put dire alors Oblonski, oserai-je te prier de toucher à l'occasion un mot pour moi à Pomorski? Je voudrais être nommé membre de la commission des agences réunies du Crédit mutuel et des chemins de fer du Midi. »

Stépane Arcadiévitch avait appris par cœur le titre plutôt compliqué de l'emploi auquel il aspirait; il le débita donc sans la moindre hésitation. Alexis Alexandrovitch n'en demanda pas moins des détails : les buts que poursuivait cette commission ne viendraient-ils point à la traverse de ses plans de réforme? Le fonctionnement en était si compliqué et les projets de Karénine si vastes qu'on ne pouvait à première vue s'en rendre compte.

« Evidemment, dit-il en laissant tomber son lorgnon, il me sera facile de lui en toucher un mot; mais je ne vois pas bien pourquoi tu désires cette place.

— Le traitement est d'environ neuf mille roubles, et mes moyens...

— Neuf mille roubles! répéta Karénine, soudain renfrogné : la future activité de son beau-frère heurtait l'idée dominante de ses projets, qui préconisaient l'économie avant tout. Ces appointements exagérés prouvent comme je l'ai fait ressortir dans un mémoire, la défectuosité de notre *assiette* économique.

— Un directeur de banque touche bien dix mille roubles et un ingénieur jusqu'à vingt mille; ce ne sont pas des sinécures!

— Selon moi, un traitement n'étant pas autre chose que le prix d'une marchandise doit être soumis à la loi d'offre et de demande. Or, si je vois deux ingénieurs également capables, sortis de la même école, recevoir l'un quarante mille roubles, tandis que l'autre se contente de deux mille; si d'autre part je vois un hussard ou un juriste, qui ne possède aucune connaissance spéciale, devenir directeur d'une banque avec des appointements phénoménaux, je conclus qu'il y a là un vice économique d'une désastreuse influence sur le service de l'Etat. J'estime...

— Soit, mais il s'agit d'une nouvelle institution, d'une utilité incontestable, et que l'on tient à voir dirigée par des gens « honnêtes », interrompit Stépane Arcadiévitch, appuyant sur le dernier mot.

— C'est un mérite négatif, répondit Alexis Alexandrovitch, insensible à la signification moscovite de ce terme.

— Fais-moi néanmoins le plaisir d'en parler à Pomorski.

— Volontiers, mais en l'occurrence Bolgarinov doit être plus influent.

— Bolgarinov est complètement d'accord », déclara Stépane Arcadiévitch, qui ne put se défendre de rougir au souvenir de la visite qu'il avait dû faire le matin même à ce personnage.

Eprouvait-il quelque regret de rompre une tradition

ancestrale en abandonnant le service de l'Etat pour se
consacrer à une entreprise très utile, très « honnête »,
mais enfin particulière? Ressentait-il l'affront de devoir, lui, prince Oblonski, descendant de Rurik,
attendre deux heures durant le bon plaisir d'un « you-
pin »? Toujours est-il que, pris d'un soudain malaise
moral, il avait voulu le surmonter en faisant les cent
pas d'un air crâne, en plaisantant avec les autres sol-
liciteurs, en cherchant un calembour qui convînt à la
situation. Mais comme il n'arrivait pas à mettre son
bon mot sur pied, il perdait de plus en plus contenance. Enfin Bolgarinov, évidemment ravi de son
triomphe, l'avait reçu avec une politesse raffinée tout
en ne lui laissant guère d'espoir sur le succès de sa
démarche.

Aussitôt dehors, Stépane Arcadiévitch s'était efforcé
d'oublier cette avanie dont il lui fallait maintenant
rougir.

XVIII

« IL me reste encore une chose à te demander, reprit
Oblonski en chassant ce mauvais souvenir. Tu devines
laquelle, Anna... »

À ce nom une lassitude mortelle glaça les traits
tantôt si animés d'Alexis Alexandrovitch.

« Que voulez-vous encore de moi? dit-il en se retournant sur son fauteuil et en fermant son pince-nez.

— Une décision quelconque, Alexis Alexandrovitch;
ce n'est pas... — il allait dire : au mari trompé, mais
craignant de tout gâter, il remplaça avec assez peu
d'à-propos ces mots par : à l'homme d'Etat — que je
m'adresse, mais au chrétien, à l'homme de cœur. Aie
pitié d'elle.

— De quelle façon? demanda doucement Karénine.

— Elle te ferait peine si tu la voyais. Crois-moi, je
l'ai observée pendant tout l'hiver, sa situation est tout
bonnement terrible.

— Je croyais, dit Karénine d'une voix soudain perçante, qu'Anna Arcadiévna avait obtenu tout ce qu'elle souhaitait.

— Ne récriminons pas, Alexis Alexandrovitch; le passé est le passé. Ce qu'elle attend maintenant, c'est le divorce.

— J'avais cru comprendre qu'au cas où je garderais mon fils, Anna Arcadiévna refuserait le divorce. J'ai donc fait une réponse en ce sens et je considère cette question comme jugée, dit-il sur un mode de plus en plus aigu.

— Ne nous échauffons pas, de grâce, dit Stépane Arcadiévitch, touchant le genou de son beau-frère; récapitulons plutôt. Au moment de votre séparation, avec une générosité inouïe, tu lui laissais ton fils et tu acceptais le divorce. Ce beau geste l'a profondément touchée... Si, si, tu peux m'en croire... Elle s'est alors sentie trop coupable envers toi pour accepter; mais, l'avenir lui a prouvé qu'elle s'était créé une situation intolérable.

— La situation d'Anna Arcadiévna ne m'intéresse en rien, dit Karénine en levant les sourcils.

— Permets-moi de ne pas le croire, objecta doucement Oblonski. Elle a mérité de souffrir, me diras-tu? Elle ne le nie pas, elle estime même n'avoir pas le droit de t'adresser aucune prière. Mais nous tous qui l'aimons te supplions de la prendre en pitié. A qui ses souffrances profitent-elles?

— En vérité, ne dirait-on pas que vous m'accusez?

— Mais non, mais non, reprit Stépane Arcadiévitch, touchant cette fois le bras de son beau-frère comme s'il eût espéré l'adoucir par ses gestes. Je veux simplement te faire comprendre que tu ne perdras rien à ce que sa position s'éclaircisse. Laisse-moi arranger la chose, tu n'auras pas à t'en occuper. Tu l'avais promis d'ailleurs...

— Mon consentement a été donné autrefois, mais entre-temps la question de l'enfant est intervenue et j'espérais qu'Anna Arcadiévna aurait la générosité... »

Karénine s'arrêta; il avait pâli, ses lèvres tremblantes prononçaient les mots avec difficulté.

« Elle ne demande plus l'enfant, elle s'adresse à ton bon cœur, elle te supplie de lui accorder le moyen de sortir de l'impasse où elle se trouve acculée. Le divorce devient pour elle une question de vie ou de mort. Elle se serait peut-être soumise, elle n'aurait pas bougé de la campagne, si elle n'avait eu foi en ta parole. Forte de ta promesse, elle t'a écrit, elle est venue habiter Moscou, où depuis six mois elle vit dans la fièvre de l'attente, où chaque rencontre est pour elle comme un coup de couteau. Sa situation est celle d'un condamné à mort qui aurait depuis des mois la corde au cou, et ne saurait s'il doit attendre sa grâce ou le coup final. Aie pitié d'elle, je me charge de tout arranger. *Vos scrupules...*

— Il ne s'agit pas de cela, interrompit Karénine, mais peut-être ai-je promis plus que je n'étais en droit de tenir.

— Tu reprends ta parole alors?

— Je demande seulement le temps de réfléchir : pouvais-je donner pareille promesse?

— Que dis-tu là, Alexis Alexandrovitch? s'écria Oblonski en sautant de son siège. Elle est aussi malheureuse qu'une femme peut l'être. Tu ne saurais refuser...

— Pouvais-je donner pareille promesse? *Vous professez d'être libre-penseur,* mais moi qui suis croyant, je ne saurais dans une question aussi grave enfreindre les prescriptions de la doctrine chrétienne.

— Mais toutes les sociétés chrétiennes, et notre Eglise elle-même admettent le divorce...

— Dans certains cas, mais pas dans celui-ci.

— Je ne te reconnais plus, Alexis Alexandrovitch, dit Oblonski après un moment de silence. Est-ce toi qui naguère, t'inspirant précisément de la pure doctrine chrétienne, faisais notre admiration à tous en accordant un pardon magnanime? Est-ce toi qui disais : « Après le manteau il faut encore donner la robe »?

— Je vous serais obligé de... de couper court à cet

entretien, glapit tout à coup Alexis Alexandrovitch,
qui s'était dressé de toute sa taille, blême et la mâchoire tremblante.

— Pardonne-moi de t'avoir fait de la peine, murmura Stépane Arcadiévitch avec un sourire confus;
mais il fallait bien remplir la mission dont j'étais
chargé. »

Il tendit la main à son beau-frère, qui la prit et déclara après un instant de réflexion :

« Il faut que je cherche ma voie. Vous aurez après-
demain ma réponse définitive. »

XIX

Stépane Arcadiévitch allait sortir, lorsque Kornéi
annonça :

« Serge Alexéiévitch.

— Qui est-ce? demanda Oblonski. Ah! oui, le petit
Serge, fit-il en se ravisant; et moi qui m'attendais à
quelque directeur de ministère! »

« Sa mère m'a prié de le voir », songea-t-il. Et il se
rappela l'air craintif et désolé dont elle lui avait dit :
« Tu le verras, tu pourras savoir ce qu'il fait, qui
prend soin de lui... Et même si c'est possible... » Il
avait deviné son ardent désir d'obtenir la garde de
l'enfant. Après la conversation qu'il venait d'avoir, il
comprenait, hélas! que la question ne pouvait même
pas être soulevée. Il n'en fut pas moins content de revoir son neveu, bien que Karénine l'eût aussitôt prévenu qu'on ne parlait pas de sa mère à l'enfant et prié
en conséquence de ne faire devant lui aucune allusion
à cette personne.

« Il a été gravement malade après leur dernière
entrevue; nous avons craint un moment pour sa vie;
un traitement judicieux, suivi de bains de mer en été,
l'a heureusement rétabli; sur le conseil du médecin,
je l'ai mis au collège : l'entourage de camarades de son

âge exerce sur lui une influence salutaire; il travaille bien et se porte à merveille.

— Mais c'est un vrai petit homme, je comprends qu'on lui donne du « Serge Alexéiévitch », s'écria Oblonski en voyant entrer un beau garçon robuste, vêtu d'une veste bleue et d'un pantalon long, qui courut sans aucune timidité vers son père. Serge salua son oncle comme un étranger, puis, le reconnaissant, il rougit, prit un air courroucé et se détourna d'un air gêné, presque offensé, et tendit ses notes à Karénine.

« Ce n'est pas mal du tout, dit celui-ci; tu peux aller jouer.

— Il a grandi, maigri et perdu son air enfantin; il me plaît, dit Stépane Arcadiévitch. Te souviens-tu de moi? »

L'enfant leva les yeux sur son père, puis sur son oncle.

« Oui, *mon oncle* », répondit-il en baissant de nouveau le regard.

Stépane Arcadiévitch l'appela à lui et le prenant par le bras.

« Eh bien, que devenons-nous? » lui demanda-t-il pour le faire parler et ne sachant trop comment s'y prendre.

L'enfant rougit et ne répondit rien. Il cherchait à dégager son bras de l'étreinte de son oncle et dès que celui-ci l'eut lâché, il se sauva avec l'impétuosité d'un oiseau mis en liberté.

Depuis un an que Serge avait revu sa mère, ses souvenirs s'étaient peu à peu effacés et, sous l'influence de la vie de collège, il les repoussait comme indignes d'un homme. Il savait que ses parents étaient brouillés, que son sort était lié à celui de son père et tâchait de se faire à cette idée. La vue de son oncle, qui ressemblait beaucoup à sa maman, le troubla : quelques mots parvenus jusqu'à lui dans l'antichambre et surtout les traits tendus de ces deux hommes lui firent comprendre qu'ils s'étaient entretenus de sa mère. Et pour ne point avoir à juger l'homme dont il dépendait, pour ne point retomber dans des rêveries qu'il avait appris à mépriser, il jugea bon de fuir le regard de cet oncle qui venait importunément lui rappeler ce qu'il se donnait pour tâche d'oublier.

Mais lorsque, en quittant le cabinet de Karénine, Stépane Arcadiévitch le trouva jouant sur l'escalier et l'interrogea sur ses jeux, Serge, que ne gênait plus la présence de son père, se montra plus communicatif.

« Pour le moment nous jouons au chemin de fer. Deux d'entre nous prennent place sur un banc : ce sont les passagers. Un troisième monte dessus; tous les autres s'y attellent et le tirent au galop à travers les salles. Ce n'est pas facile de faire le conducteur.

— Le conducteur? C'est celui qui est debout, n'est-ce pas? demanda Oblonski en souriant.

— Oui, il faut bien se tenir et faire attention à ne pas tomber, surtout quand ceux qui tirent s'arrêtent brusquement.

— Oui, c'est toute une affaire », dit Stépane Arcadiévitch en considérant avec tristesse ses yeux si brillants, qui n'avaient plus tout à fait la candeur de l'enfance et ressemblaient tant à ceux d'Anna. Oublieux de la promesse qu'il avait faite à Karénine, il ne put se défendre de demander :

« Te rappelles-tu ta mère?

— Non », répondit l'enfant qui rougit et se buta de nouveau. Stépane Arcadiévitch ne tira plus de lui une seule parole.

Quand, une demi-heure plus tard, le précepteur trouva Serge sur l'escalier, il ne put démêler s'il pleurait ou s'il boudait.

« Vous avez dû vous faire mal en tombant. J'avais bien raison de dire que c'était un jeu dangereux. Il faudra que j'en parle au directeur.

— Si je m'étais fait mal, personne ne s'en douterait, vous pouvez m'en croire.

— Qu'avez-vous donc?

— Rien, laissez-moi!... Qu'est-ce que ça peut bien

lui faire que je me souvienne ou non? Et pourquoi me
souviendrais-je?... Laissez-moi tranquille! » répéta-t-il
défiant cette fois le monde entier.

XX

COMME toujours, Stépane Arcadiévitch employa fort
bien son temps dans la capitale, où l'appelait, outre
le souci de ses affaires, le besoin de se rafraîchir. À
l'en croire, l'air de Moscou sentait le renfermé : en
dépit de ses omnibus et de ses *cafés chantants,* cette
pauvre ville restait une espèce de marécage dans
lequel on s'embourbait moralement. Au bout de quelques mois Oblonski prenait à cœur les reproches de
sa femme, la santé et l'éducation de ses enfants, les
menus détails du service, et — qui l'eût cru? — ses
dettes elles-mêmes l'inquiétaient.

Aussitôt qu'il mettait le pied à Pétersbourg et se
retrouvait dans le monde des vivants — à Moscou on
végétait — ses préoccupations fondaient comme cire
au feu. On y entendait si différemment les devoirs
envers la famille! Le prince Tchétchenski ne venait-il
pas de lui raconter qu'ayant deux ménages il trouvait
avantageux d'introduire l'aîné de ses fils légitimes
dans sa famille de cœur, afin de le déniaiser. Aurait-
on compris cela à Moscou? Ici on ne s'embarrassait
pas des enfants à la façon de Lvov : on les mettait en
pension, on ne renversait pas les rôles en leur donnant
une place exagérée dans la famille, on comprenait que
tout homme bien élevé a le droit et le devoir de vivre
d'abord pour lui-même, Et puis, à l'encontre de Moscou où le service de l'Etat n'offrait ni intérêt ni avenir, à quelle brillante carrière ne pouvait-on pas prétendre dans une ville où l'ami Briantsev était déjà
quelqu'un? Il suffisait pour cela d'une heureuse rencontre, d'un service rendu, d'un bon mot ou d'un
jeu de physionomie bien placés. Enfin — et cela sur-

tout levait les scrupules d'Oblonski — comme on se souciait peu de la question d'argent! La veille encore, Bartnianski, qui vivait sur un pied de cinquante mille roubles, lui avait dit à ce propos un mot bien édifiant. Comme ils allaient se mettre à table :

« Tu serais bien aimable, avait insinué Stépane Arcadiévitch, de parler en ma faveur à Mordvinski. Je suis candidat à la place de membre...

— Peu importe le titre, de toute façon, je l'oublierai. Mais quelle idée de te commettre avec ces youpins?

— J'ai besoin d'argent, déclara tout franc Oblonski, jugeant inutile de biaiser avec un ami. Je n'ai plus le sou.

— Tu n'en vis pas moins?

— Oui, mais avec des dettes.

— En as-tu beaucoup? demanda Bartnianski avec sympathie.

— Oh! oui, environ vingt mille roubles.

— Heureux mortel! s'écria l'autre en éclatant de rire. J'ai quinze cent mille roubles de dettes, pas un sou à la clef, et, comme tu vois, je ne m'en porte pas plus mal. »

Cet exemple était confirmé par beaucoup d'autres : ruiné, obéré de trois cent mille roubles, Jivakhov menait encore grand train; depuis longtemps aux abois, le comte Krivtsov entretenait pourtant deux maîtresses; après avoir mangé cinq millions, Pétrovski dirigeait une entreprise financière aux appointements de vingt mille roubles.

Et comme ce Pétersbourg rajeunissait les gens! A Moscou, Stépane Arcadiévitch considérait avec mélancolie ses cheveux grisonnants, s'endormait après ses repas, s'étirait, montait difficilement les escaliers, s'ennuyait en compagnie des jeunes femmes, ne dansait plus aux bals. A Pétersbourg il se croyait de dix ans plus léger. Il y éprouvait la même sensation que son oncle, le prince Pierre, à l'étranger.

« Nous ne savons pas vivre ici, lui dit ce jeune homme de soixante ans, qui rentrait de Paris. Crois-

moi si tu veux, à Bade, où j'ai passé l'été, la vue d'une
jolie femme me donnait des idées, un bon dîner légèrement arrosé me remettait d'aplomb. Quinze jours de
Russie, avec ma noble épouse, au fond de la campagne
encore, et je n'étais plus qu'un vieillard! Adieu, les
jeunes beautés! Je ne quittais plus ma robe de chambre
et pour peu j'allais faire mon salut!... Heureusement
que Paris m'a remonté. »

Le lendemain de son entrevue avec Karénine, Stépane Arcadiévitch alla voir Betsy Tverskoï, avec
laquelle il entretenait des relations plutôt bizarres. Il
lui faisait une cour pour rire en lui débitant de ces
propos fort lestes dont il la savait friande. Ce jour-là,
sous l'influence de l'air pétersbourgeois, il se laissa
entraîner trop loin et fut heureux de voir la princesse
Miagki interrompre un tête-à-tête qui commençait à
lui peser, car il n'avait pas le moindre goût pour
Betsy.

« Ah! vous voilà! dit la princesse en l'apercevant.
Et que devient votre sœur?... Ça vous étonne que je
m'informe d'elle? C'est que, voyez-vous, depuis que
tout le monde lui jette la pierre, à commencer par des
femmes qui font cent fois pis qu'elle, je l'absous complètement. Comment Vronski ne m'a-t-il pas avertie
de leur passage à Pétersbourg? Je serais allée la voir
et je l'aurais menée partout. Faites-lui toutes mes
amitiés et, en attendant, parlez-moi d'elle.

— Sa position est fort pénible..., commença Stépane
Arcadiévitch, obéissant naïvement à l'invite de la
bonne dame; mais celle-ci enfourcha aussitôt son dada.

— Elle a fait ce que font toutes les femmes, sauf
moi, et elle a eu la loyauté d'agir ouvertement. Je
l'approuve encore bien davantage d'avoir planté là
cet imbécile — je vous demande pardon — votre
beau-frère, qu'on voulait faire passer pour un aigle.
J'étais seule à protester; mais depuis qu'il s'est lié
avec Landau et Lydie Ivanovna tout le monde partage
mon avis : ça me gêne, mais pour une fois, impossible
de faire bande à part.

— Vous allez peut-être m'expliquer une énigme; hier

à propos du divorce, mon beau-frère m'a dit qu'il ne pouvait me donner de réponse avant d'avoir réfléchi, et ce matin je reçois un mot de la comtesse Lydie m'invitant à passer la soirée chez elle.

— C'est bien cela, s'écria la princesse enchantée; ils vont consulter Landau.

— Landau? Qui est-ce?

— Comment, vous ne connaissez pas *le fameux Jules Landau, le clairvoyant?* Voilà ce qu'on gagne à vivre en province! C'est aussi un toqué, mais le sort de votre sœur est entre ses mains. Landau était *commis* de boutique à Paris; il vint un jour consulter un médecin, s'endormit dans le salon d'attente et pendant son sommeil donna aux assistants les conseils les plus surprenants. La femme de Iouri Mélédinski l'appela auprès de son mari malade; selon moi, il ne lui a fait aucun bien, mais tous deux se sont toqués du Landau et l'ont amené en Russie. Ici, tout le monde s'est jeté sur lui; il a guéri la princesse Bezzoubov qui, par reconnaissance, l'a adopté.

— Vous dites?

— Je dis : adopté. Il ne s'appelle plus Landau, mais comte Bezzoubov. Mais peu importe. Eh bien, cette folle de Lydie, que j'aime beaucoup d'ailleurs, s'est coiffée du Landau; rien de ce qu'elle et Karénine entreprennent ne se décide sans l'avoir consulté. Voilà pourquoi, je vous le répète, le sort de votre sœur repose entre les mains de Landau, comte Bezzoubov. »

XXI

APRÈS un excellent dîner chez Bartnianski, suivi de nombreux verres de cognac, Stépane Arcadiévitch se rendit avec quelque peu de retard chez la comtesse Lydie.

« Qui est là? Le Français? demanda-t-il au suisse

en remarquant auprès du pardessus bien connu de
Karénine un bizarre manteau à agrafes.

— Alexis Alexandrovitch Karénine et le comte
Bezzoubov », répondit sévèrement le suisse.

« La princesse Miagki a deviné juste, se dit Oblonski
en montant l'escalier. C'est une femme à cultiver, elle
a une grande influence; un mot d'elle à Pomorski et
mon affaire est dans le sac! »

Bien qu'il fît encore grand jour, les stores du petit
salon étaient déjà baissés et les lampes allumées. Assis
auprès d'un guéridon, la comtesse et Karénine s'entretenaient à voix basse, tandis qu'un homme sec,
petit, très pâle, avec de beaux yeux brillants, une tournure féminine, des jambes grêles et de longs cheveux
retombant sur le collet de sa redingote, se tenait à
l'autre bout de la pièce, examinant les portraits suspendus au mur. Après avoir présenté ses hommages
à la comtesse et salué son beau-frère, Oblonski se
retourna involontairement vers ce singulier personnage.

« M. Landau », dit la comtesse doucement et avec
une précaution qui frappa Stépane Arcadiévitch.

Landau s'approcha aussitôt, sourit, posa sa main
inerte et moite dans celle d'Oblonski, auquel la comtesse le présenta, et reprit son poste près des portraits.
Lydie Ivanovna et Karénine échangèrent un regard
significatif.

« Je suis très heureux de vous voir, et particulièrement aujourd'hui, dit la comtesse à Oblonski en lui
désignant un siège près de son beau-frère. Je vous l'ai
présenté sous le nom de Landau, continua-t-elle après
un regard au Français, mais vous savez sans doute
qu'il s'appelle comte Bezzoubov. Il n'aime pas ce titre.

— Oui, j'ai entendu dire qu'il avait complètement
guéri la comtesse Bezzoubov.

— Oui, elle est venue me voir aujourd'hui et fait
peine à voir, dit la comtesse en s'adressant à Karénine; cette séparation lui porte un coup affreux.

— Le départ est donc décidé? demanda Karénine.

— Oui, il va à Paris, il a entendu une voix, répondit Lydie Ivanovna en regardant Oblonski.

— Une voix, vraiment! » répéta celui-ci, sentant qu'il fallait user d'une grande prudence dans une société où se passaient des mystères dont il n'avait point la clef.

Après quelques instants de silence, la comtesse jugea le moment venu d'aborder les affaires sérieuses et dit à Oblonski avec un sourire subtil :

« Je vous connais depuis longtemps. *Les amis de nos amis sont nos amis.* Mais pour être vraiment amis, il faut se rendre compte de ce qui se passe dans l'âme de ceux qu'on aime, et je crains que vous n'en soyez pas là avec Alexis Alexandrovitch. Vous comprenez ce que je veux dire? demanda-t-elle en levant ses beaux yeux rêveurs vers Stépane Arcadiévitch.

— Je comprends en partie que la position d'Alexis Alexandrovitch..., répondit Oblonski, qui, ne voyant guère où elle voulait en venir, préféra rester dans les généralités.

— Oh! je ne parle pas des changements extérieurs, dit gravement la comtesse, suivant d'une œillade amoureuse Karénine qui s'était levé pour rejoindre Landau. C'est son cœur qui est changé et je crains fort que vous n'ayez pas suffisamment réfléchi à la portée de cette transformation.

— Je puis me la figurer en traits généraux; nous avons toujours été en excellents termes, et maintenant encore... », commença Oblonski, qui crut bon de donner à son regard une nuance de tendresse. Il savait que Lydie Ivanovna comptait deux ministres parmi ses amis et se demandait auprès duquel elle pourrait le plus efficacement le servir.

« Cette transformation ne porte nulle atteinte à son amour pour le prochain; au contraire, elle l'élève, elle l'épure. Mais je crains que vous ne me compreniez pas... Une tasse de thé? proposa-t-elle en désignant un domestique porteur d'un plateau.

— Pas tout à fait, comtesse. Evidemment, son malheur...

— Son malheur est devenu son bonheur, puisque son cœur s'est éveillé à Lui », dit la comtesse dont le regard devenait de plus en plus langoureux.

« Je crois qu'on pourra la prier de parler à tous les deux », songea Oblonski. Et tout haut : « Certainement, comtesse, approuva-t-il; mais c'est là une de ces questions intimes qu'on n'ose guère aborder.

— Au contraire, nous devons nous entraider.

— Sans doute, mais il existe parfois de telles divergences d'opinion..., fit Oblonski avec son sourire onctueux.

— Il ne peut y avoir de divergences quand il s'agit de la sainte vérité.

— Sans doute, sans doute », répéta Oblonski qui, voyant la religion entrer en jeu, préféra se dérober.

Entre-temps Karénine s'était rapproché.

« Je crois qu'il va s'endormir », annonça-t-il à voix basse.

Stépane Arcadiévitch se retourna : Landau s'était assis près de la fenêtre, le bras appuyé sur un fauteuil et la tête baissée; il la releva en voyant les regards tournés vers lui et sourit d'un air enfantin.

« Ne faites pas attention à lui, dit Lydie Ivanovna en avançant un siège à Karénine. J'ai remarqué... »

A ce moment un domestique vint lui apporter un billet qu'elle parcourut à la hâte et auquel elle fit réponse avec une rapidité extraordinaire, après s'être excusée auprès de ses invités.

« J'ai remarqué, poursuivit-elle, que les Moscovites, les hommes, surtout, étaient les gens les plus indifférents du monde en matière de religion.

— J'aurais cru le contraire, comtesse, à en juger par leur réputation.

— Mais vous-même, dit Alexis Alexandrovitch, vous me semblez appartenir à la catégorie des indifférents.

— Est-il possible de l'être! s'écria Lydie Ivanovna.

— Je suis plutôt dans l'attente, répondit Oblonski avec son sourire le plus conciliant. Mon heure n'est pas encore venue. »

Karénine et la comtesse se regardèrent.

« Nous ne pouvons jamais connaître notre heure, ni savoir si nous sommes prêts ou non, déclara gravement Alexis Alexandrovitch. La grâce n'obéit pas à des considérations humaines. Elle néglige parfois ceux qui la recherchent pour descendre sur ceux qui ne sont point préparés à la recevoir : témoin Saül.

— Il ne s'endort pas encore », dit la comtesse qui suivait des yeux les mouvements du Français.

Landau se leva et s'approcha du groupe.

« Vous me permettez d'écouter? demanda-t-il.

— Mais bien sûr, je ne voulais pas vous gêner, prenez place, dit la comtesse tendrement.

— L'essentiel est de ne pas fermer les yeux à la lumière, continua Alexis Alexandrovitch.

— Et si vous connaissiez le bonheur que l'on éprouve à sentir Sa présence constante dans nos âmes! déclara Lydie Ivanovna avec un sourire extatique.

— On peut malheureusement être incapable de s'élever à de semblables hauteurs, objecta Stépane Arcadiévitch, non sans hypocrisie. Comment indisposer une personne dont un seul mot à Pormorski pouvait lui obtenir la place qu'il convoitait!

— Vous voulez dire que le péché ne nous le permet pas? Mais c'est une idée fausse. Le péché n'existe plus pour celui qui croit... *Pardon,* fit-elle en voyant le domestique lui apporter un second billet, qu'elle parcourut. Répondez que je serai demain chez la grande-duchesse... Non, pour le croyant le péché n'existe plus, répéta-t-elle.

— Oui, mais la foi sans les œuvres n'est-elle pas sans vertu? dit Stépane Arcadiévitch se rappelant cette phrase de son catéchisme et ne défendant plus son indépendance que par un sourire.

— Le voilà, ce fameux passage de saint Jacques qui a fait tant de mal! s'écria Karénine en regardant la comtesse, comme pour lui rappeler de fréquentes discussions sur ce sujet. Que d'âmes la fausse interprétation qu'on lui donne n'aura-t-elle pas éloignées de la foi! Or le texte dit exactement le contraire.

— Ce sont nos moines qui prétendent se sauver par

les œuvres, les jeûnes, les mortifications, dit la comtesse d'un air de souverain mépris. Mais cela n'est
écrit nulle part. Croyez-moi, on fait son salut beaucoup plus simplement », ajouta-t-elle en accordant à
Oblonski un de ces regards dont elle encourageait les
premiers pas à la cour des jeunes demoiselles d'honneur.

Karénine l'approuva du regard.

« Le Christ nous a sauvés en mourant pour nous;
il n'y a que la foi qui sauve, déclara-t-il.

— *Vous comprenez l'anglais?* » demanda Lydie Ivanovna, et, sur un signe affirmatif, elle se dirigea vers
une étagère.

« Je vais vous lire *Safe and happy* ou bien *Under
the wing,* dit-elle en interrogeant Karénine du regard.
C'est très court, ajouta-t-elle en venant se rasseoir.
Vous verrez comment on acquiert la foi et le bonheur
surnaturel qui remplit l'âme croyante : ne connaissant
plus la solitude, l'homme ne saurait plus être malheureux. »

Elle allait commencer sa lecture, mais le domestique
vint de nouveau la déranger.

« Mme Borozdine? Demain à deux heures... A propos, reprit-elle en poussant un soupir et en marquant
d'un doigt la page qu'elle voulait lire. Voulez-vous
savoir comment opère la foi véritable? Vous connaissez Marie Sanine? vous savez son malheur? Elle a
perdu son fils unique. Eh bien, depuis qu'elle a trouvé
sa voie, son désespoir s'est changé en consolation :
elle remercie Dieu de la mort de son enfant. Tel est
le bonheur que donne la foi.

— Evidemment, c'est très... », murmura Stépane
Arcadiévitch, heureux de pouvoir se taire pendant la
lecture. « Décidément, se dit-il, je ferais mieux de ne
rien demander aujourd'hui et de filer au plus vite;
autrement, je pourrais bien me casser le nez! »

« Cela vous ennuiera, dit la comtesse à Landau, car
vous ne savez pas l'anglais, mais je n'en ai pas pour
longtemps.

— Oh! je comprendrai », répondit l'autre, toujours souriant.

Karénine et la comtesse échangèrent un regard attendri et la lecture commença.

XXII

LES étranges propos qu'il venait d'entendre avaient plongé Stépane Arcadiévitch dans la stupéfaction. Certes, la complexité de la vie pétersbourgeoise offrait avec la monotonie moscovite un contraste qu'il prisait fort, mais vraiment ce milieu insolite déroutait par trop ses habitudes. Tout en écoutant la comtesse et en sentant les yeux — naïfs ou fripons? il n'en savait trop rien — de Landau fixés sur lui, il éprouvait une certaine lourdeur de tête. Les pensées les plus diverses se pressaient dans son cerveau.

« Marie Sanine est heureuse d'avoir perdu son fils... Ah! si je pouvais fumer!... Pour être sauvé il suffit de croire; les moines n'y entendent rien, mais la comtesse le sait... Pourquoi ai-je si mal à la tête? Est-ce à cause du cognac ou de l'étrangeté de tout cela? Je n'ai encore rien commis d'incongru, mais décidément je préfère ne rien solliciter aujourd'hui. On prétend que ces gens-là vous obligent à réciter des prières, ce serait par trop ridicule. Quelles inepties lit-elle là? il faut reconnaître qu'elle prononce bien l'anglais. Landau-Bezzoubov; pourquoi Bezzoubov?... »

Ici Stépane Arcadiévitch se reconnut dans la mâchoire un mouvement qui allait tourner au bâillement; il eut beau se secouer, tirer sur ses favoris, le sommeil le gagnait irrésistiblement. Peut-être même allait-il faire entendre un ronflement quand soudain il tressaillit d'un air coupable. « Il dort! » venait de dire la comtesse. Par bonheur, ces paroles se rapportaient à Landau qui s'était assoupi de son côté. Mais alors

que le sommeil d'Oblonski eût sans doute offensé et
Lydie Ivanovna et Karénine, — était-ce bien sûr dans
un monde si anormal? — celui de Landau les réjouit
fort, surtout la comtesse.

« *Mon ami,* dit-elle, appelant ainsi Karénine dans
l'enthousiasme du moment et redressant avec prudence
les plis de sa robe de soie, *donnez-lui la main : vous
voyez?...* Chut, je ne reçois personne », marmotta-t-elle
au domestique qui faisait une troisième apparition.

Le Français dormait ou feignait de dormir, la tête
appuyée au dossier de son fauteuil, tandis qu'appuyée
sur le genou sa main moite esquissait le geste d'attraper quelque chose. Alexis Alexandrovitch s'approcha
de lui, non sans avoir accroché le guéridon en dépit
de ses précautions, et mit sa main dans la sienne. Stépane Arcadiévitch s'était aussi levé : ouvrant de
grands yeux pour se convaincre qu'il ne dormait plus,
il regardait tantôt l'un tantôt l'autre et sentait ses
idées s'embrouiller de plus en plus.

« *Que la personne qui est arrivée la dernière, celle
qui demande, qu'elle sorte... qu'elle sorte!* murmura
le Français sans ouvrir les yeux.

— *Vous m'excuserez, mais vous voyez... Revenez
vers dix heures, encore mieux demain.*

— *Qu'elle sorte!* répéta le Français avec impatience.

— *C'est moi, n'est-ce pas?* » demanda Oblonski. Et
sans demander son reste, il sortit sur la pointe des
pieds et se sauva dans la rue, comme s'il eût fui une
maison pestiférée (1). Pour reprendre son équilibre, il
s'efforça de plaisanter avec le cocher du fiacre qui
l'emmenait au théâtre français. Il arriva pour le dernier acte et se retrouva dans son élément ainsi qu'au

(1) Landau a sans doute pour modèle le spirite Hume que
Tolstoï avait rencontré chez le prince Troubetzkoï. Alexandra
Tolstoï parle aussi à ce propos d'un autre personnage. « Hier soir
nous avons lu chez l'impératrice l'avant-dernière partie d'*Anna
Karénine* et tous se sont émerveillés que vous ayez si bien campé
le type des adeptes et des admiratrices de Redstock. Mais l'apparition du voyant Archer a soulevé l'hilarité générale, car tout
cet hiver j'ai été la victime de ce fou qui m'a poursuivi de ses
lettres. » (Lettre du 22 mai 1877.)

restaurant où quelques flûtes de champagne le ragail-
lardirent, sans dissiper entièrement son malaise.

En rentrant chez son oncle Pierre, il trouva un billet
de Betsy, l'engageant à venir reprendre le lendemain
l'entretien interrompu, ce qui lui fit faire la grimace.
Un bruit de pas lourds comme de gens qui portaient
un fardeau l'attira sur l'escalier, où il aperçut son
oncle si rajeuni par son voyage à l'étranger qu'on le
ramenait complètement ivre. Bien qu'il pût à peine se
tenir debout, le bonhomme s'accrocha à son neveu et
le suivit jusque dans sa chambre, où il s'endormit sur
une chaise, après avoir vainement tenté de lui raconter ses prouesses.

En revanche, Oblonski n'arrivait pas à trouver le
sommeil : contre son habitude, il se sentait fort dé-
primé et ne pouvait se souvenir sans honte des
événements de la journée, en particulier de la soirée
chez la comtesse.

Le lendemain, Karénine l'avisa qu'il refusait catégo-
riquement le divorce. Oblonski comprit que cette
décision lui avait été inspirée par le Français au cours
de son sommeil vrai ou feint.

XXIII

Il ne se prend de décisions dans les familles qu'en
cas d'entente parfaite ou de complet désaccord. Quand
les rapports entre époux flottent entre ces deux
extrêmes, aucun d'eux n'ose rien entreprendre, et l'on
en a vu demeurer de ce fait des années entières en
des lieux qui pourtant semblaient également fastidieux
à l'un et à l'autre.

Vronski et Anna en étaient là : les arbres des bou-
levards avaient eu le temps de se couvrir de feuilles
et les feuilles de se ternir, que malgré la chaleur et la
poussière ils restaient encore à Moscou dont le séjour
leur était odieux à tous deux. Une mésintelligence

latente les séparait que toute tentative d'explication
aggravait singulièrement. Anna trouvait son amant
refroidi; Vronski en voulait à sa maîtresse de rendre
encore plus pénible par ses récriminations la situation
fausse dans laquelle il s'était mis à cause d'elle. Tout
en dissimulant soigneusement ces véritables causes de
leur irritation, chacun d'eux en tenait l'autre pour
responsable et profitait de la première occasion pour
le lui faire sentir.

Connaissant à fond Vronski, ses goûts, ses pensées,
ses désirs, ses particularités physiques et morales,
Anna le jugeait fait pour l'amour et rien que pour
l'amour. Si donc il s'était refroidi à son égard, c'est
qu'il aimait ailleurs, et dans son aveugle jalousie elle
s'en prenait à toutes les femmes. Tantôt elle redoutait
les liaisons grossières, accessibles à ce célibataire;
tantôt elle se méfiait des femmes du monde; tantôt
même elle maudissait la jeune fille pour qui peut-être
il l'abandonnerait un beau jour. Cette dernière forme
de jalousie était de beaucoup la plus douloureuse,
ayant été éveillée par une confidence d'Alexis : un
jour d'abandon il avait fort blâmé sa mère qui s'était
mis en tête de lui faire épouser Mlle Sorokine.

Tout en le jalousant, elle accumulait sur la tête de
Vronski les griefs les plus divers : la solitude dans
laquelle elle vivait, les hésitations d'Alexis Alexandrovitch, la séparation sans doute éternelle d'avec son
fils, leur séjour prolongé à Moscou; s'il l'aimait vraiment, ne pourrait-il pas se passer de société et se
cloîtrer avec elle à la campagne? Survenait-il entre eux
quelque rare moment de tendresse, Anna n'en éprouvait aucun apaisement, car elle découvrait dans les
caresses de cet amant trop calme, trop maître de lui,
une nuance nouvelle qui la blessait.

Le jour baissait. Vronski assistait à un dîner de
garçons et Anna s'était réfugiée pour l'attendre dans
le cabinet de travail, où le bruit de la rue l'incommo-
dait moins que dans le reste de l'appartement. Elle
marchait de long en large et repassait dans sa mémoire
les détails d'une scène pénible qui les avait dressés

la veille l'un contre l'autre. En remontant aux causes de ce dissentiment, elle fut surprise de les trouver si futiles. A propos d'Hannah, la petite Anglaise qu'elle protégeait, Vronski avait tourné en ridicule les lycées de filles, prétendant que les sciences physiques seraient d'une médiocre utilité à cet enfant. Croyant voir là une pierre jetée dans son jardin, elle avait riposté du tac au tac :

« Je ne m'attendais certes pas à votre sympathie, mais je croyais avoir le droit de compter sur votre délicatesse. »

Piqué au vif, Vronski avait rougi et, après une ou deux répliques dont elle ne se souvenait plus, s'était permis de dire pour achever de la froisser :

« J'avoue ne rien comprendre à votre engouement pour cette gamine, je n'y vois qu'affectation. »

Le reproche était dur et injuste : il s'attaquait aux laborieux efforts d'Anna pour se créer une occupation qui l'aidât à supporter son isolement. Elle éclata.

« Il est bien malheureux que les sentiments grossiers et matériels vous soient seuls accessibles », avait-elle reparti en quittant la pièce.

Le soir, dans la chambre à coucher, ils n'avaient fait aucune allusion à cette scène tout en sentant fort bien qu'ils ne l'oubliaient pas.

Une journée entière passée dans la solitude avait fait réfléchir Anna : avide de se réconcilier avec son amant, elle était prête à pardonner, voire à s'accuser elle-même.

« C'est ma faute; mon absurde jalousie me rend par trop irritable. Il faut partir pour la campagne; j'y retrouverai mon calme... Je sais bien qu'en m'accusant d'affecter de la tendresse pour une étrangère il me reproche de ne pas aimer ma fille. Mais que sait-il de l'amour qu'un enfant peut inspirer? Se doute-t-il de ce que je lui ai sacrifié en renonçant à Serge?... Pourquoi ce désir constant de me blesser? N'est-ce pas une preuve qu'il en aime une autre?... »

En cherchant à s'apaiser elle était revenue au lugubre point de départ. « Eh quoi, se dit-elle affolée

ne puis-je vraiment pas me reconnaître coupable?
Voyons, il est droit et honnête, il m'aime. Je l'aime
également et mon divorce n'est plus qu'une question
de jours. Que me faut-il de plus? De la tranquillité, de
la confiance... Oui, dès qu'il rentrera, je m'avouerai
coupable tout en ne l'étant pas... Et nous partirons au
plus tôt. »

Et, pour chasser ses idées noires, elle donna l'ordre
d'apporter les malles.

Vronski rentra à dix heures.

XXIV

« Votre dîner s'est-il bien passé? demanda-t-elle en
l'accueillant d'un air contrit.

— Comme de coutume, répondit-il en remarquant
aussitôt cette saute d'humeur, dont il se réjouit d'autant plus que lui-même était fort gai. Que vois-je, on
emballe? Voilà qui est gentil.

— Oui, la promenade que j'ai faite tantôt m'a donné
le désir de retourner à la campagne. Rien ne te retient
plus ici, n'est-ce pas?

— Je ne demande qu'à partir. Fais servir le thé pendant que je change de vêtement. Je reviens à l'instant. »

L'air de supériorité qu'il affectait parut blessant à
Anna. « Voilà qui est gentil. » N'est-ce pas de ce ton
qu'on excuse les caprices d'un enfant gâté? Le besoin
de lutter se réveilla aussitôt : pourquoi se ferait-elle
humble devant cette arrogance? Elle se contint cependant et, quand il revint, elle lui exposa ses plans de
départ au moyen de phrases apprises d'avance.

« Je crois que c'est une inspiration, conclut-elle.
Au moins couperai-je court à cette éternelle attente.
A quoi bon espérer? Je veux devenir indifférente à la
question du divorce. N'est-ce pas ton avis?

— Certainement, répondit-il, quelque peu inquiet de l'agitation d'Anna.

— Raconte-moi à ton tour ce qui s'est passé à votre dîner, dit-elle après un moment de silence.

— Le dîner était fort bon, répondit Vronski et il lui nomma les convives. Nous avons eu ensuite des régates, mais comme on trouve toujours à Moscou le moyen de se rendre *ridicule,* on nous a exhibé la maîtresse de natation de la reine de Suède.

— Comment, elle a nagé devant vous? demanda Anna se rembrunissant.

— Oui, en costume rouge. C'est une vieille femme hideuse. Eh bien, quand partons-nous?

— Peut-on imaginer rien de plus sot! Y a-t-il quelque chose de spécial dans sa façon de nager? demanda-t-elle, poursuivant son idée.

— Pas du tout; c'était ridicule, te dis-je. Alors tu as fixé le départ? »

Anna secoua la tête comme pour en chasser une obsession.

« Le plus tôt sera le mieux; nous ne pourrons pas être prêts pour demain; mais après-demain.

— Entendu... C'est-à-dire non. Après-demain dimanche, je serai obligé d'aller chez *maman.* »

A peine avait-il prononcé ce mot qu'il se troubla en sentant peser sur lui un regard soupçonneux. Son trouble augmenta la méfiance d'Anna : elle oublia la maîtresse de natation pour ne plus s'inquiéter que de Mlle Sorokine qui passait l'été chez la vieille comtesse aux environs de Moscou. Et elle s'écarta de lui en rougissant.

« Ne peux-tu y aller demain?

— C'est impossible : ni la procuration, ni l'argent qu'elle doit me remettre ne pourront être préparés pour demain.

— Alors nous ne partirons pas du tout.

— Pourquoi cela?

— Lundi ou jamais.

— Mais voyons, cela n'a pas le sens commun, s'écria Vronski.

— Pour toi, parce que dans ton égoïsme tu ne veux pas comprendre ce que je souffre. Un seul être me retenait ici : Hannah, et tu as trouvé moyen de m'accuser d'hypocrisie à son égard. Selon toi, je n'aime pas ma fille, et j'affecte pour cette petite Anglaise des sentiments qui n'ont rien de naturel. Je voudrais bien savoir ce qu'il pourrait y avoir de naturel dans la vie que je mène! »

Elle s'aperçut avec terreur qu'elle oubliait ses bonnes résolutions. Mais, tout en comprenant qu'elle se perdait, elle ne résista pas à la tentation de lui prouver ses torts.

« Je n'ai pas dit cela, rétorqua-t-il, mais simplement que cette tendresse subite me déplaisait.

— Ce n'est pas vrai, et pour quelqu'un qui se vante de sa droiture...

— Je n'ai ni l'habitude de me vanter, ni celle de mentir, dit-il doucement, réprimant la colère qui grondait en lui. Et je regrette fort que tu ne respectes pas...

— Le respect a été inventé pour dissimuler l'absence d'amour. Si tu ne m'aimes plus, il serait plus loyal de me l'avouer.

— Cela devient intolérable! s'exclama Vronski, qui se leva brusquement et vint se planter devant elle. Ma patience a des bornes, pourquoi la mettre à l'épreuve? prononça-t-il lentement, comme s'il contenait d'autres paroles plus amères prêtes à lui échapper.

— Que voulez-vous dire par là? s'écria-t-elle, épouvantée du regard dont il la foudroyait et de l'expression de haine qui ravageait son visage.

— Je veux dire que... Mais non, c'est à moi à vous demander ce que vous prétendez de moi.

— Que puis-je prétendre, sauf de n'être pas abandonnée comme vous avez l'intention de le faire? Au reste la question est secondaire. Je veux être aimée et, si vous ne m'aimez plus, tout est fini. »

Elle se dirigea vers la porte.

« Attends, attends! dit Vronski, en la retenant par le bras, mais les sourcils toujours barrés d'un pli sinistre. De quoi s'agit-il entre nous? Je demande à ne

partir que dans trois jours et tu réponds à cela que je
mens et que je suis un malhonnête homme.

— Oui et je le répète; un homme qui me reproche
les sacrifices qu'il m'a faits (c'était une allusion à
d'anciens griefs) est plus que malhonnête; il n'a tout
simplement pas de cœur.

— Ma patience est à bout! » s'écria Vronski en lui
lâchant le bras.

« Il me hait, c'est certain », pensa-t-elle et, sans se
retourner, elle sortit de la pièce à pas chancelants.
« Il en aime une autre, c'est plus que certain encore »,
se dit-elle en rentrant dans sa chambre. Et elle se
répéta mentalement ses paroles de tout à l'heure :
« Je veux être aimée, et s'il ne m'aime plus, tout est
fini... Oui, il faut en finir, mais comment? » se demanda-t-elle en s'affaissant dans un fauteuil devant son
miroir.

Les pensées les plus diverses l'assaillirent. Où se
réfugier? chez sa tante qui l'avait élevée, chez Dolly ou
encore à l'étranger? Que faisait-il dans son cabinet?
Cette rupture serait-elle définitive? Que dirait Alexis
Alexandrovitch et ses anciennes amies de Pétersbourg?
Une idée vague sourdait en son esprit sans qu'elle
arrivât à la formuler. Elle se rappela un mot dit par
elle à son mari après ses couches : « Pourquoi ne suis-
je pas morte! » Aussitôt ces paroles réveillèrent le
sentiment qu'elles avaient exprimé jadis. « Mourir, oui,
c'est la seule manière d'en sortir. Ma honte, le déshon-
neur d'Alexis Alexandrovitch, celui de Serge, tout
s'efface avec ma mort. Une fois morte, il regrettera sa
conduite, il me pleurera, il m'aimera. » Un sourire
d'attendrissement sur elle-même effleura ses lèvres
tandis qu'elle ôtait et remettait machinalement ses
bagues.

Des pas qui approchaient — les siens! — la tirèrent
de ses méditations, sans qu'elle fît mine d'y prendre
garde. Il lui prit la main et dit doucement.

« Anna, je suis prêt à tout, partons après-demain. »
Et, comme elle ne répondait rien :

« Eh bien? insista-t-il.

— Fais comme tu veux... » Incapable de se maîtriser plus longtemps, elle fondit en larmes. « Quitte-moi, quitte-moi! murmura-t-elle à travers ses sanglots. Je m'en irai dès demain. Et même je ferai plus... Que suis-je? une femme perdue, une pierre à ton cou. Je ne veux pas te tourmenter davantage. Tu ne m'aimes plus, tu en aimes une autre, je te débarrasserai de moi. »

Vronski la supplia de se calmer, affirma que sa jalousie était sans fondement, jura qu'il l'aimait plus que jamais.

« Anna, pourquoi nous torturer ainsi? » lui demanda-t-il en lui baisant les mains. Anna crut remarquer des larmes dans ses yeux et dans sa voix. Passant aussitôt de la plus sombre jalousie à la passion la plus ardente, elle couvrit de baisers la tête, le cou et les mains de son amant.

XXV

La réconciliation était complète. Anna ne savait trop encore s'ils partaient le lundi ou le mardi, chacun d'eux ayant voulu céder à l'autre sur ce point; mais peu lui importait maintenant, et dès le lendemain matin elle activa ses apprêts. Elle retirait divers objets d'une malle lorsque Vronski entra; il avait fait toilette plus tôt que de coutume.

« Je vais de ce pas chez *maman* : je lui dirai de m'envoyer l'argent par l'entremise de Iégorov; comme cela, nous pourrons partir dès demain. »

L'allusion à cette visite troubla les bonnes dispositions d'Anna. « Ainsi donc, se dit-elle, il était possible d'arranger les choses comme je le voulais! »

« Non, répliqua-t-elle, ne change rien à ton programme, car je ne serai pas prête moi-même. Va déjeuner, je te rejoins aussitôt mon rangement fini », ajouta-t-elle en empilant toutes sortes de chiffons sur les bras d'Annouchka.

Quand elle rentra dans la salle à manger, Vronski mangeait un bifteck. Elle s'assit à côté de lui pour prendre son café.

« Cet appartement m'est odieux, déclara-t-elle. Quoi de plus abominable que les *chambres garnies?* Ces pendules, ces rideaux, ces papiers peints surtout me sont devenus un véritable cauchemar, et la campagne m'apparaît comme la terre promise. Tu n'y envoies pas les chevaux dès maintenant?

— Non, ils nous suivront. As-tu l'intention de sortir aujourd'hui?

— Je passerai peut-être chez Mrs Wilson, pour lui porter une robe... Alors, entendu pour demain? » demanda-t-elle gaiement. Mais elle changea soudain de visage.

A ce moment le valet de chambre étant venu demander le reçu d'une dépêche, Vronski lui répondit sèchement qu'il le trouverait sur son bureau. Et pour détourner l'attention d'Anna, il s'empressa de lui répondre :

« Certainement, tout sera terminé demain. »

Mais Anna avait déjà changé de visage.

« De qui la dépêche? demanda-t-elle sans l'entendre.

— De Stiva, répondit-il sans empressement.

— Pourquoi ne me l'as-tu pas montrée? Quel secret peut-il y avoir entre mon frère et toi? »

Vronski ordonna au valet de chambre d'apporter la dépêche.

« Je ne voulais pas te la faire voir, parce que Stiva a la manie du télégraphe. Quel besoin avait-il de me prévenir par fil que rien n'était encore décidé!

— Au sujet du divorce?

— Oui, il prétend ne pas pouvoir obtenir de réponse définitive. Tiens, lis toi-même. »

Anna prit la dépêche d'une main tremblante. La fin en était ainsi conçue : « Peu d'espoir, mais je ferai le possible et l'impossible. »

« Ne t'ai-je pas dit hier que cela m'était indifférent? fit-elle en rougissant. Il était donc bien inutile de me rien cacher. » « Sans doute en use-t-il ainsi pour sa correspondance avec les femmes », pensa-t-elle.

« A propos, Iachvine viendra peut-être ce matin avec Voïtov; figure-toi qu'il a gagné près de soixante mille roubles à Pievtsov, qui sera bien embarrassé pour les lui payer. »

Cette façon détournée de lui faire comprendre qu'elle s'engageaît de nouveau sur un terrain dangereux l'irrita encore davantage.

« Pardon, insista-t-elle, pourquoi as-tu cru bon de me cacher cette nouvelle? Je te répète que cette question m'est devenue indifférente et je souhaiterais qu'elle t'intéressât aussi peu que moi.

— Si elle m'intéresse, c'est que j'aime les situations claires.

— Qu'importent les formes quand l'amour existe! s'écria-t-elle, de plus en plus choquée par ce ton de froide supériorité. Que vas-tu faire du divorce? »

« Toujours l'amour », pensa Vronski en se renfrognant.

« Tu sais bien que si je le désire, c'est à cause de toi et de nos futurs enfants.

— Il n'y aura plus d'enfants.

— Tant pis, je le regrette.

— Tu ne penses qu'aux enfants et pas à moi », fit-elle oubliant qu'il venait de dire : « à cause de toi et de nos enfants. »

Ce désir d'avoir des enfants était depuis longtemps entre eux un sujet de discorde : il la blessait comme une preuve d'indifférence envers sa beauté.

« Au contraire, c'est surtout à toi que je pense, répondit-il les sourcils contractés comme par une névralgie; je suis convaincu que ton irritabilité tient principalement à la fausseté de ta position. »

« Il cesse de feindre et la haine qu'il me porte apparaît tout entière », songea-t-elle sans prêter attention à ses paroles : il lui semblait voir un juge féroce la condamner par les yeux de Vronski.

« Non, ma position ne saurait être la cause de ce qu'il te plaît d'appeler mon ir-ri-ta-bi-li-té, dit-elle. Elle

me paraît parfaitement claire : ne suis-je pas absolument en ton pouvoir?

— Je regrette que tu ne veuilles pas me comprendre,
l'interrompit-il brusquement, car il tenait à lui faire
saisir une bonne fois le fond de sa pensée. C'est ta
position fausse qui t'incite à te méfier de moi.

— Oh! quant à cela, tu peux être tranquille », répliqua-t-elle en se détournant.

Elle avala quelques gorgées de café : le bruit de ses
lèvres et le geste de sa main qui tenait la tasse le petit
doigt levé agaçaient évidemment Vronski; elle s'en
aperçut en lui jetant un regard à la dérobée.

« Peu m'importent l'opinion de ta mère et les projets de mariage qu'elle forme pour toi, dit-elle en repo-
sant sa tasse d'une main qui tremblait.

— Il ne s'agit pas de cela.

— Si fait, et tu peux m'en croire, une femme sans
cœur, fût-elle ta mère, ne saurait m'intéresser.

— Anna, je te prie de respecter ma mère.

— Une femme qui ne comprend pas où réside le
bonheur de son fils, qui l'incite à un attentat contre
l'honneur, cette femme-là n'a pas de cœur.

— Encore une fois je te prie de ne pas parler de
ma mère sur ce ton », dit-il en élevant la voix.

Il lui décocha un regard sévère qu'elle supporta hardiment. Elle considérait ces lèvres et ces mains qui lui
avaient la veille, après la réconciliation, dispensé tant
de caresses. « Caresses banales, songea-t-elle, qu'il a
prodiguées et prodiguera encore à bien d'autres
femmes! »

« Tu n'aimes pas ta mère, dit-elle enfin, les yeux
lourds de haine; ce ne sont que des phrases.

— Dans ce cas, il faut...

— Il faut prendre un parti, et quant à moi, je sais
ce qui me reste à faire. »

Elle allait se retirer quand Iachvine entra. Elle
s'arrêta pour lui souhaiter le bonjour. Pourquoi, à un
tournant si grave de son existence, dissimulait-elle devant un étranger qui tôt ou tard apprendrait tout?
C'est ce qu'elle n'aurait pu expliquer; mais elle se res

sit et, refoulant l'orage qui grondait en son cœur, elle se mit à parler à Iachvine de choses indifférentes.

« Vous a-t-on payé? lui demanda-t-elle.

— En partie seulement, et je dois me mettre en route mercredi sans faute, répondit-il en risquant une œillade du côté de Vronski : sans doute soupçonnait-il que son entrée avait interrompu une scène. Et vous, quand partez-vous?

— Après-demain, je pense, dit Vronski.

— Vous avez enfin pris une décision?

— Oui et définitive, répondit Anna dont le regard dur repoussait d'avance toute tentative de rapprochement. N'avez-vous pas pitié de ce pauvre Pievtsov?

— Pitié? C'est une question que je ne me suis jamais posée, Anna Arcadiévna. Je porte ma fortune sur moi, dit-il en montrant sa poche; mais riche en ce moment, je puis ce soir sortir sans le sou du club. Celui qui joue avec moi me gagnerait volontiers jusqu'à ma chemise. C'est cette lutte qui fait le plaisir.

— Mais si vous étiez marié, qu'en dirait votre femme? s'enquit Anna en souriant.

— Aussi bien ne me suis-je jamais marié et n'en ai-je jamais eu l'intention, répondit Iachvine que cette supposition amusa fort.

— Tu oublies Helsingfors », insinua Vronski, en risquant un coup d'œil vers Anna dont le sourire s'éteignit aussitôt : « Non, mon ami, il n'y a rien de changé », semblaient dire ses traits rigides.

« N'avez-vous jamais été amoureux? demanda-t-elle à Iachvine.

— Oh! Seigneur, combien de fois! mais, alors que d'autres s'arrangent en jouant pour ne pas manquer leur *rendez-vous*, moi j'ai toujours fait en sorte de ne pas manquer ma partie.

— Je ne parle pas de ce genre d'amour, c'est le vrai que j'ai en vue. »

Elle voulait l'interroger sur Helsingfors, mais se refusa à répéter un mot qu'avait prononcé Vronski.

Sur ces entrefaites Voïtov se présenta pour acheter un étalon; Anna se retira.

Avant de sortir Vronski passa chez elle. Elle fit d'abord mine d'être absorbée par une recherche, mais honteuse de cette dissimulation elle arrêta sur lui un regard toujours glacial.

« Que vous faut-il? demanda-t-elle en français.

— Le certificat d'origine de « Gambetta », que je viens de vendre », répondit-il d'un ton qui voulait clairement dire : « Je n'ai pas de temps à perdre en explications oiseuses. »

« Je n'ai rien à me reprocher, pensait-il; si elle veut se punir, *tant pis pour elle.* » Cependant, comme il quittait la chambre, il lui sembla qu'elle l'appelait et se sentit soudain pris de pitié.

« Qu'y a-t-il, Anna? demanda-t-il.

— Rien », répondit-elle froidement.

« Allons, décidément, *tant pis!* » se dit-il encore, subitement refroidi.

En passant devant une glace, il aperçut un visage si défait que l'idée lui vint de consoler la malheureuse, mais trop tard, il était déjà loin. Il passa toute la journée dehors, et, lorsqu'il rentra, la femme de chambre lui apprit qu'Anna Arcadiévna avait la migraine et priait qu'on ne la dérangeât point.

XXVI

JAMAIS encore, en cas de dissentiment, une journée ne s'était écoulée sans amener de réconciliation. Cette fois-ci la querelle ressemblait fort à une rupture. Pour l'accabler d'un regard aussi glacial, pour s'éloigner comme son amant l'avait fait, malgré l'état de désespoir auquel il l'avait vue réduite, c'est qu'il la haïssait, qu'il en aimait une autre. Les mots cruels sortis de la bouche de Vronski revenaient tous à la mémoire d'Anna et s'aggravaient, dans son imagination, de propos grossiers dont il était incapable et que pourtant elle lui imputait à grief.

« Je ne vous retiens pas, lui faisait-elle dire, vous pouvez partir. Puisque vous ne teniez pas au divorce, c'est que vous comptiez retourner chez votre mari. S'il vous faut de l'argent, vous n'avez qu'à le dire : combien voulez-vous? »

« Mais hier encore, il me jurait qu'il n'aimait que moi!... se disait-elle, le moment d'après. C'est un homme honnête et sincère. Ne me suis-je pas désespérée inutilement déjà bien des fois? »

A part une visite de deux heures à Mrs Wilson, elle passa toute la journée en alternatives de doute et d'espérance : fallait-il partir tout de suite ou tenter encore de le revoir? Lasse de l'attendre toute la soirée, elle finit par entrer dans sa chambre, en recommandant à Annouchka de la dire souffrante. « S'il vient malgré tout, décida-t-elle, c'est qu'il m'aime encore; sinon, c'est fini et je sais ce qui me reste à faire! »

Elle entendit le roulement de la calèche sur le pavé quand Vronski rentra, son coup de sonnette, son colloque avec la femme de chambre; puis ses pas s'éloignèrent, il rentra dans son cabinet, et Anna comprit que le sort en était jeté. La mort lui apparut alors comme l'unique moyen de punir Vronski, de reconquérir son amour, de triompher dans la lutte que le malin esprit qui s'était logé dans son cœur menait avec cet homme. Le départ, le divorce devenaient choses indifférentes; l'essentiel était le châtiment.

Elle prit sa fiole d'opium et versa sa dose accoutumée dans un verre... « En avalant le tout, songeat-elle, il serait bien facile d'en finir. » Couchée, les yeux ouverts, elle considérait à la lueur vacillante de la bougie les moulures de la corniche et l'ombre qu'y projetait le paravent, et s'abandonnait à cette rêverie lugubre. Que penserait-il quand elle aurait disparu? Quels remords seraient les siens! « Comment ai-je pu lui parler durement, la quitter sans une parole d'affection? Et voici qu'elle n'est plus, qu'elle nous a pour toujours abandonnés!... » Tout à coup, l'ombre du paravent sembla chanceler, gagner tout le plafond, d'autres ombres coururent à sa rencontre, reculèrent pour se précipiter avec une impétuosité nouvelle et tout se confondit dans une obscurité complète. « La mort » se dit-elle, et une terreur si profonde s'empara de tout son être qu'elle resta quelque temps à rassembler ses idées sans savoir où elle se trouvait; après de vains efforts elle put enfin d'une main tremblante allumer une bougie à la place de celle qui venait de s'éteindre. Des larmes de joie lui inondèrent le visage lorsqu'elle comprit qu'elle vivait encore. « Non, non, tout plutôt que la mort! Je l'aime, il m'aime aussi, nous avons déjà connu des scènes pareilles et tout s'est arrangé. » Et, pour échapper à ses frayeurs, elle se sauva dans le cabinet de Vronski.

Il y dormait d'un paisible sommeil. Elle s'approcha de lui, leva son bougeoir et le contempla longuement en pleurant d'attendrissement. Mais elle se garda bien de le réveiller : il l'aurait regardée de son air glacial, sûr de son fait, et son premier mouvement à elle eût été de lui démontrer la gravité de ses torts. Elle rentra donc dans sa chambre, prit une seconde dose d'opium et s'endormit d'un sommeil pesant, qui ne lui ôta pas le sentiment de ses souffrances.

Vers le matin, le cauchemar affreux qui l'avait plus d'une fois oppressée avant sa liaison avec Vronski l'angoissa de nouveau : un petit bonhomme à la barbe ébouriffée tapotait sur du fer en prononçant des bouts de phrases françaises incompréhensibles. Et comme toujours, ce qui la terrifiait le plus c'était de voir cet homme accomplir sa besogne *au-dessus d'elle* sans avoir l'air de la remarquer.

Aussitôt levée, les événements de la veille lui revinrent confusément à l'esprit. « Que s'est-il passé de si désespéré? pensa-t-elle. Une querelle? ce n'est pas la première. J'ai prétexté une migraine et il n'y a pas pris garde. Demain nous partons : il faut le voir, lui parler et hâter le départ. »

Elle se dirigea vers le cabinet de Vronski; mais, en traversant le salon, le bruit d'une voiture qui s'arrêtait à la porte la fit regarder par la fenêtre. C'était un coupé : une jeune fille en chapeau mauve, penchée à

la portière, donnait des ordres à un valet de pied;
celui-ci sonna, on parla dans le vestibule, puis quelqu'un monta et Anna entendit Vronski descendre l'escalier à la hâte. Elle le vit sortir tête nue, s'approcher
de la voiture, prendre un paquet des mains de la jeune
fille et lui parler en souriant. Le coupé s'éloigna et
Vronski remonta vivement.

Cette petite scène dissipa soudain la torpeur d'Anna
et les impressions de la veille lui déchirèrent le cœur
plus douloureusement que jamais : comment avait-elle
pu s'abaisser au point de rester, après une pareille
scène, tout un jour sous le même toit que cet homme?
Elle entra dans le cabinet pour lui déclarer la résolution qu'elle avait prise.

« La princesse Sorokine et sa fille m'ont apporté
l'argent et les papiers de ma mère que je n'avais pu
obtenir hier, dit tranquillement Vronski, sans vouloir
remarquer la physionomie tragique d'Anna. Comment
te sens-tu ce matin? »

Debout au milieu de la chambre, elle le regardait
fixement tandis qu'il continuait à lire une lettre, le
front plissé, après avoir jeté les yeux sur elle. Sans
mot dire, Anna tourna lentement sur elle-même et se
dirigea vers la porte; il ne fit rien pour la retenir, le
bruit du papier froissé résonnait seul dans le silence.

« A propos, s'écria-t-il enfin au moment où elle atteignait le seuil, c'est bien décidément demain que
nous partons?

— Vous, mais pas moi, répondit-elle en se retournant vers lui.

— Anna, pareille vie devient impossible.

— Vous, mais non pas moi, répéta-t-elle.

— Cela n'est plus tolérable.

— Vous... vous en repentirez », dit-elle et elle sortit.

Effrayé du ton désespéré dont elle avait prononcé
ces derniers mots, Vronski sauta de son siège, voulut
courir après elle, mais se ravisa soudain. Cette menace, qu'il jugeait inconvenante, l'exaspérait. « J'ai
essayé de tous les moyens, murmura-t-il en serrant les
dents, il ne me reste que l'indifférence. » Et il se pré-

para à sortir : il lui fallait encore faire quelques
courses et soumettre une procuration à la signature de
sa mère.

Anna l'entendit quitter son bureau, traverser la salle
à manger, s'arrêter dans l'antichambre, non point pour
venir à elle, mais pour donner ordre de mener l'étalon chez Voïtov. Elle entendit avancer la calèche, ouvrir
la porte d'entrée; quelqu'un remonta précipitamment
l'escalier; elle courut à la fenêtre et vit Vronski
prendre des mains de son valet de chambre une paire
de gants oubliée, puis toucher le dos du cocher, lui
dire quelques mots et, sans lever les yeux vers la
fenêtre, se renverser dans sa pose habituelle au fond
de la calèche, croiser une jambe sur l'autre tout en
mettant un de ses gants, et disparaître enfin au tournant de la rue.

XXVII

« IL est parti, tout est fini! » se dit-elle, debout à la
fenêtre. Soudain l'angoisse où l'avaient plongée durant la nuit l'extinction de la bougie et les affres du
cauchemar l'envahit de nouveau tout entière. « Non,
ce n'est pas possible! » s'écria-t-elle. Traversant toute
la pièce, elle donna un violent coup de sonnette; mais
dominée par la terreur, elle ne put attendre la venue
du domestique et courut à sa rencontre.

« Informez-vous de l'endroit où le comte s'est fait
conduire, lui dit-elle.

— Aux écuries, répondit le valet; la calèche va
rentrer et sera tout de suite à la disposition de madame.

— C'est bon, je vais écrire un mot, et vous prierez
Michel de le porter sur-le-champ aux écuries. »

Elle s'assit et écrivit :

« J'ai eu tort; mais au nom du Ciel reviens, nous
nous expliquerons; j'ai peur. »

Elle cacheta, remit le billet au valet de chambre et, dans sa crainte de rester seule, gagna la *nursery*.

« Je ne le reconnais plus; où sont ses yeux bleus et son joli sourire timide? » pensa-t-elle en apercevant au lieu de Serge que dans sa confusion elle s'attendait à voir, une petite fille potelée aux joues roses, aux cheveux noirs frisés. Assise près d'une table, l'enfant tapait à tort et à travers avec un bouchon de carafe; ses yeux, d'un noir de cassis, fixaient sur sa mère un regard stupide. L'Anglaise s'étant informée de la santé d'Anna, celle-ci l'assura qu'elle se portait fort bien et la prévint qu'on partait le lendemain pour la campagne. Puis elle s'assit près de la petite et lui prit le bouchon des mains pour le faire tourner; mais le mouvement des sourcils et le rire sonore de l'enfant rappelaient si vivement Vronski qu'Anna n'y put tenir : elle se leva brusquement et se sauva. « Est-il vraiment possible que tout soit fini? Non, il reviendra, se dit-elle; mais comment m'expliquera-t-il son animation, son sourire en lui parlant? Eh, je croirai tout ce qu'il me dira... Sinon, je ne vois qu'un remède et je n'en veux pas! » Elle jeta un coup d'œil à la pendule : douze minutes s'étaient écoulées. « Il a reçu ma lettre et va revenir dans dix minutes... Et s'il ne revenait pas? C'est impossible. Il ne doit pas me trouver avec des yeux rouges, je vais me baigner la figure... Mais voyons, me suis-je coiffée aujourd'hui? Oui, fit-elle en portant les mains à sa tête, mais quand donc? je ne m'en souviens plus. » Elle s'approcha d'une glace pour se convaincre qu'elle s'était bien coiffée sans en avoir eu conscience, et recula en apercevant un visage boursouflé et des yeux étrangement brillants qui la considéraient avec épouvante. « Qui est-ce? se demanda-t-elle... Mais c'est moi », comprit-elle soudain. Et, comme elle s'examinait en détail, elle crut sentir sur son épaule les récents baisers de son amant; elle frissonna et porta une de ses mains à ses lèvres. « Deviendrais-je folle? » se demanda-t-elle avec effroi, et elle se sauva dans sa chambre où Annouchka mettait de l'ordre.

« Annouchka..., commença-t-elle sans pouvoir continuer, en s'arrêtant devant cette brave fille, qui parut la
comprendre.

— Vous vouliez faire visite à Darie Alexandrovna,
dit-elle.

— C'est vrai, je vais y aller. »

« Un quart d'heure pour aller, un quart d'heure
pour revenir, il va être ici d'un moment à l'autre! »
Elle regarda sa montre. « Mais comment a-t-il pu me
quitter ainsi! Comment peut-il vivre sans s'être réconcilié avec moi! » Elle s'approcha de la fenêtre, scruta
la rue : toujours personne. Craignant d'avoir fait une
erreur de calcul, elle se remit à compter les minutes
depuis son départ.

Au moment où elle voulait consulter la pendule du
salon, un équipage s'arrêta devant la porte; par la
fenêtre elle reconnut la calèche; mais personne ne
montait l'escalier. Comme elle entendait des voix dans
le vestibule, elle descendit et aperçut son messager,
Michel, un garçon réjoui et bien portant.

« Monsieur le comte était déjà parti pour la gare
de Nijni, dit le valet de chambre.

— Que me veux-tu? Qu'y a-t-il encore?... » dit-elle
à Michel qui voulait lui rendre son billet... « Ah! oui,
c'est vrai, songea-t-elle, il ne l'a pas reçu. » « Eh bien,
porte tout de suite cette lettre au comte à la campagne
chez sa mère et rapporte aussitôt la réponse. »

« Et moi, que vais-je devenir en attendant?... La
folie me guette... Allons toujours chez Dolly... Ah! il
me reste encore la ressource de télégraphier. »

Et elle écrivit la dépêche suivante, qu'elle fit aussitôt
expédier :

« J'ai absolument besoin de vous parler, revenez
vite. »

Elle vint ensuite s'habiller et, déjà prête à sortir,
s'arrêta devant la placide Annouchka dont les petits
yeux gris témoignaient une vive compassion.

« Annouchka, ma chère, que devenir? murmura-
t-elle en se laissant choir sur un fauteuil.

— Pourquoi vous tourmentez-vous. Anna Arcadiévna? Ces choses-là arrivent. Faites un tour de promenade, cela vous distraira.

— Oui, je vais sortir; si en mon absence on apportait une dépêche, tu l'enverras chez Darie Alexandrovna, dit-elle cherchant à se maîtriser. Ou plutôt non, je vais bientôt revenir. »

« Je dois m'abstenir de toute réflexion, m'occuper, sortir, quitter cette maison surtout », songea-t-elle en écoutant, terrifiée, les battements précipités de son cœur.

Elle se hâta de sortir et de monter en calèche.

« Où doit-on mener madame? demanda Pierre, le valet de pied.

— Rue de l'Apparition, chez les Oblonski. »

XXVIII

Le temps était clair; une pluie fine tombée dans la matinée faisait encore étinceler au soleil de mai les toits des maisons, les dalles des trottoirs, les pavés des chaussées, les roues des voitures, les cuirs et les fleurons des harnais. Il était trois heures, le moment le plus animé de la journée.

Doucement bercée par la calèche qu'entraînaient rapidement deux trotteurs gris, Anna jugea différemment sa situation en repassant au grand air et dans le fracas continuel des roues les événements des derniers jours. L'idée de la mort l'effraya moins, mais ne lui parut plus aussi inévitable. Et elle se reprocha vivement l'humiliation à laquelle elle s'était abaissée. « Pourquoi m'être accusée, avoir imploré son pardon? ne puis-je donc vivre sans lui? » Et, laissant cette question sans réponse, elle se mit à lire machinalement les enseignes. « Bureau et magasins. Dentiste. Oui, je vais me confesser à Dolly; elle n'aime pas Vronski, ce sera dur de tout lui dire, mais je le ferai; elle m'aime, je suivrai son conseil; je ne me laisserai

pas traiter comme une enfant. Philippov : kalatches.
On dit qu'il en expédie la pâte à Pétersbourg. L'eau de
Moscou est meilleure, les réservoirs de Mytistchy. » Et
elle se souvint d'avoir autrefois passé dans cette loca-
lité en se rendant avec sa tante en pèlerinage à la
Trinité-Saint-Serge. « On y allait en voiture dans ce
temps-là; était-ce vraiment moi avec des mains rouges?
Que de choses qui me paraissaient des rêves irréali-
sables me semblent aujourd'hui misérables, et des
siècles ne sauraient me ramener à l'innocence d'alors!
Qui m'eût dit l'abaissement dans lequel je tomberais?
Mon billet l'aura fait triompher; mais je rabattrai mon
orgueil... Mon Dieu, que cette peinture sent mauvais!
pourquoi éprouve-t-on toujours le besoin de bâtir et de
peindre?... Modes et parures. »

Un passant la salua, c'était le mari d'Annouchka.
« Nos parasites, comme dit Vronski. Pourquoi les
nôtres?... Ah! si l'on pouvait arracher le passé avec
ses racines! C'est impossible, hélas, mais tout au moins
peut-on feindre d'oublier... » Et se rappelant tout à
coup son passé avec Alexis Alexandrovitch, elle
constata qu'elle en avait aisément perdu le souvenir.
« Dolly me donnera tort, puisque c'est le second que
je quitte. Ai-je la prétention d'avoir raison! » Et elle
sentit les larmes la gagner... « De quoi ces deux jeunes
filles peuvent-elles bien parler en souriant? d'amour?
elles n'en connaissent ni la tristesse ni l'ignominie...
Le boulevard et des enfants; trois petits garçons qui
jouent aux chevaux... Serge, mon petit Serge, je vais
tout perdre sans pour cela te regagner!... Oui, s'il ne
revient pas, tout est bien perdu. Peut-être aura t il
manqué le train et le retrouverai-je à la maison?
Allons, voilà que je veux encore m'humilier... Non, je
vais dire tout de suite à Dolly : je suis malheureuse, je
souffre, je l'ai mérité, mais viens-moi en aide!... Oh!
ces chevaux, cette calèche qui lui appartiennent, je
me fais horreur de m'en servir! Bientôt je ne les re-
verrai plus! »

Tout en se torturant ainsi, elle arriva chez Dolly
et monta l'escalier.

« Y a-t-il du monde? demanda-t-elle dans l'anti-chambre.

— Catherine Alexandrovna Levine », répondit le domestique.

« Kitty, cette Kitty dont Vronski était amoureux, se dit Anna, qu'il regrette de ne pas avoir épousée, tandis qu'il maudit le jour où il m'a rencontrée. »

Dolly donnait des conseils à sa sœur sur la meilleure manière d'allaiter quand on lui annonça Anna; elle vint seule la recevoir.

« Tu n'es pas encore partie? Je voulais précisément passer chez toi, j'ai reçu ce matin une lettre de Stiva.

— Et nous, une dépêche, répondit Anna en tâchant d'apercevoir Kitty.

— Il m'écrit qu'il ne comprend rien aux caprices d'Alexis Alexandrovitch, mais qu'il ne partira pas sans avoir obtenu une réponse définitive.

— Tu as du monde, il me semble? Peux-tu me montrer la lettre de Stiva?

— Oui, j'ai Kitty, répondit Dolly, confuse. Elle est dans la chambre des enfants; tu sais qu'elle relève de maladie?

— Je le sais. Peux-tu me montrer la lettre?

— Certainement, je vais te la chercher... Alexis Alexandrovitch ne refuse pas; Stiva a bon espoir, dit Dolly s'arrêtant sur le seuil.

— Je n'espère et ne désire rien. »

« Kitty croirait-elle s'abaisser en me rencontrant? pensa Anna restée seule. Elle a peut-être raison, mais il ne lui appartient pas, à elle qui a été éprise de Vronski, de me faire la leçon. Je sais bien qu'une femme honnête ne peut me recevoir. J'ai tout sacrifié à cet homme et voilà ma récompense! Ah! que je le hais!... Et pourquoi suis-je venue ici? Je m'y sens plus mal encore que chez moi. » Elle entendit les voix des deux sœurs dans la pièce voisine. « Et comment puis-je parler à Dolly maintenant? Vais-je réjouir Kitty du spectacle de mon malheur, avoir l'air de qué-mander ses bonnes grâces? Non, et d'ailleurs Dolly elle-même ne me comprendrait pas. Mieux vaut me taire. Mais j'aimerais bien voir Kitty pour lui prouver que je méprise tout le monde et que tout m'est devenu indifférent. »

Dolly rentra avec la lettre; Anna la parcourut et la lui rendit.

« Je savais cela, dit-elle, et ne m'en soucie plus.

— Pourquoi? J'ai bon espoir, objecta Dolly en examinant Anna avec attention; jamais elle ne l'avait vue d'aussi bizarre humeur. Quel jour pars-tu? »

Anna ne répondit rien : les yeux à demi fermés, elle regardait droit devant elle.

« Kitty a-t-elle peur de moi? demanda-t-elle au bout d'un moment en jetant un coup d'œil du côté de la porte.

— Quelle idée!... Elle nourrit et ne s'en tire pas encore très bien; je lui donnais des conseils... Elle est enchantée au contraire et va venir tout de suite, répondit Dolly qui se sentait gênée de faire un mensonge. Tiens, la voici. »

En apprenant l'arrivée d'Anna, Kitty n'avait d'abord pas voulu paraître, mais Dolly était parvenue à la raisonner. Elle fit donc effort sur elle-même et s'approcha en rougissant d'Anna pour lui tendre la main.

« Je suis charmée », proféra-t-elle d'une voix émue.

L'hostilité et l'indulgence luttaient encore dans son cœur, mais à la vue du beau visage sympathique d'Anna, ses préventions contre cette « méchante femme » tombèrent.

« J'aurais trouvé naturel votre refus de me voir, dit Anna, je suis faite à tout. Vous avez été malade, me dit-on. En effet je vous trouve changée. »

Kitty attribua le ton sec d'Anna à la gêne que causait à cette femme, jadis si au-dessus d'elle, la fausseté de sa position.

Elles s'entretinrent de la maladie de Kitty, de son enfant, de Stiva, mais l'esprit d'Anna était absent.

« Je suis venue te faire mes adieux, dit-elle à Dolly en se levant.

— Quand partez-vous? »

Sans lui répondre, Anna se tourna vers Kitty avec un sourire.

« Je suis bien aise de vous avoir revue. J'ai tant entendu parler de vous, même par votre mari. Vous savez qu'il est venu me voir? Il m'a beaucoup plu, ajouta-t-elle dans une intention mauvaise. Où est-il?

— A la campagne, répondit Kitty en rougissant.

— Faites-lui mes amitiés, n'y manquez pas.

— Je n'y manquerai pas, répéta naïvement Kitty avec un regard de compassion.

— Adieu, Dolly! » dit Anna.

Elle l'embrassa, serra la main de Kitty et se retira précipitamment.

« Elle est toujours aussi séduisante, fit remarquer Kitty à sa sœur quand celle-ci rentra après avoir reconduit Anna jusqu'à la porte. Comme elle est belle! Mais il y a en elle quelque chose qui m'inspire une immense pitié.

— Je ne la trouve pas aujourd'hui dans son état normal. J'ai cru qu'elle allait fondre en larmes dans l'antichambre. »

XXIX

REMONTÉE dans sa calèche, Anna se sentit plus malheureuse que jamais : son entrevue avec Kitty réveillait douloureusement en elle le sentiment de sa déchéance.

« Madame rentre à la maison? demanda Pierre.

— Oui », répondit-elle sans trop savoir ce qu'elle disait.

« Elles m'ont regardée comme un être bizarre, effrayant, incomprehensible!... Que peuvent se dire ces gens-là? pensa-t-elle en voyant deux passants s'entretenir avec animation. Ont-ils la prétention de se communiquer ce qu'ils éprouvent? Moi qui voulais me confesser à Dolly! J'ai eu raison de me taire; mon

malheur l'aurait réjouie au fond, bien qu'elle n'en eût
rien laissé paraître : elle trouverait juste de me voir
expier ces plaisirs qu'elle m'a enviés. Et Kitty eût été
plus contente encore. Je lis dans son cœur : elle me
hait, parce que j'ai été plus aimable avec son mari
qu'il n'eût fallu. Elle me jalouse, elle me déteste, elle
me méprise : à ses yeux je suis une femme perdue.
Ah! si j'avais été ce qu'elle pense, avec quelle facilité
j'aurais tourné la tête à son mari! La pensée m'en est
venue, j'en conviens... Voilà un homme enchanté de sa
personne, se dit-elle à l'aspect d'un gros monsieur au
teint fleuri dont la voiture croisa la sienne et qui, la
prenant pour une autre, découvrit en la saluant un
crâne aussi luisant que son haut-de-forme... Il croit me
connaître. Personne ne me connaît, pas même moi. Je
ne connais que mes *appétits,* comme disent les Français. Ces gamins convoitent de mauvaises glaces, de
cela ils sont bien sûrs », décida-t-elle à la vue de deux
enfants arrêtés devant un marchand qui déposait à
terre un seau à glaces et s'essuyait la figure au coin
d'un torchon. « Tous, nous sommes avides de friandises
et faute de bonbons on se contente de mauvaises glaces,
comme Kitty qui, ne pouvant épouser Vronski, s'est
rabattue sur Levine. Elle m'envie, elle me déteste. Nous
nous détestons tous les uns les autres. Je la hais, elle
me hait. Ainsi va le monde. Tioutkine, *coiffeur. Je me
fais coiffer par* Tioutkine. Je le ferai rire avec cette
bêtise, pensa-t-elle pour se rappeler aussitôt qu'elle
n'avait plus personne à faire rire. On sonne les vêpres;
comme ce marchand fait ses signes de croix avec circonspection! a-t-il peur de laisser tomber quelque
chose? Pourquoi ces églises, ces cloches, ces mensonges? pour dissimuler que nous nous haïssons tous,
comme ces cochers de fiacre qui s'injurient. Iachvine a
raison de dire : « Il en veut à ma chemise, moi à la
sienne. »

Entraînée par ces réflexions, elle oublia un moment
sa douleur et fut surprise quand la calèche s'arrêta.
La vue du suisse la fit souvenir et de son billet et de sa
dépêche.

« Y a-t-il une réponse? demanda-t-elle.

— Je vais m'en informer », dit le suisse, et il revint un moment après avec une enveloppe de télégramme. Anna l'ouvrit et lut : « Je ne puis rentrer avant dix heures. Vronski. »

« Et le messager?

— Il n'est pas encore de retour. »

Un besoin vague de vengeance s'éleva dans l'âme d'Anna et elle monta l'escalier en courant. « Puisqu'il en est ainsi, je sais ce qu'il me reste à faire. J'irai moi-même le trouver avant de partir pour toujours. Je lui dirai son fait. Jamais je n'ai haï personne autant que cet homme! » Et apercevant un chapeau de Vronski dans l'antichambre, elle frissonna d'horreur. Elle ne réfléchissait pas que la dépêche était une réponse à la sienne et non au message que Vronski ne pouvait pas encore avoir reçu. Elle se le représentait causant gaiement avec sa mère et Mlle Sorokine, jouissant de loin des souffrances qu'il lui infligeait... « Oui, il faut partir bien vite », se dit-elle sans trop savoir encore où elle devait aller. Elle avait hâte de fuir ces terribles pensées qui l'envahissaient dans cette maison où tout, choses et gens, lui était odieux et dont les murs l'écrasaient de leur terrible poids.

« Je vais aller à la gare, décida-t-elle, et si je ne le rencontre pas, je pousserai jusqu'à la campagne et je le prendrai sur le fait. » Elle consulta dans le journal l'horaire des trains : il y en avait un à huit heures deux minutes. « J'arriverai à temps. »

Elle fit atteler des chevaux frais à la calèche et disposa dans un petit sac de voyage les objets indispensables à une absence de quelques jours; résolue à ne pas rentrer, elle roulait dans sa tête mille projets confus; l'un d'eux consistait, après la scène qui se passerait à la gare ou chez la comtesse, à continuer sa route par le chemin de fer de Nijni pour s'arrêter dans la première ville venue.

Le dîner était servi, mais l'odeur même de la nourriture lui faisant horreur, elle regagna tout droit la calèche. La maison projetait déjà son ombre à travers toute la rue, mais le soleil chauffait encore; la soirée s'annonçait belle et claire. Annouchka qui portait sa valise, Pierre qui mit celle-ci dans la voiture, le cocher qui paraissait mécontent, tous l'agaçaient, l'irritaient.

« Je n'ai pas besoin de toi, Pierre.

— Mais qui prendra le billet, madame?

— Eh bien, viens si tu veux, peu m'importe », répondit-elle, contrariée.

Pierre sauta sur le siège, prit une pose avantageuse et donna ordre au cocher de conduire madame à la gare de Nijni.

XXX

« VOILA mes idées qui s'éclaircissent! se dit Anna lorsqu'elle se retrouva en calèche, roulant sur le pavé inégal. A quoi songeais-je en dernier lieu? Au *coiffeur* Tioutkine? Non... Ah! j'y suis : aux réflexions de Iachvine sur la lutte pour la vie et sur la haine qui seule unit les hommes. Où courez-vous comme ça? Vous ne vous échapperez pas à vous-mêmes, et le chien que vous emmenez n'y fera rien! » pensa-t-elle, interpellant à part soi une joyeuse société, installée dans une voiture à quatre chevaux, qui s'en allait de toute évidence faire une partie de campagne. Et, suivant le regard de Pierre qui se retournait sur le siège, elle aperçut un ouvrier ivre emmené par un sergent de ville. « Ceci ferait mieux l'affaire. Nous en avons aussi essayé, du plaisir, le comte Vronski et moi, mais n'avons point trouvé le bonheur auquel nous aspirions! » Pour la première fois, Anna dirigea sur ses relations avec Vronski cette lumière crue qui lui faisait entrevoir le fond de toutes choses. « Qu'a-t-il cherché en moi? Les satisfactions de la vanité plutôt que celles de l'amour. » Et les paroles du comte, l'expression de chien soumis que prenait son visage aux premiers temps de leur liaison lui revenaient en mémoire pour confirmer cette pensée. « Oui, tout en lui indi

quait l'orgueil du triomphe. Il m'aimait certes, mais il
était surtout fier de m'avoir conquise. Et maintenant
qu'il m'a pris tout ce qu'il pouvait me prendre, je lui
fais honte, je lui pèse, il n'a plus souci que d'observer
les formes. Il s'est trahi hier : s'il désire m'épouser,
c'est pour brûler ses vaisseaux. Il m'aime peut-être
encore, mais comment? *The zest is gone...* En voilà
un qui fait le faraud... (Cette parenthèse s'adressait à
un rougeaud de commis perché sur un cheval de manège...) Non, je ne lui plais plus comme autrefois. Au
fond du cœur, il sera bien content d'être délivré de
ma présence... »

Cela n'était point une supposition gratuite, mais une
vérité, dont la lueur vive qui lui découvrait les secrets
de la vie et des rapports entre les hommes lui faisait
crûment apparaître l'évidence.

« Tandis que mon amour devient de plus en plus
égoïstement passionné, le sien s'éteint peu à peu; c'est
pourquoi nous ne nous entendons plus. Et il n'y a
pas de remède à cette situation. Il m'est tout, je veux
qu'il se donne a moi tout entier, mais lui ne cherche
qu'à me fuir. Jusqu'au moment de notre liaison nous
allions l'un au-devant de l'autre, maintenant c'est en
sens inverse que nous marchons. Il m'accuse d'être
ridiculement jalouse; je me suis fait aussi ce reproche,
mais bien à tort : la vérité, c'est que mon amour ne se
sent plus satisfait. Mais... »

Cette découverte troubla tellement Anna qu'elle
changea de place dans la calèche, remuant involontairement les lèvres comme si elle allait parler.

« Si je pouvais, je chercherais à lui être une amie
raisonnable, et non une maîtresse passionnée dont
l'ardeur lui répugne et qui de son côté souffre de sa
froideur. Mais je ne puis ni ne veux me transformer.
Il ne me trompe pas, j'en suis certaine, il ne songe
pas plus aujourd'hui à Mlle Sorokine que naguère à
Kitty. Mais que m'importe? S'il ne m'aime plus, s'il
ne se montre bon et tendre envers moi que par devoir,
ce sera l'enfer; je préfère encore sa haine. Nous en
sommes là; il y a longtemps qu'il ne m'aime plus, et

là où finit l'amour, commence le dégoût... Qu'est-ce que ce quartier inconnu? des rues qui montent sans fin et des maisons, toujours des maisons, habitées par une foule de gens qui tous se haïssent les uns les autres... Voyons, que pourrait-il m'arriver qui me donnerait encore du bonheur? Supposons qu'Alexis Alexandrovitch consente au divorce, qu'il me rende Serge, que j'épouse Vronski... »

En songeant à Karénine, Anna le vit surgir devant elle avec son regard éteint, ses mains blanches veinées de bleu, ses phalanges qui craquaient, ses intonations particulières, et le souvenir de leurs rapports, jadis qualifiés de tendres, la fit tressaillir d'horreur.

« Admettons que je sois mariée : Kitty me regardera-t-elle avec moins de condescendance? Serge ne se demandera-t-il pas pourquoi j'ai deux maris? Pourra-t-il s'établir entre Vronski et moi des relations qui ne me mettent point à la torture? Non, se répondit-elle sans hésiter, la scission entre nous est trop profonde; je fais son malheur, il fait le mien, nous n'y changerons plus rien!... Pourquoi cette mendiante avec son enfant s'imagine-t-elle inspirer la pitié? Ne sommes-nous pas tous jetés sur cette terre pour nous haïr et nous tourmenter les uns les autres?... Tiens, des collégiens qui s'amusent... Mon petit Serge! Lui aussi, j'ai cru l'aimer; mon affection pour lui m'attendrissait moi-même. J'ai pourtant vécu sans lui, j'ai troqué l'amour que je lui portais contre une autre passion, et tant que celle-ci a été satisfaite, je ne me suis pas plainte de l'échange... »

Ce qu'elle appelait « cette autre passion » lui apparut sous des couleurs hideuses. Cependant elle goûtait un plaisir amer à fouiller ainsi ses sentiments et ceux d'autrui. « Nous en sommes tous là, et moi, et Pierre, et le cocher Théodore, et ce marchand qui passe et tous les gens qui habitent les rives fortunées de la Volga que ces affiches nous convient à visiter », se dit-elle au moment où la voiture s'arrêtait devant la façade basse de la gare de Nijni. Une nuée de porteurs se précipita à sa rencontre.

« C'est pour Obiralovka que je dois prendre le billet, n'est-ce pas, madame? »

Elle eut peine à comprendre cette question, tant ses pensées étaient ailleurs; elle avait complètement oublié ce qu'elle venait faire là.

« Oui », répondit-elle enfin, en lui tendant son porte-monnaie. Et elle descendit de voiture, son petit sac rouge à la main.

Tandis qu'elle fendait la foule pour gagner la salle des premières, les détails de sa situation lui revinrent en mémoire ainsi que les divers partis qui s'offraient à elle. De nouveau elle flotta entre l'espoir et le découragement, de nouveau ses plaies se rouvrirent et son cœur battit à rompre. Assise en attendant le train sur un immense canapé, elle jetait des regards d'aversion sur les allants et venants qui tous lui étaient odieux. Tantôt elle se représentait le moment où elle arriverait à Obiralovka, le billet qu'elle écrirait à Vronski, ce qu'elle lui dirait dès son entrée dans le salon de la vieille comtesse où peut-être en ce moment il se plaignait des amertumes de sa vie sans vouloir comprendre ses souffrances à elle, Anna. Tantôt elle songeait qu'elle aurait pu encore connaître d'heureux jours : combien il était dur d'aimer et de haïr tout à la fois! combien surtout son pauvre cœur battait à se rompre!...

XXXI

Un coup de cloche retentit; quelques jeunes fats, grotesques mais soucieux de l'impression qu'ils produisaient, se hâtèrent vers les quais; Pierre engoncé dans sa livrée et ses bottes traversa toute la salle d'un air stupide et se mit en devoir d'escorter Anna jusqu'au wagon. Les bruyants personnages firent silence en la voyant passer, et l'un d'eux murmura à l'oreille de son voisin quelques mots sans doute graveleux.

Anna escalada le marchepied et s'installa dans un compartiment vide; le sac qu'elle posa auprès d'elle rebondit sur la banquette élastique dont l'étoffe défraîchie avait dû jadis être blanche. Avec un sourire idiot, Pierre souleva, en guise d'adieu, son chapeau galonné et s'éloigna. Un effronté conducteur ferma bruyamment la portière. Une dame difforme, affublée d'une tournure et qu'Anna déshabilla en imagination pour s'épouvanter de sa laideur, courait le long du quai suivie d'une petite fille qui riait avec affectation.

« Catherine Andréievna a tout par-devers elle, ma tante », cria la petite.

« Cette enfant est déjà grimacière et prétentieuse », se dit Anna; et pour ne voir personne elle alla s'asseoir tout au bout de la banquette. Un petit bonhomme sale et difforme, coiffé d'une casquette d'où s'échappaient des cheveux ébouriffés passa le long de la voie, se penchant sans cesse sur les roues. « Cette vilaine figure ne m'est pas inconnue », se dit Anna. Tout à coup elle se rappela son cauchemar et, frissonnant d'épouvante, recula jusqu'à l'autre porte que le conducteur ouvrait pour laisser monter un monsieur et une dame.

« Vous voulez descendre? » demanda cet homme.

Anna ne répondit rien, et personne ne put remarquer sous son voile la terreur qui la glaçait. Elle regagna son coin; le couple prit place à l'autre bout, examinant avec une curiosité discrète les détails de sa toilette. Ces deux êtres lui inspirèrent aussitôt une profonde répulsion. Désireux de lier conversation, le mari lui demanda la permission d'allumer une cigarette; l'ayant obtenue, il raconta force niaiseries à sa femme; en fait, il n'avait pas plus envie de parler que de fumer, mais voulait à tout prix attirer l'attention de sa voisine. Anna vit clairement qu'ils étaient las l'un de l'autre, qu'ils se détestaient cordialement. Pouvait-on ne pas prendre en haine de pareils grotesques?

La rumeur, le transfert des bagages, les cris, les rires qui succédèrent au second coup de cloche donnèrent à Anna l'envie de se boucher les oreilles : qu'est-ce qui pouvait bien faire rire? Enfin ce fut le troisième coup de cloche, puis le coup de sifflet du chef de gare, auquel répondit celui de la locomotive; le train s'ébranla, et le monsieur fit un signe de croix. « Je serais curieuse de savoir quelle signification il attribue à ce geste? » se demanda Anna en lui jetant un regard mauvais, qu'elle reporta aussitôt, par-dessus la tête de la dame, sur les personnes qui étaient venues accompagner des voyageurs et qui paraissaient maintenant reculer avec le quai. Le wagon avançait lentement, cahotant à intervalles réguliers sur les jointures des rails; il dépassa le quai, un mur, un disque, une file d'autres wagons; le mouvement s'accéléra, le couchant empourpra la portière, la brise se joua dans les stores. Bercée par la marche du train, Anna oublia ses visions, respira l'air frais et reprit le cours de ses réflexions.

« A quoi pensai-je? à ce que ma vie, de quelque manière que je me la représente, ne peut être que douleur; nous sommes tous voués à la souffrance. nous le savons et cherchons à nous le dissimuler d'une manière ou d'une autre. Mais lorsque la vérité nous crève les yeux, que nous restera-t-il à faire? »

« La raison a été donnée à l'homme pour se soustraire à ses ennuis », dit la dame en français, toute fière d'avoir trouvé cette phrase.

Ces paroles parurent faire écho aux pensées d'Anna.

« Se soustraire à ses ennuis », répéta-t-elle mentalement. Un coup d'œil jeté sur ce monsieur haut en couleur et sur sa maigre moitié lui fit comprendre que celle-ci devait se considérer comme une créature incomprise : son mari, qui sans doute la trompait, n'avait garde de combattre cette opinion. Anna devinait tous les détails de leur histoire, plongeait dans les replis les plus secrets de leurs cœurs; mais cela manquait d'intérêt et elle continua à réfléchir.

« Eh bien, moi aussi, j'ai de graves ennuis, et puisque la raison l'exige, mon devoir est de m'y soustraire. Pourquoi ne pas éteindre la lumière quand il n'y a plus rien à voir, quand le spectacle devient odieux?... Mais pourquoi ce conducteur court-il le long du marchepied? quel besoin ces jeunes gens, dans le compartiment à côté, éprouvent-ils de crier et de rire? Tout n'est que mal et injustice, mensonge et duperie!... »

En descendant du train, Anna, évitant comme des pestiférés les autres voyageurs, s'attarda sur le quai pour se demander ce qu'elle allait faire. Tout lui paraissait maintenant d'une exécution difficile; au contact de cette foule bruyante, elle rassemblait mal ses idées. Des porteurs lui offraient leurs services; les jeunes freluquets lui décochaient des œillades en parlant à voix haute et en faisant sonner leurs talons. Se rappelant soudain la résolution qu'elle avait prise de continuer sa route si elle ne trouvait pas de réponse à la gare, elle demanda à un employé s'il n'avait point vu par hasard un cocher qui portait une lettre au comte Vronski.

« Vronski? On est venu tout à l'heure de chez eux chercher la princesse Sorokine et sa fille. Comment est-il de sa personne, ce cocher? »

Au même moment, Anna vit s'avancer vers elle son envoyé, le cocher Michel : tout rouge, tout joyeux, son beau caftan bleu barré d'une chaîne de montre, il semblait fier d'avoir rempli sa mission. Il remit à Anna un billet qu'elle décacheta, l'angoisse au cœur.

« Je regrette beaucoup, écrivait Vronski d'une main négligente, que votre billet ne m'ait pas trouvé à Moscou. Je rentrerai à dix heures. »

« C'est cela, je m'y attendais! » se dit-elle avec un sourire sardonique.

« Merci, tu peux t'en retourner », ordonna-t-elle à Michel d'une voix à peine perceptible, car les palpitations de son cœur l'empêchaient de respirer. « Non, je ne te permettrai plus de me faire ainsi souffrir! » décida-t-elle. Ce n'était point à elle que s'adressait cette menace, mais à la cause même de sa torture.

Elle se mit à longer le quai. Deux femmes de chambre qui faisaient les cent pas se retournèrent pour examiner sa toilette. « Ce sont des vraies », dit tout

haut l'une d'elles en désignant les dentelles d'Anna.
Les jeunes mirliflores la dévisagèrent de nouveau et
échangèrent d'une voix affectée des propos bruyants.
Le chef de gare lui demanda si elle reprenait le train.
Un petit marchand de kvass ne la quittait pas des
yeux. « Où fuir, mon Dieu? » se disait-elle en marchant toujours. Presque au bout du quai, des dames
et des enfants causaient en riant avec un monsieur
en lunettes qu'ils étaient venus chercher; à l'approche
d'Anna le groupe se tut pour la regarder. Elle hâta
le pas et s'arrêta près de l'escalier qui de la pompe
descendait aux rails. Un convoi de marchandises
approchait, ébranlant le quai; elle se crut de nouveau
dans le train en marche.

Tout à coup elle se souvint de l'homme écrasé le
jour de sa première rencontre avec Vronski, et elle
comprit ce qui lui restait à faire. D'un pas rapide et
léger elle descendit les marches et, postée près de la
voie, elle scruta les œuvres basses du train qui la frô-
lait, les chaînes, les essieux, les grandes roues de
fonte, cherchant à mesurer de l'œil la distance qui
séparait les roues de devant de celles de derrière.

« Là, se dit-elle en fixant dans ce trou noir les tra-
verses recouvertes de sable et de poussier, là, au beau
milieu; il sera puni et je serai délivrée de tous et de
moi-même. »

Son petit sac rouge qu'elle eut quelque peine à détacher de son bras, lui fit manquer le moment de se
jeter sous le premier wagon : force lui fut d'attendre
le second. Un sentiment semblable à celui qu'elle
éprouvait jadis avant de faire un plongeon dans la
rivière s'empara d'elle, et elle fit le signe de la croix.
Ce geste familier réveilla dans son âme une foule de
souvenirs d'enfance et de jeunesse; les minutes heureuses de sa vie scintillèrent un instant à travers les
ténèbres qui l'enveloppaient. Cependant elle ne quittait
pas des yeux le wagon, et lorsque le milieu entre les
deux roues apparut, elle rejeta son sac, rentra sa tête
dans les épaules et, les mains en avant, se jeta sur les
genoux sous le wagon, comme prête à se relever. Elle

eut le temps d'avoir peur. « Où suis-je? Que fais-je? Pourquoi? » pensa-t-elle, faisant effort pour se rejeter en arrière. Mais une masse énorme, inflexible, la frappa à la tête et l'entraîna par le dos. « Seigneur, pardonnez-moi! » murmura-t-elle, sentant l'inutilité de la lutte. Un petit homme, marmottant dans sa barbe, tapotait le fer au-dessus d'elle. Et la lumière qui pour l'infortunée avait éclairé le livre de la vie, avec ses tourments, ses trahisons et ses douleurs, brilla soudain d'un plus vif éclat, illumina les pages demeurées jusqu'alors dans l'ombre, puis crépita, vacilla et s'éteignit pour toujours (1).

(1) « Je vous en supplie, donnez-nous vite la suite et la fin d'*Anna Karénine*. Le bruit a couru ici qu'Anna se jetait sous un train. Je ne veux pas le croire. Vous êtes incapable d'une pareille vulgarité. » (Lettre d'Alexandra Tolstoï, 28 mars 1876.)

« La dernière partie d'*Anna Karénine* a produit ici une impression particulièrement forte, une véritable explosion. Dostoïevski agite les bras et dit que vous êtes un dieu de l'art. » (Lettre de Strakhov, 18 mai 1877.)

« *Anna Karénine* est une perfection en tant qu'œuvre d'art; elle est venue juste au bon moment, et rien dans la littérature européenne de notre époque ne peut lui être comparé. Par l'idée qui le guide, ce livre présente des caractères qui n'appartiennent qu'à nous, à notre peuple, très précisément ceux qui constituent notre originalité en face du monde européen. » (Dostoïevski.)

« Parmi les reproches qu'on vous fait, un seul a du sens. Tous ont remarqué que vous refusiez de vous appesantir sur la mort d'Anna... Je ne comprends pas encore le sentiment qui vous a guidé. Peut-être que j'arriverai à saisir, mais aidez-moi. La dernière rédaction de la scène de la mort est si sèche que c'en est effrayant. Il me semble, d'ailleurs, qu'il vous est difficile d'en présenter une autre aux lecteurs quand tous les traits de celle-ci jusqu'au dernier sont déjà gravés dans leur mémoire. Je vous envoie les deux versions mises au net... » (Lettre de Strakhov, 8 septembre 1877.)

« Dans la presse on commente chaque nouvelle parution d'*Anna Karénine* avec autant d'ardeur qu'une nouvelle bataille ou qu'un discours de Bismarck. Et on en dit autant de bêtises. On vous reproche d'être subjectif, aristocrate, de mal écrire. »

« Un critique s'étonne que vous vous étendiez tout le long de votre roman sur un certain Levine, quand il ne faudrait parler que de la seule Anna Karénine. Dans les *Annales de la Patrie* on remarque que Levine qui au début reconnaît ses devoirs envers le peuple, s'accommode ensuite tranquillement de sa situation d'exploitateur.

« J'ai été enchanté que vous brûliez l'article de Markov et l'autre... Ce n'est pas ce que font Tourguéniev, Dostoïevski, qui lisent chaque ligne les concernant et même interviennent pour se défendre. » (Lettres de Strakhov, avril-mai-septembre 1877.)

Tolstoï en effet fut assez rapidement indifférent à la critique et, à la fin de sa vie, il brûlait sans les lire les articles qui avaient trait à son œuvre et à sa pensée.

HUITIÈME PARTIE

I

Près de deux mois s'étaient écoulés. En dépit des fortes chaleurs Serge Ivanovitch n'avait pas encore quitté Moscou, où le retenait un événement d'importance : la publication de son « Essai sur les bases et les formes gouvernementales en Europe et en Russie », fruit d'un labeur de six années. Il avait lu à un cercle choisi quelques fragments de cet ouvrage, fait paraître dans des revues l'introduction et plusieurs chapitres; mais, bien que son travail n'eût plus l'attrait de la nouveauté, Serge Ivanovitch s'attendait à ce qu'il fît sensation.

Tout en affectant une feinte indifférence et sans vouloir même s'informer de la vente auprès des libraires, Koznychev attendait avec une impatience fiévreuse les premières marques de l'énorme impression que son livre ne manquerait pas de produire tant dans la société que parmi les savants. Mais des semaines se passèrent sans qu'aucune émotion vînt agiter le monde littéraire; quelques amis, hommes de science, lui firent des compliments de politesse, mais la société proprement dite était préoccupée de questions trop différentes pour accorder la moindre attention à un ouvrage de ce genre. Quant à la presse, elle garda pendant près de deux mois le silence : seul le *Hanneton du Nord,* dans un feuilleton consacré au chanteur

Drabanti qui avait perdu sa voix, cita en passant le
livre de Koznychev comme un ouvrage dont chacun
faisait des gorges chaudes.

Enfin, dans le courant du troisième mois une revue
sérieuse publia un compte rendu portant la signature
d'un jeune homme maladif et peu instruit, affligé d'un
caractère timide, mais doué d'une plume fort alerte.
Serge Ivanovitch, qui l'avait rencontré chez l'éditeur
Goloubtsov faisait piètre cas du personnage; il
accorda néanmoins à sa prose tout le respect voulu,
mais en éprouva une vive mortification. Le critique
donnait du livre une interprétation fort inexacte; mais,
par des citations habilement choisies et de nombreux
points d'interrogation il laissait entendre à qui ne
l'avait pas lu — c'est-à-dire à la grosse majorité du
public — que cet ouvrage était un pur tissu de phrases
pompeuses et incohérentes. Ces flèches étaient d'ailleurs lancées avec un brio que Serge Ivanovitch ne put
se défendre d'admirer : lui-même n'eût pas fait mieux.
Par acquit de conscience, il vérifia la justesse des
remarques de son critique, mais préféra en attribuer
le fiel à une vengeance personnelle : il évoqua aussitôt les plus petits détails de leur rencontre et finit par
se souvenir d'avoir en effet relevé une erreur trop
grossière de son jeune confrère.

Ce fut ensuite le silence absolu. Au mécompte de
voir passer inaperçue une œuvre chère et qui lui avait
demandé six années de travail, se joignait pour Serge
Ivanovitch une sorte de découragement causé par
l'oisiveté. Il ne restait plus guère à cet homme cultivé,
spirituel, bien portant, avide d'activité que l'unique
exutoire des salons, des paroles, des comités : mais à
l'encontre de son frère durant ses séjours à Moscou,
ce citadin averti n'avait garde d'accorder au bavardage le meilleur de son temps.

Par bonheur pour lui, juste à ce moment critique,
toutes les questions à l'ordre du jour — sectes dissi-
dentes, amitiés américaines, disette de Samara, exposition, spiritisme — cédaient brusquement la place à
une autre, celle des Balkans, qui jusqu'alors couvait

sous la cendre et dont il avait été de longue date un des animateurs.

On ne parlait autour de lui que de la guerre de Serbie, et la foule des oisifs ne songeait plus qu'aux « frères slaves » : tout, depuis les bals, les concerts, les festins, jusqu'aux allumettes, à la bière et aux parures féminines, témoignait abondamment de cette sympathie. Bien des choses, dans cette vogue, déplaisaient à Serge Ivanovitch : pour beaucoup de gens ce n'était qu'une mode passagère, pour d'aucuns même un moyen de se pousser ou de s'enrichir. Pour faire pièce à leurs confrères, les journaux publiaient des nouvelles plus tendancieuses les unes que les autres, et nul ne criait aussi fort que les ratés de tout acabit : généraux sans armée, ministres sans portefeuille, journalistes sans journaux, chefs de parti sans partisans. Néanmoins, tout en regrettant ces côtés puérils de la question, force lui était de reconnaître qu'elle provoquait dans toutes les classes de la société un enthousiasme indubitable. Les souffrances et l'héroïsme des Serbes et des Monténégrins, nos frères de race et de religion, avaient fait naître le désir unanime de leur venir en aide et non plus seulement par des discours. Cette manifestation de l'opinion publique comblait de joie Serge Ivanovitch. Enfin, disait-il, le sentiment national s'est produit au grand jour. Et plus il observait ce mouvement, plus il lui découvrait des proportions grandioses, destinées à marquer dans l'histoire de la Russie. Il oublia donc son livre et ses déceptions pour se consacrer corps et âme à cette grande œuvre. Elle l'absorba tellement qu'il ne put s'accorder qu'au mois de juillet quinze jours de vacances : il avait besoin de repos et désirait en même temps assister dans le sein des campagnes aux premiers signes de ce réveil national, auquel toutes les grandes villes de l'Empire croyaient fermement (1). Katavassov profita de l'occasion pour tenir la promesse qu'il avait faite à Levine de venir le voir.

(1) Tolstoï fit éditer à part la huitième partie d'*Anna Karénine*. Katkov, jugeant son attitude en face de la question serbe trop

II

Au moment où les deux amis, descendus de voiture devant la gare de Koursk, se préoccupaient de leurs bagages confiés à un domestique qui venait derrière, quatre fiacres amenaient des volontaires. Des dames, munies de bouquets, accueillirent les héros du jour et, suivies d'une grande foule, les accompagnèrent dans l'intérieur de la gare. L'une d'elles, qui connaissait Serge Ivanovitch, lui demanda en français si lui aussi faisait escorte.

« Non, princesse, je pars pour la campagne, chez mon frère; j'ai besoin de repos. Mais vous, ajouta-t-il en esquissant un sourire, vous êtes toujours fidèle au poste?

— Il le faut bien. Est-il vrai, dites-moi, que nous en ayons déjà expédié huit cents? Malvinski prétend le contraire.

— Si nous comptons ceux qui ne sont pas partis directement de Moscou, nous en avons déjà expédié plus de mille.

— Je le disais bien, s'écria la dame enchantée. Et les dons? n'est-ce pas qu'ils ont atteint plus d'un million?

— Davantage, princesse.

— Avez-vous lu les dépêches aujourd'hui? Encore une défaite des Turcs.

---

subversive, avait refusé de l'imprimer dans le *Messager Russe* et avait fait paraître à la place une note de la rédaction qui RACONTAIT les derniers chapitres du roman.

« J'ai toujours beaucoup admiré la façon dont vous agissiez vis-à-vis de votre célébrité et vos œuvres. Vous n'avez jamais fait un pas ni pour diffuser ni pour dissimuler quoi que ce soit. Les choses ont suivi leur cours et vous êtes resté calme et devant les louanges et devant les attaques... quand le *Messager Russe* a refusé d'imprimer la fin d'*Anna Karénine*, vous n'avez pas dit un mot. » (Lettre de Strakhov, novembre 1897.)

— Oui, répondit Serge Ivanovitch, je les ai lues. »
A en croire ces dépêches, les Turcs, battus durant
trois jours sur tout le front, avaient pris la fuite;
on attendait pour le lendemain une bataille décisive.

« A propos, reprit la princesse, j'ai un service à
vous demander. Ne pourriez-vous pas appuyer la demande d'un excellent jeune homme qui se voit opposer je ne sais quelles difficultés? Je le connais, il m'a
été recommandé par la comtesse Lydie. »

Après s'être enquis des détails, Serge Ivanovitch
passa dans la salle d'attente des premières, pour y
écrire un billet à qui de droit.

« Savez-vous qui part aujourd'hui? lui demanda la
princesse quand il l'eut retrouvée dans la foule pour
lui remettre le billet. Le comte Vronski, le fameux...,
dit-elle d'un air de triomphe avec un sourire significatif.

— J'avais entendu dire qu'il s'était engagé, mais je
ne savais pas qu'il partait aujourd'hui.

— Je viens de le voir; sa mère est seule à l'accompagner. Entre nous, c'est ce qu'il avait de mieux à
faire.

— Evidemment. »

Cependant la foule les entraînait vers le buffet où un
monsieur, le verre en main, portait un toast aux volontaires. « Vous partez défendre notre foi, nos frères,
l'humanité, disait-il en haussant de plus en plus le
ton. Notre mère Moscou vous bénit. *Jivio!* conclut-il
d'une voix tonnante et pleurnicharde.

— *Jivio!* répéta la foule sans cesse accrue et dont
un remous faillit renverser la princesse.

— Eh bien, princesse, qu'en dites-vous? cria soudain la voix de Stépane Arcadiévitch, qui, la mine épa-
nouie, se frayait un chemin dans la mêlée. Voilà ce qui
s'appelle parler, cela partait du cœur. Bravo... Ah!
vous êtes ici, Serge Ivanovitch. Vous devriez leur dire
quelques paroles d'approbation, vous vous y entendez
si bien », ajouta-t-il avec un sourire charmeur, bien
que circonspect.

Et déjà il faisait mine de pousser en avant Serge Ivanovitch.

« Non, dit celui-ci; mon train m'attend.

— Vous partez? où allez-vous?

— Chez mon frère.

— Alors vous verrez ma femme. Je viens de lui écrire, mais vous arriverez avant ma lettre : ayez l'obligeance de lui dire que vous m'avez rencontré et que tout est *all right,* elle comprendra... Ou plutôt dites-lui que je suis nommé membre de la Commission des agences réunies... Peu importe, elle comprendra. Excusez, princesse, ce sont, voyez-vous, *les petites misères de la vie humaine,* ajouta-t-il en se tournant vers la dame... A propos, savez-vous que la princesse Miagki, pas Lise, mais Bibiche, envoie mille fusils et douze infirmières.

— Je l'ai entendu dire, répondit froidement Koznychev.

— Quel dommage que vous partiez! Nous donnons demain un dîner d'adieu à deux volontaires, Dimer-Bartnianski de Pétersbourg, et notre Gricha Veslovski qui, à peine marié, part déjà. C'est beau, n'est-ce pas, princesse? »

En guise de réponse, la dame échangea un regard avec Koznychev. Sans remarquer ce geste d'impatience, Stépane Arcadiévitch continuait à bavarder, les yeux tantôt fixés sur le chapeau à plumes de la princesse, tantôt errant autour de lui, comme s'il cherchait quelque chose. Enfin, apercevant une quêteuse, il lui fit signe et déposa un billet de cinq roubles dans le tronc qu'elle lui tendait.

« C'est plus fort que moi, déclara-t-il; tant que j'ai de l'argent dans ma poche, je ne puis pas voir une quêteuse sans lui donner quelque chose... Mais parlons un peu des nouvelles d'aujourd'hui. Quels gaillards que ces Monténégrins!... Pas possible! » s'écria-t-il, quand la princesse lui eut appris que Vronski faisait partie du convoi.

Une teinte de tristesse se peignit sur son visage, mais quand, au bout de quelques instants, il pénétra en redressant ses favoris dans la pièce réservée où attendait le comte, il ne songeait plus aux larmes qu'il avait versées sur le corps inanimé de sa sœur et ne voyait en Vronski qu'un héros et un vieil ami.

« Il faut lui rendre justice, dit la princesse lorsque Oblonski se fut éloigné : malgré tous ses défauts, c'est une nature bien russe, bien slave. Je crains cependant que le comte n'ait aucun plaisir à le voir. Quoi qu'on dise, le sort de cet infortuné me touche; tachez donc de causer avec lui pendant le voyage.

— Oui, si j'en trouve l'occasion.

— Il ne m'a jamais plu, mais ce qu'il fait maintenant rachète bien des torts. Vous savez qu'il emmène un escadron à ses frais.

— Je l'ai entendu dire. »

La cloche retentit, tout le monde se précipita vers les portes.

« Le voici », dit la princesse, en désignant Vronski, vêtu d'un long paletot et coiffé d'un chapeau noir à larges bords. Le regard fixe, il donnait le bras à sa mère et prêtait une oreille distraite aux propos animés d'Oblonski. Cependant, sur un mot de celui-ci, il se tourna du côté où se trouvaient la princesse et Koznychev et souleva son chapeau sans mot dire. Son visage vieilli et ravagé par la douleur semblait pétrifié. Aussitôt sur le quai, il monta en wagon, après avoir cédé le pas à sa mère et s'enferma dans son compartiment.

L'hymne national chanté en chœur fut suivi d'interminables hourras et du *jivio* serbe. Un très jeune volontaire, la taille haute mais la poitrine rentrée, répondait au public avec ostentation, en brandissant son bonnet de feutre et un bouquet au-dessus de sa tête. Derrière lui apparaissaient deux officiers, ainsi qu'un homme âgé et barbu qui agitait une casquette crasseuse.

III

Après avoir pris congé de la princesse, Koznychev
monta, en compagnie de Katavassov, qui venait de le
rejoindre, dans un wagon archicomble, et le train se
mit en marche.

A la première station, celle de Tsaritsyne, un groupe
de jeunes gens accueillit les volontaires par le chant
du « Gloire à notre tsar ». Ovations et remerciements
se renouvelèrent. Le type des volontaires était trop
familier à Serge Ivanovitch pour qu'il témoignât la
moindre curiosité; Katavassov au contraire, à qui ses
études n'avaient point permis d'observer ce milieu,
posait à son compagnon force questions sur leur
compte. Serge Ivanovitch lui conseilla de les étudier
dans leur wagon, et à la station suivante Katavassov
suivit cet avis.

Il trouva les quatre héros assis dans le coin d'un
wagon de seconde classe, causant bruyamment et se
sachant l'objet de l'attention générale; sous l'influence
de trop nombreuses libations, le grand jeune homme
voûté parlait plus haut que les autres et racontait une
histoire; assis en face de lui, un officier d'âge mûr,
portant la vareuse de la garde, de coupe autrichienne,
l'écoutait en souriant et l'interrompait de temps à
autre. Le troisième volontaire, en uniforme d'artilleur,
était assis auprès d'eux sur une cantine et le quatrième
dormait.

Katavassov engagea conversation avec le beau parleur : à peine âgé de vingt-deux ans, ce jeune négociant moscovite avait déjà mangé une fortune
considérable et croyait maintenant accomplir un
exploit sans pareil; efféminé, maladif et hâbleur, il
déplut franchement à Katavassov, aussi bien d'ailleurs
que son interlocuteur, l'officier en retraite. Celui-ci
avait tâté de tous les métiers, servi dans les chemins

de fer, régi des propriétés, fondé même une usine; il parlait de toutes choses sur un ton de suffisance, en employant à tort et à travers des termes savants.

L'artilleur au contraire faisait bonne impression : c'était un garçon timide et tranquille; ébloui sans doute par la science de l'officier aux gardes et l'héroïsme du négociant, il se tenait sur la réserve. Katavassov lui ayant demandé à quels mobiles il obéissait en partant :

« Mais je fais comme tout le monde, répondit-il modestement. Les pauvres Serbes ont tant besoin de secours.

— Oui, et des artilleurs comme vous leur seront surtout très utiles.

— Oh! j'ai si peu servi dans l'artillerie; il est possible qu'on me donne un poste dans l'infanterie ou dans la cavalerie.

— Pourquoi cela, puisque ce sont les artilleurs qui font le plus défaut? objecta Katavassov, attribuant au volontaire un grade en rapport avec son âge.

— Oh! j'ai si peu servi, répéta l'autre, je ne suis qu'élève-officier. »

Et il se mit à raconter pour quelles raisons il avait échoué à ses examens.

A la station suivante, les volontaires descendirent pour se rafraîchir et Katavassov, fort peu édifié par ce qu'il avait vu et entendu, se tourna vers un vieillard en uniforme militaire qui avait écouté l'entretien en silence.

« Il me semble qu'on expédie là-bas des gens de tout poil », dit-il pour lui faire exprimer son opinion en laissant deviner la sienne.

Ayant fait deux campagnes, le vieil officier ne pouvait prendre au sérieux des héros dont la valeur militaire se puisait principalement dans leurs gourdes de voyage. Il faillit raconter que, dans la petite ville où il demeurait, un soldat en congé illimité, ivrogne, voleur et perpétuel chômeur, s'était engagé comme volontaire. Mais, sachant par expérience que devant la surexcitation actuelle des esprits on n'exprimait point sans quelque danger des opinions indépendantes, il se borna à répondre en souriant des yeux et en interrogeant, lui aussi, Katavassov du regard :

« Que voulez-vous, il faut des hommes! »

Tous deux s'entretinrent alors du fameux bulletin de victoire, sans toutefois qu'ils osassent se poser mutuellement la question qui les troublait *in petto* : puisque les Turcs, battus sur tout le front, avaient pris la fuite, contre qui donc devait-on livrer le lendemain une bataille décisive?

Lorsque Katavassov reprit sa place auprès de Serge Ivanovitch, il n'eut pas le courage de son opinion et se déclara fort satisfait de ses observations.

Au premier chef-lieu où le train s'arrêta, on retrouva les chœurs, les vivats, les bouquets, les quêteuses, les toasts au buffet, mais avec une nuance d'enthousiasme moindre.

IV

Pendant cet arrêt, Serge Ivanovitch se promena sur le quai et passa devant le compartiment de Vronski, dont les stores étaient baissés. Au second tour, il aperçut la vieille comtesse près de la portière; elle l'appela.

« Vous voyez, dit-elle, je l'accompagne jusqu'à Koursk.

— On me l'a dit », répondit Koznychev, en jetant un regard à l'intérieur du wagon, et remarquant l'absence de Vronski, il ajouta : « Votre fils fait là une belle action.

— Hé! que vouliez-vous qu'il fît après son malheur!

— Quel affreux événement!

— Mon Dieu, par où n'ai-je point passé! Mais venez donc vous asseoir auprès de moi... Si vous saviez ce que j'ai souffert! Pendant six semaines, il n'a pas ouvert la bouche, et mes supplications seules le décidaient à manger. Il n'y avait pas moyen de le laisser

seul un instant, nous craignions qu'il n'attentât à ses
jours; nous habitions le rez-de-chaussée et avions eu
soin de lui enlever tous les objets dangereux, mais
peut-on jamais tout prévoir?... Vous savez qu'il s'est
déjà tiré un coup de pistolet pour elle, ajouta la vieille
comtesse dont le visage se rembrunit à ce souvenir...
Cette femme est morte comme elle avait vécu : basse-
ment, misérablement.

— Ce n'est pas à nous de la juger, comtesse, répondit Serge Ivanovitch avec un soupir, mais je conçois
que vous ayez souffert.

— Ne m'en parlez pas. Je passais l'été dans ma terre,
et mon fils était venu me voir, lorsqu'on lui a apporté
un billet auquel il a donné immédiatement réponse.
Personne ne se doutait qu'elle fût à la gare. Le soir,
je venais de passer dans ma chambre quand Mary, ma
femme de chambre, m'apprit qu'une dame s'était jetée
sous un train. Le sang ne me fit qu'un tour. J'ai aussitôt compris et mon premier mot a été : qu'on n'en
parle pas au comte! Mais son cocher qui était à la gare
au moment du malheur, l'avait déjà averti. J'ai couru
chez mon fils : il était comme un fou; il est parti sans
prononcer une parole. Je ne sais ce qui s'est passé
là-bas, mais quand on l'a ramené, il ressemblait à un
mort, je ne l'aurais pas reconnu. *Prostration complète*,
a déclaré le docteur. Puis ce furent des crises de
fureur... Dans quel temps affreux nous vivons!... Vous
avez beau dire, c'était une méchante femme. Comprenez-vous une passion de ce genre? Qu'a-t-elle voulu
prouver par sa mort? Elle s'est perdue elle-même et
elle a gâché l'existence de deux hommes d'un rare
mérite, son mari et mon malheureux fils?

— Qu'a fait le mari?

— Il a repris la petite. Au premier moment, Alexis
a consenti à tout; maintenant il se repent amèrement
d'avoir abandonné sa fille à un étranger, mais il ne
saurait reprendre sa parole. Karénine est venu à l'en-
terrement, mais nous avons réussi à éviter une rencontre entre Alexis et lui. Pour le mari, cette mort était
au fond une délivrance; mais mon pauvre fils, qui

avait tout sacrifié à cette femme, sa carrière, sa position et moi-même, était-il permis de lui porter un coup pareil! Elle n'a pas eu la moindre pitié de lui... Non, quoi que vous en disiez, c'est la fin d'une créature sans religion. Que Dieu me pardonne, mais en songeant au mal qu'elle a fait à mon fils, je ne puis que maudire sa mémoire.

— Comment va-t-il maintenant?

— Cette guerre nous a sauvés. Je suis vieille et je ne comprends goutte à la politique, mais je vois là le doigt de Dieu. En tant que mère, cela m'épouvante, et puis on dit que *ce n'est pas très bien vu à Pétersbourg;* je n'en remercie pas moins le Ciel. C'était la seule chose capable de le remonter. Son ami Iachvine ayant tout perdu au jeu s'est résolu à partir pour la Serbie et l'a fort engagé à le suivre. Alexis s'est laissé convaincre, et les préparatifs de départ l'ont distrait. Causez avec lui, je vous en prie, il est si triste; et pour comble d'ennui, il a une rage de dents. Mais il sera très heureux de vous voir; il se promène sur l'autre quai. »

Serge Ivanovitch assura qu'il serait, lui aussi, enchanté de parler au comte et descendit sur le quai opposé.

V

Parmi les ballots entassés qui jetaient sur le sol une ombre oblique, Vronski marchait comme un fauve dans sa cage, se retournant brusquement tous les vingt pas. Le chapeau rabattu sur ses yeux, les mains enfoncées dans les poches de son long pardessus, il passa devant Serge Ivanovitch sans avoir l'air de le reconnaître; mais celui-ci était au-dessus de toute susceptibilité : Vronski remplissait selon lui une grande mission, il devait être soutenu et encouragé.

Koznychev s'approcha donc; le comte s'arrêta, le

dévisagea et l'ayant enfin reconnu, lui serra cordialement la main.

« Vous préfériez peut-être ne pas me voir? dit Serge Ivanovitch. Excusez mon insistance, je tenais à vous offrir mes services.

— Vous êtes certainement la personne que je vois avec le moins d'ennui, répondit Vronski. Pardonnez-moi, mais vous comprendrez que la vie me pèse.

— Je le conçois; cependant une lettre pour Ristitch ou Milan vous serait peut-être de quelque utilité? continua Serge Ivanovitch, frappé de la profonde souffrance qu'exprimait le visage de Vronski.

— Oh! non, répondit celui-ci, faisant effort pour comprendre... Voulez-vous que nous marchions un peu? on étouffe dans ces wagons!... Une lettre? non, merci. En a-t-on besoin pour se faire tuer?... A moins qu'elle ne soit à l'adresse des Turcs!... ajouta-t-il, souriant du bout des lèvres, tandis que son regard gardait la même expression de douleur amère.

— Cependant une lettre vous faciliterait des relations que vous ne pourrez éviter. Au reste, faites comme vous l'entendez, mais je voulais vous dire combien j'ai été heureux d'apprendre votre décision : vous relèverez dans l'opinion publique ces volontaires si attaqués.

— Mon seul mérite, repartit Vronski, est de ne pas tenir à la vie. Il me reste encore assez d'énergie pour enfoncer un carré ou me faire tuer sur place, et je suis heureux de sacrifier à une juste cause une existence qui m'est devenue odieuse, à charge. »

Son mal de dents, qui l'empêchait de donner à ses phrases l'expression voulue, lui arracha un geste d'impatience.

« Vous allez renaître à une vie nouvelle, permettez-moi de vous le prédire, dit Serge Ivanovitch, qui se sentait ému. Sauver des frères opprimés est une cause pour laquelle il est aussi digne de vivre que de mourir. Que Dieu accorde plein succès à votre entreprise et qu'il rende à votre âme la paix dont elle a tant besoin!

— En tant qu'instrument je puis encore servir à
quelque chose, mais comme homme je ne suis plus
qu'une ruine », laissa lentement tomber Vronski en
serrant la main que lui tendait Koznychev.

Il se tut, vaincu par la douleur lancinante qui le
gênait pour parler, et son regard tomba machinalement
sur la roue d'un tender qui avançait en glissant doucement sur les rails. A cette vue, sa souffrance physique
cessa subitement, refoulée par la torture du cruel souvenir qu'éveillait en lui la rencontre d'un homme qu'il
n'avait pas revu depuis son malheur. « Elle » lui
apparut tout d'un coup ou du moins ce qui restait
d'elle, lorsque, entrant comme un fou dans la baraque
où on l'avait transporté, il aperçut son corps ensan-
glanté, étalé sans pudeur aux yeux de tous; la tête
intacte, avec ses lourdes nattes et ses boucles légères
autour des tempes, était rejetée en arrière; une expression étrange s'était figée sur son beau visage, aux yeux
encore béants d'horreur, et les lèvres entrouvertes et
pitoyables semblaient prêtes à proférer encore leur
terrible menace, à lui prédire comme pendant la
fatale querelle « qu'il se repentirait ».

Il s'efforça de chasser cette image, de « la » revoir
telle qu'elle lui était apparue pour la première fois
— dans une gare également — belle d'une beauté
mystérieuse, avide d'aimer et d'être aimée. Vaine tentative : leurs minutes heureuses étaient à jamais em-
poisonnées, et le visage qui surgissait devant lui reflétait uniquement les spasmes de la colère ou le funèbre
triomphe de la vengeance assouvie à ses propres
dépens. Un sanglot contracta ses traits; pour se
remettre, il fit deux tours le long des ballots, et, revenant à Serge Ivanovitch, il lui demanda d'une voix
enfin maîtresse d'elle-même :

« Vous n'avez pas de nouvelles fraîches? Voilà les
Turcs battus pour la troisième fois, mais on attend
pour demain une bataille décisive. »

Ils s'entretinrent encore du manifeste de Milan qui
venait de se proclamer roi et des immenses consé-
quences que cet acte pourrait avoir. Puis, comme la

cloche donnait le signal du départ, ils remontèrent chacun dans leur wagon.

VI

NE sachant trop quand il lui serait possible de partir, Serge Ivanovitch n'avait pas voulu télégraphier à son frère d'envoyer des chevaux à la gare. Quand, noirs de poussière, Katavassov et lui, juchés sur un méchant tape-cul, arrivèrent vers midi à Pokrovskoié, Levine était absent; mais, du balcon où elle était assise entre son père et sa sœur, Kitty reconnut son beau-frère et courut à sa rencontre.

« Vous devriez rougir de ne pas nous avoir prévenus, dit-elle en lui tendant son front.

— Mais non, mais non, répondit Serge Ivanovitch, nous voici à bon port sans vous avoir dérangés... Excusez-moi, je suis trop malpropre, je n'ose pas vous toucher... D'ailleurs je désespérais de me faire libre. Le courant m'entraîne, moi, ajouta-t-il en souriant, tandis que vous continuez à filer le parfait bonheur dans votre oasis... Et voici notre ami Katavassov qui s'est enfin décidé à venir vous voir.

— Ne me prenez pas pour un nègre, dit en riant le professeur, dont les dents blanches brillaient dans un visage empoussiéré; quand je serai lavé, vous verrez que j'ai figure humaine. »

Il tendit la main à Kitty.

« Kostia va être bien content, dit celle-ci. Il est à la ferme, mais ne tardera pas à rentrer.

— Ah! ah! l'oasis!... En ville, voyez-vous, nous ne songeons plus qu'à la guerre de Serbie! Je suis curieux de connaître l'opinion de mon ami à ce sujet : il ne doit pas évidemment penser comme tout le monde.

— Mais je crois que si, répliqua Kitty confuse, en scrutant son beau-frère du regard. Je vais le faire chercher... Nous avons papa pour le moment, qui revient de l'étranger. »

Et la jeune femme, profitant de la liberté de mouvements dont elle avait été si longtemps privée, se hâta de mener ses hôtes, l'un dans le cabinet de travail, l'autre dans l'ancienne chambre de Dolly, pour y faire leur toilette, de commander un déjeuner à leur intention, d'envoyer querir son mari et de courir auprès de son père, resté sur le balcon.

« C'est Serge Ivanovitch qui nous amène le professeur Katavassov.

— Oh! par cette chaleur que ce sera lourd!

— Mais non, papa, il est très aimable et Kostia l'aime beaucoup, rétorqua Kitty avec un sourire persuasif et quasi suppliant, car les traits du prince prenaient déjà une expression railleuse.

— C'est bon, c'est bon, je n'ai rien dit. »

Kitty se tourna vers sa sœur.

« Va les entretenir, veux-tu, chérie? Stiva se porte bien, ils l'ont vu à la gare. Il faut que je coure auprès du petit : comme un fait exprès, je ne l'ai pas nourri depuis ce matin, il doit s'impatienter... »

Le lien qui unissait la mère à l'enfant restait encore si intime que le seul afflux du lait à ses seins lui faisait comprendre que son fils avait faim. Elle sortit en hâte, persuadée que Mitia criait sans avoir encore perçu ses cris; mais bientôt ceux-ci se firent entendre avec une vigueur de plus en plus impatiente. Elle pressa le pas.

« Y a-t-il longtemps qu'il crie? demanda-t-elle à la bonne en se dégrafant. Mais dépêchez-vous donc de me le donner, vous arrangerez son bonnet plus tard. »

L'enfant s'exaspérait.

« Mais non, mais non, notre dame, il faut l'habiller convenablement, dit Agathe Mikhaïlovna qui ne quittait guère le petit. Ta-ta-ta-ta », chantonna-t-elle, sans faire attention à la nervosité de la maman.

Enfin la bonne porta le poupon à sa mère; Agathe Mikhaïlovna la suivit, le visage rayonnant.

« Il m'a reconnue, Catherine Alexandrovna; aussi

vrai que Dieu existe, il m'a reconnue », déclara-t-elle
en criant plus fort que Mitia.

Kitty ne l'écoutait guère : son impatience croissait
avec celle du nourrisson. Enfin, après un dernier cri
désespéré de Mitia qui, dans sa hâte de téter, ne savait
plus par où s'y prendre, la mère et l'enfant, calmés
tous deux, respirèrent.

« Le malheureux est tout en nage », murmura Kitty,
palpant le petit corps, et considérant ces joues qui se
gonflaient en mesure, ces menottes rougeaudes qui
s'agitaient, ces yeux qui sous le bonnet lui lançaient
des regards qu'elle jugeait fripons... « Vous dites qu'il
vous reconnaît, Agathe Mikhaïlovna? Je n'en crois rien.
Si c'était vrai, il me reconnaîtrait bien aussi. »

Cependant elle sourit et ce sourire voulait dire qu'au
fond de son âme elle savait très bien — en dépit de
cette dénégation — que Mitia comprenait des tas de
choses ignorées du reste du monde et qu'il lui avait
même révélées. Pour Agathe Mikhaïlovna, pour sa
bonne, pour son grand-père, pour son père même,
Mitia était une petite créature humaine, à laquelle il
ne fallait que des soins physiques; pour sa mère,
c'était un être doué de facultés morales, et elle en
aurait eu long à raconter sur leurs rapports de cœur.

« Vous verrez quand il se réveillera. Je n'ai qu'à
lui faire les marionnettes et à lui chanter : Ta-ta-ta-ta;
aussitôt son visage s'éclaircit.

— Eh bien, nous verrons tantôt, mais pour le moment laissez-le s'endormir. »

VII

TANDIS qu'Agathe Mikhaïlovna s'éloignait sur la pointe
des pieds, la bonne baissa le store; puis, armée d'une
branche de bouleau, elle chassa un taon qui se débattait contre la vitre et les mouches cachées sous le rideau de mousseline du berceau; enfin elle s'assit près

de sa maitresse, brandissant toujours son chasse-
mouches.

« Quelle chaleur! Ce qu'il fait chaud! dit-elle. Si
seulement le bon Dieu pouvait nous envoyer un peu
de pluie!

— Oui, oui, chut, chut... », murmura Kitty, en se
balançant légèrement et en serrant contre son cœur le
bras potelé que Mitia, les yeux mi-clos, remuait encore
faiblement et qu'elle eût si volontiers baisé, n'était la
crainte de réveiller le petit. Enfin le bras s'immobilisa
et, tout en continuant à téter, le petit soulevait de plus
en plus rarement ses longs cils recourbés pour fixer
sur sa mère ses yeux moites que le demi-jour faisait
paraître noirs. La bonne somnolait. Au-dessus de sa
tête, Kitty entendait les éclats de voix du vieux prince
et le rire sonore de Katavassov.

« Allons, se dit-elle, ils se sont mis en train sans
moi! Quel dommage que Kostia ne soit pas là. Il se
sera encore attardé auprès des abeilles. Cela m'ennuie
qu'il aille si souvent au rucher, mais il faut reconnaître
que cela le distrait : il est bien plus gai qu'au printemps. Comme il se tourmentait, grand Dieu! ses airs
lugubres me faisaient peur. Quel drôle de corps! »
murmura-t-elle en souriant.

Levine souffrait de ne pas croire. Kitty ne l'ignorait
point et bien qu'assurée qu'il n'y a pas de salut pour
l'incrédule, le scepticisme de celui dont l'âme lui était
si chère ne lui arrachait qu'un sourire.

« Pourquoi lit-il tous ces livres de philosophie où il
ne trouve rien? Puisqu'il désire la foi, pourquoi ne
l'a-t-il pas? Il réfléchit trop, et s'il s'absorbe dans des
méditations solitaires, c'est que nous ne sommes pas
à sa hauteur. La visite de Katavassov lui fera plaisir,
il aime à discuter avec lui... » Et aussitôt les pensées
de la jeune femme se reportèrent sur l'installation de
ses hôtes : fallait-il les séparer ou leur donner une
chambre commune? Une crainte soudaine la fit tressaillir au point de déranger Mitia qui lui lança un
regard courroucé : « La blanchisseuse n'a pas rapporté le linge... Pourvu qu'Agathe Mikhaïlovna n'aille

pas donner à Serge Ivanovitch des draps qui aient
déjà servi!... » Et le rouge lui monta au front.

« Il faudra m'en assurer moi-même », décida-t-elle,
et remontant le cours de ses pensées : « Oui, Kostia
est incrédule... Eh bien, songea-t-elle, je l'aime mieux
ainsi que s'il ressemblait à Mme Stahl ou à la personne
que je voulais être durant ma cure à Soden. Jamais il
ne sera hypocrite. »

Un récent trait de bonté de son mari lui revint vivement à la mémoire. Quinze jours auparavant, Stépane
Arcadiévitch avait écrit une lettre de repentir à sa
femme, la suppliant de lui sauver l'honneur en ven-
dant Iergouchovo pour payer ses dettes; après avoir
maudit son mari et songé au divorce, Dolly le prit
finalement en pitié et se disposait à faire droit à sa
demande. C'est alors que Levine vint trouver Kitty et
lui proposa — d'un air confus et avec force circonlo-
cutions dont le souvenir amenait sur les lèvres de la
jeune femme un sourire d'attendrissement — un moyen,
auquel elle n'avait point songé, de venir en aide à
Dolly sans la blesser : c'était de lui céder la part qui
leur revenait de cette propriété.

« Peut-on être incrédule avec ce cœur d'or, cette
crainte d'affliger même un enfant! Il ne pense jamais
qu'aux autres. Serge Ivanovitch trouve tout naturel de
le considérer comme son régisseur; sa sœur, de même.
Dolly et ses enfants n'ont d'autre appui que lui. Et
tous ces paysans qui viennent sans cesse le consulter,
il croit de son devoir de leur sacrifier ses loisirs...
Oui, ce que tu pourras faire de mieux sera de ressem-
bler à ton père », conclut-elle en touchant de ses lèvres
la joue de son fils avant de le remettre aux mains de
sa bonne.

VIII

Depuis le moment où, auprès de son frère mourant,
Levine avait entrevu le problème de la vie et de la
mort à la lumière des convictions nouvelles, comme il
les nommait, qui de vingt à trente-quatre ans avaient
remplacé les croyances de son enfance, la vie lui était
apparue plus terrible encore que la mort. D'où venait-
elle? que signifiait-elle? pourquoi nous était-elle
donnée? L'organisme et sa destruction, l'indestructibi-
lité de la matière, la loi de la conservation de l'énergie,
l'évolution, ces mots et les conceptions qu'ils expriment étaient sans doute intéressants du point de vue
intellectuel, mais quelle utilité pouvaient-ils présenter
dans le courant de l'existence? Et Levine, semblable à
un homme qui, par un rude hiver, aurait échangé une
chaude fourrure contre un vêtement de mousseline,
sentait non par le raisonnement mais par tout son être
qu'il était quasi nu et destiné à périr misérablement.

Dès lors, sans presque en avoir conscience et sans
rien changer à sa vie extérieure, Levine ne cessa
d'éprouver la terreur de son ignorance. Il avait en
outre le sentiment confus que, loin de les dissiper, ses
prétendues convictions ne pouvaient qu'épaissir ces
ténèbres.

Le mariage, les joies et les devoirs qu'il entraîne,
étouffèrent pour un instant ces pensées; mais tandis
qu'après les couches de sa femme il vivait à Moscou
dans le désœuvrement, elles lui revinrent avec une per-
sistance croissante. « Si je n'accepte pas, se disait-il,
les explications que m'offre le christianisme sur le problème de mon existence, où en trouverai-je d'autres? »
Il avait beau scruter ses convictions scientifiques, il
n'y trouvait pas plus de réponse à cette question que
s'il eût fouillé, en quête de nourriture, une boutique de
jouets ou un magasin d'armurier.

Involontairement, inconsciemment, il cherchait dans ses lectures, dans ses conversations et jusque dans les personnes qui l'entouraient un rapport quelconque avec le problème qui le préoccupait. Il y avait un point qui le tourmentait particulièrement : pourquoi les hommes de son âge et de son monde qui, comme lui, avaient pour la plupart remplacé la foi par la science, semblaient-ils n'éprouver de ce fait aucune souffrance morale? N'étaient-ils pas sincères? ou comprenaient-ils mieux que lui les réponses que la science offre à ces questions troublantes? Et il se prenait à étudier et ces hommes et les livres qui pouvaient contenir les solutions tant désirées.

Il découvrit cependant qu'il s'était imaginé à tort avec ses camarades d'université que la religion avait fait son temps : les personnes qu'il aimait le mieux, le vieux prince, Lvov, Serge Ivanovitch, Kitty, conservaient la foi de leur enfance, cette foi que lui-même avait jadis partagé; les femmes en général croyaient et quatre-vingt-dix-neuf pour cent de ces gens du peuple à qui allait d'abord et avant tout son estime. A force de lectures il se convainquit que les gens dont il partageait les opinions ne donnaient à celles-ci aucun sens particulier : loin d'expliquer les questions qu'il jugeait primordiales, ils les écartaient pour s'évertuer à en résoudre d'autres qui le laissaient, lui, fort indifférent, telles que l'évolution des êtres, l'explication mécanique de l'âme, etc...

En outre, pendant les couches de sa femme un fait étrange s'était passé : lui, l'incrédule, avait prié et prié avec une foi sincère! Il n'arrivait pas à concilier cet état d'âme avec ses dispositions d'esprit habituelles. La vérité lui était-elle alors apparue? Il en doutait fort, car dès qu'il l'analysait froidement, cet élan vers Dieu retombait en poussière. S'était-il donc trompé? Il eût profané en l'admettant un souvenir bien cher... Cette lutte intérieure lui pesait douloureusement et il cherchait de toutes les forces de son être à y mettre fin.

IX

Sans cesse harcelé par ces pensées, il lisait et médi-
tait, mais le but poursuivi s'éloignait de plus en plus.

S'étant convaincu que les matérialistes ne lui fourni-
raient aucune réponse, il avait relu pendant les derniers temps de son séjour à Moscou et depuis son
retour à la campagne Platon et Spinoza, Kant et Schel-
ling, Hegel et Schopenhauer. Ces philosophes lui donnaient satisfaction tant qu'ils se contentaient de réfu-
ter les doctrines matérialistes et lui-même trouvait
alors contre celles-ci des arguments nouveaux; mais
abordait-il — soit par la lecture de leurs œuvres, soit
par les raisonnements qu'elles lui inspiraient — la solution du fameux problème, il lui arrivait chaque fois
la même aventure. Des termes imprécis, tels que « esprit, volonté, liberté, substance » présentaient un certain sens à son intelligence tant qu'il voulait bien se
laisser prendre au subtil piège verbal qui lui était
tendu; mais revenait-il après une incursion dans la
vie réelle à cet édifice qu'il avait cru solide, celui-ci
croulait comme un château de cartes, et force lui était
de reconnaître qu'on l'avait échafaudé au moyen d'une
perpétuelle transposition des mêmes vocables sans recourir à ce « quelque chose » qui, dans la pratique de
la vie, importe plus que la raison.

Schopenhauer lui donna deux ou trois jours de
calme par la substitution qu'il fit en lui-même du mot
« amour » à ce que ce philosophe appelle « volonté »;
mais, quand il l'examina du point de vue pratique, ce
nouveau système s'effondra comme les autres et ne lui
parut plus qu'un piètre vêtement de mousseline.

Serge Ivanovitch lui ayant recommandé les écrits
théologiques de Khomiakov, il entreprit la lecture du
second volume. Bien que rebuté tout d'abord par le

style polémique et affecté de cet auteur, sa théorie de l'Eglise ne laissa pas de le frapper. A en croire Khomiakov, la connaissance des vérités divines, refusée à l'homme seul, est accordée à un ensemble de personnes communiant dans le même amour, c'est-à-dire à l'Eglise. Cette théorie ranima Levine : d'abord l'Eglise, institution vivante de caractère universel, ayant Dieu à sa tête et par conséquent sainte et infaillible, puis accepter ses enseignements sur Dieu, la création, la chute, la rédemption, lui semblait bien plus facile que de commencer d'emblée par Dieu, cet être lointain et mystérieux, puis de passer à la création, etc. Par malheur il lut ensuite coup sur coup deux histoires ecclésiastiques dues l'une à un écrivain catholique, l'autre à un écrivain orthodoxe, et quand il se fut convaincu que les deux églises, toutes deux infaillibles dans leur essence, se répudiaient mutuellement, la doctrine théologique de Khomiakov ne résista pas plus à l'examen que les systèmes philosophiques.

Durant tout ce printemps, il ne fut plus lui-même et connut des minutes tragiques.

« Je ne puis vivre sans savoir ce que je suis et à quelles fins j'ai été mis au monde, se disait-il. Et puisque je ne saurais atteindre à cette connaissance, il me devient impossible de vivre. »

« Dans l'infini du temps, de la matière, de l'espace, une bulle-organisme se forme, se maintient un moment, puis crève... Cette bulle, c'est moi! »

Ce sophisme douloureux était l'unique, le suprême résultat du raisonnement humain pendant des siècles; c'était la croyance finale qu'on retrouvait à la base de presque toutes les branches de l'activité scientifique; c'était la conviction régnante, et sans doute parce qu'elle lui paraissait la plus claire. Levine s'en était involontairement pénétré. Mais cette conclusion lui paraissait plus qu'un sophisme; il y voyait l'œuvre cruellement dérisoire d'une force ennemie à laquelle il importait de se soustraire. Le moyen de s'affranchir était au pouvoir de chacun... Et la tentation du suicide hanta si fréquemment cet homme bien portant,

cet heureux père de famille qu'il éloignait de sa main
tout lacet et n'osait plus sortir avec son fusil.

Cependant loin de se pendre ou de se brûler la cervelle, il continua tout bonnement à vivre.

X

Ainsi donc Levine désespérait de résoudre dans le
domaine de la spéculation le problème de son existence; en revanche il n'avait jamais agi dans la vie
pratique avec tant de décision et de fermeté.

Revenu à la campagne dans les premiers jours de
juin, les soins de son exploitation, la gérance des biens
de son frère et de sa sœur, les devoirs familiaux, les
relations avec ses voisins et ses paysans, l'élevage des
abeilles enfin, pour lequel il se prit d'une belle passion, ne lui laissèrent guère de répit.

Le cours qu'avaient pris ses pensées, la multitude de
ses occupations, l'insuccès de ses précédentes expé-
riences sur ce terrain ne lui permettaient point de justifier son activité par le souci du bien général; il
croyait tout simplement remplir son devoir.

Jadis — et cela presque dès l'enfance — l'idée de
faire une action utile aux gens de son village, à la
Russie, à l'humanité lui causait une grande joie, mais
l'action en elle-même ne réalisait jamais ses espérances,
et il doutait bientôt de la valeur de ses entreprises.
Maintenant au contraire, il se mettait à l'œuvre sans
aucune joie préalable, mais il acquérait bientôt la
conviction que cette œuvre était nécessaire et qu'elle
donnait des résultats de plus en plus satisfaisants.
Inconsciemment il s'enfonçait toujours plus profondément dans la terre comme une charrue qu'on ne peut
retourner que son œuvre faite.

Au lieu de discuter certaines conditions de l'existence, il les acceptait comme aussi indispensables que
la nourriture journalière. Mener la même vie que ses

ancêtres, donner à ses enfants la même éducation que
la sienne, leur transmettre un patrimoine intact et
mériter d'eux la même reconnaissance qu'il témoignait
à la mémoire de son aïeul, il voyait là un devoir aussi
indiscutable que celui de payer ses dettes. Il fallait
donc que le domaine prospérât et pour cela qu'au lieu
de l'affermer, il le fît valoir lui-même, fumant la terre,
élevant le bétail, plantant des arbres. Il croyait devoir
aide et protection — comme à des enfants qu'on lui
aurait confiés — à son frère, à sa sœur, aux nombreux
paysans qui avaient pris l'habitude de le consulter. Sa
femme et son fils, Dolly et ses enfants avaient aussi
droit à ses soins et à son temps. Tout cela remplissait
surabondamment cette existence, dont il ne comprenait pas le sens quand il y réfléchissait.

Et non seulement son devoir lui apparaissait bien
défini, mais il n'avait aucun doute sur la manière de
l'accomplir dans chaque cas particulier. Ainsi il n'hésitait pas à louer ses ouvriers le meilleur marché possible, sans toutefois se les asservir par des avances
au-dessous du prix normal. Si les paysans manquaient
de fourrage, il jugeait licite de leur vendre de la paille,
quelque pitié qu'on eût d'eux; par contre les revenus
qu'on tirait des cabarets lui paraissant immoraux, ces
établissements devaient être supprimés. Il punissait
sévèrement les vols de bois, mais se refusait — malgré
les protestations des gardes contre ce manque de fermeté — à confisquer le bétail du paysan pris en fla-
grant délit de pâturage sur ses prairies. Il prêtait de
l'argent à un pauvre diable pour le tirer des griffes
d'un usurier, mais n'accordait aux paysans ni délai ni
remise sur leur redevance. Il n'aurait point pardonné
à son régisseur d'avoir négligé de faucher le moindre
bout de prairie, mais il ne touchait pas à quatre-vingts
hectares où l'on avait fait des plantations. Il opérait à
son corps défendant une retenue sur les gages d'un
ouvrier contraint, à cause de la mort de son père,
d'abandonner le travail en pleine moisson, mais il
entretenait et nourrissait les vieux serviteurs hors
d'âge... Si, rentrant chez lui, il trouvait des paysans

qui l'attendaient depuis trois heures, il n'éprouvait aucun scrupule à courir d'abord embrasser sa femme indisposée; mais venaient-ils le relancer au rucher, il leur sacrifiait aussitôt le plaisir passionnant de mettre en place un essaim.

Loin d'approfondir ce code personnel, il redoutait les discussions et jusqu'aux réflexions qui auraient entraîné des doutes et troublé la vue claire et nette de son devoir. Quand il se contentait de vivre, il trouvait dans sa conscience un tribunal infaillible qui rectifiait aussitôt ses erreurs de jugement.

Ainsi donc, impuissant à sonder le mystère de l'existence et hanté de ce fait par l'idée du suicide, Levine ne s'en frayait pas moins d'une main et d'un pas fermes un chemin bien à lui dans la vie.

XI

Le jour de l'arrivée de Serge Ivanovitch à Pokrovskoié avait été gros d'émotion pour Levine.

On était au moment le plus occupé de l'année, à celui qui exige des cultivateurs un effort de travail, un esprit de sacrifice inconnus aux autres professions et qu'on n'apprécie pas comme il convient parce qu'ils se renouvellent tous les ans et n'offrent que des résultats fort simples. Moissonner, rentrer les blés, faucher le regain, donner un second labour, battre le grain, ensemencer, ces travaux-là n'étonnent personne; mais, pour pouvoir les accomplir durant les trois ou quatre semaines accordées par la nature, il faut que du petit au grand chacun se mette à l'œuvre, qu'on se contente de pain, d'oignons et de kvass, qu'on ne dorme que deux ou trois heures, la nuit étant employée au transport des gerbes et au battage du blé. Et pareil phénomène se reproduit tous les ans dans la Russie entière.

Comme il avait passé la plus grande partie de sa vie à la campagne en connexion étroite avec les gens du

peuple, Levine partageait toujours l'agitation qui
s'emparait d'eux à cette époque.

Ce jour-là il s'en était allé de bon matin en voiture
voir semer le seigle et mettre l'avoine en meules; revenu à l'heure du petit déjeuner, qu'il prit en compagnie de sa femme et de sa belle-sœur, il repartit à pied
pour la ferme où l'on devait mettre en marche une nouvelle machine à battre.

Et toute la journée, tandis qu'il devisait soit avec le
régisseur ou les paysans, soit avec sa femme, sa belle-
sœur, ses neveux ou son beau-père, la même question
le poursuivait : « Qui suis-je? où suis-je? et à quelles
fins y suis-je? »

Il séjourna quelque temps dans la grange qui venait
d'être recouverte; le lattis de coudrier fixé aux che-
vrons de tremble exhalait une bonne odeur de sève;
dans cet endroit frais où tourbillonnait une poussière âcre, les ouvriers s'empressaient autour de la
batteuse, tandis que des hirondelles criardes se glis-
saient sous le ravalement du toit et venaient en
secouant leurs ailes se poser dans le cadre du portail
grand ouvert; on apercevait par-delà l'herbe de l'aire
luisant sous le soleil de feu et des tas de paille, fraîche
sortie du grenier. Levine contemplait ce spectacle tout
en s'abandonnant à des pensers lugubres.

« Pourquoi tout cela? Pourquoi suis-je là à les surveiller, et eux, pourquoi font-ils preuve de zèle devant
moi? qu'a donc à se démener ma vieille amie Matrone,
songeait-il en considérant une grande femme maigre
qui, pour mieux pousser le grain avec son râteau,
appuyait lourdement sur le sol raboteux ses pieds nus
et hâlés. Je l'ai jadis guérie d'une brûlure, lors de cet
incendie où une poutre était tombée sur elle. Oui, je
l'ai guérie, mais demain ou dans dix ans il faudra
quand même la porter en terre, tout comme cette
jeune faraude en robe rouge qui trie d'un geste si
souple la paille et la balle, tout comme ce pauvre vieux
cheval pie qui, le ventre ballonné et le souffle court,
a tant de peine à faire fonctionner le manège; tout
comme Fiodor l'engreneur avec sa barbe frisée souillée

de balle et sa blouse trouée à l'épaule que je vois là
en train de délier les gerbes et de rajuster la courroie
du volant : il commande avec beaucoup d'autorité
aux femmes, mais bientôt que restera-t-il de lui? Rien;
pas plus que de moi, d'ailleurs, et c'est là le plus
triste. Pourquoi, pourquoi? »

Tout en méditant de la sorte, il n'en consultait pas
moins sa montre afin de fixer la tâche des ouvriers
d'après le nombre de gerbes que l'on battrait durant la
première heure. Comme celle-ci se terminait, il constata qu'on attaquait seulement la troisième meule. Il
s'approcha de l'engreneur, et, haussant la voix pour
dominer le bruit de la machine :

« Tu engrènes trop à la fois, Fiodor, dit-il. Ça forme
bourre et vous n'avancez pas. Egalise davantage... »

Fiodor, le visage noir d'une sueur poussiéreuse, cria
quelques mots de réponse, mais ne parut pas comprendre l'observation de Levine, qui, l'écartant du
tambour, se mit à engrener lui-même.

L'heure du dîner étant bientôt venue, Levine sortit
avec l'engreneur et, s'arrêtant près d'un meulon de
seigle en grains préparé pour les semences, il engagea
conversation avec cet homme. Fiodor habitait le village éloigné où Levine avait naguère fait un essai
d'exploitation en commun sur une terre affermée maintenant à un certain Kirillov. Levine désirait la louer
pour l'année suivante à un autre paysan, brave homme
fort à son aise qui avait nom Platon. Il questionna
Fiodor à ce sujet.

« Le prix est trop élevé, Constantin Dmitriévitch;
Platon ne se tirera pas d'affaire, répondit l'ouvrier en
retirant les balles qui s'étaient collées sur sa poitrine
en sueur.

— Mais comment fait donc Kirillov?

— Kirillov? répéta l'engreneur d'un ton de souverain mépris. Voyez-vous, Constantin Dmitriévitch,
celui-là, il s'entend à écorcher les pauvres bougres.
Tandis que le père Platon, il sous-louera la terre à
crédit, et il est encore bien capable de ne pas réclamer
le fermage.

— Pourquoi cela?

— Tous les gens ne se ressemblent pas, Constantin Dmitriévitch. Y en a qui ne vivent que pour leur panse et d'autres qui songent à Dieu et à leur âme.

— Qu'entends-tu par là? cria presque Levine.

— Mais vivre pour Dieu, observer sa loi. Tous les gens ne sont pas pareils. Ainsi vous, par exemple, vous ne feriez pas non plus de tort au pauvre monde.

— Oui, oui..., au revoir », balbutia Levine, haletant d'émotion. Et, se retournant pour prendre sa canne, il se dirigea à grands pas vers la maison. « Vivre pour son âme, pour Dieu. » Ces paroles du paysan avaient trouvé un écho dans son cœur; et des pensées confuses, mais qu'il sentait fécondes, s'échappaient de quelque recoin de son être pour l'éblouir d'une clarté nouvelle.

XII

Levine marchait à grands pas sur la route, et sans trop comprendre encore les pensées confuses qui s'agitaient en lui, il cédait à un état d'âme tout nouveau. Les paroles de l'engreneur avaient produit l'effet d'une étincelle électrique, et l'essaim d'idées vagues et sans lien qui n'avait cessé de l'assiéger s'était comme condensé pour remplir son cœur d'une inexplicable joie.

« Ne pas vivre pour soi, mais pour Dieu. Pour quel Dieu? N'est-il pas insensé de prétendre, comme il vient de le faire, que nous ne devons pas vivre pour nous, c'est-à-dire pour ce que nous comprenons, ce qui nous plaît et nous attire, mais pour ce Dieu que personne ne comprend et ne saurait définir?... Et pourtant ces paroles insensées, je les ai comprises, je n'ai pas douté de leur justesse, je ne les ai trouvées ni fausses ni obscures..., je leur ai donné le même sens que ce paysan et je n'ai peut-être jamais rien compris

aussi clairement. Et toute ma vie il en a été ainsi, et il
en va de même pour tout le monde.

« Et moi qui cherchais un miracle pour me
convaincre! Le voilà, le miracle, le seul qui soit possible, et que je n'avais pas remarqué, tandis qu'il m'en-
serre de toutes parts!

« Quand Fiodor prétend que Kirillov vit pour sa
panse, je comprends ce qu'il veut dire : c'est parfaitement raisonnable, les êtres de raison ne sauraient vivre
autrement. Mais il affirme ensuite qu'il faut vivre, non
pas pour sa panse, mais pour Dieu... Et je le comprends du premier coup! Moi et des millions
d'hommes, dans le passé et dans le présent, aussi bien
les pauvres d'esprit que les doctes qui ont scruté ces
choses et fait entendre à ce propos leurs voix confuses,
nous sommes d'accord sur un point : qu'il faut vivre
pour le bien. La seule connaissance claire, indubitable, absolue que nous ayons est celle-là; et ce n'est
pas par le raisonnement que nous y parvenons, car la
raison l'exclut, parce qu'elle n'a ni cause ni effet. Le
bien, s'il avait une cause, cesserait d'être le bien, tout
comme s'il avait un effet, en l'espèce une récompense...
Ceci, je le sais et nous le savons tous. Peut-il être de
plus grand miracle...?

« Aurais-je vraiment trouvé la solution de mes
doutes? Vais-je cesser de souffrir? »

Ainsi raisonnait Levine, insensible à la fatigue et à
la chaleur; suffoqué par l'émotion et n'osant croire à
l'apaisement qui se faisait dans son âme, il s'éloigna
du grand chemin pour s'enfoncer dans le bois. Là, découvrant son front baigné de sueur, il s'étendit, appuyé
sur le coude, dans l'herbe grasse et poursuivit le cours
de ses réflexions.

« Voyons, il faut me recueillir, tâcher de comprendre ce qui se passe en moi », se dit-il en suivant
les mouvements d'un scarabée verdâtre qui grimpait le
long d'une tige de renouée et qu'une feuille d'herbe-
aux-goutteux arrêta dans sa marche. « Qu'ai-je découvert pour être si heureux? » se demanda-t-il en écartant la feuille et en offrant une autre tige à la course

du scarabée. « Oui, qu'ai-je donc découvert?... Mais rien. J'ai simplement eu la vision très claire des choses que je connaissais de longue date. J'ai reconnu cette force qui autrefois m'a donné la vie et me la donne encore aujourd'hui. Je me sens délivré de l'erreur... Je vois mon maître!...

« J'ai cru naguère qu'il s'opérait dans mon corps comme dans celui de cet insecte, comme dans cette plante, dont il dédaigne la tige pour s'envoler, une évolution de la matière, conformément à certaines lois physiques, chimiques et physiologiques; évolution, lutte incessante, qui s'étendait à tout, aux arbres, aux nuages, aux nébuleuses... Mais d'où partait et où aboutissait cette évolution? Une évolution, une lutte à l'infini, était-ce possible?... Et je m'étonnais, malgré de suprêmes efforts, de ne rien trouver dans cette voie qui me dévoilât le sens de la vie, de mes impulsions, de mes aspirations... Maintenant je sais que ce sens consiste à vivre pour Dieu et pour son âme. Si clair qu'il m'apparaisse, ce sens n'en demeure pas moins mystérieux. Et il en va de même pour tout ce qui existe. C'est l'orgueil qui me perdait, décida-t-il en se couchant sur le ventre et en nouant machinalement des brins d'herbe. Orgueil, sottise, ruse et scélératesse de l'esprit... Scélératesse... oui, voilà le vrai mot. »

Et il se remémora le cours que suivaient depuis deux ans ses pensées, du jour où l'idée de la mort l'avait frappé à la vue de son frère agonisant. Pour la première fois il avait alors clairement compris que, n'ayant devant lui d'autre perspective que la souffrance, la mort et l'oubli éternel, il devait ou se faire sauter la cervelle ou s'expliquer le problème de l'existence de façon à ne pas y voir la cruelle ironie de quelque génie malfaisant. Cependant, sans parvenir à se rien expliquer, il avait continué à vivre, à penser, à sentir, il avait même connu, grâce à son mariage, des joies nouvelles qui le rendaient heureux quand il ne creusait pas ses pensées troublantes. Que prouvait cette inconséquence? qu'il vivait bien, tout en pensant mal. Sans le savoir, il avait été soutenu par ces vérités

spirituelles, sucées avec le lait, que son esprit affectait
d'ignorer. Maintenant il comprenait que seules elles
lui avaient permis de vivre.

« Que serais-je devenu si je n'avais point su qu'il
fallait vivre pour Dieu et non pour la satisfaction de
mes besoins? J'aurais menti, volé, assassiné... Aucune
des joies que la vie me donne n'aurait existé pour
moi. »

Son imagination ne lui permettait même pas de
concevoir à quel degré de bestialité il fût descendu
s'il avait ignoré les véritables raisons de vivre.

« J'étais en quête d'une solution que la raison ne
peut donner, le problème n'étant pas de son domaine.
La vie seule était en mesure de me fournir une
réponse, et cela grâce à ma connaissance du bien et du
mal. Et cette connaissance, je ne l'ai pas acquise, je
n'aurais su où la prendre, elle m'a été « donnée »
comme tout le reste. Le raisonnement m'aurait-il jamais démontré que je dois aimer mon prochain au lieu
de l'étrangler? Si, lorsqu'on me l'a enseigné dans mon
enfance, je l'ai aisément cru, c'est que je le savais déjà.
L'enseignement de la raison, c'est la lutte pour l'existence, partant la loi qui exige que tout obstacle à
l'accomplissement de mes désirs soit écrasé. La déduc-
tion est logique. Mais la raison ne peut me prescrire
d'aimer mon prochain, car ce précepte n'est pas raisonnable. »

XIII

Levine se souvint d'une scène récente entre Dolly et
ses enfants. Ceux-ci, livrés un jour à eux mêmes,
s'étaient divertis à faire cuire des framboises dans une
tasse au-dessus d'une bougie et à se verser des jets de
lait dans la bouche. Leur mère les prit sur le fait, leur
reprocha devant leur oncle de détruire ce que les
grandes personnes avaient tant de peine à se procurer,

chercha à leur faire comprendre que, si les tasses venaient à manquer, ils ne sauraient comment prendre leur thé et que, s'ils gaspillaient le lait, ils souffriraient de la faim. Levine fut fort surpris du scepticisme avec lequel les enfants écoutèrent leur mère : ses raisonnements ne les touchaient point, ils ne regrettaient que le jeu interrompu. C'est qu'ils ignoraient la valeur des biens dont ils jouissaient et ne comprenaient pas qu'ils détruisaient en quelque sorte leur subsistance.

« Tout cela est bel et bon, disaient-ils, mais on nous rabâche toujours la même chose, tandis que nous cherchons du nouveau. Quel intérêt y a-t-il à boire du lait dans des tasses? C'est bien plus amusant de se le verser dans la bouche les uns des autres et de réserver les tasses pour la cuisson des framboises. Voilà du nouveau. »

« N'est-ce pas ainsi, songeait Levine, que nous agissons, que j'ai agi pour ma part, en voulant pénétrer par le raisonnement les secrets de la nature et le problème de la vie humaine? N'est-ce pas ce que font tous les philosophes quand, au moyen de théories bizarres, ils prétendent révéler aux hommes des vérités que ceux-ci connaissent depuis longtemps et sans lesquelles ils ne sauraient point vivre? Ne s'aperçoit-on pas, en pénétrant chacune de ces théories, que son auteur connait aussi bien que ce brave Fiodor — mais pas mieux que lui — le vrai sens de la vie humaine et qu'il tend seulement à démontrer par des voies équivoques des vérités universellement reconnues?

« Qu'on laisse les enfants se procurer leur subsistance, au lieu de faire des gamineries, ils mourront de faim!... Qu'on nous laisse, nous autres, livrés à nos raisonnements, à nos passions, sans la connaissance de notre Créateur, sans le sentiment du bien et du mal moral..., et l'on ne pourra rien édifier de solide. Si nous sommes avides de détruire c'est parce que, pareils aux enfants, nous sommes rassasiés..., spirituellement. Où ai-je pris cette heureuse connaissance, qui seule procure la paix à mon âme et que je possède en commun avec Fiodor...? Moi, chrétien, élevé dans la

foi, comblé des bienfaits du christianisme, vivant de
ces bienfaits sans en avoir conscience, je cherche,
comme ces mêmes enfants, à détruire l'essence de ma
vie... Mais aux heures graves de mon existence je me
retourne vers Lui, tout comme les enfants vers leur
mère quand ils ont faim et froid; et pas plus qu'eux
quand ils se voient reprocher leurs espiègleries, je ne
m'aperçois que l'on n'attache aucune importance à
mes vaines tentatives de révolte.

« Non, la raison ne m'a rien appris; ce que je sais
m'a été donné, révélé par le cœur, par la foi dans
l'enseignement capital de l'Eglise.

« L'Eglise? répéta Levine en se retournant et en
considérant dans le lointain le troupeau qui descendait vers la rivière. Puis-je vraiment croire à tout ce
qu'elle enseigne? » se demanda-t-il pour s'éprouver
et découvrir un point qui troublât sa quiétude. Et il se
rappela les dogmes qui lui avaient toujours paru
étranges : « La création? Mais comment m'expliqué-je
l'existence?... Le diable et le péché? Mais quelle explication puis-je trouver du mal?... La rédemption?... Mais
que sais-je, que puis-je savoir hors ce qui m'a été
enseigné, comme à tout le monde? »

Aucun de ces dogmes ne lui sembla porter atteinte à
la destination de l'homme ici-bas, à savoir la foi en
Dieu et au bien. Chacun d'eux sous-entendait le dévouement à la vérité et le renoncement à l'égoïsme.
Chacun d'eux concourait au miracle suprême et perpétuel : celui qui consiste à permettre à des millions
d'êtres humains, jeunes et vieux, sages et simples, rois
et mendiants, à Lvov comme à Kitty, à Fiodor comme
à lui-même, de comprendre les mêmes vérités pour en
composer cette vie de l'âme qui seule rend l'existence
supportable.

Couché sur le dos, il contemplait maintenant le ciel
sans nuages. « Je sais bien, songeait-il, que c'est l'im-
mensité de l'espace et non une voûte bleue qui s'étend
au-dessus de moi. Mais mon œil ne peut percevoir que
la voûte arrondie et voit plus juste qu'en cherchant
par-delà. »

Levine laissait maintenant flotter sa pensée pour écouter les voix mystérieuses qui menaient grand bruit dans son âme.

« Est-ce vraiment la foi? se dit-il, n'osant croire à son bonheur. Mon Dieu, je vous remercie! »

Des sanglots le secouaient, des larmes de reconnaissance coulaient le long de ses joues.

XIV

UNE petite voiture apparut au loin, Levine reconnut sa télègue, son cheval Noiraud, son cocher Ivan qui parlait au berger; il perçut bientôt le son des roues et le hennissement du cheval; mais plongé dans ses méditations, il ne songea pas à se demander ce qu'on lui voulait. Il ne reprit le sens de la réalité qu'en entendant le cocher lui crier :

« Madame m'envoie, Serge Ivanovitch vient d'arriver et encore un autre monsieur. »

Levine monta en voiture et prit les rênes. Longtemps, comme après un rêve, il ne put revenir à lui. Les yeux fixés tantôt sur Ivan assis à ses côtés, tantôt sur la robuste bête au cou et au poitrail blancs d'écume, il pensait à son frère, à sa femme, que sa longue absence avait peut-être inquiétée, à cet hôte inconnu qu'on lui amenait, et se demandait si ses relations avec le prochain n'allaient pas subir une modification.

« Je ne veux plus de froideur avec mon frère, plus de querelles avec Kitty, plus d'impatience avec les domestiques; je vais me montrer cordial et prévenant envers mon nouvel hôte, quel qu'il soit. »

Et retenant son cheval trop enclin à courir, il chercha une bonne parole à adresser au brave Ivan qui, ne sachant que faire de ses mains oisives, pressait contre sa poitrine sa blouse que le vent soulevait. Il voulait lui dire qu'il avait trop serré la sous-ventrière, mais cela ressemblait fort à un reproche; il avait beau se creuser la tête, il ne trouvait pas d'autre sujet de conversation.

« Veuillez prendre à gauche, il y a une souche à éviter, dit soudain Ivan, en touchant les rênes.

— Fais-moi le plaisir de me laisser tranquille et de ne pas me donner de leçon! » répondit Levine, agacé comme il l'était chaque fois qu'on se mêlait de ses affaires. Il éprouva aussitôt un vif chagrin en constatant que, contrairement à son attente, son nouvel état d'âme n'influait en rien sur son caractère.

A un quart de verste de la maison, il aperçut Gricha et Tania qui couraient au-devant de lui.

« Tonton Kostia, maman nous suit, et grand-papa, et Serge Ivanovitch et encore quelqu'un, s'écrièrent-ils en grimpant dans la télègue.

— Qui est ce quelqu'un?

— Un monsieur affreux, qui fait de grands gestes avec les bras, comme ça, dit Tania, imitant Katavassov.

— Est-il vieux ou jeune? » demanda en riant Levine.

La mimique de Tania éveillait en lui des souvenirs confus. « Pourvu que ce ne soit pas un fâcheux! » pensa-t-il.

A un tournant du chemin, il reconnut Katavassov, coiffé d'un chapeau de paille et faisant avec les bras des moulinets que Tania avait fort bien imités.

Les derniers temps de son séjour à Moscou, Levine avait beaucoup discuté philosophie avec Katavassov, dont c'était un des thèmes favoris, bien qu'il n'eût en la matière que les vagues notions des « scientistes ». Levine se rappela aussitôt une de ces discussions, dans laquelle son ami avait eu le dessus en apparence, et il se promit de ne plus exprimer légèrement ses pensées...

Il descendit de voiture, souhaita la bienvenue à ses hôtes et s'informa de Kitty.

« Elle s'est installée dans le bois avec Mitia, répondit Dolly; il faisait trop chaud dans la maison. »

Cette nouvelle contraria Levine : le bois lui parais-

sait un endroit dangereux, et il avait maintes fois
déconseillé à Kitty de s'y promener avec l'enfant.

« Elle ne sait où se fourrer avec son poupon, dit
le prince en souriant; je lui ai conseillé d'essayer de
la cave à glace.

— Elle nous rejoindra au rucher, elle croyait que
tu y étais, ajouta Dolly; c'est le but de notre promenade.

— Que fais-tu de bon? demanda Serge Ivanovitch
à son frère, en le retenant.

— Rien de particulier : je cultive mes terres et voilà
tout. Tu nous restes quelque temps, j'espère : il y a
une éternité que nous t'attendons.

— Une quinzaine. J'ai fort à faire à Moscou. »

Les regards des deux frères se croisèrent et Levine
se sentit mal à l'aise. Pourtant il n'avait jamais si
ardemment souhaité des rapports simples et cordiaux
avec son frère. Il baissa les yeux et désirant éviter
tout sujet épineux, comme la question des Balkans à
laquelle Serge venait de faire une allusion voilée, il lui
demanda au bout d'un moment des nouvelles de son
livre.

Cette question, dûment méditée, amena un sourire
sur les lèvres de Serge Ivanovitch.

« Personne n'y songe, moi moins que tout autre...
Vous verrez, Darie Alexandrovna, que nous aurons de
la pluie », dit-il en montrant du bout de son ombrelle
des nuages blancs qui apparaissaient au-dessus des
trembles.

Il suffit de ces mots banals pour que se rétablit sur-
le-champ entre les deux frères cette froideur presque
hostile que Levine aurait tant voulu voir se dissiper.
Abandonnant Serge, il s'approcha de Katavassov.

« Quelle bonne idée vous avez eue de venir, lui
dit-il.

— J'en avais le désir depuis longtemps. Nous allons
bavarder à loisir. Avez-vous lu Spencer?

— Pas jusqu'au bout. D'ailleurs, maintenant il m'est
inutile.

— Comment cela? Vous m'étonnez.

— Je veux dire qu'il ne m'aidera pas plus que les autres à résoudre les questions qui m'intéressent. En ce moment, je... »

L'expression de gaieté sûre d'elle-même qu'exprimait le visage de Katavassov le frappa; et ne voulant point gâter son état d'âme par une discussion stérile, il s'arrêta.

« Nous en reparlerons... Pour le rucher, reprit-il en s'adressant à toute la compagnie, voilà le sentier qu'il faut prendre. »

On arriva dans une clairière, sur un côté de laquelle des queues-de-renard en fleur formaient comme une haie rutilante où des renoncules entremêlaient leur feuillage sombre. Levine installa ses invités à l'ombre de jeunes trembles, sur des sièges rustiques préparés à l'intention des visiteurs peu soucieux d'approcher de trop près les abeilles, et lui-même prit le chemin de l'enclos pour en rapporter du miel, du pain et des concombres. Il marchait le plus doucement possible, prêtant l'oreille aux bourdonnements de plus en plus fréquents; à la porte de la cabane il lui fallut même se débarrasser avec précaution d'une abeille qui s'était prise dans sa barbe. Après avoir détaché un masque en fil de fer suspendu dans l'entrée, il s'en couvrit la tête et, les mains cachées dans ses poches, il pénétra dans l'enclos où les ruches, rangées par ordre, les plus récentes le long de la palissade, et fixées à des pieux par des liens de tille, avaient pour lui chacune une histoire. Devant l'ouverture des ruches tourbillonnaient des colonnes d'abeilles et de faux bourdons, tandis que les ouvrières volaient vers la forêt, attirées par les tilleuls en fleur, ou en revenaient chargées de butin. Et tout l'essaim, ouvrières alertes, mâles oisifs, gardiennes alarmées prêtes à se ruer sur le ravisseur de leur bien faisaient entendre les sons les plus divers qui se confondaient en un perpétuel bourdonnement. Le vieux gardien occupé à raboter de l'autre côté de la palissade n'entendit pas venir Levine. Celui-ci se garda bien de l'appeler : il était heureux de pouvoir se recueillir un moment. La vie réelle

reprenait ses droits, s'attaquait à la noblesse de ses
pensées : il avait déjà trouvé moyen de s'emporter
contre Ivan, de se montrer froid envers son frère, de
dire des choses inutiles à Katavassov!

« Mon bonheur, se demandait-il, n'aurait-il été
qu'une impression fugitive, qui se dissipera sans laisser de traces? »

Mais, en descendant en lui-même, il retrouva ses
impressions intactes. A n'en plus douter, un événement important s'était accompli dans son âme. La vie
réelle n'avait fait que répandre un nuage sur ce calme
intérieur : ces légers incidents n'ébranlaient pas plus
les forces spirituelles nouvellement éveillées que les
abeilles, en l'obligeant à se défendre, ne portaient
atteinte à ses forces physiques.

XV

« SAIS-TU, Kostia, avec qui Serge Ivanovitch vient de
voyager? dit Dolly après avoir donné à chacun de
ses enfants sa part de concombres et de miel. Avec
Vronski. Il se rend en Serbie.

— Et pas seul, s'il vous plaît! Il y mène à ses frais
tout un escadron, ajouta Katavassov.

— A la bonne heure! dit Levine. Mais est-ce que
vous expédiez toujours des volontaires? » demanda-
t-il en levant les yeux vers son frère.

Serge Ivanovitch ne répondit rien : son attention
était retenue par une abeille qui s'était prise dans du
miel au fond de sa tasse et qu'il dégageait précautionneusement à l'aide d'un couteau épointé.

« Comment, si nous en expédions! s'écria Katavassov, mordant à belles dents dans un concombre. Si
vous aviez vu ce qui se passait hier à la gare!

— Voyons, Serge Ivanovitch, expliquez-moi une
bonne fois où vont tous ces héros et contre qui ils
guerroient! demanda le prince, reprenant de toute

évidence un entretien interrompu par la rencontre de
Levine.

— Contre les Turcs, répondit posément Koznychev
en posant du bout de son couteau sur une feuille de
tremble l'abeille enfin délivrée, mais toute noire de
miel.

— Mais qui donc a déclaré la guerre aux Turcs?
seraient-ce Ivan Ivanovitch Ragozov, la comtesse Lydie
et Mme Stahl?

— Personne ne leur a déclaré la guerre; mais, émus
des souffrances de nos frères, nous cherchons à leur
venir en aide.

— Tu ne réponds pas à la question du prince, dit
Levine en prenant le parti de son beau-père. Il
s'étonne que, sans y être autorisés par le gouvernement, des particuliers osent prendre part à une guerre.

— Regarde, Kostia, encore une abeille, je t'assure
qu'elles vont nous cribler de piqûres, s'écria soudain
Dolly en chassant une grosse mouche.

— Ce n'est pas une abeille, mais une guêpe.

— Pourquoi des particuliers n'auraient-ils pas ce
droit? Expliquez-nous votre théorie, demanda Katavassov, désireux de faire parler Levine.

— Ma théorie, la voici : la guerre est une chose si
bestiale, si monstrueuse qu'aucun chrétien, qu'aucun
homme même n'a le droit de prendre sur lui la responsabilité de la déclarer; cette tâche incombe aux gouvernements, qui d'ailleurs mènent fatalement à la
guerre. C'est là une question d'Etat, une de ces questions dans laquelle les citoyens abdiquent toute
volonté personnelle : le bon sens, à défaut de la
science, suffirait à le démontrer. »

Serge Ivanovitch et Katavassov avaient des réponses
toutes prêtes.

« C'est ce qui vous trompe, mon cher, dit d'abord
ce dernier, lorsqu'un gouvernement n'obtempère pas
à la volonté des citoyens, il appartient à ceux-ci de
l'imposer. »

Serge Ivanovitch ne parut pas goûter cette objection.

« Tu ne poses pas la question comme il faut, dit-il en fronçant le sourcil. Il ne s'agit pas ici d'une déclaration de guerre, mais d'une démonstration de sympathie humaine, chrétienne. On assassine nos frères, frères de race et de religion, on massacre des femmes, des enfants, des vieillards; cela révolte le sentiment d'humanité du peuple russe, il vole au secours de ces infortunés. Suppose que tu voies dans la rue un ivrogne battre une femme ou un enfant : t'informeras-tu, avant de leur porter secours, si l'on a déclaré la guerre à cet individu?

— Non, mais je ne le tuerais pas non plus.

— Tu irais jusque-là.

— Je n'en sais rien, peut-être tuerais-je dans l'entraînement du moment; mais je ne saurais m'emballer pour la défense des Slaves.

— Tout le monde ne pense pas de même, repartit Serge mécontent. Le peuple conserve très vif le souvenir de frères orthodoxes qui gémissent sous le joug des infidèles. Et le peuple a fait entendre sa voix.

— C'est possible, répondit Levine évasivement; en tout cas, je n'aperçois rien de semblable autour de moi, et bien que je fasse partie du peuple, je n'éprouve non plus rien de pareil.

— J'en dirais autant pour ma part, fit le prince. Ce sont les journaux qui m'ont révélé, pendant mon séjour à l'étranger, et avant les horreurs de Bulgarie, l'amour subit qu'éprouve, paraît-il, la Russie entière pour ses frères slaves; jamais je ne m'en étais douté, car ces gens-là ne m'ont jamais inspiré la moindre tendresse. A dire vrai, je me suis d'abord inquiété de mon indifférence et je l'ai attribuée aux eaux de Carlsbad. Mais depuis mon retour, je constate que nous sommes encore quelques-uns à faire passer la Russie avant les frères slaves. Témoin Constantin.

— Quand la Russie entière se prononce, objecta Serge Ivanovitch, les opinions personnelles n'ont aucune importance.

— Excusez-moi, le peuple ignore tout de la question.

— Mais si, papa, interrompit Dolly, se mêlant à l'entretien. Rappelez-vous, dimanche à l'église... Voudrais-tu nous donner un essuie-main, dit-elle au vieux gardien qui souriait aux enfants... Il n'est vraiment pas possible que tous ces gens...

— A l'église? Que s'est-il passé de si extraordinaire? Les prêtres ont ordre de lire au peuple un papier auquel personne ne comprend mot. Si les paysans soupirent pendant la lecture, c'est qu'ils se croient au sermon, et s'ils donnent leurs kopeks, c'est qu'on les a prévenus qu'on allait faire une quête pour une œuvre pie.

— Le peuple ne saurait ignorer sa destinée; il en a l'intuition, et dans des moments comme ceux-ci, il le témoigne », déclara Serge Ivanovitch fixant avec assurance les yeux sur le vieux garde.

Debout au milieu de ses maîtres, une jatte de miel à la main, le beau vieillard, barbe grise et chevelure d'argent, les regardait du haut de sa taille, d'un air affable et tranquille, sans rien comprendre à leur conversation et sans manifester le moindre désir de la comprendre. Néanmoins, se croyant interpellé par Serge Ivanovitch, il jugea bon de hocher la tête et de dire :

« Ça, c'est pour sûr.

— Interrogez-le, tenez, dit Levine, vous verrez où il en est. As-tu entendu parler de la guerre, Mikhaïlytch? demanda-t-il au bonhomme. Tu sais ce qu'on vous a lu dimanche à l'église? Faut-il nous battre pour les chrétiens, qu'en penses-tu?

— Penser? c'est pas notre affaire. Notre empereur Alexandre Nicolaïévitch sait mieux que nous ce qu'il doit faire... Faut-il apporter encore du pain à votre petit gars? demanda-t-il à Dolly en lui montrant Gricha qui dévorait une croûte.

— Quel besoin avons-nous de l'interroger, dit Serge Ivanovitch, quand nous voyons des hommes par centaines abandonner tout pour servir une juste cause? Il en vient de tous les coins de la Russie; les uns sacrifient leurs derniers sous, les autres s'engagent, et tous

savent clairement à quel motif ils obéissent. Me diras-
tu que cela ne signifie rien?

— Selon moi, rétorqua Levine en s'échauffant, cela
signifie que sur quatre-vingts millions d'hommes, il se
trouvera toujours non pas seulement des centaines
comme maintenant, mais des milliers et des dizaines
de milliers de cerveaux brûlés, de dévoyés pour se
jeter dans la première aventure venue, qu'il s'agisse
de suivre Pougatchov ou d'aller en Serbie, à Khiva,
où l'on voudra.

— Comment, tu traites de dévoyés les meilleurs
représentants de la nation! s'écria Serge Ivanovitch,
indigné. Et les dons qui affluent de toutes parts?
N'est-ce pas une façon pour le peuple de signifier sa
volonté?

— C'est si vague, le mot « peuple »! Il est possible
que les secrétaires cantonaux, les instituteurs et un
sur mille parmi les paysans comprennent de quoi il
retourne; mais le reste des quatre-vingts millions fait
comme Mikhaïlytch : non seulement ils ne témoignent
pas leur volonté, mais ils n'ont pas la plus légère
notion de ce qu'ils pourraient avoir à témoigner. Quel
droit avons-nous, dans ces conditions, d'invoquer la
volonté du peuple? »

XVI

Serge Ivanovitch, habile en dialectique, transporta
aussitôt la question sur un autre terrain.

« Il est évident que ne possédant pas le suffrage
universel — lequel d'ailleurs ne prouve rien — nous
ne saurions connaître par voie arithmétique l'opinion
de la nation; mais il y a d'autres moyens d'appréciation. Je ne dis rien de ces courants souterrains qui
agitent les eaux jusqu'alors stagnantes de l'océan populaire et que tout homme non prévenu discerne aisément; mais considère la société dans un sens plus

restreint, vois combien sur ce terrain les partis les
plus hostiles se fondent en un seul. Il n'y a plus de
divergence d'opinions, toutes les feuilles publiques
s'expriment de même, tous cèdent à la force élémen-
taire qui les entraîne dans une même direction.

— Que les journaux crient tous la même chose, c'est
vrai, dit le prince; on dirait les grenouilles avant
l'orage! Ce sont sans doute leurs cris qui empêchent
d'entendre la moindre voix.

— Je ne sais vraiment ce que les journaux ont de
commun avec les grenouilles. Je ne prends d'ailleurs
point leur défense et parle de l'unanimité d'opinion
dans les milieux éclairés », répliqua Serge Ivanovitch,
en s'adressant à son frère.

Levine voulut répondre, mais le prince le prévint.

« Cette unanimité a sans doute sa raison d'être.
Voilà, par exemple, mon cher gendre Stépane Arcadiévitch que l'on nomme membre de je ne sais quelle
commission... Une pure sinécure — ce n'est un secret
pour personne, Dolly — et huit mille roubles d'appointements! Demandez donc à cet homme de bonne foi
ce qu'il pense de la place en question : il vous démontrera, soyez-en sûrs, que la société ne saurait s'en
passer.

— Ah! oui, j'allais oublier; il m'a demandé de prévenir Darie Alexandrovna que sa nomination était
chose faite, notifia Serge Ivanovitch d'un ton mécontent, car il jugeait malséante l'intervention du vieux
prince.

— Eh bien, continua celui-ci, les journaux en font
autant : comme la guerre doit doubler leur vente, il est
tout naturel qu'ils mettent en avant l'instinct national,
les frères slaves et toute la boutique...

— Vous êtes injuste, mon prince, rétorqua Serge
Ivanovitch; laissez-moi vous le dire, en dépit du peu
de sympathie que j'éprouve pour certains journaux.

— Alphonse Karr était dans le vrai lorsque, avant
la guerre franco-allemande, il proposait aux partisans
de la guerre de constituer l'avant-garde et d'essuyer
le premier feu.

— Quelle triste figure feraient là nos journalistes! dit avec un gros rire Katavassov, qui se représentait certains de ses amis enrôlés parmi cette légion d'élite.

— Mais leur fuite gênerait les autres, insinua Dolly.

— Rien n'empêcherait, insista le prince, de les ramener au feu à coups de fouet ou de mitraille...

— Excusez-moi, mon prince, dit Serge Ivanovitch, mais la plaisanterie est d'un goût douteux.

— Je ne vois là aucune plaisanterie..., voulut dire Levine, mais son frère l'interrompit.

— Les membres d'une société ont tous un devoir à remplir, déclara-t-il, et les hommes qui réfléchissent accomplissent le leur en donnant une expression à l'opinion publique. L'unanimité de cette opinion est un symptôme heureux qu'il faut inscrire à l'actif de la presse. Il y a vingt ans, tout le monde se serait tu; aujourd'hui, le peuple russe, prêt à se sacrifier, à se lever tout entier pour sauver ses frères, fait entendre sa voix unanime; c'est un grand pas d'accompli, une preuve de force.

— Pardon, insinua timidement Levine, il n'est pas seulement question de se sacrifier, mais de tuer des Turcs. Le peuple est prêt à bien des sacrifices, quand il s'agit de son âme, mais non pas à accomplir une œuvre de mort, ajouta-t-il, rattachant involontairement cet entretien aux pensées qui l'agitaient.

— Qu'appelez-vous son âme? Pour un naturaliste, c'est un terme bien imprécis. Qu'est-ce que l'âme? demanda Katavassov en souriant.

— Vous le savez bien.

— Parole d'honneur, je n'en ai pas la moindre idée! insista le professeur en riant aux éclats.

— « Je suis venu apporter non la paix, mais le « glaive », a dit le Christ, objecta de son côté Serge Ivanovitch, citant comme la chose la plus simple du monde, comme une vérité évidente, le passage de l'Evangile (1) qui avait toujours le plus troublé Levine.

— Ça, c'est pour sûr, dit encore une fois le vieux

(1) MATTHIEU X, 34. (N. d. T.)

gardien, répondant à un regard jeté sur lui par hasard.

— Vous voilà battu, mon cher, et bien battu! »
s'écria joyeusement Katavassov.

Levine rougit, non pas de se sentir battu, mais
d'avoir encore cédé au besoin de discuter.

« Je perds mon temps, se dit-il. Comment, étant ɩu,
puis-je vaincre des gens que protège une armure sans
défaut? »

Il ne lui paraissait guère possible de convaincre son
frère et Katavassov, encore moins de se laisser
convaincre par eux. Ce qu'ils prônaient n'était pas
autre chose que cet orgueil de l'esprit qui avait failli
le perdre. Comment admettre qu'une poignée
d'hommes, son frère parmi eux, s'arrogeât le droit de
représenter avec les journaux la volonté de la nation,
alors que cette volonté exprimait soi-disant la vengeance et l'assassinat et que toute leur certitude
s'appuyait sur les récits suspects de quelques centaines de beaux parleurs en quête d'aventures? Le
peuple, au sein duquel il vivait, dont il avait
conscience de faire partie, ne lui offrait aucune confir-
mation de ces assertions. Il n'en trouvait pas davantage en lui-même : tout comme le peuple, il ignorait en
quoi consistait le bien public, mais savait pertinemment qu'on ne l'atteint que par la stricte observation
de cette loi morale inscrite au cœur de tout homme;
par conséquent, il ne pouvait préconiser la guerre,
quelque but généreux qu'elle se proposât. Il partageait
la façon de voir de Mikhaïlytch, qui était celle de tout
le peuple et qu'exprimait si bien la tradition relative
à l'appel aux Varègues : « Régnez et gouvernez; à
nous les pénibles labeurs et les lourds sacrifices, mais
à vous le souci des décisions. » Pouvait-on sérieusement prétendre avec Serge Ivanovitch que le peuple
eût renoncé à un droit si chèrement acquis?

Et puis, si l'opinion publique passait pour infaillible, pourquoi la guerre et la commune ne seraient-
elles aussi légitimes que l'agitation en faveur des
Slaves?

Levine aurait voulu exprimer toutes ces pensées,

mais il voyait bien que la discussion irritait son frère
et qu'elle n'aboutirait à rien. Il préféra donc se taire
et attira, au bout d'un moment, l'attention de ses
invités sur un gros nuage qui ne présageait rien de
bon.

XVII

Le prince et Serge Ivanovitch se firent reconduire en
télègue, tandis que le reste de la société hâtait le pas;
mais le ciel se couvrait de plus en plus, les nuages
bas et d'un noir de suie, chassés par le vent, semblaient courir avec une telle rapidité qu'à deux cents
pas de la maison l'averse devint imminente.

Les enfants avaient pris les devants, poussant des
cris de frayeur amusée; Dolly, gênée par ses jupes,
les suivait en courant, les hommes, retenant avec
peine leurs chapeaux, faisaient de grandes enjambées.
Au moment où l'on atteignait le perron, la première
grosse goutte vint se briser sur une gouttière. Tout le
monde, devisant gaiement, se précipita dans l'antichambre.

« Où est Catherine Alexandrovna? demanda Levine
à Agathe Mikhaïlovna qui se préparait à sortir chargée de châles et de couvertures.

— Nous pensions qu'elle était avec vous.

— Et Mitia?

— Dans le petit bois probablement avec sa bonne. »
Levine s'empara du paquet et se mit à courir.

Dans ce court espace de temps, le ciel s'était obs-
curci comme pendant une éclipse, et le vent, soufflant
avec violence, faisait voler les fleurs des tilleuls, dénu-
dait les branches des bouleaux, ployait les brins
d'herbe, les plantes, les arbustes, les buissons d'acacias
et la cime des grands arbres. Les filles qui travaillaient
au jardin couraient avec force piaillements se mettre
à l'abri. La nappe blanche de l'averse couvrait déjà

une bonne moitié des champs, tout le grand bois et
menaçait le petit. Le nuage avait crevé en une pluie
fine qui imprégnait l'air d'humidité.

Luttant vigoureusement contre la tempête qui s'obstinait à vouloir lui arracher ses châles, Levine, penché en avant, atteignait déjà le petit bois et croyait
apercevoir des formes blanches derrière un chêne
familier, lorsque soudain une lumière éclatante enflamma le sol devant lui, tandis qu'au-dessus de sa tête
la voûte céleste sembla s'effondrer. Dès qu'il put ouvrir
ses yeux éblouis, il s'aperçut avec terreur que l'épais
rideau formé par l'averse le séparait maintenant du
bois et que la cime du gros chêne avait changé de
place. « La foudre l'aura frappé ! » eut-il le temps de
se dire ; et aussitôt il entendit le bruit de l'arbre
s'écroulant avec fracas.

« Mon Dieu, mon Dieu, pourvu qu'ils n'aient pas
été touchés ! » murmura-t-il, glacé de frayeur ; et, bien
qu'il sentît aussitôt l'absurdité de cette prière tardive,
il la répéta néanmoins, sentant d'instinct qu'il ne pouvait rien faire de mieux. Il se dirigea vers l'endroit où
Kitty se tenait d'habitude ; il ne l'y trouva pas mais
l'entendit appeler à l'autre bout du bois. Il courut de
ce côté, aussi vite que le lui permettaient ses chaus-
sures remplies d'eau qui pataugeaient dans les flaques ;
et comme le ciel se rassérénait, il la découvrit sous un
tilleul penchée ainsi que la bonne sur une petite
voiture protégée par un parasol vert. Bien que la pluie
eût cessé, elles demeuraient immobiles dans la position qu'elles avaient prise dès le début de l'orage afin
de protéger de leur mieux l'enfant. Toutes deux
avaient reçu l'averse, mais si la jupe de la bonne était
encore sèche, la robe de Kitty, entièrement trempée,
lui collait au corps, et son chapeau avait perdu toute
forme. La jeune femme tourna vers son mari un visage
cramoisi, ruisselant, éclairé d'un sourire timide.

« Vivants ! Que Dieu soit loué ! Mais peut-on commettre une pareille imprudence ! cria Levine hors de
lui.

— Je t'assure qu'il n'y a pas de ma faute : nous

allions partir lorsque Mitia a fait des siennes; il a bien fallu le changer; et tout aussitôt... »

Mais la vue de son fils qui, sans avoir reçu une goutte d'eau, dormait le plus paisiblement du monde, calma Levine.

« Allons, tout va bien; je ne sais plus ce que je dis », avoua-t-il.

On fit un paquet des langes mouillés, et on se dirigea vers la maison. Un peu honteux d'avoir grondé Kitty, Levine lui serrait doucement la main, en cachette de la bonne qui portait l'enfant.

XVIII

MALGRÉ la déception qu'il avait ressentie en constatant que sa régénération morale n'apportait à son caractère aucune modification appréciable, Levine n'en éprouva pas moins toute la journée, au cours d'entretiens où il n'avait garde de se livrer, une plénitude de cœur qui le combla de joie.

Après dîner, l'humidité et l'orage toujours menaçant ne permirent point une nouvelle promenade. On n'en passa pas moins la soirée fort gaiement, sans plus se livrer à d'oiseuses discussions. Katavassov fit la conquête des dames par la tournure originale de son esprit qui séduisait toujours de prime abord. Mis en verve par Serge Ivanovitch, il les amusa en leur racontant ses très curieuses observations sur les différences de mœurs et même de physionomie entre les mouches mâles et les mouches femelles. Koznychev se montra également fort gai et, l'heure du thé venue, il développa, à la prière de son frère, ses vues sur la question slave avec autant de finesse que de simplicité.

Le bain de Mitia contraignit à regret Kitty à se retirer; quelques minutes plus tard, on vint prévenir Levine qu'elle le demandait. Inquiet, celui-ci se leva aussitôt, malgré l'intérêt qu'il prenait à la théorie de

Serge sur l'influence que l'émancipation de quarante millions de Slaves aurait pour l'avenir de la Russie, sur la nouvelle ère historique qui allait s'ouvrir.

Que pouvait-on lui vouloir? on ne le réclamait jamais auprès de l'enfant qu'en cas d'urgence. Mais son inquiétude, aussi bien que la curiosité éveillée en lui par les discours de son frère, disparurent dès qu'il se retrouva seul un moment. Que lui importaient toutes ces considérations sur le rôle de l'élément slave dans l'histoire universelle! Son bonheur intime lui était revenu subitement sans qu'il eût besoin cette fois de le ranimer par la réflexion : le sentiment était devenu plus puissant que la pensée.

En traversant la terrasse, il vit poindre deux étoiles au firmament. « Oui, se dit-il, je me rappelle avoir pensé qu'il y avait une vérité dans l'illusion de cette voûte que je contemplais, mais quelle était la pensée que je n'osais regarder en face? Peu importe! Il ne peut y avoir d'objection valable : quelle qu'elle soit, en la creusant tout s'éclaircira! »

Comme il pénétrait dans la chambre de l'enfant, il se la rappela soudain : « Si la principale preuve de l'existence de Dieu est la révélation intérieure qu'il donne à chacun de nous du bien et du mal, pourquoi cette révélation serait-elle limitée à l'église chrétienne? Quels rapports ont avec cette révélation les Bouddhistes ou les Musulmans, qui eux aussi connaissent et pratiquent le bien? »

Il croyait avoir une réponse toute prête, mais n'arrivait pas à la formuler.

A l'approche de son mari, Kitty se tourna vers lui en souriant. Les manches retroussées, elle se tenait penchée sur la baignoire, soutenant d'une main la tête de l'enfant tandis que de l'autre elle pressait d'un geste rythmique une grosse éponge au-dessus du petit corps potelé qui barbotait dans l'eau.

« Viens vite, Agathe Mikhaïlovna avait raison : il nous reconnaît. »

On mit aussitôt Mitia à l'épreuve : la cuisinière, convoquée à cet effet, s'étant penchée sur lui, il se

renfrogna, secoua la tête; mais quand sa mère remplaça l'étrangère, il sourit, saisit l'éponge à deux mains
et fit entendre des sons de joie qui plongèrent dans le
ravissement Kitty, la bonne et jusqu'à Levine.

La bonne souleva l'enfant sur la paume de sa main,
l'essuya, l'enlangea et, comme il poussait un cri per-
çant, le tendit à sa mère.

« Je suis bien aise de voir que tu commences à
l'aimer, dit Kitty lorsque l'enfant eut pris le sein et
qu'elle se fut tranquillement installée à sa place habituelle. Je souffrais de t'entendre dire que tu ne ressen-
tais rien pour lui.

— Je me serai mal exprimé. Je voulais seulement
dire qu'il m'a causé une déception.

— Comment cela?

— Je m'attendais à ce qu'il me révélât un sentiment
nouveau et tout au contraire c'est de la pitié et du
dégoût qu'il m'a d'abord inspirés... »

Tout en remettant ses bagues qu'elle avait enlevées
pour baigner Mitia, Kitty l'écoutait avec une attention
concentrée.

« Oui, de la pitié, de la frayeur aussi... Ce n'est
qu'aujourd'hui, pendant l'orage, que j'ai compris combien je l'aimais (1). »

Kitty sourit de joie.

« Tu as eu bien peur? Moi aussi; mais j'ai plus peur

_____

(1) « Léon Nicolaïevitch était tendre avec ses enfants, surtout
avec la petite Tania. Mais il évitait le nouveau-né et disait :
— Je n'aime pas tenir dans mes mains un oiseau vivant, cela
me donne une sorte de frisson; j'ai la même appréhension quand
je prends dans mes bras un petit enfant. » (T. Kouzminski, *op.
cit.*)

« Le sixième, Pierre, est un géant. Je sais qu'il a de grandes
réserves physiques. Mais y a-t-il autre chose en lui qui nécessite
des réserves? Je n'en sais rien. C'est pourquoi je n'aime pas les
enfants avant deux, trois ans : je ne les comprends pas. Vous
ai-je fait part d'une remarque bizarre? Il y a deux sortes
d'hommes : ceux qui chassent et ceux qui ne chassent pas. Ceux
qui ne chassent pas aiment les petits enfants, les bébés, et peuvent les prendre dans leurs bras; les chasseurs éprouvent un sentiment de terreur, de dégoût et de pitié devant les bébés. Je ne
connais pas d'exception à cette règle. » (Lettre à Alexandra
Tolstoï, automne 1872.)

encore maintenant que je me rends compte du danger que nous avons couru. J'irai revoir le chêne... Après tout j'ai passé une fort bonne journée, Katavassov est très amusant. Et quand tu le veux, tu te montres charmant avec Serge Ivanovitch... Allons, va les retrouver : après le bain, on étouffe ici. »

XIX

Dès qu'il eut quitté sa femme, Levine se sentit repris par la pensée qui l'inquiétait. Au lieu de rentrer au salon, il s'accouda à la balustrade de la terrasse.

La nuit tombait, et le ciel, pur au midi, restait orageux du côté opposé. Tout en écoutant les gouttes de pluie tomber en cadence du feuillage des tilleuls, Levine contemplait un triangle d'étoiles traversé par la voie lactée. De temps à autre un éclair éblouissant, suivi d'un sourd grondement, faisait disparaître à ses yeux ce décor familier; mais aussitôt les étoiles reparaissaient comme si une main exercée les eût rajustées au firmament.

« Voyons, qu'est-ce qui me trouble? » se demandat-il, sentant sourdre en son âme une réponse à ses doutes.

« Oui, la révélation au monde de la loi du bien est la preuve évidente, irrécusable de l'existence de Dieu. Cette loi, je la reconnais au fond de mon cœur, m'unissant ainsi bon gré mal gré à tous ceux qui la reconnaissent comme moi, et cette réunion d'êtres humains partageant la même croyance s'appelle l'Eglise. Mais les Juifs, les Musulmans, les Bouddhistes, les Confusianistes? se dit-il revenant toujours au point dangereux. Ces millions d'hommes seraient-ils privés du plus grand des bienfaits, de celui qui seul donne un sens à la vie?... Mais voyons, reprit-il après quelques instants de réflexion, quelle question ai-je le front de me poser? Celle des rapports des diverses croyances de l'huma-

nité entière avec la Divinité? C'est la révélation de
Dieu à l'univers avec ses astres et ses nébuleuses que je
prétends sonder! Et c'est au moment où m'est révélé
un savoir certain mais inaccessible à la raison que je
m'obstine à vouloir faire intervenir la logique!

« Je sais que les étoiles ne marchent pas, poursui-
vit-il en remarquant le changement survenu dans la
position d'une planète qui montait au-dessus d'un
bouleau. Néanmoins, ne pouvant m'imaginer la rotation
de la terre en voyant les étoiles changer de place, j'ai
raison de dire qu'elles marchent. Les astronomes auraient-ils rien compris, rien calculé s'ils avaient pris
en considération les mouvements si variés, si compli-
qués de la terre? Les surprenantes conclusions auxquelles ils sont arrivés sur les distances, les poids,
les mouvements et les révolutions des corps célestes
n'ont-elles pas pour point de départ les mouvements
apparents des astres autour de la terre immobile, ces
mêmes mouvements dont je suis témoin comme des
millions d'hommes l'ont été et le seront pendant des
siècles, et qui peuvent toujours être vérifiés? Et, de
même que les conclusions des astronomes seraient
vaines et inexactes si elles ne découlaient pas de leurs
observations du ciel apparent, relativement à un seul
méridien et à un horizon, de même toutes mes déductions métaphysiques seraient privées de sens si je ne
les fondais pas sur cette connaissance du bien inhé-
rente au cœur de tous les hommes, dont j'ai eu personnellement la révélation par le christianisme et que
je pourrai toujours vérifier dans mon âme. Les rapports des autres croyances avec Dieu resteront pour
moi insondables, et je n'ai pas le droit de les scruter. »

« Comment, tu es encore là! dit tout à coup la voix
de Kitty qui regagnait le salon. Tu n'as rien qui te
préoccupe? » insista-t-elle en tâchant de scruter le
visage de son mari à la clarté des étoiles. Un éclair qui
sillonna l'horizon le lui montra calme et heureux.

« Elle me comprend, songea Levine en la voyant
sourire; elle sait à quoi je pense; faut-il le lui dire?
Oui. »

Au moment où il allait parler, Kitty l'interrompit.

« Je t'en prie, Kostia, dit-elle, va jeter un coup d'œil dans la chambre de Serge Ivanovitch. Tout y est-il en ordre? Lui a-t-on donné un nouveau lavabo? Je suis gênée d'y aller.

— Fort bien, j'y vais », répondit Levine en l'embrassant.

« Non, mieux vaut me taire, décida-t-il tandis que la jeune femme rentrait au salon. Ce secret n'a d'importance que pour moi seul, et aucune parole ne saurait l'expliquer. Ce sentiment nouveau ne m'a ni changé, ni ébloui, ni rendu heureux comme je le pensais : de même que pour l'amour paternel, il n'y a eu ni surprise ni ravissement. Dois-je lui donner le nom de foi? je n'en sais rien; je sais seulement qu'il s'est glissé dans mon âme par la souffrance et qu'il s'y est fermement implanté.

« Je continuerai sans doute à m'impatienter contre mon cocher Ivan, à discuter inutilement, à exprimer mal à propos mes idées; je sentirai toujours une barrière entre le sanctuaire de mon âme et l'âme des autres, même celle de ma femme; je rendrai toujours Kitty responsable de mes terreurs pour m'en repentir aussitôt; je continuerai à prier, sans pouvoir m'expliquer pourquoi je prie. Qu'importe! Ma vie intérieure ne sera plus à la merci des événements, chaque minute de mon existence aura un sens incontestable, qu'il sera en mon pouvoir d'imprimer à chacune de mes actions : celui du bien! »

NOTICE

Tolstoï vient de mettre le point final à l'épilogue de
La Guerre et la Paix, non point inventé, mais « arraché
de ses entrailles » et déjà, en tâtonnant de tous côtés,
car c'est là sa manière, il cherche de nouvelles sources
d'inspiration. Il relit les Bylines ou contes russes pour
son livre de lecture enfantine. Il songe au genre dra-
matique   et se plonge dans Shakespeare, Goethe,
Pouchkine, Gogol, Molière. Le voilà qui se passionne
pour la figure de Pierre le Grand, et il souhaite d'écrire
une pièce sur le premier empereur russe. Mais d'autres
velléités le sollicitent, comme nous le montre cette note
du journal de la comtesse Tolstoï, datée du 24 février 1870 :

« Hier soir, il m'a dit qu'il avait entrevu un type
de femme mariée, de la haute société, mais qui se
serait perdue. Il m'a expliqué que le problème pour
lui était de la peindre uniquement digne de pitié et non
coupable, et que, dès que ce type s'était présenté à lui,
tous les personnages et les types d'hommes qu'il avait
envisagés auparavant avaient trouvé leur place et
s'étaient groupés autour de cette femme. « Maintenant,
« tout s'est éclairé », m'a-t-il dit. »

C'est la première allusion à *Anna Karénine,* mais il
faudra attendre trois ans avant que s'anime pour lui
non seulement cette femme « digne de pitié », mais
toute la société qui l'entoure.

Il y a son *Alphabet,* recueil d'exercices pédagogiques
et de récits destinés aux enfants des campagnes pour
lesquels il travaille son style comme jamais, soucieux
de n'employer, pour le peuple, que la langue du peuple
qu'il admire, avec ses dictons, ses tournures ellip-
tiques, imagées, savoureuses.

Puis l'été, comme toujours, l'arrache aux livres.

« Grâce à Dieu, cet été, je suis bête à manger du
foin, écrit-il à son ami Fet. Je travaille, je scie du bois,

je bêche, je fauche, et ne pense ni à l'horrible littérature ni aux littérateurs. »

L'horrible littérature le reprend en automne. La pièce sur Pierre le Grand est devenue roman, et Tolstoï, avec cette soumission au réel qui caractérise tous les grands écrivains russes (il disait qu'il ne pouvait comprendre un personnage s'il ne savait pas comment il boutonnait son caftan), accumule notes, documents sur cette époque.

Un travail intérieur opiniâtre s'effectue en lui; des rêves insensés, impossibles, le désir d'accomplir quelque chose qui soit au-dessus de ses forces le soulèvent. Le lendemain, il se demande s'il est encore capable d'écrire quoi que ce soit. Puis son désœuvrement lui fait honte et il se lance dans une nouvelle direction.

En décembre, il commence à apprendre le grec avec un séminariste, fait des progrès stupéfiants en quelques mois, en sait bientôt plus que son professeur, lit Xénophon, se jette dans Platon et dans Homère, y passe ses nuits et fait part à son entourage de ses découvertes. La perfection grecque le fait rêver d'une œuvre sans défaut, où il n'y aurait rien de superflu. Peut-être pourrait-il la situer aux débuts de l'histoire russe? Et il relit les « Vies des saints », où il trouve « la véritable poésie russe ».

Mais sa santé est atteinte, il a des rhumatismes, il tousse, il est pris d'étranges dégoûts, la vie lui est à charge... Il va consulter un médecin qui lui conseille une cure de *koumis,* ce lait de jument que les femmes des Bachkirs nomades mettent à fermenter dans des outres de cuir et qui passait pour avoir de grandes vertus fortifiantes. Tolstoï va passer une partie de l'été 1871 dans la steppe de Samara, y vit sous la tente, chasse le canard sauvage et bavarde avec les Bachkirs, ces « Scythes lactophages » auxquels il trouve « une odeur d'Hérodote ». Cette vie lui plaît tellement qu'il achète de grandes étendues de terre non loin de Samara. Il y reviendra jusqu'en 1878, parfois accompagné de toute sa famille et adjoindra un haras à son domaine. Car, s'il ne s'intéresse plus guère à l'administration de ses terres, Tolstoï est encore le grand propriétaire qui jouit de ses biens sans trop de scrupules.

En janvier 1872, une jeune femme, Anna Pirogova,

abandonnée par son amant Bibikov, voisin et ami des Tolstoï, alla se jeter sous un train de marchandises à la gare de Iassenki, non loin de Iasnaïa Poliana. Tolstoï qui tant de fois déjà, à Sébastopol, puis plus tard, au chevet de son frère Nicolas, a interrogé le visage de la mort ne peut se retenir, cette fois encore, de s'approcher du mystère qui pèse si lourdement sur lui. Il va assister à l'autopsie du corps déchiqueté dans un des bâtiments de la petite gare. L'impression est terrible.

La première édition de son *Alphabet* auquel il a travaillé toute l'année lui apporte des déceptions, les critiques le trouvant vraiment trop peu conformiste. Mais Tolstoï ne se détourne pas pour autant de la pédagogie : il rouvre l'école de Iasnaïa Poliana, fermée depuis des années et forme une équipe d'instituteurs selon ses méthodes.

Le roman sur Pierre le Grand n'avance pas. Il se perd dans le dédale de ses notes, il peine sur son travail, ce « labour profond » du champ qu'il est « obligé » d'ensemencer. Il remanie le début de son récit vingt et une fois sans en être jamais satisfait.

Et, soudain, le 18 ou 19 mars 1873, il commence *Anna Karénine.* Tolstoï raconte lui-même, dans une lettre au critique Strakhov, de quelle façon il fut amené à entreprendre cette œuvre. Comme il cherchait une lecture pour son fils Serge, sa femme lui avait apporté les *Récits de Bielkine :* « J'ai pris ce tome de Pouchkine et, comme toujours (je crois que c'est la septième fois!), je l'ai relu en entier, sans avoir la force de m'en arracher. Il m'a semblé le lire avec des yeux nouveaux. Bien plus, cet ouvrage a en quelque sorte dissipé tous mes doutes. Je crois que jamais Pouchkine, jamais rien ne m'a inspiré un tel enthousiasme. Le *Coup de pistolet,* les *Nuits d'Egypte,* la *Fille du capitaine!* Et le fragment : *Les invités s'étaient réunis dans la villa!* Malgré moi, sans intention, sans même savoir ce qu'il en résulterait, j'ai imaginé des personnages et des événements, puis, bien entendu, j'ai modifié et, soudain, tout s'est enchaîné si heureusement, si étroitement qu'il en est sorti un roman, vivant, passionné, achevé. J'en suis très content et il sera prêt dans quinze jours, si Dieu le permet. Il n'a rien de commun avec tout ce avec quoi je me débats depuis un an. »

Mais Tolstoï vit bientôt qu'il s'avançait beaucoup en annonçant que son roman serait terminé en quinze jours et la lettre ne fut pas envoyée. Dans une autre lettre, écrite un peu plus tard à Strakhov, il répète que l'idée de ce roman, « le premier de sa vie », lui est venue « malgré lui, grâce au divin Pouchkine ». La vivacité de l'entrée en matière de Pouchkine, sans le moindre préambule, dans le fragment : *Les invités s'étaient réunis dans la villa* lui a donné l'impulsion décisive qui l'a jeté à sa table de travail.

Il écrit d'abord dans la joie. Après les doutes de ces dernières années, il sent qu'il est de nouveau à sa place, qu'il tend vers un but, qu'il obéit à une injonction supérieure. Mais ensuite commence la longue et pénible gestation de l'œuvre, sans cesse interrompue, qui durera de 1873 à 1877.

Pendant l'été 1873, Tolstoï retourne faire sa cure de *koumis* dans la steppe de Samara. La région est menacée par la famine et Tolstoï, après une enquête personnelle autour de son domaine, fait publier dans les journaux un appel aux gens de bonne volonté. Les dons ainsi rassemblés s'élèvent à environ deux millions de roubles, à des centaines de tonnes de pain.

De retour à Iasnaïa Poliana, il prépare une réédition de son *Alphabet* en plusieurs fascicules, où seront séparés les exercices pédagogiques et les *Quatre livres de lecture*. Sous cette forme, l'ouvrage aura beaucoup de succès.

Sa renommée de grand écrivain est bien établie. Le peintre Kramskoï vient faire son premier portrait officiel pour la Galerie Tretiakov. Il y est assis, en blouse paysanne, le visage incliné, pensif, le regard à la fois attentif et lointain, « ressemblant à faire peur », dit la comtesse Tolstoï.

« Je ne finirai pas le roman avant l'automne », avait-il écrit à Strakhov avant de partir pour Samara. En septembre, entre deux parties de chasse avec son ami Obolenski, il lui écrit de nouveau : « Je ne pense pas terminer avant l'hiver. J'ai besoin d'une lumière intérieure, qui toujours me fait défaut en automne. »

Il travaille beaucoup pendant les mois qui suivent et, au début de l'année 1874, la comtesse Tolstoï commence à recopier le manuscrit que, selon son habitude de toujours, Tolstoï rature sans fin. En février, la

première partie du roman est terminée et il va la
porter à son éditeur à Moscou.

En même temps, il fait des démarches auprès du
ministre de l'Instruction publique pour faire accepter
son programme d'études dans les écoles des campagnes.
Et, de retour chez lui, il se plonge dans la composition d'une grammaire. En mai, son roman est arrêté.
Il lui déplaît profondément. Il prépare une « profession de foi pédagogique » (ce sera son article sur l'instruction du peuple, qui l'occupera toute l'année et qui
aura beaucoup de retentissement). Il veut même arrêter l'impression d'*Anna Karénine*. Mais Strakhov, lors
d'un séjour à Iasnaïa Poliana, est enthousiasmé par
le début du roman et le persuade d'y revenir. Il y
travaille en juillet, puis l'abandonne de nouveau. « C'est
odieux, abject. » Strakhov, de loin, l'exhorte de plus
belle. « Quoi que vous écriviez, ce qui me frappe chez
vous, c'est une extraordinaire fraîcheur, une originalité absolue. Comme si, d'une période de la littérature,
je sautais brusquement dans une autre. »

L'hiver passe ainsi. Tolstoï travaille à son livre par
à-coups, quitte soudain sa maison pour chasser le
loup et, quand il revient, se plonge dans la pédagogie :
la rédaction d'une grammaire, d'une arithmétique, la
formation d'instituteurs selon ses vues, l'enseignement
direct aussi : « Il faut sauver ces Pouchkine, ces Lomo-
nossov qui se noient et qui fourmillent dans chaque
école. » « Il m'est impossible de m'arracher à des
êtres vivants pour m'occuper de créatures imaginaires. »

Enfin, en décembre 1874, il a promis son roman
au *Messager russe*, où il commencera à paraître
en feuilleton à partir du mois de janvier. Bon gré,
mal gré, il lui faut continuer.

La parution des premiers chapitres d'*Anna Karénine*
éveille tout de suite un grand intérêt et Tolstoï en
est étonné. Il pensait que sa réputation tomberait après
ce livre. Il est d'ailleurs de plus en plus indifférent
au succès, mais, en même temps, il sait défendre avec
force la singularité de sa pensée, celle de son style.
Car les lecteurs ne sont pas unanimes. Le réalisme de
certaines scènes : l'auscultation de Kitty, le chapitre
célèbre qui suit la séduction d'Anna semblent très au-
dacieux et même cyniques pour l'époque. « Ce réa-

lisme est ma seule arme, répond Tolstoï... Ce chapitre est un de ceux sur lesquels repose tout le roman. S'il est faux, alors tout est faux. »

Avant l'été, les deux premières parties et le début de la troisième partie d'*Anna Karénine* sortent dans le *Messager russe,* accueillies avec un enthousiasme sans cesse grandissant, et les amis trouvent à Lévine (le nom Lévine vient de Lev, le propre prénom de Tolstoï) une grande ressemblance avec l'écrivain. On compare celui-ci aux plus grands, à Pouchkine, à Gogol.

Mais Tolstoï n'est plus sensible aux louanges. Une sorte de torpeur semble l'habiter. Le sourd travail intérieur qui a commencé dans les années 70 se poursuit en lui. Où réside le bien? Quel est le sens de cette vie si elle se termine par la mort? Cette mort l'environne de tous côtés. Depuis deux ans, il a perdu déjà deux enfants, une nièce qu'il chérissait, sa tante Ergolskaïa qui lui a tenu lieu de mère. Enfin, la naissance prématurée d'une petite fille qui ne vit que quelques heures met les jours de sa femme en danger : « Terreur, effroi, mort, gaieté des enfants, nourriture, agitation du docteur, imposture, mort, effroi... » Et le mot religion revient de plus en plus souvent sous sa plume. Il envie la sérénité des croyants. Vivre sans la foi est un horrible tourment... mais il ne peut pas croire.

Quand il se ressaisit, son œuvre lui semble solide. Les fondations sont en place. Ah! si quelqu'un pouvait terminer pour lui cette *Anna Karénine* exécrée! Il a hâte maintenant de s'en débarrasser pour faire place au problème philosophique et religieux, de plus en plus pressant. Déjà, il commence son enquête, lit, questionne...

La fin de l'hiver, le printemps sont les moments de l'année où il travaille le mieux. Il faut avancer. En 1876, le *Messager russe* publie la fin de la troisième partie, la quatrième et la cinquième partie d'*Anna Karénine.* Le succès est prodigieux, insensé. « Vous nourrissez des affamés, lui écrit Strakhov, des gens qui mouraient de faim depuis longtemps. » Cette société se sent observée par un regard pénétrant, impitoyable, et jugée.

En 1877 paraissent la sixième et la septième partie du roman. A partir du mois de mars, il travaille à la huitième partie ou épilogue et annonce que le livre est pratiquement terminé. Mais Katkov, le directeur de la revue, refuse de publier tel quel le passage où Lévine s'étonne de l'engouement subit d'une société oisive pour les « frères slaves », au moment de la guerre russo-turque. Cette nouvelle guerre inquiétait beaucoup Tolstoï. Il essaya par deux fois de remanier son texte, puis finalement le reprit et le fit éditer à part. Dans le numéro de juin du *Messager russe,* une note de la rédaction *raconta* la fin d'*Anna Karénine.* Le roman fut publié en édition séparée en janvier 1878.

L'épilogue d'*Anna Karénine* révèle la gravité de la crise que traverse Tolstoï. Les tourments de Lévine en quête d'une foi sont ses propres tourments : la vie, sans but, sans justification, lui paraît soudain absurde. Toute activité inutile et cet écrivain au sommet de sa gloire, en pleine force, entouré d'une famille apparemment heureuse, d'un immense public, ne voit plus devant lui que le néant. Il est hanté par l'idée du suicide, devenue pour lui une « idée séduisante ». Il ne chasse plus qu'avec son chien, sans fusil, et fait même cacher toutes les cordes de la maison, de peur de ne pouvoir résister à l'envie de se pendre, le soir, à la poutre qui sépare les deux armoires de sa chambre. Cette crise terrible durera des mois. Il ne la surmontera qu'aux environs de l'année 1880, époque de sa « seconde naissance ».

Le grand tournant est amorcé, la quête religieuse commence. C'est l'époque où Tolstoï se force à pratiquer, où il va consulter le staretz Ambroise à l'ermitage d'Optina Poustyne. Ses succès d'écrivain, sa famille, si nombreuse maintenant, sa fortune lui pèsent. Il aspire à un dénuement de plus en plus grand.

Anna Karénine, œuvre de la maturité de Tolstoï, est située à un point critique de son évolution. L'artiste va céder le pas au moraliste, les tendances éparses dans son œuvre vont se rassembler en doctrine, le tolstoïsme va naître.

SYLVIE LUNEAU.

CHRONOLOGIE

1828. 28 août (9 sept.) Naissance à Iasnaïa Poliana, gouvernement de Toula, du comte Léon (Lev) Nikolaévitch Tolstoï. Son père est le comte Nikolaï Ilitch, sa mère Marie Nikolaevna née princesse Volkonskaïa.

1830. Mort de la mère de Tolstoï.

1837. Mort subite du père de Tolstoï. Les jeunes enfants Tolstoï sont confiés successivement à la tutelle des deux sœurs de leur père. En 1841, ils s'installent à Kazan chez la seconde.

1844. Tostoï entre à l'université de Kazan, faculté des Lettres, section arabe et turque.

1845. Il passe à la faculté de droit.

1847. Il quitte l'université sans achever ses études et rentre à Iasnaïa Poliana. Ce domaine, qui faisait partie de la dot de sa mère, lui revient après le partage de la succession avec sa sœur et ses frères. Tolstoï commence à tenir son journal intime.

1848. Premier voyage à Saint-Pétersbourg.

1851. Tolstoï part pour le Caucase dont les Russes consolident la conquête. Il y partage la vie des officiers d'artillerie. Il y commence, en été, la première partie de son autobiographie romancée : *Enfance.*

1852. *Enfance* paraît dans la revue radicale *Le Contemporain* dont les principaux animateurs sont le poète Nekrassov et le fouriériste Tchernychevski. Tolstoï commence le *Roman d'un propriétaire russe* qui demeura inachevé; il continue à travailler à son autobiographie et écrit des récits caucasiens.

1853. *Le Contemporain* publie un de ses récits : *L'Incursion.*

1853-1855. Nicolas Ier engage la Guerre d'Orient en lançant des troupes sur les principautés danubiennes.

1854. Tolstoï se fait muter à l'armée du Danube. Promu sous-lieutenant, il est affecté, sur sa demande, à l'armée de Crimée et assiste au siège de Sébastopol. *Le Contemporain* publie *Adolescence.*

1855. *Les Récits de Sébastopol* paraissent dans *Le Contemporain* et font sensation. Pour la première

fois en Russie, la guerre y est représentée sans au-
réole, dans son absurdité et sa cruauté.
1856. Tolstoï prend sa retraite et s'installe à Iasnaïa
Poliana. Il publie sous le titre : *La Matinée d'un propriétaire,* un fragment de roman commencé. Il offre
la liberté à ses paysans mais ceux-ci la refusent, craignant un piège.
1856-1857. Il fait un premier voyage de plusieurs mois
à l'étranger, visite l'Allemagne, la France, la Suisse
et l'Italie du Nord, écrit *Lucerne* et formule de vives
critiques : il accuse l'Occident d'être matérialiste,
indifférent à l'art et impitoyable à l'être humain.
1858. Publication de *Trois Morts,* nouvelle.
1859. Débuts de l'activité pédagogique de Tolstoï. A
l'école qu'il a fondée à Iasnaïa Poliana, il instruit lui-
même les enfants de ses paysans.
1860-1861. Second voyage à l'étranger. Pendant neuf
mois Tolstoï visite l'Allemagne, la France, l'Italie,
Londres et Bruxelles en étudiant partout les méthodes
pédagogiques. Il rejette tous les systèmes d'éducation
européens qu'il juge fondés sur la contrainte, et bâtit
le sien : égalité, liberté, accord avec la nature.
1861. Tolstoï se trouve à l'étranger au moment où, par
le manifeste du 19 février, Alexandre II abolit le
servage. La réforme déçoit les paysans, obligés de
racheter leur lot, et fait beaucoup de mécontents. Un
corps de médiateurs de paix bénévoles est créé, en
vue d'appliquer la réforme avec le moins de heurts
possible. Tolstoï assume les fonctions de médiateur,
mais les propriétaires fonciers se plaignent de lui :
ils prétendent qu'il favorise les paysans et qu'il finira
par provoquer leur soulèvement.
1862. Il résigne ses fonctions de médiateur de paix.
Pendant tout ce temps il poursuit son travail à l'école
paysanne et fonde une revue pédagogique : *Iasnaïa
Poliana.* Son activité paraît dangereuse aux autorités.
Il est soumis à une surveillance policière. La police
perquisitionne pendant deux jours à Iasnaïa Poliana,
sans rien trouver de compromettant.
En septembre, il épouse Sophie Andréevna Bers, âgée
de vingt ans, fille d'un médecin de Moscou.
1863. Dans les années qui suivent, il s'adonne assidû-
ment à l'agriculture, cherche à faire prospérer son
domaine, l'arrondit, acquiert d'autres terres, s'occupe
d'élevage. Il publie une de ses plus belles nouvelles :

Les Cosaques où il affirme la supériorité des êtres primitifs; *Polikouchka*, récit d'une tragédie paysanne; *Kholstomier,* histoire d'un cheval dont la vie noble et naturelle est opposée à celle de ses propriétaires successifs.

1863-1868. Années de travail sur *Guerre et Paix,* épopée des guerres napoléoniennes vues du côté russe. Tolstoï fait alterner la représentation de personnages d'une vérité psychologique et physique étonnante avec sa philosophie de l'histoire : il oppose à l'impuissance et à la vaine présomption des grands personnages tel Napoléon, la sagesse du peuple incarné par Platon Karataiev qui se soumet aux événements.

1865-1868. *Guerre et Paix,* sous le titre : *1805,* paraît dans la revue conservatrice *Le Messager russe* (Tolstoï s'est séparé des libéraux et des radicaux du *Contemporain*).

1866. Tolstoï assure la défense du soldat Chibounine, jugé dans un domaine voisin par le tribunal militaire pour avoir frappé un officier. Cependant Chibounine est condamné à être fusillé.

1869. *Guerre et Paix* paraît en volume.

1873-1877. Tolstoï travaille à *Anna Karénine,* vaste fresque de la noblesse de son temps. Le thème moral et psychologique de l'adultère s'enrichit du récit des scrupules moraux, religieux et sociaux de Lévine, principal héros du roman, ainsi nommé par l'auteur d'après son propre nom, Lev.

1875-1877. *Anna Karénine* paraît dans *Le Messager russe* et, en 1878, en volume.

1880-1882. Tolstoï traverse une violente crise morale et religieuse. Il s'élève contre l'iniquité des structures sociales, l'égoïsme des possédants, la misère de la paysannerie; il proteste contre l'arbitraire de l'autocratie et l'oppression exercée par les classes dirigeantes; il condamne l'Eglise établie, ses connivences avec les grands de ce monde et le formalisme de la religion officielle; il fait enfin le procès de l'art qui, au lieu de servir le peuple, fait appel à la sensualité des oisifs. Ces idées sont exposées dans *Confession* (1880-82), *L'Eglise et l'Etat* (1881), *Quelle est ma foi?* (1883-84), *Que devons-nous faire alors?* (1884-86).

1881. Ier (13) mars. Alexandre II est tué par les révolutionnaires terroristes. Tolstoï adresse à Alexandre III une lettre lui demandant la grâce des meurtriers.

1881-1886. Tolstoï publie une série de récits et de contes moralisateurs écrits pour le peuple, dans la langue du peuple, pittoresque et savoureuse.

1882. Soucieux de l'instruction de leurs enfants, les Tolstoï s'installent à Moscou. Les années suivantes, ils ne retourneront à Iasnaïa Poliana qu'en été. L'écrivain prend part au recensement de la population; il voit de près, pour la première fois, la misère des grandes villes et il en est bouleversé. Plus que jamais son idéal est le retour à la vie agricole patriarcale. Il est officieusement placé sous la surveillance de la police.

1886. *La Mort d'Ivan Ilitch,* nouvelle qui montre l'horreur de la mort après une existence vide. *La Puissance des Ténèbres,* sombre drame de la cruauté et de l'abrutissement de la paysannerie arriérée, et son choc avec les nouvelles forces industrielles et capitalistes que l'auteur condamne aussi durement. *Les Fruits de l'Instruction,* comédie (retravaillée en 1889), satire de la bêtise et de l'ignorance d'une société riche et oisive adonnée au spiritisme. Les gens de maison et les paysans, pleins de bon sens, profitent de la crédulité de leurs maîtres.

1887-1889. *La Sonate à Kreutzer,* nouvelle : condamnation du mariage et de l'amour charnel.

1889-1890. *Le Diable,* nouvelle; un homme marié se suicide pour échapper à la tentation.

1891. Tolstoï déclare publiquement renoncer à ses droits d'auteur pour ses œuvres écrites après 1881.

1891-1893. Traité moral et religieux : *Le Royaume des Cieux est en nous.* Exposé de la doctrine tolstoïenne de non-résistance.

1891, 1893, 1898. En ces années, les gouvernements du centre sont frappés par de terribles famines consécutives aux mauvaises récoltes. Tolstoï participe à l'action d'aide aux paysans et publie à cet effet une série d'articles. Il écrit à Alexandre III, puis à Nicolas II (qui lui a succédé en 1894) pour protester contre les mesures répressives appliquées par le régime tzariste.

1897. *Qu'est-ce que l'art?* Traité théorique condamnant les artifices des arts et des lettres.

1898. *Le Père Serge,* nouvelle : Condamnation de l'orgueil et de la volonté de puissance.

1899. Le roman *Résurrection* paraît dans la revue très

répandue *Niva.* Problème du renouveau moral indi-
viduel et violente critique de la société et des institutions, en particulier de l'Eglise et de la justice.

1900. *Résurrection* paraît en volume, avec de nombreuses coupures. *Le Cadavre vivant,* drame qui expose la pourriture de la famille bourgeoise.

1901. Tolstoï est excommunié par le Saint-Synode.

1901-1902. Après une grave maladie, Tolstoï se rend
en Crimée pour y passer sa convalescence; il y fré-
quente Tchékhov et Gorki.

1903. A *propos de Shakespeare et du drame,* traité critique condamnant violemment l'auteur du *Roi Lear,*
le théâtre et en général toute littérature. *Hadji
Mourat,* nouvelle : épisode de la résistance des mon-
tagnards du Caucase à leurs conquérants russes. Les
êtres simples en face des civilisés.

1905. Octobre. La première révolution russe éclate,
bientôt cruellement réprimée. Ennemi de l'autocratie
et apôtre du renouveau total des hommes et des institutions, Tolstoï ne s'en élève pas moins contre la
révolution : il n'accepte ni la violence de ses moyens,
ni ses préférences pour le prolétariat industriel. Il
préconise le partage des terres entre les paysans,
mais ne veut pas que leur soient accordées les li-
bertés politiques « pervertissantes ».

1908. *Je ne puis me taire!* Révolté par la terrible réaction qui sévit, Tolstoï jette ce cri de véhémente pro-
testation contre les condamnations massives à la
peine capitale. Au cours de ces dernières années, il
n'a cessé de déplorer « l'abomination » de son propre
mode d'existence. Il éprouve le besoin de mettre en
harmonie ses idées et sa vie.

1910. 28 octobre (10 novembre). Il quitte secrètement
Iasnaïa Poliana pour une destination inconnue. Il
tombe malade à la petite station ferroviaire d'Asta-
povo, gouvernement de Riazan. Il meurt le 7 (20) novembre. Ses funérailles civiles se déroulent à Iasnaïa
Poliana le 9 (22) novembre.

BRODARD ET TAUPIN — IMPRIMEUR — RELIEUR
Paris-La Flèche-Coulommiers. — Imprimé en France.
6880-5-8 - Dépôt légal n° 7605, 3e trimestre 1968.
LE LIVRE DE POCHE - 6, avenue Pierre Ier de Serbie - Paris.
30 - 23 - 0638 - 09